रवीन्द्रनाथ त्यागी रचनावली

खण्ड : तीन

खण्ड : एक

व्यंग्य-संसार : खण्ड एक से छह

•खुली धूप में नाव पर (1963) •भित्ति-चित्र (1966) •मल्लीनाथ की परम्परा (1968) •कृष्णवाहन की कथा (1971) •देवदार के पेड़ (1973) •शोक-सभा (1974)

खण्ड : दो

•अतिथि-कक्ष (1977) •फूलों वाला कैक्टस (1978) •सुन्दरकली (1978) •ऋतु-वर्णन (1979) •भद्र पुरुष (1980) •इस देश के लोग (1982) •पद-यात्रा (1985)

खण्ड : तीन

•आत्मलेख (1988) •पराजित पीढ़ी के नाम (1988) •प्रसंगवश (1988)

खण्ड : चार

•विषकन्या (1990) •गणतन्त्र दिवस की शोभायात्रा (1991) •चम्पाकली (1992)

खण्ड : पाँच

•इतिहास का शव (1993) •देश-विदेश की कथा (1994) •भाद्रपद की साँझ (1996) •लाल-पीले फूल (1997)

खण्ड : छह

•बादलों का गाँव (1999) •शेष-अवशेष (2011)

खण्ड : सात

काव्य-संसार

•सूखे और हरे पत्ते (1962) •कल्पवृक्ष (1965) •आदिम राग(1967) •आखिरकार (1978) •सलीब से नाव तक (1983) •अन्तिम बसन्त (1988) •कृष्णपक्ष की पूर्णिमा (1996)

खण्ड : आठ

विविध

•उपन्यास : अपूर्ण कथा (1980) •कहानी (1980) •पत्र (2008) •बाल-साहित्य

रवीन्द्रनाथ त्यागी रचनावली

खण्ड : तीन

सम्पादक

कमल किशोर गोयनका

वाणी प्रकाशन

वाणी प्रकाशन
4695, 21-ए, दरियागंज, नयी दिल्ली 110 002
शाखा
अशोक राजपथ, पटना 800 004
फ़ोन : +91 11 23273167 फ़ैक्स : +91 11 23275710
www.vaniprakashan.in
vaniprakashan@gmail.com
sales@vaniprakashan.in

RAVINDRANATH TYAGI RACHNAWALI-3
Edited by Kamal Kishore Goyanka

ISBN : 978-93-5229-516-6
Rachnawali

प्रथम संस्करण 2016

प्रत्येक खण्ड का मूल्य : ₹ 1000
(आठ खण्ड सेट) सेट मूल्य : ₹ 8000

हर्ष प्रिंटर्स, दिल्ली-110 093 में मुद्रित

वाणी प्रकाशन का लोगो मक़बूल फ़िदा हुसेन की कूची से

अनुक्रम

व्यंग्य-संसार

आत्मलेख (1988)

पराजित पीढ़ी के नाम (1988)

प्रसंगवश (1988)

परिशिष्ट

आत्मलेख
(1988)

जम्मू प्रवास की स्मृति में
प्रिय भाई रमेश मेहता
को
सादर व सस्नेह

सामने वाली सड़क

फ़िलहाल मैं जिस मकान में रहता हूँ, वह एक काफ़ी बड़ी सड़क के एक तट पर स्थित है। फुरसत के वक़्त मैं सिगरेट सुलगाकर कोठी के बरामदे में पड़े एक मूढ़े पर बैठ जाता हूँ और इस सड़क रूपी नदी में बहते हुए प्राणियों को और उनके विभिन्न प्रकार के वाहनों को देखता रहता हूँ। यह शानदार सड़क वैसे भी काफ़ी दिलचस्प किस्म की है क्योंकि एक दिशा में तो यह आपको ज़िला जेल तक पहुँचाती है और दूसरी दिशा में आपको गंगा माता के तट पर छोड़ती है। बहरहाल, दोनों मार्ग खुले हैं: आप जिस जगह जाना चाहते हों, उसी दिशा का मार्ग पकड़ लें।

मैं दूसरी सिगरेट सुलगाता हूँ, सड़क पर जा रही एक सुन्दर युवती को जी भरकर देखता हूँ और सोचने लगता हूँ कि यह जो सड़क है, इसका चरित्र क्या है। और हाँ, चरित्र जानने से पहिले मैं यह जानना चाहता हूँ कि सड़क जो है वह स्त्रीलिंग शब्द है या कि पुंल्लिग। संस्कृत में सड़क के लिए जो शब्द दिये हैं, वे 'मार्ग' या 'पन्थ' किस्म के हैं, जिन्हें आप भूलकर भी स्त्रीलिंग नहीं मान सकते। मगर इसके बर्खिलाफ़ हिन्दी में जो सड़क, डगर और पगडण्डी किस्म के शब्द हैं, वे निश्चित रूप से स्त्रीलिंग ही हैं। निराला ने अपने व्यक्तित्व के अनुसार 'पन्थ' शब्द का काफ़ी प्रयोग किया है (देखा मैंने उसे इलाहाबाद के पथ पर, वह तोड़ती पत्थर) जबकि पन्त ने अपने स्वभाव के अनुसार उसे डगर स्वीकार किया है जो एकदम स्त्रीलिंग है (इठलाती आती ग्राम युवती वह सर्प डगर पर) बहरहाल स्थिति यह है कि 'सड़क' शब्द का वास्तविक लिंग जानना देश के लिए बहुत आवश्यक हो गया है क्योंकि यदि वह स्त्रीलिंग है तो वह चरित्रवती कभी हो ही नहीं सकती। पुरुष के भाग्य को और स्त्रियों के चरित्र को स्वयं ब्रह्मा भी नहीं जानते। चाणक्य और मनु—इन दोनों के अनुसार स्त्रियाँ जो हैं वे सदा से चरित्रहीन ही होती आयी हैं जबकि पुरुष का जो चरित्र होता है, वह कभी भ्रष्ट नहीं होता। मेरी एक युवती-मित्र का कहना है कि पुरुषों के चरित्र भ्रष्ट न होने का प्राकृतिक कारण है और वह कारण यह है कि पुरुषों के पास चरित्र जैसा पदार्थ कभी होता ही नहीं। जब चरित्र होगा ही नहीं, तो वह भ्रष्ट कहाँ से होगा?

मेरे से अगली कोठी में एक शास्त्रीय किस्म के धुरन्धर पण्डित रहते हैं। उनके पास हर प्रश्न का उत्तर है। उनकी वाणी के अनुसार किसी भी सड़क का चरित्र और व्यक्तित्व मात्र इस बात पर निर्भर रहता है कि उस सड़क पर कौन जा रहा है। यदि कोई फटेहाल अन्धा भिखारी हर आते-जाते के सामने अपना दुखड़ा रो रहा है तो सड़क का चरित्र अपने-आप ही 'उत्तर राम चरित' की भाँति करुण हो जाता है। उस भिखारी के स्थान पर यदि कोई नरपुंगव तेल लगी लाठी को घुमाता हुआ पहलवानी अन्दाज़ में गुज़र जाता है तो सड़क का चरित्र भी अपने-आप 'वीरगाथाकालीन' हो जाता है जिसके भीतर सड़क का पुंल्लिग होना भी स्वाभाविक है। जब तक वह पहलवान छाप व्यक्ति विशेष सड़क पर रहेगा, तब तक सड़क जो है वह पुंल्लिग ही रहेगी। व्याकरण की जो तबीयत हो वह उसे कर ले। और साँझ का झुटपुटा होने पर जब कॉलेज की लड़कियाँ हँसती और बतियाती हुई इस सड़क पर गतिशील होंगी तो देव और बिहारी दोनों याद आएँगे और ऐसा लगेगा कि जयदेव और चण्डिदास शायद दोनों इसी वीथी पर निवास करते थे। सड़क पर कोई जुलूस निकलता है तो लगता है कि किसी देश में एक या दो अदद क्रान्तियाँ आ गयी हैं और यदि जुलूस के स्थान पर चार अधनंगे या पूरे नंगे साधु कीर्तन करते हुए प्रकट होते हैं तो सड़क पर चलना तीर्थयात्रा का आनन्द देना शुरू कर देता है। मैं अपने पड़ोसी पण्डित की शास्त्रसम्मत वाणी सुनता हूँ और उनसे सहमत होता हूँ कि राजनीतिक दलों की भाँति सड़क का भी अपना कोई चरित्र नहीं है। जो कोई भी उनके ऊपर चलता है, वही सड़क का चरित्र निश्चित करता है। तर्क को आगे बढ़ाते हुए यह मन्तव्य भी पूरे विश्वास से प्रकट किया जा सकता है कि यदि सड़क किसी समय खाली है तो उतनी देर के लिए वह चरित्रहीन है। व्याकरण और तर्कशास्त्र दोनों आपकी इस उक्ति से सहमत होंगे। सामने वाली इस सड़क की भाँति व्याकरण का भी कोई जवाब नहीं। जुलाब और व्याकरण—इन दोनों चीज़ों से जितना मैं डरता हूँ उसका वर्णन करना कठिन है। इन दोनों चीज़ों का वैसे भी आपसी सम्बन्ध है पर उस चर्चा को मैं अलग से ही करूँगा।

यह सड़क एकदम सरकारी है। पिछली गर्मियों की छुट्टियों में इसका निर्माण हुआ था और इस वर्ष की वर्षा-ऋतु से पहिले ही इसकी मरम्मत का काम भी शुरू हो गया। पता नहीं कि यह एक वर्ष का विरह भी सड़क और ठेकेदार ने अपने-अपने सीने पर पत्थर रखकर कैसे काटा होगा? मेरे कुछ मित्रों ने मुझे सूचना दी है कि इस सड़क की स्थिति तो फिर भी बहुत ठीक है क्योंकि इस देश में तो हज़ारों मील लम्बी सड़कें ऐसी हैं जो कभी बनीं ही नहीं, मगर मरम्मत का ठेका है जो कि उनके लिए भी हर वर्ष बदस्तूर दिया जाता है और लाखों रुपये इस मद पर खर्च किये जाते हैं। सरकार का काम है या कोई मज़ाक़? सरकार के सामने सब कोई बराबर है। सरकार पक्षपात नहीं करती। सरकार उस सड़क

की मरम्मत करवायेगी जो कि पिछले वर्ष बनी थी और सरकार उस सड़क की भी मरम्मत करवायेगी जो कि कभी बनी ही नहीं थी। सरकार का जादू एकदम आपकी समझ में शायद नहीं आयेगा।

मरम्मत की चर्चा समाप्त होने पर मित्र लोग जो हैं वे पगडण्डियों की कथा सुनानी शुरू कर देते हैं। पगडण्डी का अर्थ है 'शॉर्ट कट' यानी कि गन्तव्य स्थान पर सबसे जल्दी पहुँचाने वाला रास्ता। ओलिवर गोल्डस्मिथ ने कहा था कि यात्रा में यदि कोई अच्छा व्यक्ति साथ में हो तो वह सबसे बेहतरीन शॉर्ट कट होता है। 'व्यक्ति' से यदि गोल्डस्मिथ का अभिप्राय किसी रूपवती युवती से था तो कवि की वाणी की सच्चाई मैं आज भी स्वीकार करने को तैयार हूँ। बहरहाल यह एक सच है कि लोग-बाग बड़ी और चौड़ी सड़कों को छोड़ रहे हैं और पगडण्डियों को पकड़ रहे हैं। बड़े-बड़े उद्योगपति और व्यापारी, साहित्यकार और कलाकार, समाजसेवक और नेता लोग—सब-के-सब उस पगडण्डी की तलाश में लगे हैं जिसके द्वारा वे समृद्धि, पुरस्कार और विदेश जाने का अवसर प्राप्त कर सकें। स्थिति नाज़ुक हो गयी है कि सीधे रास्ते पर चलने से कुछ मिलता ही नहीं। चौड़ी सड़क पर धोती पहिनकर चलने वाले पण्डित जी अपना पासपोर्ट व वीज़ा ही बनवाते रहते हैं जबकि मिस रूना लैला जो होती है, वह तब तक दुनिया का चक्कर लगाकर वापिस भी आ जाती है। इधर मैं खुद पडण्डियों की तलाश में हूँ ताकि मैं भी अपने गन्तव्य पर जल्दी पहुँच सकूँ। जब गंगा-स्नान तक के लिए सेठ जी पगडण्डी को पकड़ रहे हैं तो मेरे जैसे साधारण व्यक्ति की क्या हस्ती कि वह चौड़ी सड़क पर चल सके? यहाँ मैं यह सूचना ज़रूर दे दूँ कि सेठों और पगडण्डियों का इतिहास बहुत पुराना है। विष्णु शर्मा ने पंचतन्त्र में खुले शब्दों में कहा था कि ये बड़ी सड़कें छोड़ो और उन पगडण्डियों को पकड़ो जिस पर सेठ लोग चलते हैं। महाजनो येन गतः स पन्थाः। सेठ जी और पगडण्डी के मार्मिक सन्दर्भ में मुझे एक विशिष्ट साहूकार की याद आ रही है जो कभी पगडण्डी पर भी पूरा नहीं चलते थे और फिर भी वे अपने साथियों की अपेक्षा गन्तव्य स्थान पर कहीं पहिले ही पहुँच जाते थे। उनकी सफलता का रहस्य यह था कि वे पगडण्डी पर फिसला करते थे और काफ़ी रास्ता इसी प्रकार पूरा कर लेते थे। कहीं केले के छिलके पर फिसल गये तो कहीं पगडण्डी पर स्थित दलदल का सहारा ले लिया। उनकी यात्रा देखकर मुझे बड़ा सुख मिलता था और प्रेरणा भी काफ़ी मिलती थी। कहीं फिसल रहे हैं तो कहीं लुंगी बाँध रहे हैं। कहीं गद्य और कहीं पद्य। किसी सफ़ेदपोश और सम्भ्रान्त व्यक्ति को फिसलते देखकर खाकसार को हमेशा वही परम सुख मिलता रहा जो कि वेदान्त के अनुसार कभी जीवात्मा को परमात्मा से मिलकर प्राप्त होता था।

मैं कुर्सी से उठा और सीढ़ियाँ उतरकर सड़क पर आ गया। सड़क पर किसी की शवयात्रा जा रही थी। मैंने भीड़ की लम्बाई देखी, बजता हुआ बैण्ड देखा,

बढ़िया कपड़े पहिने मृतक के रिश्तेदारों को निहारा और चमचमाती कारों की कतार देखी। कुल मिलाकर स्थिति यह हो गयी कि मुझे मृतक व्यक्ति से ईर्ष्या होने लगी। अरे, यदि इतनी शानदार शवयात्रा मिलने का निश्चय हो, तो मैं तो मरने को इसी वक़्त तैयार हूँ। अपनी हीन-भावना को दूर करने के लिए मैं लाल-लाल फूलों से लदे एक गुलमुहर के वृक्ष की छाया में बैठ गया और अपनी छोटी वाली शंका का समाधान करने लगा।

स्ट्राइक

पिछले दिनों ऐसे कई समाचार पढ़ने को मिले जो काफ़ी दिलचस्प थे। एक समाचार के अनुसार आस्ट्रिया में एक रेलगाड़ी कई घण्टे इस कारण लेट हो गयी क्योंकि एक डिब्बे में एक नवविवाहित दम्पती एक-दूसरे के साथ प्यार कर रहे थे और उनकी इस प्रक्रिया के दौरान युवती की टाँग डिब्बे में लगे गाड़ी के ब्रेक में कुछ इस तरह उलझ गयी कि गाड़ी को काफ़ी देर तक रुकने के लिए मजबूर होना पड़ा। पढ़ने में घटना कुछ अजीब-सी लगती है मगर वास्तविक बात यह है कि घटना सच्ची है। दिलचस्प ख़बरों के सन्दर्भ में अपना देश भी पीछे नहीं रहा। दिल्ली के बहादुरशाह ज़फ़र मार्ग पर किसी बिजली के मीटर में एक अदद स्वस्थ चूहा इस तरह घुसा कि पूरे इलाके की बिजली घण्टों तक ऑफ़ रही और देश के कुछ प्रमुख समाचारपत्र छपने से रह गये। इसी प्रकार एक विभाग ने जब अपने एक कर्मचारी को दाढ़ी न रखने का आदेश जारी किया तो उस व्यक्ति को अदालत की शरण लेनी पड़ी। अदालत ने बाकायदा स्टे-ऑर्डर दिया कि मामले का फ़ैसला हो जाने तक विभाग उस कर्मचारी को हजामत बनाने के लिए विवश नहीं करेगा। इसी प्रकार एक समाचार पढ़ने को मिला जिसके अनुसार देश के एक प्रसिद्ध मरघट कर्मचारियों ने मुर्दा जलाने के लिए खरीदी लकड़ी में लाखों का गोलमाल सम्पन्न किया। मरघट पर जीवन की क्षणभंगुरता देखकर भी चरित्रवान लोग पैसा बटोरने में पीछे नहीं रहे। मगर ये सारे समाचार उस स्ट्राइक की तुलना में पीछे रह गये जो कि इस नगर के एक बड़े दफ़्तर में सम्पन्न की गयी। अब मैं उस स्ट्राइक की ही चर्चा कुछ विस्तार से करूँगा।

जिस स्ट्राइक की मैं चर्चा करने जा रहा हूँ वह एक ऐसे सरकारी दफ़्तर में सम्पन्न की गयी जिसमें हज़ारों लोग काम करते हैं, सौ से ऊपर अफ़सर हैं, सैकड़ों चपरासी हैं और न जाने कितनी लड़कियाँ ऐसी हैं जिन्हें देखकर काम करने के स्थान पर इश्क करने की तबीयत होती है। जैसाकि दस्तूर है, दफ़्तर में कर्मचारियों की एक यूनियन है जो कि आम रिवाज के अनुसार कर्मचारियों की नाजायज़ माँगों को लेकर हल्ला करती है, दिन में काम न करने वाले कर्मचारियों को ओवरटाइम दिलवाती है और चन्दे में मिली रकम के सहारे ऐश करती है। दफ़्तर के छँटे हुए

रवीन्द्रनाथ त्यागी अपनी लाइब्रेरी में पुत्री इन्दु के साथ

1990

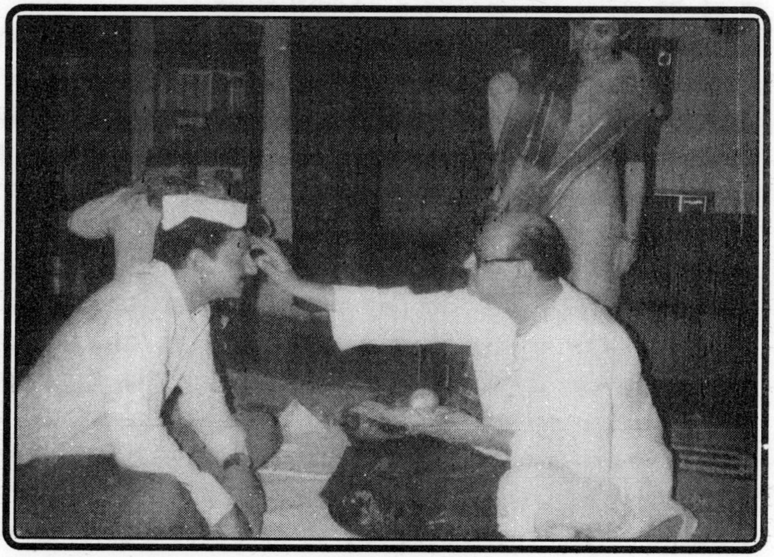

रवीन्द्रनाथ त्यागी अपने दामाद 'राजय' का तिलक करते हुए
साथ में खड़ी देख रही हैं पुत्रवधू 'दीपा'। चित्र खींच रहे हैं पुत्र अशोक
मई 1988

गुण्डे यूनियन के पदाधिकारी हैं और उनमें जो कोई भी सबसे बड़ा बेवकूफ़ है, उसे यूनियन का अध्यक्ष बनाया गया है। जैसाकि दस्तूर है, दफ़्तर में एक अदद बड़ा साहब भी है जिसके नाम से दफ़्तर चलता है। आम रिवाज के मुताबिक वह अफ़सर काफ़ी शिक्षित, शालीन और रोबीला है, अपनी हसीन स्टेनोग्राफ़र से इश्क करता है, महीने में पन्द्रह दिन दौरे पर रहता है और ठेकेदारों से काफ़ी मोटी रकम बतौर रिश्वत बराबर वसूल करता है। उसका सबसे बड़ा गुण तो यह है कि जहाँ एक तरफ़ वह अपनी सगी पत्नी को माता की तरह देखता है, वहाँ दूसरी तरफ़ स्थिति यह है कि वह दूसरों की माताओं को भी पत्नी का दर्ज़ा देना चाहता है। दफ़्तर में स्ट्राइक जो हुई, वह यूनियन और बड़े साहब के टकराव से ही शुरू हुई।

इस ऐतिहासिक टकराव का असली कारण क्या था, इस मुद्दे को लेकर अभी शोध और खोज होनी बाकी है। बाहर से सिर्फ़ इतना मालूम हुआ है कि दिन के लगभग एक बजे जब बड़े साहब लंच पर जाने के लिए कार में बैठ रहे थे, तब यूनियन के अध्यक्ष उनकी गाड़ी के सामने लेट गयें। यूनियन वालों का कहना है कि उनके अध्यक्ष ने बड़े साहब को नमस्ते की जिसका उन्होंने कोई उत्तर नहीं दिया और यूनियन के अध्यक्ष ने बड़े साहब से मिलने के लिए समय माँगा जिसे साहब ने मना कर दिया। ये ही वे कारण थे जिन्होंने यूनियन के अध्यक्ष को साहब की गाड़ी के सामने लेटने को विवश कर दिया। बड़े साहब का कहना था कि उन्होंने किसी को प्रणाम करते हुए नहीं देखा और न समय देने के लिए मना ही किया। इनमें से किसकी बात ठीक थी, कहना कठिन है क्योंकि स्थिति यह है कि बाकी तमाम कर्मियों के बावजूद दोनों व्यक्ति सच बोलने वाले थे। बहरहाल यूनियन वालों ने धमकी दी कि बिना उनसे बात किये साहब दफ़्तर नहीं छोड़ सकते जिसके जवाब में बड़े साहब ने कहा कि कुछ भी क्यों न हो जाए, दबाव में आकर वे किसी से बात नहीं कर सकते। इतना कहने के बाद बड़े साहब अपने चैम्बर में चले गये और यूनियन वाले बाहर घास के लॉन पर इकट्ठे हो गये। दफ़्तर में लंच हो गया और सैकड़ों कर्मचारी यूनियन वालों की तारीफ़ में कसीदे कहने लगे। बड़े आदमी के प्रति निचले कर्मचारियों की जो हीन भावना होती है, वह बड़ी ख़तरनाक चीज़ होती है। काफ़ी लोगों को यह जानकर हार्दिक सन्तोष हुआ कि बड़ा साहब जो है वह बिना लंच किये अपने कमरे में बैठा है। स्टाफ के कुछ शान्तिप्रिय व्यक्तियों ने कोशिश की कि साहब यूनियन वालों से बात कर लें या यूनियन वाले ही साहब को लंच पर जाने दें पर किसी भी पार्टी ने झुकने से इनकार कर दिया। वह क्या बात थी जिसके लिए यूनियन वाले बड़े साहब से मिलना चाहते थे, इसका पता किसी को आज तक नहीं लगा।

तनाव धीरे-धीरे बढ़ता गया। दफ़्तर में काम बन्द हो गया और हज़ारों कर्मचारी दफ़्तर के बाहर इकट्ठे हो गये। यूनियन वालों ने माइक मँगवा लिया और बड़े

साहब को लेकर मुर्दाबाद के नारे लगाने शुरू कर दिये। इसके बाद भाषण हुए जिसमें बताया गया कि दफ़्तर की इमारत छोटी है और इसे तुरन्त बड़ा करना चाहिए और जिन लोगों के मेडिकल बिल प्रशासन के पास पड़े हैं, वे आज ही पास होने चाहिए। असलियत यह थी कि किसी को यह सूझ ही नहीं रहा था कि क्या कहा जाए क्योंकि जहाँ तक प्रशासन का प्रश्न था, बड़े साहब काफ़ी सख़्त और ज़िम्मेदार किस्म के अफ़सर थे। दफ़्तर की इमारत पिछले बीस वर्षों से छोटी थी और उसे एकदम कोई भी बड़ा नहीं कर सकता था। यह भी सच था कि जो मेडिकल बिल पास नहीं किये जा रहे थे, उनमें से अधिकांश वैसे भी झूठे थे। मगर पब्लिक को इस सबसे कुछ नहीं लेना-देना था। उन्हें तो आवारागर्दी के वातावरण में ऐसा सुख प्राप्त हो रहा था जिसे शब्दों में नहीं बाँधा जा सकता। दफ़्तर में ही पिकनिक का मज़ा आने लगे तो उससे बड़ी और क्या चीज़ हो सकती है? पिकनिक और तनाव का यह वातावरण पाँच बजे के बाद ख़त्म होने लगा क्योंकि लोग घर लौटने लगे। बड़े साहब को शाम के सात बजे तक चैम्बर से नहीं निकलने दिया गया और उसके बाद भी वे घर तभी जा पाये जबकि पुलिस आ गयी।

घटना के अगले दिन रविवार की छुट्टी थी। सोमवार की सुबह जब दफ़्तर खुला तो सब कुछ एकदम नॉर्मल था। बड़े साहब दफ़्तर में आये और फ़ाइलें निबटाने लगे। यूनियन के लोग आये, अपने-अपने सेक्शनों में गये और काम करने लगे। यूनियन के काफ़ी लोगों ने महसूस किया कि उन्होंने बड़े साहब के साथ जो किया, वह गलत था। वे लोग बड़े साहब के चैम्बर में गये और माफ़ी माँगने लगे। बड़े साहब ने बड़ी खुशी ज़ाहिर की, अपनी तरफ़ से भी गलतफ़हमी के लिए माफ़ी माँगी और सबको चाय पिलायी। यूनियन का अध्यक्ष भी बड़े साहब से माफ़ी माँगना चाहता था मगर उसे कुछ गलत किस्म के बाबू लोगों ने रोक लिया। उन सब लोगों की सबसे बड़ी दलील यह थी कि यूनियन का अध्यक्ष जो कि पंक्तिपावन ब्राह्मण था, वह बड़े साहब से जो कि इत्तफ़ाक से अनुसूचित जाति के थे, कैसे माफ़ी माँग सकता था। यूनियन का अध्यक्ष जो जन्मजात मूर्ख था और इसी कारण अध्यक्ष बनाया गया था, उन लोगों की बातों में आ गया और बड़े साहब के पास नहीं गया। उधर स्थिति यह थी कि दफ़्तर के कुछ अफ़सर जो कि यूनियन के पदाधिकारियों के साथ नितान्त व्यक्तिगत दुश्मनी रखते थे, बड़े साहब के पास गये और कहने लगे कि यूनियन के नेताओं के साथ सख़्त कार्रवाई करनी चाहिए। उनकी सबसे बड़ी दलील यह थी कि यदि ऐसा व्यवहार बड़े साहब के साथ किया जा सकता है तो बाकी अफ़सरों की स्थिति क्या होगी? बड़े साहब ने बताया कि वे सब लोगों को माफ कर चुके हैं और ऐसा करने के बाद उनके ख़िलाफ़ कोई ऐक्शन लेना नैतिक दृष्टि से अनुचित होगा। उनकी इस बात का जवाब एक अफ़सर ने—जो कि व्यक्तिगत जीवन में हर तरह से भ्रष्ट था—दिया और कहा कि यूनियन का अध्यक्ष

अभी तक माफ़ी माँगने नहीं आया और कम-से-कम उसके ख़िलाफ़ तो कार्रवाई करनी ही चाहिए। काफ़ी बहस और बातचीत के बाद बड़े साहब ने वही किया जो कि गलत किस्म के अफ़सर चाहते थे। यूनियन के कई लोगों को ऐसे सेक्शनों में लगाया गया, जहाँ कि घूस चलती थी और यूनियन के अध्यक्ष को मुअत्तिल कर दिया गया। यह भी निश्चित किया गया कि दफ़्तर में एक यूनियन और बनानी चाहिए। यदि दो यूनियनें होंगी तो आपस में ही लड़ती रहेंगी और प्रशासन को किसी किस्म के ख़तरे का डर हर्गिज़ नहीं रहेगा।

यूनियन के अध्यक्ष को मुअत्तिल करने की ख़बर सारे दफ़्तर में फैल गयी। जिन लोगों को घूस मिलने वाली जगह नियुक्त किया गया था या जिन्हें नयी यूनियन में नियुक्त होने की आशा थी, वे चुप हो गये और बाकी लोग उस बेचारे अध्यक्ष का साहस बढ़ाने लगे जो कि अकेला रह गया था। अध्यक्ष ने सलाह दी कि पूरा दफ़्तर हड़ताल करे और विद्रोहियों का बहिष्कार करे। कुछ लोगों ने सलाह दी कि बड़े साहब को चैम्बर से खींचकर बाहर निकाला जाए और फिर उन्हें सबके सामने पूरी तरह नंगा किया जाए। स्थिति यह हो गयी कि हर एक व्यक्ति अपना अलग-अलग सुझाव देने लगा और इसी बीच दफ़्तर में पुलिस आ गयी जिसे एहतियात के लिए बड़े साहब के हुक्म पर बुलाया गया था। यूनियन के अध्यक्ष ने सारी स्थिति देखी, समझी और ऐलान किया कि वह आमरण अनशन पर दफ़्तर के बाहर बैठेगा और तब तक बैठा रहेगा जब तक कि बड़े साहब सबके सामने उससे माफ़ी नहीं माँगेंगे।

भूख-हड़ताल के ऐलान का दफ़्तर के प्रशासन पर तुरन्त असर हुआ। बड़े साहब तो पन्द्रह दिन के दौरे पर हवाई जहाज़ से निकल गये और कुछ वफादार कर्मचारियों ने यह निश्चय किया कि वे हड़ताल की पूरी अवधि में अध्यक्ष की देख-रेख करेंगे और यह निश्चित करेंगे कि उसकी भूख-हड़ताल सच्ची ही हो और उस राजनीतिक नेता की भूख-हड़ताल की तरह न हो जो कि बगैर कुछ खाये-पिये पैंसठ दिन भूख-हड़ताल पर रहा था और फिर भी पूरी तरह ज़िन्दा और स्वस्थ निकला था। बहरहाल भूख-हड़ताल शुरू हुई। अध्यक्ष को मालाएँ पहिनायी गयीं, बड़े साहब को 'मुर्दाबाद' के नारे लगाकर याद किया गया और एक सज्जन हारमोनियम पर भगवान की स्तुति का गीत गाने लगे। भूख-हड़ताल पर बैठे अध्यक्ष के चारों तरफ़ भीड़ रहने लगी और वह ग़रीब अपनी गलती महसूस करने लगा। वह वाकई भूखा रहा और छः दिन बाद स्थिति इतनी गम्भीर हो गयी कि पुलिस आयी और उसे एम्बुलैंस में डालकर अस्पताल ले गयी। अस्पताल जाने की प्रक्रिया ही में भूख-हड़ताल पर बैठे उस बाबू की मृत्यु हो गयी। वह अपनी झूठी शान के लिए शहीद हो गया और अपनी पत्नी, चार बच्चे और बूढ़े माँ-बाप को छोड़कर दुनिया से चला गया। दफ़्तर में शानदार शोकसभा हुई और कुछ लोगों ने मरने वाले को लेकर अपनी-अपनी ताज़ी ग़ज़लें पेश कीं। मरने वाले के परिवार के लिए बड़े साहब ने चन्दा इकट्ठा करवाया

और उसके लिए पाँच सौ रुपये खुद भी दिये। मरने वाले के प्रोविडेण्ट फण्ड और परिवार पेंशन वगैर के लिए भी सब कुछ किया गया और थोड़े दिनों बाद लोग बड़े साहब के पहिले से भी ज़्यादा प्रशंसक हो गये।

यूनियन के अध्यक्ष की मृत्यु को लेकर, श्रमजीवी लोगों की महायूनियन की तरफ़ से विधानसभा में प्रश्न पूछे गये और सरकार ने एक अवकाश-प्राप्त जज को पूरी घटना की जाँच के लिए नियुक्त किया। सब लोगों को आशा है कि आयोग अपनी विस्तृत रिपोर्ट पाँच वर्ष में ज़रूर दे देगा। बड़े साहब का प्रोमोशन और तबादला हो गया और धीरे-धीरे लोग उस मरने वाले बाबू और उसके परिवार के सदस्यों को पूरी तरह भूल गये।

सन्निपात : एक नयी किस्म का

जैसाकि हममें से काफ़ी लोग जानते हैं, आयुर्वेद काफ़ी पुरानी चीज़ है। आयुर्वेद में सन्निपात की काफ़ी चर्चा की गयी है, जिससे ज़ाहिर होता है कि सन्निपात आयुर्वेद से भी पुरानी चीज़ है। हालाँकि आयुर्वेद में अनेक प्रकार के सन्निपातों की चर्चा की गयी है फिर भी उस तरह के सन्निपात वहाँ छूट गये हैं जो बाद में सभ्यता के कारण प्रकाश में आये। 'निर्वाचन सन्निपात' या 'इलेक्शन फीवर' इसी प्रकार के सन्निपातों में आता है। यूँ तो यह बीमारी इक्के-दुक्के आदमियों को हमेशा सताती रहती है, पर आम चुनावों के दिनों में तो यह राष्ट्रीय समस्या का ही रूप धारण कर लेती है। उन दिनों यह रोग महामारी के रूप में हर गाँव, शहर और कस्बे में इस जोरों से फैलता है कि बाकी सारी समस्याएँ पृष्ठभूमि में चली जाती हैं।

इस प्रकार का सन्निपात काफ़ी भयंकर होता है। बीमारी की अन्तिम तिथियाँ यद्यपि पहिले से निश्चित होती हैं, पर जहाँ तक बीमारी के लक्षणों का प्रश्न है, वे उन तिथियों से काफ़ी पहले प्रकट होना शुरू कर देते हैं। इस रोग में रोगी प्रायः चीखता है, चिल्लाता है और कपड़े फाड़ता है। पैसे से उसका मोह अचानक छूट जाता है, सारे देश के लोग उसे सहसा सगे भाई के समान दीखने लगते हैं और अपने निजी बच्चों की एक या दो अदद अम्माओं को छोड़कर देश की शेष सारी स्त्रियाँ सहसा माताएँ व बहनें सरीखी दृष्टिगोचर होने लगती हैं। देशभक्ति के तन्दुरुस्त कीटाणु कभी-कभी तो रक्त में इतने ज़ोर से उछल-कूद करना शुरू कर देते हैं कि रोगी का रक्त-चाप बढ़ जाता है, वह जीप लेकर गाँव-गाँव घूमने लगता है, जहाँ चार आदमी इकट्ठे देखे, वहीं गला फाड़-फाड़कर चिल्लाने लगता है, वगैरह-वगैरह। इस प्रकार का रोगी न तो चुप रह सकता है और न शान्त। वह हर एक के सामने हाथ जोड़ता है और इसी कोशिश में रहता है कि शहर की सारी फूलमालाएँ उसी के गले में पड़ें, शहर के सारे बच्चे उसके जुलूस में शामिल हों, शहर की हर दीवार पर उसका विज्ञापन चिपके, यहाँ तक कि यह भी कोशिश करता है कि सिनेमाघरों में उसका स्लाइड दिखाया जाए और डाकगाड़ी के इंजन पर उसकी फोटो चिपके। भयंकर होने के साथ-साथ यह रोग संक्रामक भी होता है। नतीजा यह होता है कि

जहाँ प्रमुख रोगी (जिसे तकनीकी भाषा में उम्मीदवार कहा जाता है) सिर्फ़ एक होता है, उसके सैकड़ों-हज़ारों ऐसे साथी और सहयोगी होते हैं, जो इस बीमारी में मुब्तला होते हैं। इनकी बीमारी कभी-कभी तो प्रमुख रोगी से भी ज़्यादा तीव्र होती देखी गयी है। एक और बात इस बीमारी में यह है कि जिसे यह रोग एक दफा लग गया, वह बार-बार इसका शिकार होता रहता है। सन्तोष की बात इतनी ही है कि बीमारी की तिथियों के बाद प्रत्येक देशभक्त अपने सामान्य चरित्र पर आ जाता है और सीमेण्ट में रेत मिलाना, किसानों की भूमि बेदखल करना, रेहन पर सामान रखना, नगर-बन्धुओं से निकटतम सम्पर्क रखना, दोस्तों-एहबाबों के साथ पीना-पिलाना, यानी कि एक स्वस्थ व ज़िम्मेदार नागरिक के जो भी दैनिक लक्षण हैं—वे फिर वापस आ जाते हैं।

इस बीमारी का परिचय निकट से मुझे तब मिला जब कि ठाकुर साहब इलेक्शन के लिए खड़े हुए। बात यूँ हुई कि दीवाली पर शिकार खेलने के बाद ठाकुर की ज़िन्दगी कुछ शिथिल-सी हो गयी थी जो उस जैसे कर्मठ व्यक्ति को असह्य थी। ठाकुर ठहरा वीर रस मार्का व्यक्ति; जब तक कविता सुनकर उसका हाथ अपनी मूँछों या कवि जी की गर्दन पर न पड़ा तो कविता ही क्या? उधर आम चुनाव के दिन आ गये। नतीजा यह हुआ कि ठाकुर को हम लोगों ने पढ़ाना शुरू किया कि वह इलेक्शन के लिए खड़ा हो जाए। पहले तो ठाकुर ने बहुत आनाकानी की। यश की लिप्सा उसमें हमेशा से कम रही है, बचपन से लेकर अब तक काफ़ी काम जो उसने किये हैं, वे या तो बगैर नाम बताये किये हैं, या गलत नाम बताकर किये हैं। ऐसे गुप्तदानी व्यक्ति को चुनाव के लिए खड़ा करना ठीक ऐसा ही है जैसे किसी पर्दानशीन लड़की को ब्यूटी परेड में खड़ा करना। मगर जैसे कि पर्दानशीन लड़कियाँ मान जाती हैं, वैसे ही ठाकुर साहब भी मान गये। सवाल यह रहा कि इलेक्शन लड़ा जाए, तो किस पद के लिए लड़ा जाए?

विधान के अनुसार ठाकुर साहब किसी भी पद के लिए खड़े हो सकते थे। जब वर्मा जी ने उन्हें राष्ट्रपति पद के लिए नाम देने को कहा तो ठाकुर को कोई खास खुशी नहीं हुई। उन्होंने एक बार राष्ट्रपति भवन देखा था और उनका ख़याल था कि जब तक उसके फालतू हिस्से प्राइवेट तौर पर राष्ट्रपति किराये पर न उठाये तब तक राष्ट्रपति बनने से क्या फ़ायदा? दूसरे राष्ट्रपति भवन के बाडीगार्ड, खानसामा, बटलर, नौकर-चाकर—सभी की मूँछें ठाकुर की पुश्तैनी मूँछों से कहीं ज़्यादा बड़ी थीं और ऐसे लोगों के साथ एक ही मकान में रहना ठाकुर को हर्गिज़ पसन्द नहीं था। लोकसभा के लिए वे कुछ-कुछ तैयार लगते थे, पर जब मित्रों ने बताया कि हाथापाई की घटनाएँ और गाली-गलौज की वारदातें विधानसभा में ज़्यादा होती हैं तो वे निस्संकोच विधानसभा के लिए तैयार हो गये।

ठाकुर निर्दलीय उम्मीदवार के रूप में खड़े होने थे। उनके विरोधियों में एक

कांग्रेसी थे, एक हरिजन थे और एक महिला थीं जो किसी साम्प्रदायिक दल का नेतृत्व कर रही थीं। ठाकुर को बड़ा बुरा लगा कि उनके विरोधियों में कोई भी ऐसी किस्म का आदमी या औरत नहीं था जो इलेक्शन में तेज़ी ला सकता। अब यहाँ क्या लड़ें—एक हरिजन है और एक महिला, हारी या जीती, जीवन धन्य ही धन्य है। ठाकुर ने तो हाथ-पैर डाल ही दिये थे, मगर हम लोगों ने उसे फिर भी मना लिया। बात यह थी कि जैसे ही हमने बताया कि एम.एल.ए होने पर सरकारी खर्च पर दौरा करने को ख़ूब मिलेगा, वे फौरन तैयार हो गये। वास्तविकता तो यह है कि घूमने-फिरने का शौक ठाकुर को बचपन से है। मिडिल स्कूल के दिनों में भी वह हेडमास्टर की गाय के साथ काँजी हाउस तक घूमने रोज़ जाया करता था।

इलेक्शन का बुख़ार ठाकुर को ख़ूब ज़ोर से चढ़ा। सामान्य रोगी से ज़्यादा तीव्र लक्षण प्रकट होने शुरू हुए। खादी के कपड़े सिले, हवेली के बाहर 'स्वागतम्' टाँगा गया, हर आने-जाने वाले के लिए हर समय नाश्ते का प्रबन्ध किया गया, ग्रामसेविका को सबके सामने 'बहिन जी, बहिन जी' कहना शुरू किया गया, और हाथापाई के प्रोग्रामों को अनिश्चित काल के लिए स्थगित कर दिया गया। पंचसाला योजना, देहात की ओर, अछूतोद्धार इत्यादि किताबें भी खरीद ली गयीं। गाँव-गाँव का दौरा शुरू हुआ, भाषण शुरू हुए। भाषण के मामले में ठाकुर ने बड़े गुल खिलाये। हमें तो उम्मीद ही नहीं थी कि सिवा गाली-गलौज के ठाकुर साहब पाँच मिनट से ज़्यादा कुछ और भी बोल सकते थे। पर जैसाकि पता चला, हम गलत थे। ठाकुर को भाषण देना आता था और ख़ूब आता था। इस दिशा में वह वैसे भी काफ़ी सतर्क था; जैसी जनता होती थी वैसा ही भाषण करता था। स्त्रियों के सामने परिवार नियोजन पर भाषण दिया जाता था और काफ़ी गूढ़ बातें निहायत सरल भाषा में समझाने की कोशिश की जाती थी। बूढ़ों के सामने ठाकुर स्वर्ग की महिमा बताता था और संक्षेप में सलाह देता था कि देश के हित में यही उचित है कि सत्तर साल से ऊपर के आदमी ठाकुर को वोट दें और गंगा में डुबकी लगाएँ। यह जन्म भी सफल होगा और अगला भी। जनसंख्या जो घटेगी, सो अलग। उसके कुछ भाषण मुझे भी बहुत मौलिक लगे थे, खास कर वे, जिनमें उसने भाषा की समस्या के बारे में सुझाव दिया था कि अंग्रेज़ी को हिन्दी लिपि में लिखा जाए। ऐसा करने से अंग्रेज़ी भी देश में रहेगी और हिन्दी भी राष्ट्रभाषा के पद से नीचे नहीं उतरेगी। अन्न की कमी पर रोशनी डालते हुए उसने कहा था कि यदि हर एक परिवार एक महीने में थोड़ी-बहुत मेहमानदारी करे (यानी कि अपने घर खाना न खाकर कहीं और खा आये) तो साफ़ तौर पर अन्न की काफ़ी बचत हो सकती है। उसके ये भाषण ग्रामीण क्षेत्र में काफ़ी पसन्द किये गये और शहर के समाचारपत्रों में भी उसके बारे में प्रशंसात्मक टिप्पणियाँ छपीं। एक-दो लोकल शायरों ने उसकी तारीफ़ में कसीदे भी लिखे जो प्राइमरी स्कूल में कोरस की तरह गाये गये।

भाषण वगैरह से जो समय बचता था, वह शेष समस्याओं के समाधान में लगाया जाता था, जैसे कि चुनाव-चिह्न क्या हो, पोलिंग बूथ पर कहाँ-कहाँ किसकी ड्यूटी लगायी जाए, सड़े टमाटर और अण्डों का स्टाक कहाँ रखा जाए, विरोधीदल के लोगों को कहाँ-कहाँ नज़रबन्द किया जाए, वगैरह-वगैरह। चुनावचिह्न बकरी चुना गया। वह वर्मा जी की उस बकरी के कारण किया गया जिसके दूध के प्रताप से वर्मा जी ने एक बार शेर का शिकार किया था। इस बकरी को वर्मा जी जंगल से घर ले आये थे ताकि जब कभी भी शेर के शिकार को तबीयत हो, वे उसका थोड़ा-बहुत दूध पी लिया करें। ठाकुर ने यह भी इच्छा प्रकट की कि उनकी खुद की ड्यूटी जनाने बूथ पर ज़्यादा मात्रा में रहेगी।

इसके बाद जुलूस निकलने शुरू हुए। उन दिनों मैं वहीं था। कांग्रेस के उम्मीदवार के जुलूस के आगे दो बैलों की जोड़ी चलती थी। बैलों की पीठ पर माइक लगा था जो बोलता था–"वोट हमारा कहाँ पड़ेगा, दो बैलों की जोड़ी में।" इसके पीछे हरिजन भाई थे। इनका चिनाव चिह्न था लालटेन। एक अदद लालटेन इनके गले में पड़ी थी। वे आगे-आगे चलते थे और उनके सहयोगी पीछे-पीछे। जहाँ लालटेन की बत्ती बुझ जाती थी या तेल ख़त्म हो जाता था, वहाँ कोई देशभक्त आगे बढ़कर उसे ठीक करता था। इस सिलसिले में थोड़ी-बहुत देर भी होती थी। एक बार ज़्यादा देर भी लगी थी और वह तब जबकि किसी के टमाटर से लालटेन की चिमनी फूट गयी थी। ऐसी स्थिति का सामना करने के लिए एक साहब चन्द चिमनियाँ लिये साथ-साथ चलते थे। फिर ठाकुर का जुलूस था। आगे-आगे वर्मा जी की बकरी, पीछे-पीछे शेर जैसे ठाकुर।

इसके बाद का पता मुझे नहीं कि क्या हुआ क्योंकि छुट्टियाँ ख़त्म होने के कारण मैं फिर प्रयाग चला आया। एक साहब ने इतना ज़रूर बाद में बताया कि कुल मिलाकर मज़ा काफ़ी रहा। एक जुलूस में बैलों की जोड़ी ने कुछ इस किस्म का गोबर किया कि चन्द नेता लोग बिना तकल्लुफ के कई दिन खुलेआम वहाँ फिसलते रहे। लालटेनवाले भाई के साथ भी लोगों ने कहीं-कहीं सख़्ती दिखायी, मगर वे थे एक ही चरित्रवान व्यक्ति; पीछे नहीं हटे। एक जगह पर तो एक साहब ने उनके गले से लालटेन ही खींचनी चाही, मगर इनका चरित्र देखिए, न तो लालटेन ही गर्दन से निकलने दी और न तेल ही बिखरने दिया। हाँ, अलबत्ता इस खींचातानी में लालटेन की बत्ती ज़रूर कुछ ज़्यादा हो गयी जिसके कारण नेता जी का वर्तमान उनके भविष्य से भी पहिले काफ़ी उज्ज्वल होता दिखाई दिया।

सबसे बड़ा हादसा ठाकुर के साथ हुआ। शुरू-शुरू में बकरी ने बड़ा सहयोग दिया, उसने एक साथ कई बच्चे दिये, जो मुख़्तलिफ़ जुलूसों में नेतृत्व कर सकते थे, पर ठीक इलेक्शन के दिन उनकी बकरी किसी ने चुरा ली। ठाकुर को जो नुक़सान हुआ वह तो हुआ ही, वर्मा जी बेचारे शेर के शिकार से उम्र-भर के लिए गये।

नाहक गौन दिये मोर बाबा

कभी-कभी कहा जाता है कि हमारे देश की स्त्रियाँ पतियों से बड़ा प्यार करती हैं। मेरे विचार से अगर यह स्थिति सच भी है, तो भी इसमें कोई ऐसी बात नहीं, जिस पर विस्मय करने की ज़रूरत पड़े। पत्नियाँ यदि पति से प्रेम नहीं करेंगी तो और किससे करेंगी? हाँ, अलबत्ता यह बात अलग है कि किसी-किसी स्थिति में वह पति, जिससे वे प्रेम करती हैं, उनका अपना ही होता है, मगर इसके लिए भी सारा दोष स्त्रियों को ही देने से कोई लाभ नहीं। किसी-किसी स्थिति में पति होता ही ऐसा है कि बिना प्यार किये रहा नहीं जाता। इस सन्दर्भ में मैं आज आपको कुछ लोकगीत सुनवाता हूँ:

नाहक गौन दिये मोर बाबा
बालक कन्त हमार रे।
चीलर अस दुई देवर हमरे
बलमा मुसे अनुहार रे।
तेलवा लगायउँ बुकउवा लगायऊँ
खटिया प दिहेउँ ओलार रे।
नेपे-नेपे आइ बिलरिया सवतिया
लइ गयी बलमा हमार रे।
सास मोरी रोवइ ननद मोरी रोवइ
रोवइ हमारी बलाइ रे।
कोठवा में ढूँढ़े उ, अटरिया में ढूँढ़े उ
खटिया तरे रिरिआउँ रे।

हाय, मेरे बाबा ने मेरा गौना नाहक ही किया, मेरा पति तो अभी तक बिल्कुल बालक है। मेरे दो देवर हैं जो चीलर जैसे हैं और मेरा पति चूहे जैसा है। एक दिन मैंने पति को उबटन लगाया, तेल लगाया और फिर खाट पर सुला दिया। बिल्ली सौत आयी और मेरे पति को ले गयी। मेरी सास रोती है, ननद रोती है पर मैं क्यों रोऊँ? मेरी बला रोये। कोठे में ढूँढ़ा, अटारी पर खोजा, अन्त में देखा तो पति खाट

के नीचे पड़ा रिरिया रहा है।

दूसरा गीत इस प्रकार है:

बनवारी हो, हमरा क लरिका भतार।
लरिका भतार लेके सुतली ओसरवाँ
बनवारी हो, रहरी में बोलेला सियार।
खोले के तो चोली बन्द खोले ला किवार
बनवारी हो, जरि गैले एड़ी से कपार।

हे बनवारी, मेरा पति अभी लड़का है। ओसारे में मैं उसे लेकर सोयी कि तभी गीदड़ अरहर के खेतों में बोल पड़ा। मेरा पति उसकी बोली सुनकर रोने लगा। मेरा तो एड़ी से कपाल तक जल गया।

इसका विपरीत चित्र देखिए :

बरहै बरिसवा के मोरी रंगरैली
असिया बरस क दामाद
निकरि न आवै तू मोरी रंगरैली
अजगर ठाड़ दुआर।
बाहर किचकिच आँगन किचकिच
बुढ़ऊ गिरे मुँह बाय
सात सखी मिली बुढ़ऊ उठावें
बुढ़ऊ क सरग दिखाय।

बारह बरस की पली हुई कन्या है और अस्सी वर्ष का दामाद है। मेरी प्यार में पली बेटी, ज़रा बाहर तो आओ, देखो द्वार पर अजगर खड़ा है। बाहर कीचड़ है, आँगन में कीचड़ है, बुड्ढा दामाद मुँह बाकर गिर पड़ा। सात सखियाँ उसे मिलकर उठाती हैं, पर उसे तो स्वर्ग दीखता है।

पति प्रेम का एक आदर्शवादी चित्र और देखिए :

दरुआ भकोसि सड़किया प गिरबे
देबे आपन दँतवा निपोरि
मुँहवाँ कुकुर चाटै, रुचि-रुचि चाटै
हँसि देई सगरी बाज़ार।
डिपटी साहेब के नाहीं जानल बेहरकू
गारी दीहैं पनर हज़ार
अन्हरी में अन्हरू तु देवे जुरमनवाँ
बिकि जइहैं झुलनी हमार।
बुढ़वा बाप तोर करेला नौकरिया
माई तोर जाँता पिसि खाय

परई में दालि-भात पुरवा में पानी
ई गति भइली तोहार।
बार-बार तोकि बरजीं बलमुआ
तुं जनि कलवरियाँ में जाय
छे के पियदवा अँधेरिया मजिटरी
में दिहें जुरमनवाँ कराय।

दारू पीकर सड़क पर गिरोगे और दाँत निकालोगे; कुत्ते मुँह चाटेंगे और बाज़ार हँसेगा। डिप्टी साहब पन्द्रह हज़ार गालियाँ देंगे। जुर्माना देने में मेरी झुलनी बिक जाएगी। तुम्हारा बुड्ढा बाप नौकरी करता है, माँ चक्की पीसकर खाती है। तुम मिट्टी के बर्तन में दाल-भात खाते हो और कुल्हड़ में पानी पीते हो। हे मेरे स्वामी, तुम कलवार के घर मत जाया करो। प्यादे तुमको ले जाएँगे और ऑनरेरी मैजिस्ट्रैट की अदालत तुम पर जुर्माना कर देगी।

ऊपर लिखे लोकगीतों से पता चलता है कि स्त्रियाँ अपने पति से क्यों प्यार करती हैं। खास तौर से वह छोटे पति वाला गीत तो बड़ा ही मार्मिक है। इस प्रकार के पति के साथ पत्नी का प्रेम एकदम शुद्ध और पवित्र होता है, वासना की उसमें तनिक भी गन्ध नहीं होती।

प्रियतम का यह भोलापन और 'सादा जीवन उच्च विचार' वाली यह मनोवृत्ति युवती को विवश कर देती थी कि वह उसे प्रेम का मार्ग कभी-कभी लालटेन लेकर दिखाये। इस स्थिति की झाँकी इस प्रकार है :

नज़र भर हेरत काहे नइयाँ?
हम तो राजा पिया बन की हिरनियाँ
तुम ठाकुर के लरिका
तुपक तीर मारत काये नइयाँ?
हम तो राजा पिया जल की मछरिया
तुम ढीमर के लरिका
झमक जाल डारत काये नइयाँ?
नज़र भर हेरत काये नइयाँ?

ओ मेरे राजा पिया, मुझे आँख भर क्यों नहीं देखते? मैं तो वन की हिरनी हूँ और तुम ठाकुर के लड़के हो। तुम तोप और तीर से मेरा शिकार क्यों नहीं करते? हे राजा, मैं तो जल की मछली हूँ, तुम हो मल्लाह के लड़के, झटपट जाल डालकर मुझे फँसा क्यों नहीं लेते?

अब अगर यदि पति देवता वैसे ही हुए कि अरहर के खेत में सियार की बोली सुनकर बिलख-बिलखकर रोने लगें तो बताइए ऊपर लिखे प्रश्न का क्या उत्तर दें? इस तरह के पति जब तक जवान होते थे, तब तक पत्नी माता के तुल्य हो जाती थी।

कहने का अभिप्राय यह है कि प्रेम हर हालत में पवित्र और निष्कलंक ही रहता था।

इस सन्दर्भ में एक बात आपको और बता दूँ। ऊपर बताये जैसे पति पाने की सुविधा देश में हर स्थान में नहीं पायी जाती। कुछ लोग ऐसे घाघ किस्म के हैं कि लड़की बड़े अनुभवसिद्ध वर को देते हैं। 'कोरक' जाति इस चौकन्नेपन के लिए बहुत प्रख्यात है। इनके यहाँ लमसेना नाम की प्रथा होती है। इस प्रथा में लड़की का पिता लड़की के विवाह योग्य हो जाने पर किसी अच्छे लड़के को अपने घर में रख लेता है, जहाँ उसे छह मास से एक वर्ष तक रहना होता है। यह समय 'एप्रेण्टिसशिप' का होता है, जिसमें लड़का गृहस्थाश्रम के नियम-उपनियम सीखता है और उस विषय में परीक्षा भी पास करता है। यदि सालभर में पौत्र आने की कोई सम्भावना हो गयी तो शादी की जाती है नहीं तो लड़के को मार-पीटकर भगा दिया जाता है और उसके स्थान पर किसी दूसरे सुयोग्य 'लमसेना' को परीक्षा के हेतु भर्ती कर लिया जाता है। जाने अनजाने, इस प्रथा का अनुसरण अब ऊँची जातियों के भी कुछ शालीन परिवारों में किया जाता है। कन्या के लिए सुयोग्य वर प्राप्त करने की चिन्ता किस माता-पिता को नहीं होती?

देहरादून : एक रेखाचित्र

देहरादून एक नगर का नाम है जो कि पृथ्वी नामक ग्रह के उत्तरी गोलार्ध में स्थित एशिया नामक महाद्वीप के भारत नामक देश में, उत्तर प्रदेश नामक राज्य के उत्तरी भाग में भलीभाँति स्थित है। जैसे पृथ्वी के अनेक नाम हैं, उसी प्रकार भारत व उसके राज्यों के भी अनेक नाम हैं। कॉन्वेण्ट के बच्चे भारतमाता को मदर इण्डिया कहकर पुकारते हैं तो पिछड़े लोग इसे कभी-कभी हिन्दोस्तान तक कह डालते हैं। कवि ने कहा था कि हिन्दोस्तान जो है वह अपनी बुलबुलों की वजह से सारे संसार में सर्वश्रेष्ठ है। सारे जहाँ से अच्छा हिन्दोस्ताँ हमारा, हम बुलबुलें हैं इसकी, यह आशियाँ हमारा। इस महत्त्वपूर्ण सूचना को देने के बाद कवि जी जो थे वे स्वर्ग सिधार गये और बुलबुलों को यहाँ छोड़ गये। हिन्दोस्तान मुल्क की तरह इसके जो नगर हैं, राज्य हैं, और जनपद हैं वे भी अपने नाम बदलते रहे। बनारस, पूना और बड़ौदा रातोंरात वाराणसी, पुणे और बड़ोदरा हो गये, रुहेलखण्ड, विदर्भ और पांचाल देश ने अपना नाम बदल लिया और दिल्ली ने नाम ही क्या, अपने स्थान तक सदा बदले और इस तत्परता के साथ बदले कि देश का सारा इतिहास मात्र दिल्ली के पुराने स्थान पर से उजड़ने और नयी जगह पर बसने का ही नाम रह गया। मगर जहाँ चारों तरफ़ यह होता रहा, वहाँ देहरादून ने अपना नाम या स्थान कभी नहीं बदला। वह पहिले भी देहरादून कहलाता था, अब भी देहरादून कहलाता है और जहाँ तक मेरी निगाह काम करती है, वह भविष्य में भी देहरादून ही कहलाता रहेगा। वह वहीं स्थित है जहाँ कि पहिले स्थित था। उसने अपना स्थान नहीं छोड़ा, वह वहीं पहाड़ों से घिरा हुआ खड़ा रहा जहाँ कि वह सदियों से खड़ा था। इत्तफ़ाक की बात देखिए कि वे पहाड़ भी जिनके बीच में देहरादून स्थित है, अपनी उसी पुरानी जगह पर खड़े रहे जहाँ कि वे इस रचना के लिखे जाने से पहिले खड़े थे। इतने चरित्रवान नगर की चर्चा करना ज़रूरी होगा। इक़बाल एक बड़े कवि थे क्योंकि वे हाईकोर्ट के जज थे और 'सर' का खिताब रखते थे, और इसी कारण उन्होंने पूरे हिन्दोस्तान की चर्चा की थी। मैं एक छोटा कवि हूँ क्योंकि न तो मैं हाईकोर्ट का जज हूँ और न मुझे 'सर' का खिताब ही मिला है और इस कारण यह उचित ही

होगा कि मात्र देहरादून की ही चर्चा करूँ। जैसे कुछ लोग प्रान्त या क्षेत्र के स्तर से कभी ऊपर नहीं उठ पाते हालाँकि वे कहलाते देश के नेता हैं, ठीक उसी प्रकार मैं भी नगर के स्तर से कभी ऊपर नहीं उठ पाता हालाँकि वैसे मैं सारी हिन्दी-भाषी जनता का लेखक हूँ। हिन्दी-भाषी जनता न भी चाहे तो भी इस सुखद स्थिति पर कोई प्रभाव नहीं पड़ता। तो जनाब, पहिले मैं देहरादून की चर्चा करूँगा और बाद में कुछ ध्यान उन बुलबुलों पर भी देने की कोशिश करूँगा जिनका ज़िक्र इक़बाल ने किया। ऐसा करने से बुलबुलें भी बुरा नहीं मानेंगी और वह अन्तर भी कम हो जाएगा जो इक़बाल और खाकसार में सदा से रहा।

देहरादून भारत के प्राचीनतम नगरों में से एक है। यह नगर इतना प्राचीन है कि हमारी पुरानी से पुरानी पुस्तकों तक में इसकी चर्चा नहीं मिलती। भगवान राम ने अपने वनवास के कुछ वर्ष यहीं व्यतीत किये थे। सीता के वियोग में जहाँ वे रोया करते थे उस स्थान का नाम अभी तक सहस्रधारा चला आ रहा है और यह स्थल अभी तक ऐसी व्याकुल स्थिति में है कि वहाँ जाकर बिना पत्नी के वियोग के भी अपने-आप ही रोने को तबीयत करती है। रामचन्द्र जी के दरबार से सेवा-निवृत्त हो जाने पर हनुमान जी ने अपना जीवन यहीं व्यतीत किया था और उनके रहने की वह जगह हनुमान चौक के नाम से अभी तक देहरादून नगर में स्थित है। बजरंगबली के भय से दुकानदार जितने कम दाम पर अपनी चीज़ें यहाँ बेचते हैं उतनी कहीं और नहीं। हनुमान जी की देखा-देखी बाकी लोग भी रिटायर होने के बाद यहीं बसने लगे और यह परम्परा आज तक चली आ रही है। महाभारत काल में भी इस स्थान का बड़ा महत्त्व था। कहते हैं कि यदि पाण्डवों ने कौरवों से मात्र देहरादून ही प्राप्त कर लिया होता तो भी युद्ध जो था वह रुक जाता। कौरवों ने देहरादून क्या, सूई की नोक के बराबर भी भूमि देने को मना कर दिया। युद्ध हुआ और बाद में पाण्डव लोग देहरादून के ही मार्ग से स्वर्ग को गये। जो कुत्ता पाण्डवों के साथ स्वर्ग गया था, वह धर्मराज युधिष्ठिर ने मसूरी से ही खरीदा था। कालिदास का यक्ष भी कुबेर की आज्ञा से जो छोटा नागपुर तक गया था, वह भी देहरादून, हरिद्वार व कनखल होकर ही गया था जिनमें से कनखल नगर की चर्चा स्वयं कालिदास ने मेघदूत में की। बाकी नगरों की चर्चा इस कारण नहीं की क्योंकि वे वैसे ही काफ़ी विख्यात थे। सूरज को दीपक दिखाना कालिदास को कभी शोभा नहीं देता। कालिदास के यक्ष के बाद भी फाह्यान, ह्वेनसांग और इत्सिंग वगैरा जो यात्री चीन से भारत आये, वे देहरादून के ही मार्ग से आये। और तो और, महापण्डित राहुल सांकृत्यायन भी जो तिब्बत गये, वह देहरादून और मसूरी के ही मार्ग से गये।

देहरादून का वर्णन करना जितना सरल है, वहाँ पहुँचना या वहाँ पहुँच कर गतिशील रहना उतना सरल काम नहीं है। हरिद्वार में काफ़ी हल्की हो जाने पर भी रेलगाड़ी जो है वह नियमित समय पर कभी देहरादून नहीं पहुँचती। अगर आप

कभी किसी ऐसी रेल में बैठे हों जो बार-बार अपने इंजन की दिशा बदल रही हो या बिना बात ही काफ़ी लेट चल रही हो तो आप समझ लीजिए कि वह गाड़ी ज़रूर देहरादून जा रही है। शरीफ़ से शरीफ़ रेलगाड़ी भी देहरादून लगभग तीन घण्टे लेट पहुँचती है। जितनी देर में आप रेल से देहरादून से दिल्ली तक की यात्रा करते हैं, उतने समय में आप दिल्ली से रेल पकड़कर कलकत्ता पहुँच सकते हैं। और रेलवे विभाग की कायरता देखिए कि वह देहरादून से आगे कभी पटरी नहीं बिछा पाया। हालाँकि मैदान कोई चालीस मील आगे तक चलता है और वहाँ ख़त्म होता है, जहाँ कि कालसी नामक स्थान पर अशोक का शिलालेख गोबर, कीचड़ और कचरे के बीच शान से ख़ड़ा है। बहरहाल रेल जो है वह हिम्मत करके देहरादून तक ही चलती है। देहरादून उतरकर आपको पैदल चलना पड़ता है क्योंकि सवारी के लिए वहाँ सिर्फ़ ऐसी गाड़ियाँ प्राप्त होती हैं जिनका भाड़ा आपको गाड़ी वाले की मर्ज़ी के मुताबिक ही देना होता है। आप कितना ही विलाप या प्रलाप कर लें पर गाड़ी वाले के आलाप के सामने वह सब खलास हो जाएगा। शहर के भीतर आप सड़कें देखते हैं और मेरी वाणी याद करते हैं कि यह नगर सचमुच कितना प्राचीन है। सारी सड़कें ऐसी हैं जैसीकि अभी-अभी किसी खुदाई में से निकली हों। यहाँ के नागरिक प्रशासन का हमेशा यह ध्येय रहा है कि आदमी को पतन की ओर जाने से रोके और इसी कारण उसने इस दिशा में अभ्यास देने के लिए सड़कों को ऐसा बनाया है या उन्हें ऐसी हालत में रखा है कि प्रत्येक गज पर दो फ़ीट गहरे कम-से-कम तीन गड्ढे ज़रूर हों। मसूरी जाने वाली, धूप का चश्मा लगाये नाना प्रकार की अधनंगी सवारियाँ यहाँ उतरती हैं और इन गड्ढों से फ़ायदा उठाकर अपना चरित्र ऊँचा उठाती हैं। वैसे भी स्थिति यह है कि धार्मिक व पुण्य किस्म की जितनी सवारियाँ होती हैं वे तो हरिद्वार ही उतर जाती हैं; देहरादून जो सवारी आती हैं वे प्रायः ऐसी होती हैं जिन्हें चरित्र को ऊँचा उठाने की वैसे भी काफ़ी ज़रूरत रहती है। सन्तोष का विषय है कि ऐसी देशी या विदेशी सवारियाँ यहाँ यत्नपूर्वक बनाये गये नाना प्रकार के गड्ढों में नाना प्रकार से गिरती हैं और अपना चरित्र ऊँचा करती हैं। और हाँ, चरित्र के ऊँचा करने की इस प्रक्रिया में शरीर को कोई क्षति पहुँच जाए तो यह प्राकृतिक चिकित्सा से ही ठीक की जाती है क्योंकि काम का कोई अस्पताल या डॉक्टर इस क्षेत्र में कभी नहीं पाया गया।

क्योंकि सरकारी क्षेत्र में गड्ढे में गिरने और चरित्र ऊँचा करने की विशेष आवश्यकता होती है, यह स्वाभाविक ही था कि देहरादून में सरकारी संस्थान काफ़ी मात्रा में हों। यहाँ फारेस्ट रिसर्च इंस्टिट्यूट है, सेना के लिए साज और सामान बनाने की विशाल निर्माणी यानी कि फैक्टरी है, सर्वेअर जनरल और नैवल हाइड्रोग्राफ़र के कार्यालय हैं, तेल व स्वाभाविक गैस का कमीशन है और वायु सेना के रक्षा लेखा नियन्त्रक का दफ़्तर है। भारतीय सेना की शानदार अकादेमी यहीं स्थित है और

स्थिति यह है कि यहाँ कैडेट जन्म लेता है जो जनरल होकर यहाँ कोठी बनाता है और दफ़नाया जाता है। सरकारी दफ़्तरों के अलावा यहाँ साहित्यिक संस्थाएँ हैं, पिकनिक जाने को मसूरी है, देखने को पहाड़ हैं और ठहरने को होटल हैं। ऐसे-ऐसे कॉलिज हैं जो कि बिना प्रिंसिपल के (और किसी-किसी स्थिति में बिना छात्रों के) ही चलते रहते हैं, रोटरी क्लब व लायंस क्लब के शेर और शेरनियाँ हैं और देखने के लिए वे बुलबुलें हैं जिनका ज़िक्र महाकवि इक़बाल ने किया था। जो ज़्यादा मिलनसार किस्म की बुलबुलें हैं, वे मसूरी चली जाती हैं क्योंकि देहरादून में उनका दिल नहीं लगता। ऐसी बुलबुलों का दिल लगाने के लिए नवयुवकों और कुत्तों की ज़रूरत होती है और ये चीज़ें दुर्भाग्यवश देहरादून में उतनी इफरायत से प्राप्त नहीं होतीं।

देहरादून में सब कुछ है पर ग़रीब आदमी नहीं है। चीज़ों की क़ीमतें दुगुनी हैं पर उसमें कोई परेशानी नहीं होती। सब लोग सूट पहिनते हैं और मोटरों में बैठते हैं। शानदार होटलों में भीड़ रहती है और शराबबन्दी होने पर भी मधुशाला तो मधुशाला, मधुबाला तक मिल जाती हैं। शर्त बस इतनी है, आपके पास रुपये हों और रुपये जो हैं वे देहरादून में हर एक के पास पाये जाते हैं। परिणाम यह है कि यहाँ लोग सुखी हैं, सौ साल तक जीते हैं और अपराधों की संख्या अपेक्षाकृत कम है। अपराध तो ग़रीब आदमी ही करता है और वह यहाँ पाया नहीं जाता। अमीर लोग कभी कोई अपराध नहीं करते। वे शराब पीते हैं, सूट पहिनते हैं और धूप का चश्मा लगाकर मोटर से मसूरी घूमने जाते हैं। मसूरी एक ऊँची जगह है और वहाँ जाकर मैदान का आदमी और भी छोटा नज़र आता है। साहब लोग इस स्थिति का जायज़ा लेते हैं और सिगार सुलगाते हैं। बाकी पब्लिक को इसी तरह देखने की आदत डालने के लिए भारतीय प्रशासनिक सेवाओं की अकादेमी को मसूरी में ही स्थापित किया गया। मैं खुद इन्हीं सेवाओं में से एक का अधिकारी हूँ मगर मेरे साथ इल्लत यह है कि मैं अफ़सर होने के साथ-साथ पब्लिक भी हूँ, जिसे कि नीची निगाह से देखा जाता है। नतीजा यह है कि मैं खुद अपने को ही गिरी हुई नज़रों से देखता हूँ और इस स्थिति से बचने की कोई सूरत नज़र नहीं आती।

देहरादून नगर का प्रशासकीय प्रबन्ध काफ़ी अच्छा है। सारे भारत में शायद यह एक अकेला शहर है जहाँ भवन-कर के साथ-साथ जल-कर भी वसूल किया जाता है। बिजली और पानी है जो अक्सर एक-दूसरे के साथ भागते रहते हैं। पत्नियाँ यहाँ काफ़ी कम मात्रा में भागती हैं मगर पति लोग जो हैं वे अलबत्ता ज़रूर भागते रहते हैं। पुलिस काफ़ी सतर्क है और चौराहे का पुलिसमैन हमेशा आपकी मोटर निकल जाने के बाद हाथ देता है। सुनते हैं कि यहाँ की ज़िला-जेल काफ़ी ख़ूबसूरत है। पण्डित जवाहरलाल नेहरू ने भी अपने यौवन का कुछ भाग इसी जेल में काटा था। भगवान ने चाहा तो कभी मुझे भी इस जेल को भीतर से यथाविधि देखने का शुभ अवसर मिलेगा। अदालतें काफ़ी पुरानी इमारत में हैं और कुछ में तो मुक़दमे भी

इतने पुराने पड़े हैं कि मुक़दमा दर्ज़ कराने वाले पता नहीं कब के मरहूम हो गये। साम्प्रदायिक दंगों के सन्दर्भ में यह नगर काफ़ी पिछड़ा है और इन दिनों जबकि सारे उत्तर प्रदेश में कुछ-न-कुछ रचनात्मक काम किया जा रहा है, तब भी इस शहर का इतना शान्त और शालीन रहना काफ़ी खलता है। आइए, हम सब लोग मिलकर चौराहे पर हाथापाई करें। दंगा शुरू करने के लिए इतना काफ़ी है। बाकी काम जो है वह शहर के गुण्डे और पुलिसवाले सँभाल लेंगे। राज्य की पुलिस इन दिनों काफ़ी व्यस्त है और इसी कारण बलात्कार वगैरा उतने नहीं किये जा रहे हैं जितने कि किये जाने चाहिए थे।

देहरादून एक घाटी में बसा है जिसके तीन ओर हिमालय पर्वत खड़ा है। ठीक वही हिमालय जिसकी चर्चा कालिदास ने कभी अपने काव्य ग्रन्थ 'कुमार सम्भव' में की थी। इस घाटी का नाम है दून घाटी। हावड़ा और अमृतसर को जो रेल अपने निश्चित समय से एक घण्टा बाद चलती है, उन्हें दून-एक्सप्रेस ही कहा जाता है। दून का अर्थ है 'द्रोण' जो कि सरकण्डे की भाँति होता है। जब आर्यों ने अपना डेरा डाला तो यह स्थान 'डेरा द्रोण' कहलाया जो कालान्तर में देहरादून हो गया। हमारे पूर्वज कितने विशाल हृदय थे कि उन्होंने इस स्थान का नामकरण करने में डेरा शब्द का प्रयोग किया जो कि वैसे शायद फ़ारसी का शब्द है। पर्वतों की घाटी में बसा यह नगर प्राकृतिक सुषमा से पूरी तरह ढका है। सब तरफ़ नीले-नीले पहाड़ और बीच में धानों से हरी-भरी दून घाटी। देहरादून के एक ओर यमुना बहती है तो दूसरी ओर गंगा : वही पन्त जी वाली बात—दो बाँहों से दूरस्थ तीर, आलिंगन करने को अधीर। वैसे कितना अच्छा रहा कि इन नदियों ने यहाँ एक-दूसरे का आलिंगन नहीं किया क्योंकि यदि वैसा किया जाता तो इस शहर का नाम 'देहरादून' न होकर 'प्रयाग' होता। जाड़ों में यहाँ कड़ाके की सर्दी पड़ती है। गर्मियाँ जो होती हैं ये प्रायः हल्की होती हैं और इसी कारण यहाँ गधे जो हैं वे कम पाये जाते हैं। जब से मैं यहाँ आया हूँ, तब से गधों की संख्या अलबत्ता ज़रूर कुछ बढ़ी है। वसन्त आता है तो पेड़ फूलों से चटख जाते हैं और दिशाएँ लाल हो जाती हैं। वर्षा की ऋतु में यहाँ सिर्फ़ वर्षा होती है। लड़कियाँ धान रोपती हैं और पहाड़ी लोग खपरैल के नीचे बैठकर लोकगीत गाते हैं। यदि वर्षा न हो तो देहरादून एक दयनीय स्थान हो जाता है जिसे देखकर कवि रहीम ने कहा था—

रहिमन पानी राखिए, बिन पानी सब सून।
बिन पानी जियरा फटे, देखि देहरादून।

कवि-धर्म

एक कवि होने के नाते मेरा यह धर्म हो जाता है कि मैं देश की सुन्दर युवतियों में आम नागरिक की अपेक्षा ज़्यादा दिलचस्पी लूँ। आपको यह सूचित करते हुए मुझे हर्ष होता है कि मैं अपने इस कर्त्तव्य को कभी नहीं भूलता। मुसम्मात के बाप और पति मेरे इस धर्मपालन में बाधा अवश्य डालते हैं पर फिर भी धन्धा जो है वह कुल मिलाकर चलता ही रहता है। कभी-कभी गालियाँ भी सुननी पड़ती हैं और कभी-कभी इस नश्वर देह की कमर के निचले भाग को चोट भी खानी पड़ती है पर फिर भी मैं अपनी ज़िम्मेदारी दूसरों के लिए नहीं छोड़ता। तमाम परेशानियों के बावजूद मैं अपना कवि-धर्म निभाता ही चला जाता हूँ। मैं हाथ जोड़कर प्रार्थना करता हूँ कि इस दिशा में लगातार सफलता प्राप्त करने के लिए ईश्वर मुझे और शक्ति दे। आशा है कि मेरी इस सफलता के लिए देश की सुन्दर युवतियाँ भी प्रार्थना करेंगी।

युवतियों की चर्चा क्या चली कि मुझे सहसा याद आया कि हमारे इस विशाल देश में उनके सौन्दर्य, वेशभूषा और सहवास के मामले में प्रत्येक प्रदेश अपनी अलग-अलग रुचि और परम्पराएँ रखता है जो न जाने कब से चली आ रही हैं। संस्कृत के सौन्दर्य-प्रेमी शास्त्रकारों ने श्रेष्ठ कविता के सन्दर्भ में कहा है कि वह आन्ध्र प्रदेश की सुन्दरियों की भाँति नहीं होनी चाहिए जिनके कि पयोधर हमेशा पूरी तरह खुले रहते हैं और श्रेष्ठ कविता को गुजराती कन्या की भाँति भी नहीं होना चाहिए जिनके कि वक्ष हमेशा पूरी तरह वस्त्रों से ढके रहते हैं। शास्त्रकारों के अनुसार श्रेष्ठ कविता को महाराष्ट्र की सुन्दर रमणी की भाँति होना चाहिए जिसके कि पयोधर आधे ढके रहते हैं और आधे खुले रहते हैं। सौन्दर्य व वेशभूषा की परम्परा भिन्न-भिन्न होने के कारण यह भी स्वाभाविक ही है कि युवतियों के साथ छेड़खानी करने की स्थिति भी हर प्रदेश में अलग-अलग हो। पिछले दिनों अंग्रेज़ी के एक प्रमुख समाचार पत्र ने इस दिशा में कुछ छानबीन की थी। छानबीन जो थी वह हर प्रदेश की राजधानी ही को लेकर की गयी थी जो उचित ही था। उस छानबीन से जो सत्य प्रकाश में आये, उनकी संक्षिप्त चर्चा मैं यहाँ करूँगा।

जिस प्रकार लड़का लोग लड़कियों को पकड़ते हैं, उसी प्रकार सबसे पहिले मैं

दिल्ली को पकड़ता हूँ। आपको यह जानकर दुख होगा कि हमारे देश की ऐतिहासिक व चिरन्तन राजधानी दिल्ली में लोग इतने व्यस्त हैं कि उनके पास ऐसा कोई समय नहीं है जिसमें वे हसीन लड़कियों के साथ छेड़खानी कर सकें। कॉलिज की चहारदिवारी के भीतर या सार्वजनिक बसों में उतरते-चढ़ते समय जो थोड़ी-बहुत छेड़खानी हो जाती है बस यही काफ़ी समझी जाती है। नगर के कुछ क्षेत्र ऐसे भी हैं जहाँ छेड़खानी की शुरुआत लड़कियों की तरफ़ से होती है, लड़कों की तरफ़ से नहीं। अफ़सर लोग अपनी हसीन स्टेनोग्राफ़र से जो इश्क करते हैं या नेता लोग 'काल गर्ल' का जो सदुपयोग करते हैं, वह छेड़खानी के दायरे से बाहर की बात है और उनकी चर्चा यहाँ करना असंगत है। कुल मिलाकर दिल्ली में नवयुवक लोग लड़कियों पर अपेक्षाकृत कम ही ध्यान देते हैं और इसी कारण दिल्ली की जो ख़ूबसूरत लड़कियाँ हैं वे प्रायः उदास ही दिखाई पड़ती हैं। दिल्ली के स्मार्ट युवकों को चाहिए कि वे इस दिशा में कुछ ठोस काम करें।

दिल्ली के युवकों के बारे में यही कहना उचित होगा कि वे वहाँ की लड़कियों को छेड़खानी वगैरा छोटी-छोटी चीज़ों से क्षणिक सुख पहुँचाने की अपेक्षा यह ज़्यादा उचित समझते हैं कि उन्हें ज़िन्दा जलाकर मोक्ष की प्राप्ति करवायी जाए। केवल पिछले वर्ष ही छः सौ के लगभग नवविवाहित वधुएँ ज़िन्दा जलायी गयीं और यह परम्परा है कि ज़ोर पकड़ती जा रही है। सती-प्रथा को इस दूसरी शक्ल में वापिस लाना प्रत्येक धर्मात्मा व्यक्ति को सुख देगा। इस सन्दर्भ में सबसे ज़्यादा दिलचस्प बात जो है वह यह है कि अब तक किसी भी केस में वधू जलाने वाले पुरुषों को कोई सजा नहीं दी गयी। मात्र एक मामला ऐसा रहा कि जिसमें सेशन की अदालत ने तीन व्यक्तियों को मौत की सजा दी पर हाईकोर्ट ने उन सबको बरी कर दिया और जज के ख़िलाफ़ अपनी मानहानि का मुक़दमा चलाया। मैं बड़ी अदालत के इस फ़ैसले को पढ़कर बहुत प्रसन्न हुआ। कितनी बड़ी बात है कि देश की बड़ी अदालतें कानून को न्याय से बड़ी चीज़ समझती हैं। न्याय तो सिर्फ़ ईश्वर देता है जिसके कामों में अदालतें कोई दखल देना पसन्द नहीं करतीं।

मद्रास में लड़कियों के साथ छेड़खानी करना जीवन का एक अंग बनता जा रहा है और छेड़खानी की वारदातें निरन्तर बढ़ती जा रही हैं। पुलिस के अनुसार सन् उन्नीस सौ अस्सी में छेड़खानी के सन्दर्भ में चार सौ तेईस रिपोर्टें दर्ज़ की गयी थीं। सन् इक्यासी में इस प्रकार की रिपोर्टों की संख्या छः सौ बत्तीस रही जबकि सन् बयासी में इनकी संख्या एक हज़ार से भी ऊपर पहुँच गयी। इस स्थिति की ज़िम्मेदारी काफ़ी हद तक लड़कियों पर ही जाती है जो इस प्रकार की पोशाक पहिनने लगी हैं कि छेड़खानी करने की प्रेरणा मिलती है। शरारत करने वाले भद्र पुरुष पकड़े जाते हैं और उन पर पच्चीस रुपये से लेकर पचास रुपये तक जुर्माना किया जाता है। बहरहाल स्थिति यह आ गयी है कि अब आप मदरासी लड़कियों

को पिछड़ा हुआ नहीं कह सकते।

कलकत्ता की स्थिति भी अब वह नहीं रही जो कि दस-पन्द्रह वर्ष पहिले थी। हालाँकि मध्यवर्गीय बंगाली समाज स्त्रियों की इतनी इ़ज़्ज़त करता है जितनी की देश के शेष लोग प्रायः कभी नहीं करते पर इस सबके बावजूद छेड़खानी की हरकतें यदा-कदा होती ही रहती हैं। आँकड़ों के अनुसार सन् इक्यासी में छेड़खानी की सिर्फ़ छः रिपोर्टें दर्ज़ करायी गयीं। जबकि सन् बयासी में ऐसी एक ही रिपोर्ट दर्ज़ करायी गयी। इन दोनों वर्षों में क्रमशः अठारह व चार लोग गिरफ़्तार किये गये। लोगों का कहना है कि हिन्दी फ़िल्में व नंगे विज्ञापन इन वारदातों के लिए ज़िम्मेदार हैं। फिर भी यह सन्तोष का विषय है कि जब कोई किसी बंगाली लड़की को छेड़ता है तो वह आमतौर पर उसके चेहरे पर कसकर एक झापड़ रसीद कर देती है। इधर झापड़ लगता है, इधर कुछ भद्र पुरुष अपने-अपने छाते उठाँये घटनास्थल पर इकट्ठे हो जाते हैं। कुछ मिलाकर स्थिति यह हो जाती है कि छेड़खानी करने वाले नवयुवक के लिए प्लासी का मैदान छोड़ने के अतिरिक्त और कोई रास्ता ही नहीं बचता। इस सन्दर्भ में दो दिलचस्प वारदातों की चर्चा करना ज़रूरी मालूम होता है। पहिले केस में ऐसा हुआ कि एक मनचले युवक ने एक अनजान युवती से भेंट करने का समय माँगा। युवती ने समय और स्थान दोनों निश्चित कर दिये। अगले दिन जब वह मनचला नौजवान बताये गये समय पर निश्चित स्थान तक पहुँचा तो वहाँ युवती और उसके पति ने उसकी इतनी तबीयत के साथ ठुकाई की कि वह तो शायद उम्र भर के लिए विरह-मुक्त हो गया। दूसरे केस में एक कॉलिज के कुछ छात्रों ने एक युवती से छेड़खानी करने की कोशिश की। युवती ने उन्हें बहुत डाँटा और कहा कि आप लोगों को शर्म आनी चाहिए क्योंकि मैं तुम्हारी माता की उम्र की हूँ। लड़कों ने छेड़खानी करना एकदम बन्द कर दिया और उसे 'मम्मी मम्मी' कहकर पुकारना शुरू कर दिया। स्थिति काफ़ी दयनीय हो गयी। आगे-आगे वह युवती और पीछे-पीछे ममी-ममी पुकारता हुआ छात्रों का दल। यह जुलूस काफ़ी दूर तक चला और माता और सन्तान को अलग करने के लिए अन्त में चलकर पुलिस को हस्तक्षेप करना पड़ा।

दिल्ली, मद्रास और कलकत्ता के बाद बम्बई के बारे में जानना ज़रूरी हो जाता है। बम्बई की स्थिति यह है कि वे दिन गये जबकि लोग इतने व्यस्त रहते थे कि लड़कियों से छेड़खानी करने के लिए उनके पास फुर्सत ही नहीं थी। पिछले कुछ वर्षों से पुरुषों ने स्त्रियों की ओर ध्यान देने की ज़िम्मेदारी को पूरी तरह निभाने की कसम खा ली है और वे इस दिशा में पूरी तरह प्रयत्नशील भी हो गये हैं। लोकल रेलगाड़ियों में पुरुष लोग स्त्रियों के डिब्बों में बिना किसी तकल्लुफ के घुस जाते हैं और इसके बाद अश्लील हरकतें करते हैं। लोकल रेलगाड़ियों की स्थिति विशेष रूप से ध्यान देने योग्य इस कारण है कि प्रतिदिन लगभग बीस लाख यात्री उनसे

सफ़र करते हैं। रात्रि के समय जो दुकानदार, व्यापारी और इस प्रकार के बाकी लोग स्त्रियों के डिब्बों में चलते हैं और स्त्रियों से छेड़खानी भी करते हैं, वे अपनी फोश हरकतों से दिन की थकावट और नीरसता दूर करने के लिए वैसा करते हैं। थकावट से उनकी सात्त्विकता मिट जाती है वरना वैसे वे सब भले और गृहस्थी लोग होते हैं। उन्नीस सौ बयासी में महिलाओं ने पश्चिम रेलवे के जनरल मैनेजर के दफ़्तर के सामने भारी प्रदर्शन भी किया था और एक ऐसी संस्था भी बनायी थी जिसने कि स्त्री स्वयंसेवकों द्वारा स्थिति से निबटने का संकल्प किया था। बम्बई की कुछ सड़कें ऐसी हैं जिन पर दिन छिपने के बाद चलने वाली युवतियों को बिना किसी पूछताछ के चरित्रहीन स्वीकार कर लिया जाता है जिसका इलाज किसी के पास नहीं है। भीड़ के समय होनहार लोग अपनी मोटर रोककर इस प्रतीक्षा में खड़े रहते हैं कि कोई सुन्दर कन्या उनसे लिफ्ट माँगे और जब काफ़ी देर तक वैसा नहीं होता तो वे स्वयं ही युवतियों से पूछने लगते हैं कि क्या वे उनकी शानदार मोटर में लिफ्ट लेना चाहेंगी। पुलिस के अधिकारियों का कहना है कि जिस प्रकार की किताबें छप रही हैं और फ़िल्में बन रही हैं, उन्हें देखते हुए युवतियों के प्रति जो व्यवहार किया जा रहा है, वह स्वाभाविक ही है। पुलिस के एक उच्च अधिकारी का कहना है कि एक प्रमुख कॉलिज के सामने खड़े हो जाइए तो पता लगेगा कि लड़के लड़कियों को छेड़ते हैं या कि लड़कियाँ लड़कों को छेड़ती हैं। जो युवतियाँ छोटी-छोटी फ़र्मों या प्राइवेट दफ़्तरों में काम करती हैं, उनके साथ सबसे ज़्यादा दुर्व्यवहार किया जाता है। पर सब कुछ कहने-सुनने के बाद यह भी सच है कि बम्बई की स्थिति शेष महानगरों से कहीं बेहतर है और इसका सबसे बड़ा प्रमाण यह है कि बम्बई की पुलिस छेड़खानी की रिपोर्ट दर्ज़ ही नहीं करती।

देश के महानगरों के बाद कुछ बाकी नगरों की स्थिति का भी जायज़ा ले लें तो शायद ठीक रहेगा। हैदराबाद में छेड़खानी की घटनाएँ बढ़ती जा रही हैं। एक युवती मात्र इस कारण अपनी नौकरी छोड़ना चाहती है कि जब वह अपनी 'मोपेड' पर दफ़्तर जाती है तो लड़के उसके साथ छेड़खानी करते हैं। नाटक में काम करने वाली एक लड़की ने मात्र इस कारण रंग-मंच छोड़ दिया कि वहाँ जो निर्देशक था, वह नाटक के अतिरिक्त बाकी मामलों में भी उसे निर्देशित करना चाहता था और लड़की जो थी वह स्टेज को छोड़कर बाकी जगह पर्दे उठाना नहीं चाहती थी। सुनसान सड़कों पर लड़कियों का अकेला चलना अब बन्द होता जा रहा है हालाँकि नगर में 'स्त्री शक्ति संगठन' का गठन कर लिया गया है। बसों में लड़कियों के साथ छेड़खानी सम्पन्न की जाती है। और पुलिस स्टेशन भी इस दिशा में पीछे नहीं है। विश्वविद्यालय और कॉलिजों की स्थिति अपेक्षाकृत बहुत बेहतर है, नहीं तो शेष स्थानों पर तो महानगरों वाला माहौल हैदराबाद में भी आना शुरू हो गया है। कुछ लोगों का ख़याल है कि हालत ख़राब नहीं हुई है पर घटनाओं का विवरण समाचारपत्रों में ज़्यादा छपने लगा है बंगलौर की स्थिति

यह है कि वहाँ लड़कियाँ भयभीत रहती हैं। सन् बयासी में छेड़खानी के मुक़दमे केवल दो सौ ग्यारह दर्ज़ किये गये थे जबकि सन् तिरासी में जून के माह तक ही छः सौ रिपोर्ट दर्ज़ कर ली गयी थीं। बसों में महिलाओं के लिए अलग सीट रिज़र्व रहती है पर फिर भी पुरुष जो है वह प्रकृति को छेड़े बगैर सुख की प्राप्ति नहीं करता। कुछ दिनों पूर्व एक ज़िम्मेदार व्यक्ति ने अपनी पत्नी की बहिन को छेड़खानी से बचाना चाहा तो मनचले युवकों ने उसपर चाकू से हमला किया। शिमला में छेड़खानी वाकई कम होती जा रही है और इक्की-दुक्की वारदातों को छोड़कर बाकी स्थिति एकदम नीरस रहती है। त्रिवेन्द्रम व अहमदाबाद में भी छेड़खानी के मामले नहीं के बराबर हैं। अब आप ही बताइए कि ऐसे नीरस और उदास नगरों में रहने से क्या फ़ायदा? यह भी कोई बात हुई कि सड़क पर सुन्दर कन्या जा रही है और उस पर कोई ध्यान नहीं देता? एक हसीन लड़की की इससे बड़ी और क्या बेइज़्ज़ती होगी कि वह शोख अन्दाज़ में चले और उसे कोई छेड़े भी नहीं?

देश की स्थिति बताने के बाद मैं अपनी स्थिति पर आता हूँ। सच्ची बात यह है कि वैसे तो मैं बड़ा दकियानूसी और चरित्रवान किस्म का व्यक्ति हूँ मगर मन में जो इच्छा रहती है वह यही है कि मैं देश के प्रत्येक राज्य की युवतियों के साथ छेड़खानी कर सकूँ। कवि का धर्म निभाने के लिए यह अनिवार्य है। कवि जो है वह जाति, धर्म या प्रान्तीयता के बन्धनों को स्वीकार नहीं कर सकता। मैं इस सन्दर्भ में कवि राजशेखर की चर्चा करूँगा जिनका वर्णन करते हुए क्षेमेन्द्र कहते हैं कि कर्नाटक देश की रमणियों के दंतक्षतों के स्पष्ट चिह्नों से युक्त, महाराष्ट्र देश की सुन्दरियों के तीव्र कटाक्षों से जर्जर, आन्ध्र प्रदेश की स्त्रियों के स्तनों से पीड़ित, गुजरात की प्रियाओं के भ्रूभंगों से व्यथित, लाट देश की कामिनियों के आलिंगनों से युक्त और मलय देश की रमणियों की उँगलियों से निर्भत्सित राजशेखर कवि वृद्धत्व प्राप्त होने पर काशी निवास की अभिलाषा करते हैं। सादा जीवन, उच्च विचार। और हाँ, जहाँ मेरे जैसे कुछ कवि छेड़खानी को महज छेड़खानी के लिए ही करते हैं (ठीक वही कला के लिए कला वाला सिद्धान्त) वहाँ कुछ लोग ऐसे भी होते हैं जो छेड़खानी को देह के दरवाज़े पर लगायी गयी एक दस्तक समझते हैं जिससे कि पता चले कि शेष मकान खाली है या नहीं। राजशेखर कवि कौन-सी श्रेणी में आते हैं, इसका निर्णय मैं पाठकों पर छोड़ता हूँ।

निबन्ध कुछ लम्बा हो गया और इस कारण मैं इसे यहीं समाप्त करता हूँ। भरत वाक्य के तौर पर मैं इतना ज़रूर बता दूँ कि छेड़खानी करना कोई नयी चीज़ नहीं है, वैसा करना तो हमारी संस्कृति का अनिवार्य अंग है। भगवान कृष्ण स्वयं गोपियों के साथ छेड़खानी किया करते थे। कवि कहता है :

ताक री कुचन बीच काँकरी गोपाल मारि।
साँकरी गली में गोरी हाँ करी न ना करी।।

दूरदर्शन की कथा

इस रचना का शीर्षक मैंने 'दूरदर्शन' इसलिए रखा है कि क्योंकि इसमें एक ऐसी कन्या की कथा है जिसके दर्शन मैं दूर से किया करता था।

बात कोई तीस वर्ष पुरानी है मगर उसकी जो याद है वह बराबर ताज़ा है। उन दिनों मैं एक छोटी-सी नौकरी करता था और एक महानगर की ऐसी बस्ती में रहता था जो किसी कस्बेनुमा गाँव या गाँवनुमा कस्बे का माहौल रखती थी। कच्चे पक्के बेतरतीब बने मकान, छप्पर और खपरैल की छतें और बस्ती के कोने में दो-चार ऐसी दुकानें जो पान-सिगरेट से लेकर मोजे और जूतों तक सब कुछ बेचती थीं। उस बस्ती के एक मकान के एक कमरे में खाकसार रहता था और जो चीज़ मेरे कमरे को उस महानगर से जोड़ती थी वह एक अदद साइकिल थी। यह साइकिल इतनी पुरानी थी कि यदि वह किसी पुरातत्ववेत्ता के पास होती तो वह यह बात ज़रूर साबित कर दिखाता कि वह मोहनजोदड़ो या हड़प्पा की खुदाई से प्राप्त हुई है और ईसा से न जाने कितने वर्ष पहिले की है। मैं उस कमरे में रहता था, उस ऐतिहासिक साइकिल पर चलता था और एक ढाबे में खाना खाता था। कुल मिलाकर मैं काफ़ी सुख से था मगर वह सारा सुख उस दिन ख़त्म हो गया जिस दिन मैंने उसे देख लिया।

लड़की क्या थी, जादू थी। यूँ अगर रीतिकालीन कवियों की भाँति मैं उसका एक-एक अंग लेता, तो उसमें ऐसी कोई खास चीज़ नज़र नहीं आती थी जो कि देश की शेष युवतियों के केस में नज़र न आती हो पर कुल मिलाकर जो प्रभाव वह छोड़ती थी वह कुछ ऐसा था कि नज़रअन्दाज़ नहीं किया जा सकता था। हालाँकि व्यक्तिगत रूप से मैं मेनका, उर्वशी या तिलोत्तमा से कभी नहीं मिला पर यह मेरा दृढ़ विश्वास है कि यदि मैं कभी कोई ऐसा तप करता जिसके कारण इन्द्र का पुराना सिंहासन आवाज़ करने लगता तो मेरा तप-भंग करने के लिए इन्द्र महाराज ज़रूर किसी ऐसी बाई को ही भेजते। मगर इत्तफ़ाक देखिए कि मेरे बिना कोई तप किये ही वह लड़की जो थी, वहाँ सशरीर मौजूद थी। उसमें अल्हड़पन और गम्भीरता का विचित्र सम्मिश्रण था और नतीजा यह था कि वह कन्या का आनन्द भी देती थी

और समझदार युवती का भी। कभी वह मुझे 'परिणीता' की मीना कुमारी लगती थी तो कभी 'तीसरी कसम' की वहीदा रहमान। दूसरे शब्दों में एक दिन में दो के हिसाब से जितने भी चलचित्र मैं उन दिनों देखा करता था, उनमें से प्रत्येक की हीरोइन की शक्ल इस बालिका की सूरत से मेल खाती थी। और ऐसा नहीं था कि वह मेरी चढ़ती जवानी का नशा था जिसमें कुमारी गधी से भी प्रणय-निवेदन करने में संकोच नहीं होता। लड़कियों का सौन्दर्य आँकने में मैंने कभी जल्दबाजी नहीं की, इस सन्दर्भ में कई बार तो मैंने इतना चिन्तन-अनुचिन्तन किया कि जब तक मैं इस निष्कर्ष पर पहुँचा कि वे वाकई रूपवती थीं तब तक उन लड़कियों की शादी किसी और के साथ हो चुकी थी। खाकसार जो था वह फिर अकेला-का-अकेला।

वह बालिका कहीं कुछ काम करती थी और मेरी तरह वह भी एक मकान के एक हिस्से में अकेली ही रहती थी। जैसाकि मुझे धीरे-धीरे पता लगा, कुल मिलाकर वह कई धन्धे करती थी। सुबह को खाना पकाती थी, दिन में किसी दफ़्तर में टाइप करती थी और इस सब नित्य-लीला से जो भी समय बच पाता था, उसमें वह दयावान कन्या सारे क्षेत्र के अविवाहित नवयुवकों के विरह का भार अकेले ही उठाती थी। इसके बाद भी यदि समय बचता था तो वह विवाहित लोगों के हितों पर भी ध्यान देती थी। कुल मिलाकर उसका दैनिक जीवन काफ़ी व्यस्त रहता था। सुबह को किसी के साथ होती थी तो शाम को किसी और के साथ। कभी-कभी तो वह काफ़ी रात गये किसी की शानदार कार में बैठकर वापिस आती थी। उसका सारा जीवन एक खुली किताब की तरह था। वह जैसी भी थी सबके सामने थी। मुहल्ले की स्त्रियाँ उसे कुलटा कहती थीं, कुछ उस पर तरस खाती थीं मगर शायद ज़्यादा संख्या उन स्त्रियों की थी जो उससे ईर्ष्या करती थीं। मुहल्ले के एक नेताछाप सज्जन का कहना था कि वह आदतन आवारा थी, दुकानदार कहता था कि वह या तो परित्यक्ता थी या बाल-विधवा थी और मेरे जमादार का कहना था कि लड़की तो वह बड़ी शरीफ़ थी मगर अपने से छोटी बहिनों की शादी और भाइयों की शिक्षा के लिए उसे शहर आना पड़ा। जहाँ धीरे-धीरे कुछ धर्मात्मा पुरुषों ने उसे धर्म का सच्चा रास्ता दिखा ही दिया। असलियत क्या थी यह खुदा जाने। मेरे मालिकमकान काफ़ी पूजापाठ करते थे, हनुमान चालीसा पढ़ते थे और अपनी पत्नी से निगाह बचाकर एकाध नज़र उस छोकरी पर भी डाल लिया करते थे। इस शुभ कार्य के सम्पन्न होते हुए, यदि कहीं मैंने उन्हें देख लिया तो वे बड़ी ही निराशा के स्वर में कहते कि घोर कलिजुग जो है वह बस अब आन ही पहुँचा।

बहरहाल मैं था कि उसे रोज़ देखता था, विरह की आग में जलता था और कुछ नहीं कर पाता था। बहती गंगा में हाथ धोने की सच्ची तमन्ना थी पर पता नहीं संस्कारों का कौन-सा पत्थर था जो पैरों को फिर रोक लेता था। वह लड़की अपने प्रति मेरे इस आकर्षण को बराबर जानती थी और मेरा ख़याल है, मेरे संकोच

पर वह तरस भी खाती थी। एक दिन स्त्री जाति की सारी शास्त्रीय परम्परा तोड़कर वह मेरे कमरे में घड़ी मिलाने भी आयी और इसके बाद शर्म से लाल होते मेरे कपोल देखकर मुस्कराती हुई चली भी गयी। उसके मुस्कराने में एक आमन्त्रण था, एक खास अन्दाज़ था और एक खास किस्म का दर्द था। इसके बाद भी और कई मुलाकातें हुईं पर स्थिति वही रही। मैं रात को जागता, सोता तो उसे सपनों में देखता और अगर बस में मिल जाती तो फिर वही 'दीदी' कहकर प्रणाम कर लेता। न मेरी कभी यह हिम्मत हुई कि मैं उसके पास गन्धर्व विवाह का प्रस्ताव रखूँ और न कभी इतना साहस हुआ कि उसके साथ विधिवत् शादी कर लूँ और खुद भी खुश रहूँ और उसे भी दलदल से निकाल लूँ। शास्त्रों के अनुसार सारा ज्ञान जो था वह क्रिया के बिना बेकार था। मैं उसके मित्रों को आते और जाते देखता था और इसके बाद एक निगाह खुद अपने पर भी डालता था। भारतीय दर्शन में एक पेड़ पर बैठे दो पक्षियों की एक कथा है। इन दो पक्षियों में से एक तो फल को खाता था और दूसरा जो था वह मात्र देखता ही रहता था। मैं वह दूसरा पक्षी ही था और मेरा आचरण भारतीय दर्शन से एकदम मेल खाता था। इन दो पक्षियों में ज़्यादा दिलचस्पी रखने वाले जिज्ञासु ऋग्वेद के प्रथम मण्डल की बीसवीं ऋचा का अध्ययन करें। इस मन्त्र के अनुसार वह पक्षी जो फल खाता है वह जीवात्मा है और दूसरा पक्षी जो है वह ईश्वर है जो शुद्ध-बुद्ध मुक्त स्वरूप है। वह फल को ग्रहण नहीं करता। वह केवल द्रष्टा ही रहता है। अथर्ववेद के नवम काण्ड में भी इन दो पक्षियों की कथा कुछ-कुछ इसी तरह पेश की गयी। दूसरे शब्दों में वे जो नवयुवक उस लड़की का भोग करते थे, वे सिर्फ़ जीवात्मा थे जबकि मैं जो था वह परमात्मा की कोटि में आता था। दर्शन की इस उक्ति से अपना हौसला काफ़ी बुलन्द हो गया मगर इसके बाद अगले दिन जब उस लड़की को नयी सलवार-कमीज़ में देखा तो अपना फिर वही हाल हो गया जो पानीपत की तीसरी लड़ाई में मराठों का हुआ था।

मैंने आत्मविश्लेषण किया और तबीयत के साथ किया। मेरे पिताजी कट्टर आर्यसमाजी थे और कभी-कभी तो ऐसा लगता था कि फ़िलहाल वैदिक धर्म को बचाने की जो ज़िम्मेदारी थी वह सिर्फ़ उन्हीं के कन्धों पर थी। वैदिक धर्म से जो समय बचता था उसे वह सुन्दर स्त्रियों के बीच गुज़ारा करते थे। मेरे विचार में उन्होंने कई देवियों को वैदिक धर्म समझाया था। कहीं यह उसकी प्रतिक्रिया तो नहीं थी कि मैं एक भद्र पुरुष बनने में लगा था? मेरी माता एकदम सती-साध्वी स्त्री रहीं और यह भी सम्भव है कि यह उन्हीं के चरित्र का प्रभाव था कि हज़ार इच्छा होते हुए भी मैं इस तन्वंगी कन्या को अपने बाहुपाश में नहीं जकड़ सका। मेरे माता-पिता दोनों आस्तिक थे जिसका प्रत्यक्ष प्रमाण यह रहा कि मैं न नास्तिक हूँ और न आस्तिक। मैं एकदम अवसरवादी हूँ। जब तार्किकों और बुद्धिजीवियों के बीच कॉफी हाउस में बैठता हूँ तो नास्तिकता पर भाषण देता हूँ, धर्म के नाम पर किये गये अत्याचारों

की चर्चा करता हूँ और यह सिद्ध करने की पूरी चेष्टा करता हूँ कि इस देश का जो पतन हुआ है वह केवल आस्तिक होने के कारण हुआ है। इसके बाद जब बच्चे को तेज़ बुख़ार आता है तो मैं ही होता हूँ जो सबसे पहिले मंसादेवी का प्रसाद बोलता हूँ। बच्चे की तबीयत ठीक होने के बाद फिर वही तार्किकता और नास्तिकता। युद्ध के दौरान बँगलादेश में और समुद्री तूफ़ान के दिनों में आन्ध्र प्रदेश में जो लाखों लोग बेघरबार हो गये, क्या वे सभी पुराने जन्मों के पापी थे? क्या भगवान भी समय बचाने के लिए सारे पापियों को पहिले एक स्थान पर इकट्ठा करता है और फिर चित्रगुप्त से कहता है कि जाओ और अब उस क्षेत्र में या तो अकाल डाल दो या युद्ध करवा दो? और यदि सचमुच सभी कुछ भगवान की ही इच्छा से होता है तो पापी लोग जो पाप करते हैं वे भी तो ईश्वर की इच्छा के अनुकूल ही करते हैं। फिर उन्हें सजा जो दी जाती है वह किस बात की दी जाती है? मगर इस सब बौद्धिकता के बाद जब फिर काव्यग्रन्थ की पाण्डुलिपि प्रकाशक के पास भेजता हूँ तो सत्यनारायण की कथा का वादा करता हूँ और मन-ही-मन कहता हूँ कि हे सच्चिदानन्द आनन्द कन्द, तेरे अलावा हमारा और कोई नहीं।

मैं वाकई भयंकर स्थिति में फँस गया था। बात शरीर की थी मगर इल्लत यह थी कि उसमें आत्मा जो थी वह दखल दे रही थी। एक ओर कहती थी कि पुरुष और स्त्री का मिलाप तो सदा से होता आया है। यह न होता तो सृष्टि कैसे चलती? और दूसरी ओर वही आत्मा फिर कहती कि क्या तुम्हें अपने ऊपर शर्म भी नहीं आती? बजाय इसके कि किसी बेसहारा की कुछ मदद करो, तुम भी उसका शोषण करना चाहते हो? खुद तो पतित होने में संकोच नहीं होता पर खुद क्या किसी चरित्रहीन लड़की से शादी करोगे? बोलो, जवाब क्यों नहीं देते?

अन्त में चलकर एक दिन मैंने वह मुहल्ला सहसा छोड़ दिया। आज तक मैं यह तय नहीं कर पाया कि मैं सच्चरित्र था या कि कायर था। मेरे ख़याल में मैं एक कायर था।

दफ़्तर का एक दिन

जिस दफ़्तर में आजकल मैं नियुक्त हूँ, वहाँ मेरे लिए जो काम है वह बहुत कम है। मैं प्रायः अपनी घूमने वाली चेयर पर बैठा रहता हूँ और सिगरेट पीता रहता हूँ। कभी तबीयत हुई तो एक पान मँगा लिया। वक़्त काटने के लिए किताब पढ़ता हूँ। जब भी फ़ाइलरूपी कोई चीज़ भीतर आयी, उसे निबटाया और फिर पढ़ने बैठ गया। आजकल मैं वक़्त काटने के लिए दो पोथियाँ पढ़ रहा हूँ—एक है तुर्गनेव का एक उपन्यास और दूसरी है किशनचन्दर पहिलवान की 'अंजामे मुहब्बत' नाम की नौटंकी। नौटंकी वाली जो ज्ञानवर्धक पोथी है, वह मेरे चपरासी की है। किताब के मुखपृष्ठ पर छपे चित्र में किशनचन्दर पहिलवान यदि मेरे बाप लगते हैं तो स्थिति यह है कि मेरा यह चपरासी किशनचन्दर पहिलवान का बाप लगता है। बड़ा दबंग मगर कलाप्रेमी व्यक्ति है। लंच की अवधि में मैंने उसे नौटंकी के चौबोलों को गाते सुना है और हमेशा यह सोचा है कि कितना अच्छा हुआ कि तानसेन बेचारे पहिले ही मर गये। यदि आज ज़िन्दा होते तो मेरे इस चपरासी का संगीत सुनकर आत्महत्या कर लेते।

सब तरफ़ से थककर मैं आँखें मूँद लेता हूँ और भगवान रजनीश के शब्दों में कुण्डलिनी उठाने की कोशिश करने लगता हूँ। मगर सुन्दर स्त्रियों के अभाव में (जिसकी सुविधा कुछ योगाश्रमों में काफ़ी सन्तोषजनक है) कुण्डलिनी तो नहीं उठती पर हाँ, कुछ पुरानी यादें अलबत्ता ज़रूर ताज़ी हो जाती हैं। मैं अपनी पुरानी प्रेमकथा की याद में डूब जाता हूँ और अगर वहाँ से निकल आता हूँ तो पुराने अफ़सरों की याद में खो जाता हूँ। अपनी प्रेमकथा सुनाकर मैं आपको तंग करना नहीं चाहता। हाँ, अपने अफ़सरों के बारे में ज़रूर कुछ कहूँगा और खास तौर पर यह बतलाऊँगा कि वे अपनी फ़ाइलें कैसे निबटाया करते थे।

जैसाकि मैं पहिले भी कहीं बतला चुका हूँ, मेरे एक अधिकारी थे जो कोई फ़ाइल कभी डिस्पोज नहीं करते थे। उनके यहाँ सिर्फ़ आयात ही आयात था; निर्यात नहीं। टेबुल पर फ़ाइलें होती थीं, अलमारियों के ऊपर फ़ाइलें होती थीं और अन्त में चलकर स्थिति यह रहती थी कि उनके हॉल कमरे के फ़र्श की दरी भी फ़ाइलों

से दबी रहती थी। वे निःसंग भाव से फ़ाइलों को देखते थे, पाइप सुलगाते थे और दोस्तों को टेलीफ़ोन करते थे। जो वक़्त बाकी बचता था, उसमें वह अपनी शोख और हसीन स्टेनोग्राफ़र को बुलाते थे और उसके साथ चाय पीते थे। इसके बाद वे आरामकुर्सी पर विश्राम करते थे जहाँ से ठीक दिखाई पड़ता था कि दिशाएँ जो हैं वे फ़ाइलों से भरी हैं। फ़ाइल के बिना संसार असार है। फ़ाइल चली जाएगी तो टेलीफ़ोन कहाँ से आएगा और सिफ़ारिश कहाँ से आएगी? उन्हें फ़ाइलों से वाकई अनन्त प्रेम था और इसी कारण वे उनसे ठीक इस तरह घिरे रहते थे जैसे कभी कृष्ण गोपियों से घिरे रहते थे। फ़ाइल उनकी प्रेयसी थी और वह उसे अपने से दूर रखना हर्गिज़ नहीं चाहते थे। दिल के आईने में है तस्वीरे यार, जब ज़रा गर्दन झुकाई देख ली। खुदा जाने काम कैसे चलता था। होता यह था कि काफ़ी मामले तो उनकी इस अकर्मण्यता के कारण अपने-आप ही ख़त्म हो जाते थे और अगर कोई ज़रूरी किस्म की फ़ाइल होती थी तो उसे निचला अफ़सर खोजकर ले जाता था और खुद ही डिस्पोज कर देता था। वे यह साबित करते थे कि सरकार जो है वह फ़ाइलों के बिना भी चल सकती है मगर हसीन और शोख स्टेनोग्राफ़र के बिना नहीं। अगर इन फ़ाइलों के स्थान पर कुछ और काम की चीज़ें होतीं तो पता नहीं अब तक मुल्क कहाँ-का-कहाँ पहुँच चुका होता।

मैं सोच ही रहा था कि चिन्तन में बाधा पड़ गयी। बुद्ध जी के साथ भी यही होता था। ऋषि और मुनि जो तपस्या करते थे, उसमें खलल डालने के लिए इन्द्र अप्सराएँ भेजा करता था और शिव की समाधि भंग करने के लिए तो कामदेव को खुद ही दौरे पर जाना पड़ा था। मैंने देखा कि दो फ़ाइलें आ गयी हैं जिन पर 'तत्काल' की चिप्पी लगी है। सरकारी दफ़्तरों में तत्काल का अर्थ उन फ़ाइलों से होता है जिन्हें कम-से-कम एक महीने की अवधि में ज़रूर निबटा देना चाहिए। एक फ़ाइल एक ऐसे बाबू की थी जो ग्यारहवीं बार अपने तबादले को कैंसिल करवाने की प्रार्थना कर रहे थे। कारण यह था कि उनकी पत्नी गर्भवती थी। सेक्शन ने नोट में लिखा था कि ये सज्जन पिछले ग्यारह वर्षों से तबादले पर नहीं गये हैं और हर बार कारण यही होता है कि पत्नी गर्भवती है। ट्रांसफ़र रुकवाने का यह प्राकृतिक तरीका मुझे काफ़ी पसन्द आया। डॉक्टरी सर्टिफिकेट भी देखा। जिस डॉक्टर ने यह सर्टिफिकेट दिया था वह इतना ईमानदार था कि पैसा मिलने पर पत्नी तो क्या, पति तक को गर्भवती बता सकता था। मैंने केस रिजेक्ट कर दिया। दूसरी अर्ज़ी एक ग़रीब आदमी की थी जिसका कुछ पैसा सात वर्षों से सरकार के पास सुरक्षित पड़ा था। फ़ाइल पढ़ी और दस्तख़त कर दिये। भगवान ने चाहा तो उसका पैसा उसकी ज़िन्दगी में तो उसे नहीं मिलेगा। भाग्य पर किसका अधिकार है? अर्थात् किसी का भी नहीं। फिर मैं एक अदना आदमी उस भाग्य में दखलन्दाज़ी करने वाला कौन होता हूँ? अपना पैसा वक़्त पर मिलता रहे, बस इतना काफ़ी है। उस ग़रीब आदमी

के साथ सहानुभूति दिखाने के लिए मैं एक सिगरेट और जलाने पर मजबूर हो गया।

सिगरेट पीते-पीते मैं फिर चिन्तन में डूब गया। जहाँ ऐसे अधिकारी मिले जो फ़ाइल को कभी कमरे से निकालते ही नहीं थे, वहाँ ऐसे भी एक आला अफ़सर थे जो मेज़ पर कुछ टिकने ही नहीं देते थे। इधर फ़ाइल आयी, उधर दस्तख़त किये और बाहर। फ़ाइल क्या थी, किस बारे में थी, इसका उन्हें कभी कोई पता नहीं रहता था। वे तो बस दस्तख़त करते थे और बाकी वक़्त में जासूसी उपन्यास या वुडहाउस पढ़ते थे। अगर कोई व्यक्ति गलती से उनके कमरे में अपनी ऐसी फ़ाइल भी छोड़ आया जिससे उन्हें कोई लेना-देना नहीं था, वे उस पर दस्तख़त कर देते थे और फिर वुडहाउस पढ़ने लगते थे। इनका कहना था कि जब सारी फ़ाइलें छोटे बाबू ने पढ़ी हैं, सेक्शन ऑफिसर ने पढ़ी हैं, अण्डरसेक्रेटरी ने पढ़ी हैं, डिपुटी सेक्रेटरी ने पढ़ी हैं तब उन्हें उनके पढ़ने से क्या फ़ायदा? निन्यानवे प्रतिशत तो फ़ाइल ठीक ही होंगी और रही एक प्रतिशत तो उनके लिए सारी फ़ाइलें पढ़ना देश का समय व्यर्थ करना है। मुल्क के पास काम ज़्यादा है और वक़्त कम। और अगर उस एक प्रतिशत गलत फ़ाइल का कभी पता लग ही गया तो क्या? आपको अपनी राय रखने का अधिकार है ओर मुझे मेरी। मैंने जिस नोट पर दस्तख़त किये, वह मेरी राय में ठीक था। यह तर्क देने के बाद वे पाइप सुलगाते थे और कहा करते थे कि जहाँ बड़े अफ़सर ज़्यादा मेहनत करते हैं वहाँ छोटे अफ़सर निकम्मे हो जाते हैं। वे छोटे अफ़सरों को विकसित होने का पूरा अवसर देते थे और खुद बाकायदा शाम को गोल्फ खेलते थे। मैं उनके पास कोई तीन वर्ष रहा और मैंने उनसे बहुत कुछ सीखा। फ़ाइलों की बात छोड़ दें, तो असलियत यह थी कि वे काफ़ी मेधावी, दयालु और खुशमिज़ाज किस्म के इंसान थे। जब भी हम लोगों पर कोई परेशानी पड़ी, उन्होंने हमारी हर तरह की मदद की। जब भी हमसे कोई गलती हुई, उसकी ज़िम्मेदारी उन्होंने ली। वे सच्चे अर्थों में एक आला अफ़सर थे। कठिन मामलों पर वे सलाह भी माकूल देते थे पर शर्त यह थी कि आप खुद जाएँ, फ़ाइल न भेजें। वैसे भी वे इण्डियन सिविल सर्विस के सदस्य थे।

मेरे चिन्तन में फिर व्यतिक्रम आ गया। पास वाली बैरक की बिजली भाग गयी थी और सैकड़ों बाबू गर्मी के कारण बाहर आ गये थे। मैं बाहर आया, बिजली के विभाग को एक व्यक्ति मोटर साइकिल पर भेजा गया और बाबू लोगों को भीतर शान्ति से बैठने की सलाह दी गयी। एक बाबू था जो गर्मी के कारण बेहोश हो गया था। वह किसी मानसिक रोग का रोगी था। उसे अपने निचले अफ़सर की मोटर में अस्पताल भिजवाया। इसके बाद मैं अपने चैम्बर में लौट आया। मैंने भगवान को लाख-लाख धन्यवाद दिया कि मेरा एअर कण्डीशनर ठीक चल रहा है और अस्पताल जाने के लिए मेरा पेट्रोल खर्च नहीं हुआ। बाबू लोगों का क्या है, वे तो पैदा ही परेशानी झेलने को हुए हैं। सब अपने-अपने कर्मों का फल है। गीता से

बड़ी कोई किताब नहीं।

थोड़ी देर बाद मैं फिर पुरानी यादों में खो गया। जहाँ ऐसे अफ़सर थे जो बगैर पढ़े फ़ाइल पर दस्तख़त करते थे, वहाँ एक ऐसे भी अधिकारी थे जो सब कुछ पढ़ते थे मगर दस्तख़त नहीं करते थे। उनका कहना था कि जो दस्तख़त करता है, वही फँसता है। वे अपनी सारी फ़ाइलों को सरकार के प्रायः सभी विभागों को दिखाते थे और उसके बाद निर्णय लेने के लिए उसे अपने सीनियर को सबमिट करते थे। अपने स्तर पर उन्होंने किसी फ़ाइल को कभी ख़त्म नहीं किया। इस सन्दर्भ में अचानक उन उच्च अधिकारी की याद भी आयी जो फ़ाइल खोने के लिए प्रख्यात थे। हममें से कोई भी जब किसी फ़ाइल से वाकई तंग आ जाता था, तो फ़ाइल को उनके पास भिजवा दिया जाता था। इतना करना था और चिन्ता ख़त्म। ख़ुदा गवाह है कि उनके पास गयी हुई कोई फ़ाइल कभी वापिस नहीं लौटी।

चिन्तन में फिर बाधा पड़ गयी। कुछ बाबू लोग कमरे के भीतर आ गये और ओवरटाइम के प्रस्ताव पर बातें करने लगे। ये वे लोग थे जो दिनभर कभी काम नहीं करते थे और बिल इकट्ठे हो जाने पर ओवर टाइम माँगते थे। इनमें कुछ दादा किस्म के लोग भी थे जो कि मुर्दाबाद के नारे लगाने के लिए उस क्षेत्र में काफ़ी प्रख्यात थे। मैंने सारी स्थिति पर गौर किया और ओवर टाइम का प्रस्ताव स्वीकृत कर दिया।

उन लोगों के चले जाने के बाद मैं फिर पुराने अफ़सरों को याद करने लगा। एक संयुक्त सचिव थे जो हर मामले पर मीटिंग बुलाते थे ताकि फ़ैसला जो हो उसकी ज़िम्मेदारी अकेले उन पर न आये। मीटिंग में चाय पी जाती थी, काजू खाये जाते थे, कुत्तों और गुलाबों की नस्लों पर बात की जाती थी और यदि समय बचता था तो फ़ाइल पर भी विचार किया जाता था। वे अफ़सर मीटिंग में भी अपनी राय कभी नहीं प्रकट करते थे; जो बहुमत का फ़ैसला होता था उसे मान लिया जाता था। इसी तरह एक और अफ़सर थे जो हर फ़ाइल पर 'प्लीज स्पीक' लिखते थे और उसे वापिस कर देते थे। निचला अधिकारी हफ़्तों के परिश्रम के बाद कहीं उन्हें बातचीत करने के लिए पकड़ पाता था। बात करने के बाद वे फ़ाइल पर लिख देते थे 'स्पोकन'। श्रीनारायण चतुर्वेदी के अनुसार इन शब्दों का हिन्दी अनुवाद काफ़ी मनोरम और सच्चा है। जहाँ काम-काज हिन्दी में होता है वहाँ ऐसे मामलों में टिप्पणी दी जाती है कि 'उपसचिव कृपया बोलें' और बातचीत के बाद लिखा जाता है, 'उपसचिव बोल गये।'

मेरी तन्द्रा अचानक टूट गयी। कलकत्ता से ट्रंककॉल थी। एक रिश्वत के केस में स्पेशल पुलिस कुछ बात करना चाहती थी। मैं बात करने के मूड में हर्गिज़ नहीं था। मैंने कह दिया कि आपकी आवाज़ सुनायी नहीं पड़ रही है और रिसीवर रख दिया। अब चिट्ठी आएगी जिस पर दफ़्तर विचार करेगा। मैं फ़ोन पर ज़िम्मेदारी क्यों लूँ? और हाँ, इस रिश्वत के केस की फ़ाइल पढ़कर तो मेरा मन हमेशा दुखी

होता है। मैं ऐसे विभाग में क्यों नहीं गया जहाँ रिश्वत मिलती है। आख़िर मैंने ऐसा क्या कुकर्म किया था जो इस बेहद ईमानदार महकमे में आया? वैसे रिश्वत मेरे विभाग में भी चलती है पर यहाँ माँगनी पड़ती है और माँगने के लिए चरित्र चाहिए जो मेरे पास कभी नहीं रहा।

मैं सोचने लगा कि सरकार भी क्या चीज़ है जो गधों और घोड़ों को एक ही लाठी से हाँकती है। काम करने वाला भी उतनी ही तनख्वाह पाता है जितनी की काम न करने वाला। किसी-किसी स्थिति में तो काम करने वाला अपनी फ़ाइलों में ही उलझा रहता है जबकि काम न करने वाला व्यक्ति अपने हथकण्डों और चापलूसों के बल पर विदेश जाता है, किसी कम्पनी का चेयरमैन बनता है और काम करने वालों को पीछे छोड़कर कहीं आगे निकल जाता है। ईमानदार आदमी फ़ाइल पढ़ता है और इतनी रात गये घर लौटता है कि तब तक उसकी बीवी प्रायः किसी और के साथ भागी हुई मिलती है। जबकि दूसरा है जो सचिवों, संसत्सदस्यों और बाकी बड़े लोगों के साथ सम्पर्क रखता है और अपनी और परायी पत्नियों के बीच किसी भेदभाव को नहीं जानता।

मेरे चिन्तन को फिर धक्का लगा। दरवाज़ा खुला और एक अदद लड़की कमरे के भीतर आयी। पहिली निगाह में ही दो बातें नज़र आयीं। एक तो यह कि वह ऐसे वस्त्रों में थी कि उसकी पूरी देह साफ़-साफ़ चमकती थीं और दूसरी बात यह कि वह ज़रूरत से ज़्यादा ख़ूबसूरत थी। पता नहीं सरकार क्यों ऐसी लड़कियों को भरती करती है जिनके कारण आधा दफ़्तर काम नहीं कर पाता। मुझे फिर एक ऐसे आई. सी. एस. अफ़सर की याद आ गयी जिन्होंने अपनी स्टेनोग्राफ़र से शादी की थी और जिनके कारण यह नियम बना कि सरकारी कर्मचारी एक समय में सिर्फ़ एक अदद बीवी रखेंगे। आप सोचेंगे कि कहाँ एक आई. सी. एस. अफ़सर और कहाँ एक स्टेनोग्राफ़र। मगर इश्क तो अन्धा होता है। अभी-अभी जयपुर में एक विदेशी टूरिस्ट युवती ने एक रिक्शा चालक को पति के रूप में ग्रहण किया। इस समाचार को पढ़कर खाकसार बहुत खुश हुआ। अगर कोई विदेशी युवती एक रिक्शा चालक पर आसक्त हो सकती है तो यह भी सम्भव है कि कभी कोई ऐसी कन्या खाकसार पर भी आशिक हो। देखने-भालने में मैं एक रिक्शा चालक से कोई खास अलग नहीं दीखता।

मैंने उस लड़की की परेशानी सुनी, अगले दिन फ़ाइल देखने का वादा किया और यह जानकर हार्दिक दुःख महसूस किया कि वह विवाहित थी। इसके बाद मैं दफ़्तर से चला आया और किसी पहाड़ी स्टेशन पर दौरे पर जाने का प्रोग्राम बनाने लगा।

तबादला

तबादला शब्द शायद फ़ारसी का है। हिन्दी में इसे ट्रांसफ़र कहते हैं। संस्कृत प्रेमी लोग इसे स्थानान्तरण कहकर पुकारेंगे और कुछ भाषा-शास्त्री ऐसे भी होंगे जो यौन-परिवर्तन की तर्ज पर इसे स्थानपरिवर्तन कहकर पुकारेंगे। तबादले की परम्परा काफ़ी पुरानी है क्योंकि कवि कालिदास की 'मेघदूत' नामक पोथी के अनुसार अलका के राजा कुबेर ने एक यक्ष का तबादला हिमाचल प्रदेश से छोटा नागपुर को किया था। सरकारी नौकरी का जो सच्चा मज़ा है वह तरक्की, तबादला और मुअत्तिल होने ही में आता है और मुझे यह स्वीकार करने में कोई आपत्ति नहीं होती कि इन तीनों का व्यक्तिगत अनुभव मुझे भी है। मुअत्तिल होने के लिए तो केन्द्रीय सरकार के एक मन्त्री ने कृपा की थी पर वे इतने भद्र थे कि जैसे ही उन्हें सारी स्थिति का पता लगा, उन्होंने अपना आदेश वापिस ले लिया। मेरा दुर्भाग्य देखिए कि तीस वर्ष की सरकारी नौकरी में कुल मिलाकर छः दिन ही मुअत्तिल रहा जबकि सिद्ध पुरुष जो हैं उनकी तो सारी नौकरी ही मुअत्तिल रहते गुज़र जाती है। ख़ैर, मुअत्तिल होने के तो असंख्य कारण होते हैं पर तबादले के लिए दो-चार कारणों से ही काम चल जाता है। तबादला या तो सजा देने के लिए किया जाता है या फिर बतौर इनाम के। कुछ महकमे इतने होनहार हैं कि वहाँ निश्चित अवधि के बाद वैसे ही तबादले होते रहते हैं। वही आस्कर वाइल्ड का 'कला के लिए कला' वाला सिद्धान्त। इधर कुछ महकमों में कर्मचारियों की यूनियन भी तबादलों में दखल देती रहती है क्योंकि यूनियन जो है वह बिना किसी रचनात्मक काम के तो चुप रह नहीं सकती। ख़ैर, इतना ज़रूर है कि तबादले आम तौर पर फरवरी या मार्च में ही होते हैं जिसके कि दो कारण हैं। पहिला कारण तो यह कि वैसा करने से सरकार का बजट लैप्स नहीं होता और दूसरा कारण यह है कि वैसा करने से ट्रांसफ़र किये गये कर्मचारियों के बच्चों को नयी जगह पर दाखिला नहीं मिलता। आदमी की परेशानी इस बात के सामने कोई मायने नहीं रखती कि सरकार की ग्राण्ट बगैर खर्च किये रह जाए। वैसा होने पर जो पूछताछ और जाँच-पड़ताल होगी, उसका अन्दाज़ा आम आदमी कभी नहीं लगा सकता। सरकार का जादू ऐसा है कि पकड़ में नहीं आता।

आला अफ़सरों के तबादले के अवसर पर दफ़्तरों में एक अजीब-सा वातावरण हो जाता है। जो लोग उस अफ़सर को रोज़ गालियाँ देते थे वे भी भावुक हो उठते हैं और विदाई-पार्टी में एक मरसिया पढ़ते हैं। साहब जो होता है वह चुपचाप बैठा रहता है और या फिर दावतें खाता रहता है। मुझे एक अधिकारी की अच्छी तरह याद है जिन्होंने हज़ारों रुपयों के तोहफे इकट्ठे करने और बीसियों दावतें खाने के बाद अपना तबादला रद्द करवा लिया था। तबादला रद्द होने के बाद स्थिति यह हो गयी थी कि यदि वे तुरन्त दौरे पर न निकल जाते तो हम लोग उनकी हत्या कर देते। अफ़सरों के बरख़िलाफ़ छोटे कर्मचारियों के तबादले कम रोमांचकारी होते हैं। बेचारे यहाँ तो परेशान थे ही, मगर दूसरी जगह जाकर और भी परेशान होंगे। वे लोग दोस्तों के साथ चाय पीते हैं और यही सोचते हैं कि नयी जगह कैसे काम चलेगा। इस पार प्रिये तुम हो, मधु है; उस पार न जाने क्या होगा? भारतभूषण अग्रवाल के अनुसार, ज़िन्दगी जो है वह कोई चारपाई तो है नहीं कि जब चाहा तभी उसके पाए और पट्टियाँ अलग करके उसकी गठरी बना ली जाए। मगर इल्लत यह है कि सरकार के विचार भारतभूषण अग्रवाल के विचारों से मेल नहीं खाते। सरकारी नौकरी में रहकर पार्थ, तू तबादले से नहीं बच सकता।

इस असार संसार में कुछ ऐसे भी प्राणी हैं जो कि तबादले से खुश होते हैं। सरकारी खर्चे पर दुनिया देखने का सन्तोष। या फिर अगर पुरानी जगह लड़की के भाई ने 'तेरा भुरता बनाकर रख दूँगा' वाली मुद्रा में बात की तो इन्होंने शहर बदल दिया। कुछ लोग इसलिए खुश रहते हैं कि पुरानी जगह पर लगभग हर एक व्यक्ति से कर्ज ले चुके थे और अब कोई इंसान ऐसा बचा ही नहीं था जिसे कि वे अपनी सहायता करने का शुभ अवसर प्रदान कर सकते। कुछ लोग हैं कि जलवायु-परिवर्तन के लिए तबादला चाहते हैं और कुछ लोग पैसा देकर ऐसी जगह जाना चाहते हैं जहाँ कि ऊपर की आमदनी होती हो। सरकारी कामकाज में वेतन को नीचे की आमदनी समझा जाता है; ऊपर की जो आमदनी होती है, वही असली चीज़ है। मैं ऐसे लोगों से मिला हूँ जिनका वेतन तीन सौ रुपये था और जो प्रत्येक माह तीन हज़ार कमाते थे और मुझसे बढ़िया सिगरेट पीते थे। ऐसे लोगों को देखकर मुझे बड़ा रश्क होता है। काश, मैं भी किसी ऐसे ही महकमे में होता! तुझसे भी दिलफरेब है ग़म रोज़गार के।

तबादले के पहिले चाहे कोई खुश हो या नाखुश, पर यह सच है कि तबादले के बाद हर एक व्यक्ति दुखी होता है। तबादले के खर्चे का जो बिल भरना पड़ता है वह इतना उलझा हुआ है कि यदि गणेश जी भी होते तो शायद वे भी परेशानी में पड़ जाते। बच्चों की उम्र, चलने का समय, पहुँचने का समय और इस सबके साथ कोई पचीस सर्टिफिकेट जो इतने बारीक छपे हुए होते हैं कि आम आदमी तो उन्हें समझना क्या, पढ़ भी नहीं सकता। और स्थिति यह है कि यदि आप इस बिल की

पाँच कापियाँ नहीं भरेंगे तो तबादले का खर्चा नहीं मिलेगा और आपने यदि कोई एडवांस लिया था तो वह वेतन में से कट जाएगा। इस स्थिति से बचने का क्रोई उपाय नहीं। मुझे याद है कि मेरे एक कर्मचारी तबादला चाहते थे और उस सिलसिले में मुझ पर रोज़ कोई-न-कोई सिफ़ारिश भिजवाते रहते थे। अन्त में तंग आकर मैंने उन्हें बुलाया और तबादले के बाद भरने वाला सरकारी फ़ार्म दिखाया। उस फ़ार्म का देखना था कि वे बेहोशी की हालत में मेरे कमरे से हटवाये गये और उस दिन के बाद उन्होंने कभी तबादले का ज़िक्र नहीं किया। मगर सरकारी तबादले जो हैं वे एक फ़ार्म की वजह से रोके थोड़े ही जा सकते हैं। हज़ारों लोग रोज़ बिस्तर बाँधते हैं और रेल पकड़ते हैं। इनका कभी कोई स्थायी घर नहीं होता, कोई सच्चा दोस्त नहीं होता और किसी-किसी हालत में बीवी भी एक नहीं होती। ये लोग हैं जो प्रशासन के पक्षी हैं और इनका कोई घोंसला अपना नहीं होता। ज़िन्दगी का आधा हिस्सा बिल भरने में बीत जाता है और एक दिन आता है जब इन्हें पता लगता है कि वे रिटायर हो गये हैं और उनका अपना कोई ठिकाना नहीं है। मैं खुद इसी श्रेणी में आता हूँ। अगर तबादलों की असलियत मालूम होती तो कभी सरकारी नौकरी में न आता, कस्बे के काँजीहाउस में मुंशी हो जाता। ख़ैर, अब तो जो होना था, हो गया। एक शेर आपकी खिदमत में अर्ज करता हूँ और आपसे विदा लेता हूँ।

याँ से वाँ, वाँ से याँ, हुक्म हुआ वस्ल की शव।
हम उठाते ही, बिछाते ही रहे बिस्तर अपना।।

सरकार के तीनों अंग

कुछ भी कहने से पहिले मैं यह बात स्पष्ट कर दूँ कि सरकार से मेरा अभिप्राय यहाँ देश की सरकार से है; देश के प्रसिद्ध जादूगर सरकार साहिब से नहीं। वैसे वस्तुस्थिति यह है कि कभी-कभी हमारी सरकार भी जादू के काम कर जाती है पर ऐसा करना उसका पेशा नहीं है और उससे जो जादू के काम हो जाते हैं वह संयोग मात्र ही हैं। हमारी सरकार के तीन अंग हैं जिनके नाम हैं व्यवस्थापिका, कार्यकारिणी और न्यायपालिका। व्यवस्थापिका कानून बनाती है, कार्यकारिणी उनका पालन कराती है और न्यायपालिका उन लोगों को सजा देती है जो कि कानून का पालन नहीं करते। सरकार शब्द स्त्रीलिंग होता है और उसके तीनों अंगों के साथ भी यही स्थिति है। व्याकरण की यह मज़ाक़ मेरी समझ में कभी नहीं आयी जिसके अनुसार पुलिस और सेना तक स्त्रीलिंग ही होती आयीं।

व्यवस्थापिका जो है वह सबसे पहिले आती है। आम चुनाव होते हैं और जीते हुए उम्मीदवार या तो सरकार बनाते हैं या फिर विपक्ष में बैठते हैं। हमारे देश में चुनाव जो होते हैं वे एकदम ईमानदार व निष्पक्ष होते हैं और हमारा देश सम्भवतः संसार का अकेला देश है जहाँ कि चुनाव करते समय धर्म, जाति और गुट जैसी पिछड़ी हुई चीज़ों पर कोई ध्यान नहीं दिया जाता। चुनाव जीतने के बाद विधायक लोग कानून बनाते हैं, सरकार से सवाल पूछते हैं और सरकार की नीति निश्चित करते हैं। हमारी विधानसभाओं में जूता नहीं चलता और न वहाँ कोई हुल्लड़बाजी ही होती है। सारे विधायक शान्ति व शिष्टता के साथ काम करते हैं। कभी-कभी कोई विधायक मज़ाक़ पसन्द व होनहार भी होते हैं और उनका ज़िक्र करना भी ज़रूरी है। एक ऐसे ही विधायक जब हॉल में से उठकर बाहर की दिशा में भागे तो स्पीकर की मेज़ पर रखी गदा को भी उठाकर ले गये। मगर ऐसी दिलचस्प घटनाएँ बहुत कम होती हैं और आम तौर पर विधायक लोग जो होते हैं वे शालीन, शान्तिप्रिय और अनुशासन का पालन करने वाले ही होते हैं। अख़बार वाले कभी-कभी कुछ झूठी घटनाओं का ज़िक्र बहुत बढ़ा-चढ़ाकर करते हैं पर वैसा करने से वास्तविकता पर तो कोई असर नहीं पड़ता।

विपक्ष के लोग कभी-कभी सरकार से काफ़ी टेढ़े सवाल पूछते हैं मगर सरकार उनका जवाब इस प्रकार देती है कि सच होते हुए भी उसके वे जवाब वस्तुस्थिति पर कोई प्रकाश नहीं डालते। विधायिका की यह परम्परा काफ़ी पुरानी है। लायड जार्ज कहा करते थे कि पार्लियामेण्ट में दिये गये जवाब सच्चे हों, संक्षिप्त हों और कुल मिलाकर ऐसे हों कि प्रश्न पूछने वाला सदस्य उत्तर पाकर भी मामले के बारे में उतनी ही जानकारी रखे जितनी कि वह उत्तर पाने से पहिले रखता था। कुछ सदस्यों को प्रश्न पूछने की आदत होती है जिसके कारण वे काफ़ी लोकप्रिय रहते हैं। लोकप्रियता के सन्दर्भ में आपको मैं बता दूँ कि एक प्रदेश में एक विधायक इतने लोकप्रिय निकले कि आसपास के हिजड़ों ने अपनी ढोलक लेकर उनका घिराव कर लिया। इन सब बातों के अतिरिक्त बड़ी बात यह है कि हमारे देश के विधायक लोग इतने निष्ठावान हैं कि वे किसी भी क़ीमत पर दल-बदल नहीं करते। उनके लिए सिद्धान्त जो है वह बड़ी चीज़ है और उसके सामने मन्त्रिमण्डल में शामिल होना कोई मायने ही नहीं रखता।

जहाँ तक हमारी कार्यकारिणी का प्रश्न है, स्थिति यह है कि उसकी जितनी भी प्रशंसा की जाए वह कम ही है। मामूली मामलों पर भी इतनी गम्भीरता से विचार किया जाता है कि फ़ाइल निबटाने में वर्षों लग जाते हैं और स्थिति यह रहती है कि जब तक फ़ाइल पर निर्णय लिया जाता है तब तक समस्या जो होती है, वह वैसे ही हल हो जाती है। हमारे यहाँ कार्यकारिणी जो है वह एकदम स्वतन्त्र है और पूँजीपति या राजनीतिक दल उस पर कोई प्रभाव नहीं डालते। पुलिस है कि एकदम गाँधीवादी है। दिन-दहाड़े बैंक लूटे जाते हैं, स्त्रियों को जलाया जाता है, हरिजनों पर अत्याचार किये जाते हैं पर पुलिस है कि इन मामलों में हस्तक्षेप नहीं करती। दिल्ली में दूध की एक बोतल में इतना बड़ा चूहा निकला कि उसकी ख़बर अख़बार वालों तक पहुँच गयी। अख़बार वाले तो चाहते ही हैं कि कुछ चलता रहे ताकि अख़बार की बिक्री पर कोई असर न पड़े। अख़बार वाले अगर ज़्यादा शोर मचाते तो कार्यकारिणी उस चूहे वाली वारदात पर एक कमीशन बिठा देती जिसकी अन्तरिम रिपोर्ट कोई तीन साल बाद मिलती। इतनी अवधि में इस चूहे का क्या हश्र होता, इस पर कुछ भी नहीं कहा जा सकता। कमीशन के सामने गवाही देते-देते बेचारे का कचूमर निकल जाता।

हमारी कार्यकारिणी की खास बात यह है कि वह किसी भी स्तर पर रिश्वत नहीं लेती। रिश्वत और सिफ़ारिश—ये दो चीज़ें ऐसी हैं कि जिनका हमारे देश में दस्तूर ही नहीं है। नतीजा यह है कि सारे विभाग नितान्त ईमानदारी और स्वतन्त्रता से अपना कामकाज करते हैं। कार्यतत्परता तो इतनी है कि एक जगह आग लग गयी और तुरन्त टेलीफ़ोन करने के बावजूद आग बुझाने वाली गाड़ी सिर्फ़ पाँच घण्टे लेट पहुँची। हमारी रेलें हैं कि एकदम ठीक समय पर चलती हैं और हमारी जनता

भी इतनी ज़िम्मेदार किस्म की है कि लोग विपत्ति पड़ने पर भी रेल की चेन नहीं खींचते। उन्हें डर रहता है कि चेन खींचने से गाड़ी कहीं लेट न हो जाए। वैसे भी हमारा रेल-विभाग अपनी ईमानदारी के लिए प्रसिद्ध है जो कि एक उचित बात है। डाक-विभाग जो है वह तो और भी ज़्यादा कर्त्तव्यपरायण और निष्ठावान है। एक ख़त को बीस मील की दूरी पार करने में तीन वर्ष लग गये मगर डाक-विभाग को देखिए कि देर कितनी भी लगी हो, मगर उसने चिट्ठी को खोया नहीं और उसे सही व्यक्ति तक पहुँचाकर ही दम लिया।

हमारी कार्यकारिणी ने गाँवों के क्षेत्र में विशेष काम किया है और वह हमारी पंचवर्षीय योजनाओं का ही परिणाम है कि गाँव वाले आज इतने खुशहाल हैं। सारा देश अमीर और साक्षर हो गया है और शराब, फ़ौजदारी और डकैती वगैरा से एकदम मुक्त हो गया है। चकबन्दी, सहकारिता और इस तरह के बाकी महकमे जो अंग्रेज़ी ज़माने में बेहद बेईमान हुआ करते थे, वे सब-के-सब एकदम ईमानदार हो गये और गाँव वालों का जीवन स्तर उठाने में रात-दिन जुटे रहते हैं। बाढ़ और सूखा—ये दोनों विपत्तियाँ अब मात्र इतिहास की चीज़ें रह गयी हैं जिसका सारा श्रेय हमारे अफ़सरों को जाता है। बच्चों की पैदावार कम करने की दिशा में भी काफ़ी काम किया गया है जिसके कारण हमारी आबादी की समस्या भी लगभग ख़त्म हो गयी है। यह कार्यकारिणी की ही हिम्मत है कि जिसने देश को पूरी तरह बदल दिया। देश में साम्प्रदायिक दंगे अब नहीं होते और इसका श्रेय भी राजनीतिक नेताओं और कार्यतत्पर कार्यकारिणी को ही जाता है। आइए, हम सब अपनी पिछली टाँगों पर खड़े हों और कार्यकारिणी की सफलता के उपलक्ष्य में तालियाँ बजाएँ।

कार्यकारिणी की आशातीत सफलता के दो कारण हैं। पहिला कारण तो यह है कि सरकारी कर्मचारियों की नियुक्ति बेहद ईमानदारी से की जाती है और उस सन्दर्भ में रिश्वत या सिफ़ारिश का कोई महत्त्व ही नहीं रह गया है। दूसरा कारण यह है कि सरकार अपने अधिकारियों की खुशहाली का पूरा ध्यान रखती है जो एक बेहद ज़रूरी चीज़ है। एक प्रदेश में सरकार ने एक ऐसे अधिकारी को प्रोमोशन व क्षमादान दिया जिसे कि अदालत अपराधी घोषित कर चुकी थी और जिसे सजा भी सुना दी गयी थी।

आइए, अब थोड़ी-सी चर्चा न्यायपालिका की भी कर लें। अदालतों के बारे में दो बातें कहनी बहुत ज़रूरी हैं। पहिली बात तो यह है कि हमारे देश में फ़िलहाल अगर कहीं सच बोला जाता है तो वह सिर्फ़ अदालतों में ही बोला जाता है। अदालत ही एक ऐसा स्थान बचा है जहाँ कि सच बोला जाता है, पूरा सच बोला जाता है और सच के अलावा कुछ नहीं बोला जाता है। सारे मुकद्दमे बेहद ईमानदारी से चलते हैं और अन्त में चलकर जो कुछ भी होता है वह न्यायसंगत ही होता है। जज साहिब और वकील लोग मिलकर वह काम करते हैं जो कभी हंस किया करता था।

दूध का दूध और पानी का पानी। अदालतों के बारे में दूसरी ज़रूरी बात जो कहनी है वह यह है कि हमारे देश में मुकद्दमे जो हैं वे कम-से-कम वक़्त में तय कर दिये जाते हैं। आपको जानकर खुशी होगी कि फ़िलहाल भारत जैसे विशाल देश में सिर्फ़ नौ लाख बारह हज़ार मुकद्दमे ऐसे हैं जो विचाराधीन हैं। बाकी जो मुकद्दमे थे वे तो कभी के ख़त्म कर दिये गये। सबसे पुराना जो मुकद्दमा है वह सन् उन्नीस सौ तीस का है यानी कि वह भी सिर्फ़ सत्तावन वर्ष पुराना है। उत्तर प्रदेश के एक अकेले ज़िले में लगभग बाईस हज़ार मुकद्दमे तो ऐसे विचाराधीन हैं जो कि सिर्फ़ फ़ौजदारी के हैं। इतने लम्बे-चौड़े देश में आपको और क्या चाहिए?

अदालतों में कभी-कभी काफ़ी मज़े की बातें होती हैं। प्रख्यात हास्य-व्यंग्य लेखक हेनरी सिसील ने तो अपना सारा साहित्य कानून और अदालतों को ही लेकर लिखा है। हमारे यहाँ भी अदालतों में कभी-कभी काफ़ी नाटकीय बातें की जाती हैं। अंग्रेज़ी ज़माने में तो एक अदालत ने डाकगाड़ी का इंजन ही अटैच कर दिया था। जैसे ही गाड़ी स्टेशन पर आयी, अदालत के हरकारे ने अदालत का जो हुक्म था वह इंजन के बायलर पर चिपका दिया। गाड़ी थी कि वहीं खड़ी रही। स्टेशन के अधिकारियों ने कलकत्ते को टेलीफ़ोन किया जहाँ कि ईस्ट इण्डियन रेलवे का हैडक्वार्टर था। वहाँ से रेलवे के वकील ने टेलीफ़ोन पर ही मुकद्दमे की पैरवी की। उसने बताया कि अदालत ने जो भी चीज़ अटैच की है वह एक सरकारी सम्पत्ति है और अदालत का यह कानूनी फर्ज है कि वह अपनी सम्पत्ति को उठवाये और उसे सरकारी मालखाने में जमा करे। अदालत ने जब यह दलील सुनी तो इंजन पर से हुक्म हटवाया और गाड़ी जो थी वह आगे चली। अभी-अभी एक समाचार पढ़ने को मिला कि एक अदालत ने सौ के करीब लावारिस गधे गिरफ़्तार किये जो बाद में जमानत पर रिहा किये गये। अगली बार जो मुकद्दमे की पेशी होगी उसमें वे सारे गधे भी अदालत में हाज़िर होंगे।

चर्चा को यहीं ख़त्म करता हूँ क्योंकि सरकारी बातों को आप एक सीमा के बाहर नहीं ले जा सकते। सरकार के जो हाथ हैं वे बड़े लम्बे हैं। व्यवस्थापिका जो है, उसके अधिकार इतने व्यापक हैं कि वह चाहे तो आपको जेल भी भिजवा सकती है। कार्यकारिणी के पास 'आफ़िशल सीक्रेट्स एक्ट' है जिसके पीछे सब कुछ छिपा है। आदलत जो है, वह अपनी मानहानि के लिए आप पर मुक़दमा चला सकती है और आपको सजा दे सकती है। अब आप ही बताइए कि ऐसी स्थिति में देश का एक जागरूक नागरिक इश्क करने के अलावा और कुछ करे तो क्या करे?

पानीपत की चौथी लड़ाई

मैं हिन्दी का एक साधारण लेखक हूँ। पिछले बाईस वर्षों में मैंने लगभग तीन सौ कविताएँ और लगभग उतनी ही हास्य-व्यंग्य की रचनाएँ लिखी हैं। मेरे विचार में मेरे जैसे लेखक बहुत कम होंगे जिन्होंने अपनी सीमित प्रतिभा का विभिन्न विधाओं में इतनी ईमानदारी से बँटवारा किया होगा। मेरे इस लेखक बनने में जो परेशानियाँ मुझे झेलनी पड़ी हैं और जिन कष्टों का मैंने सामना किया है, उन्हें बस मैं ही जानता हूँ। आज मैं उन परेशानियों के बारे में आपको भी कुछ जानकारी देना चाहता हूँ और इसी कारण यह लेख लिखने बैठा हूँ। मेरा निश्चित मत है कि यदि मैं इन परेशानियों का पूरी तरह मुक़ाबला करता तो मैं भी शायद पन्त और निराला बन सकता था मगर मैंने इन दोनों महाकवियों की महानता बरकरार रखने के लिए वैसा कुछ नहीं किया।

अपने जीवन में मैंने दो बड़ी गलतियाँ कीं। पहिली गलती तो मैंने यह की कि एक नितान्त सर्वगुण सम्पन्न लड़की से शादी की और दूसरी गलती यह की कि मैं एक ऊँची सरकारी नौकरी में चला गया। लेखक-जीवन में जितनी परेशानियाँ मुझे पड़ी हैं उनमें से तीन-चौथाई परेशानियाँ मात्र इन दो गलतियों के कारण पड़ी हैं। वैसे मेरी पत्नी और नौकरी दोनों शानदार हैं और यही कारण है कि हज़ार बार निश्चय करने पर भी मैं इन दोनों में से एक को भी नहीं छोड़ सका, पर यह बात भी सच है कि सच्चा कलाकार केवल वही हो सकता है जो कला के अलावा बाकी और सारे सांसारिक बन्धनों से मुक्त रहे। कितनी नावों में कितनी बार चढ़े और फिर भी अपने आँगन के पार वाला द्वार हमेशा खुला रखे। मैं दावे के साथ कहता हूँ कि कालिदास जो कहीं-कहीं मुझसे बेहतर कवि होने का संशय उत्पन्न करता है, उसका एकमात्र कारण यही है कि न तो उसने किसी रूपवती कन्या से कभी विधिवत शादी की थी और न ही वह किसी सरकारी दफ़्तर में नौकर था। मेरी तरह वह भी अगर किसी दफ़्तर में काम करता, दस बजे जाकर शाम को सात बजे वापिस लौटता, घर पर निबटाने के लिए फ़ाइलों का गट्ठर लाता और दफ़्तर में कर्मचारियों की यूनियन से मुक़ाबला करता तो मैं दावे के साथ कहता हूँ कि वह

कुछ भी नहीं लिख पाता। 'काव्येषु माघः कवि कालिदासः' जैसी पंक्तियाँ उसके बारे में कभी भी नहीं लिखी जातीं।

मैं दस बजे सुबह दफ़्तर जाता हूँ और शाम को सात बजे घर लौटता हूँ। कभी-कभी काम इतना होता है कि घर पर भी दफ़्तर का ही काम करना पड़ता है। दफ़्तर में मुलाकाती लोग, टेलीफ़ोन और मीटिंग इतना वक़्त ले लेती हैं कि कुछ कहा नहीं जा सकता। कभी काम कम होता है तो मैं दफ़्तर में आरामकुर्सी पर निद्रा लाभ करता हूँ, नयी रचनाओं की रूपरेखा तैयार करता हूँ और ऐसी किताबें पढ़ता हूँ जिनसे चोरी की जा सके। चोरी करने वाला मैं पहिला प्रतिष्ठित लेखक नहीं हूँ, यह असाध्य वीणा मुझसे बड़े लोग पहिले भी बजा चुके हैं। दफ़्तर में तबीयत ताज़ा करने के लिए शोख और हसीन स्टेनोग्राफ़र से गप्पें मारता हूँ, उसे चाय पिलाता हूँ और उसके साथ किसी पहाड़ी स्टेशन पर जाने का प्रोग्राम तैयार करता हूँ। जो अफ़सर ऐसा नहीं करते वे दिल के दौरे के शिकार होते हैं जो मैं कभी नहीं होना चाहता। मेरी राय में दिल को अगर किसी और को दे दिया जाए तो उसके बीमार होने का सवाल ही नहीं उठता।

स्टाफ की जो यूनियन है वह भी तबीयत को बराबर ताज़ा रखती है। बात कितनी भी छोटी क्यों न हो, यूनियन को तो हड़ताल की धमकी देनी ही है और उनके इस संवैधानिक अधिकार को कोई नहीं छीन सकता। चौकीदारों और चपरासियों को जिस वर्ष ब्राउन जूता दिया जाता है, उस वर्ष इस मुद्दे को लेकर प्रदर्शन किया जाता है कि उन्हें काला जूता क्यों नहीं दिया गया और जिस वर्ष उन्हें काला जूता दिया जाता है, उस वर्ष इस मुद्दे को लेकर भूख-हड़ताल की जाती है कि उन्हें ब्राउन जूता क्यों नहीं दिया गया। सच्ची बात यह है कि दोनों तरह के जूते उस जूते से बेहतर होते है जिन्हें कि खाकसार खुद खरीद कर पहिनता है। यूनिफ़ार्म जो है वह फ़ैशन के मुताबिक होनी चाहिए। आजकल आप मेरे साथ आइए तो मैं आपको कुछ ऐसे संस्थान दिखाऊँगा जहाँ कि निचले कर्मचारी नये-से-नये फ़ैशन की 'सफारी' पहिने हुए मिलेंगे और कुल मिलाकर आपको ऐसा लगेगा कि आप किसी 'ब्यूटी परेड' का मुआयना कर रहे हैं। इधर ताज़ी माँग यह है कि खादी के स्थान पर यूनिफ़ार्म जो हो वह टेरीकॉट की हो। मेरा एक चपरासी था जो जाड़ों में सब कानूनों के ख़िलाफ़ वर्दी की जगह 'थ्री पीस' सूट पहिनकर आता था जबकि खुदा गवाह है कि काफ़ी किफ़ायत और कोशिश के बावजूद मैं अपने लिए वैसा सूट अभी तक नहीं सिलवा पाया। अब आप ही बताइए कि ऐसे वातावरण में कोई शाश्वत किस्म की चीज़ लिखी जाय तो कब लिखी जाय?

दफ़्तर के पहिले और बाद जितना समय बचता है वह पत्नी और बच्चों को दिया जाता है। उस समय यदि मैं कुछ लिखता-पढ़ता हूँ तो मेरी प्रिय पत्नी उन तमाम कामों की सूची मुझे थमा देती है जो मुझे करने होते हैं। अगर मैं ज़रा भी

आनाकानी करता हूँ तो मेरी ख़ूबसूरत बीवी साफ़-साफ़ कह देती है कि यदि लेखक ही बनना था तो मैंने शादी क्यों की और शादी भी की थी तो बच्चे कैसे पैदा किये। मैं सब सुनता हूँ और सिर पकड़कर बैठ जाता हूँ। अब मैं अपनी एक अदद भोली पत्नी को कैसे समझाऊँ कि शादी जो की जाती है वह क्यों की जाती है और बच्चे जो पैदा होते हैं वे कैसे होते हैं। मेरा ख़याल था कि अब तक वह इन बातों को खुद समझती होगी। बहरहाल बीवी और बच्चों की वजह से मुझे सिनेमा देखना पड़ता है, बाज़ारों के चक्कर लगाने पड़ते हैं और कभी-कभी ऐसे लोगों से भी मिलना पड़ता है जिन्हें मैं देखना भी पसन्द नहीं करता। अब मैं बीवी को कैसे समझाऊँ कि 'ग़म और भी है ज़माने में मुहब्बत के सिवा'। बीवी-बच्चों से किसी तरह छुट्टी मिलती है तो रिश्तेदारों और मेहमानों से निबटना पड़ता है। गोभी की भाँति रिश्तेदारों और मेहमानों की भी अलग-अलग किस्में होती हैं पर उस बातचीत को मैं फिर कभी करूँगा। संक्षेप में स्थिति यह है कि मेहमान और रिश्तेदार आगे निकल जाते हैं और लिखना-पढ़ना पीछे छूट जाता है।

परिवार और नातेदारों से छुट्टी मिलती है तो चिट्ठी-पत्री का धन्धा सामने आता है जो नियमित रूप से काफ़ी समय ले लेता है। ज़्यादातर पत्र-व्यवहार उन सम्पादकों और प्रकाशनों से करना पड़ता है जो कि रचना या पुस्तक की पाण्डुलिपि मिलने से पहिले तार दिया करते थे और अपनी मनचाही चीज़ मिल जाने के बाद प्राप्ति की सूचना भी नहीं देते। वही शादी से पहिले और बाद वाली बात। अकबर इलाहाबादी ने लिखा है कि 'तआल्लुक आशिको माशूक का जो लुत्फ़ रखता था, मज़े वे अब कहाँ बाकी रहे बीवी मियाँ होकर।' कोई-कोई प्रकाशक तो इतने स्नेही होते हैं कि रॉयल्टी का हिसाब ही नहीं देते। मेरी कुछ किताबें एक ऐसे प्रकाशन संस्थान से छपी हैं जिसके संचालक मुझसे इतनी आत्मीयता बरतते हैं कि पुस्तक का नया संस्करण मुझे बताये बिना ही छाप लेते हैं मगर रॉयल्टी का चेक तभी देते हैं जबकि मैं खुद उनके नगर जाता हूँ। अब करीब चार साल हो गये जिसका कि हिसाब और चेक आना है मगर वह तभी मिलेगा जब मैं कभी उनके पास जाऊँगा।

अब आप ही बताइए कि ऊपर लिखी स्थिति में साहित्य की साधना की जाए तो कैसे की जाए? मगर मैं हूँ कि पानीपत की इस चौथी लड़ाई को बराबर लड़ता जाता हूँ। चौबीस किताबें छप चुकी हैं और पाँच प्रेस में हैं। रवीन्द्रनाथ ठाकुर के शब्दों में जीवन का जो विष है वह मैं खुद पीता हूँ और उसमें जो मधुमय है वह रात-रातभर जागकर मैं आपको देता हूँ। मेरा आपके ऊपर कितना बड़ा एहसान है—इस बात को आप खुद ही सोचिएगा। और हाँ, इस सन्दर्भ में यह बात भी मैं आपको बता दूँ कि मेरा दूसरा बड़ा एहसान आप पर उस दिन होगा जिस दिन मैं लिखना बन्द कर दूँगा।

दास्तान–एक जूते की

जूते के बारे में व्याकरण का प्रयोग कैसे किया जाए, इस पर काफ़ी जूतम-पैजार की जा सकती है। पाजामे की तरह जूते की भी अपनी एक विशेष स्थिति है। व्याकरण के अनुसार पाजामा ऊपर से एकवचन होता है और नीचे से बहुवचन। इसी प्रकार जूता भी वचन, लिंग और क्रिया की दृष्टि से काफ़ी परेशानियाँ पैदा करता है। एक जोड़ी 'जूता' कहना उतना ही ठीक है जितना कि एक जोड़ी 'जूते' कहना। जहाँ तक लिंग का प्रश्न है वह इस बात पर निर्भर है कि उसे आदमी ने पहन रखा है या कि औरत ने। वही मुर्गेवाली पुरानी मज़ाक़–उसके सामने चावल डाल दीजिए और फिर देखिए। अगर वह चावल चुगता है तो मुर्गा है और अगर वह चावल चुगती है तो मुर्गी है।

ख़ैर, व्याकरण की परेशानियों से जूते के चरित्र पर कोई असर नहीं पड़ता। वह किसी भी स्थिति में हो, हर क्षेत्र में आपकी हर तरह की सेवा करने को हमेशा तत्पर है। जो लोग जूते को सिर्फ़ पैर के सन्दर्भ में ही देखते हैं, वे उसकी प्रतिभा के प्रति अन्याय करते हैं। मेरे विचार में शरीर का शायद ही कोई ऐसा अंग हो जिससे जूता निकट सम्पर्क स्थापित न कर सके। और इस सेवा का क्षेत्र इतना विस्तृत है कि क्या राजनीति, क्या साहित्य और क्या प्रेम–जीवन का कोई पहलू ऐसा नहीं है जहाँ कि जूते की गति न हो। जहाँ तक राजनीति का प्रश्न है, कम-से-कम हमारे देश में तो वह सार्वजनिक चुनाव चिह्न के रूप में स्वीकार किया जा सकता है। क्या पब्लिक मीटिंग और क्या विधानसभा, जूता अपना पुश्तैनी धन्धा हर स्थान पर उसी तत्परता से सम्पन्न करता है। अन्तर्राष्ट्रीय स्तर पर भी उसका प्रयोग किया जा चुका है। एक देश के प्रधानमन्त्री ने एक बार संयुक्त राष्ट्र संघ की बैठक में मेज़ पर जूता ठोंककर मानवजाति की मौलिक एकता पर अपना मत प्रकट किया था। जूतमपैजार न हो तो फिर राजनीति में बचता ही क्या है? सिर्फ़ मोजे बचते हैं, पर उनसे आप सत्ता की गर्म सड़क पर चल तो नहीं सकते।

जहाँ तक साहित्य का प्रश्न है वहाँ तो जूते के बिना एक क़दम भी चलना मुश्किल है। कवि-सम्मेलनों में जूता सभापति का काम करता है। जूते के ही बूते पर

शृंगार रस की कविता भी कभी-कभी वीर रस का मज़ा दे जाती है। कुछ कवियों ने तो जूते का वैसे भी खुले रूप में प्रयोग किया है, जिससे उनके काव्य की शोभा चौगुनी हो गयी है। नमूने के तौर पर इन पंक्तियों पर निगाह डालिए:

हर एक का जहाँ में अरमाँ निकल रहा है,
तोपें भी चल रही हैं, जूता भी चल रहा है

(अकबर)

बूट डासन ने बनाया, मैंने एक मजमूँ लिखा
मुल्क में मजमूँ न फैला, और जूता चल गया

(अकबर)

ऐ बाग जो बताये मये इश्क को हराम
ऐसे के दो लगाये भिगो कर शराब में

(दाग़)

प्रेम और विवाह के क्षेत्र में जूते का स्थान पुरोहित से भी बढ़कर है। स्वीडन में शादी के अवसर पर जूते के अन्दर चाँदी की मुद्रा डाली जाती है जिससे दम्पती को जीवन-भर रुपयों की कमी न रहे। पतिव्रता स्त्रियाँ हर देश में जूते का महत्त्व स्वीकार करती हैं और हमारे देश में तो पत्नी को पैर की जूती ही कहा जाता है। ऐसा कहने से पत्नी का पद भी ऊँचा होता है और जूते का भी। इश्क के मामले में जूते से बड़ा और कोई गवाह होता ही नहीं। कुछ लोग जो प्रेम में भगवान देखते हैं और 'कि हर सूरत कलेजे से लगा लेने के क़ाबिल है' वाले राष्ट्रीय नारे में विश्वास रखते हैं, उनसे पूछिए कि जूता कितनी स्वादिष्ट चीज़ है। जूते के साथ जो खाने की क्रिया का प्रयोग किया जाता है, वह एकदम ठीक ही बैठता है।

क़िलों की तरह हर जूते का अपना इतिहास है। पुराने जूतों को देख कर मुझे हमेशा एक खास तरह की खुजली उठती है और गुलाम अहमद फुर्कत की यह ग़ज़ल मुझे बार-बार सताती है:

गर्दिशे अफ़लाक के मारे हुए जूते तमाम
इक सड़क के मोड़ पर रखे थे वासद एहतियाम;
उन पै टूटे पड़ रहे थे मुफलिसाने खासो आम,
मैंने भी गर्दन बढ़ा कर पूछे उनमें इक के दाम;
बोला मुद्दत बाद इन जूतों का अब उट्ठा है पाल
और इन जूतों में हर जूता है आप अपनी मिसाल;
एक जूता उनमें था तजरुबों का शाहकार
और किसी माने हुए अंग्रेज़ की थी यादगार;
बोला मैं इस देश में चलता रहा हूँ बारबार
हिन्दू औ' मुस्लिम हैं अब तक मेरे अफसूँ का शिकार;

उनमें से एक तगड़ा-सा जूता एक डी. एस. पी. का था
उम्र भर जो बेगुनाहों के सरों पर था चला;
कितनी-कितनी रिश्वतें साहब को था खिलवा चुका
जिस्म गो बेजान था लेकिन तले का था कड़ा;
एक बर्मी सैण्डिल भी थी वहाँ मस्तानावार
इस तरह रखी हुई थी जैसे पत्तों में अनार;
ये किसी कॉलिज की लड़की की रही थी गमनुसार
नौजवां उश्शाक के जज्बे थे इसके जेरवार;
सैण्डल इक जिसके दोनों बन्द थे लटके हुए
जो जवानी में थी कितनी इज़्ज़तें लूटे हुए;
सैकड़ों उश्शाक की चन्दियों का रस चूसे हुए
बोली मैं हाज़िर हूँ गर पैसे हों कुछ टूटे हुए।

यह कविता आज़ादी के कुछ पहिले की लिखी हुई है और इसी वजह से इसमें तरह-तरह की अजीब बातों का ज़िक्र है। आज़ादी के बाद न पुलिस रिश्वत लेती है और न दंगे-फसाद ही होते हैं। लड़कियाँ भी प्रेमियों को जूते से नहीं मारतीं, बल्कि उन पर नंगी टाँगों से इस प्रकार पदाघात करती हैं जैसाकि वे पुराने ज़माने में अशोक के वृक्षों को फूलों से लादने के लिए किया करती थीं। हाँ, अलबत्ता विवाहित जीवन में जूते का अभी भी साम्राज्य है। पर वह ठीक ही है, क्योंकि उससे परिवार नियोजन को बल मिलता है। मेरा तो नम्र सुझाव है कि सरकार को चाहिए कि लाल तिकोन के स्थान पर इस दिशा में जूते को अपना चिह्न स्वीकार कर ले, ताकि परिवार नियोजन का आन्दोलन सच्चे रूप में सफल हो सके।

विविध प्रसंग

घड़ा

एक खास किस्म के बर्तन को घड़ा कहते हैं। पहिले दिनों में जब जागीरदार और राजे-महाराजे होते थे तो घड़े जो होते थे वे सोने और चाँदी के भी बनते थे। देश में समाजवाद आने के बाद सब लोग बराबर हो गये और घड़े जो थे वे सिर्फ़ मिट्टी के ही बनने लगे। घड़ों के कई उपयोग हैं। वे उत्सवों में सजाकर रखे जाते हैं और उनके भीतर सामान भी रखा जाता है। हिन्दी के प्रख्यात विद्वान् डॉ. रमाशंकर शुक्ल 'रसाल' अपने पहिनने का कोट रात को घड़े में रखा करते थे। वे उस पर कभी इस्तरी नहीं करवाते थे। इस बात की चर्चा बच्चन ने अपनी आत्मकथा में की है। जब घड़ों में कुछ नहीं रखा जाता तो वे खाली रहते हैं। खाली घड़ा आधे भरे हुए घड़े से अच्छा होता है : एक कहावत के अनुसार आधी भरी गगरी जो होती है वह छलकती रहती है। घड़े का प्रेम के सन्दर्भ में भी बड़ा महत्त्वपूर्ण स्थान है। सोहनी और महीवाल जो अमर प्रेमी थे वे घड़े के सहारे ही नदी पार किया करते थे।

घड़े का स्त्रीलिंग भी होता है। घड़े के स्त्रीलिंग को घड़ी कहते हैं। उर्दू के एक शायर थे जो अपने सामने घड़ी रखकर शराब पिया करते थे जब कि उर्दू के एक दूसरे बड़े शायर थे जो अपने सामने घड़ा रखकर शराब पिया करते थे।

अण्डा

यह बड़ा पुराना सवाल है कि पहिले मुर्गी आयी या कि अण्डा। बड़े-बड़े विद्वानों ने इस समस्या को सुलझाने का प्रयत्न किया पर सवाल का जवाब किसी के हाथ नहीं आया। इधर ऐसे अण्डे बनने लगे हैं जो कि मुर्गी बिना मुर्गे की सहायता के देती है। मेरा ख़याल है कि भविष्य में चलकर मुर्गी की मदद की भी ज़रूरत नहीं रहेगी और अण्डे प्रयोगशालाओं में खुद ही बनने लगेंगे। जिस दिन ऐसा हो जाएगा, उस दिन सब लोग स्वीकार कर लेंगे कि अण्डे का मुर्गी से कोई सम्बन्ध नहीं होता। भविष्य में शायद मुर्गी भी बिना अण्डे के ही पैदा हो जाया करेंगी।

कुछ लोग होते हैं जिनका एकदम गंजा सिर शतुर्मुर्ग के अण्डे जैसा लगता है। इस उदाहरण से भी यह पूरी तरह सिद्ध हो जाता है कि अण्डे को पैदा करने के लिए मुर्गी की या मुर्गे की कोई ज़रूरत नहीं होती।

ज़मींदार

आज़ादी के पहिले हमारे देश में ज़मींदार और जागीरदार हुआ करते थे जो किसानों पर बड़ा अत्याचार किया करते थे। प्रेमचन्द के साहित्य को पढ़कर पता लगता है कि अगर ज़मींदार न होते तो प्रेमचन्द भी नहीं हुए होते और इसी कारण मैं कहता हूँ कि हिन्दी साहित्य की दृष्टि से ज़मींदारों का होना बेहद लाभदायक रहा। ज़मींदारों के मिट जाने के बाद किसानों पर अत्याचार करने की ज़िम्मेदारी सरकार ने खुद सँभाल ली। अब पटवारी, कानूनगो, तहसीलदार और ग्राम विकास अधिकारी वे सारी ज़िम्मेदारी सँभालते हैं जो कभी ज़मींदार और जागीरदार सँभालते थे। किसान की हालत यही रही जो पहिले थी। वह अब भी उतना ही बेसहारा है जितना कि पहिले था।

सिकन्दर एक बहुत बड़ा सम्राट था। वह मच्छर के काटने से मरा था। इत्तफ़ाक देखिए कि भारत में ज़मींदारी की प्रथा डालने वाले लार्ड कार्नवालिस भी मच्छर के काटने से ही मरे थे। गाजीपुर शहर में उसकी मूर्ति प्रतिष्ठित है। कितनी अजीब बात है कि लाखों-करोड़ों लोगों पर हकूमत और अत्याचार करने वाले सम्राट सिकन्दर और लार्ड कार्नवालिस मात्र एक मच्छर के काटने से मर गये। मच्छर जो है वह सिकन्दर और कार्नवालिस से ज़्यादा ताकतवर निकला।

गधा

गधा एक जानवर होता है। यह जानवर अपनी सहनशीलता, परिश्रम और सेवाभाव के लिए संसार भर में प्रसिद्ध है। कुछ लोग समझते हैं कि गधा एकदम मूर्ख होता है पर उनका यह समझना एकदम गलत है। कवि के शब्दों में "न गदहा जती और न वेश्या सती।" जो लोग मेरी बात पर यकीन न करते हों वे किशनचन्दर की लिखी 'गधे की आत्मकथा' पढ़ें। किताब पढ़ने से पता लगेगा कि गधा जो है वह कहीं-कहीं किशनचन्दर से भी आगे निकल गया है। सीधा होने के बावजूद गधा जो है वह काफ़ी भावुक किस्म का जानवर होता है। कवि ने कहा है—गर गधे के कान में कह दूँ कि हूँ तुझ पर फिदा, तो यकीं कामिल है कि वह खेत खाना छोड़ दे। गधा जब हमला करता है तो वह अपनी पिछली दो टाँगों का एक साथ प्रयोग करता है और इसी कारण इसके इस आक्रमण को 'दुलत्ती' कहकर पुकारा जाता है।

आज़ादी के बाद हमारे देश में गधों ने काफ़ी प्रगति की। वे काफ़ी ऊँचे पदों पर पहुँचे और किसी-किसी स्थिति में तो मन्त्री और राजदूत तक नियुक्त हुए। इसी

स्थिति को देखते हुए कवि को कहना पड़ा कि "जब ख़ुदा मेहरबान होता है, तो गधा पहिलवान होता है।"

अफ़सर

गधे की चर्चा के बाद जिस प्राणी की याद सबसे पहिले आती है वह अफ़सर है। अफ़सर भी गधे की भाँति ज़िम्मेदारी का भारी बोझ वहन करता है। ज़िम्मेदारी वह उठाता है और काम जो होता है वह निचले कर्मचारी करते हैं। वह काग़ज़ पर दस्तख़त तभी करता है जब कि पाँच अधीनस्थ कर्मचारी उस पर पहिले से ही दस्तख़त किये होते हैं। उसके काम करने का ढंग सदा से यही होता आया।

अफ़सर बनने के कई ढंग हैं। कुछ लोग जन्म से ही अफ़सर होते हैं। बाप हाईकोर्ट के जज थे, बाबा डिपुटी कलेक्टर थे तो इन्हें मजबूरन भारतीय प्रशासन सेवा में आना पड़ा। और कोई चारा ही नहीं था। दूसरी तरह के अफ़सर खाकसार की तरह हज़ारों-लाखों लोगों के साथ उच्च सेवाओं की प्रतियोगिता में बैठते हैं और फिर अपनी प्रतिभा के बल पर उच्च पद प्राप्त करते हैं। तीसरी प्रकार के अफ़सर वे होते हैं जिन पर अफ़सरी लादी जाती है। हमारे देश के एक आडिटर जनरल थे जिन्हें तत्कालीन वाइसराय ने एक उच्च सेवा में मात्र इस कारण मनोनीत किया था क्योंकि वे एक बड़े आदमी की कन्या से विवाह करना चाहते थे। नौकरी प्राप्त होने के बाद उन्होंने अपनी पत्नी का परित्याग कर दिया था।

सरकार में जो काला धन मन्त्री जी को दिया जाता है वह पार्टी के वास्ते दिया गया चन्दा माना जाता है। जो पैसा चपरासी को मिलता है वह बख़्शीश कहलाती है। ऊपर का जो पैसा बाबू लोग लेते हैं वह दस्तूर कहकर पुकारा जाता है। अन्त में चलकर जो काला धन अफ़सर ग्रहण करता है वह रिश्वत कहलाता है। जैसाकि आपने देखा होगा, इस देश में रिश्वत जो लेते हैं वे सिर्फ़ अफ़सर ही लेते हैं। उनके अतिरिक्त कोई दूसरा व्यक्ति चाहते हुए भी रिश्वत नहीं ले सकता।

ब्रिटिश सरकार के ज़माने में अफ़सरों के बड़े मज़े थे। वे शिकार पर जाते थे, बीयर पीते थे, वुडहाउस पढ़ते थे, जिमखाने में रहते थे और देसी नौकरानियों से घरेलू सम्बन्ध रखते थे। इन घरेलू सम्बन्धों के फलस्वरूप जो सन्तान पैदा होती थी, वह 'एंग्लो-इण्डियन' कहलाती थी और बड़ा होने पर रेलवे में काम करती थी। ये सब मज़े अब ख़त्म हो गये। अब तो स्थिति यह है कि काफ़ी बड़ा अफ़सर होते हुए भी मैं यूनियन वालों से डरता हूँ और चारमीनार सिगरेट पीता हूँ। यूनियन वालों की पहुँच मन्त्री जी तक है और वे अगर चाहें तो मेरा तबादला तक करा सकते हैं। पिछले दिनों डाक-विभाग के एक पोस्ट मास्टर जनरल को आम लोगों के सामने नंगा करने की कोशिश की गयी थी। अब आप ही बताइए कि इससे बड़ा रचनात्मक

कार्य और क्या होगा? मैं तो जब भी देखता हूँ कि यूनियन वाले कुछ करने जा रहे हैं, तभी अपनी हसीन स्टेनोग्राफ़र को लेकर दौरे पर निकल जाता हूँ। स्थिति से निबटने के बजाय उससे बचना सदा से श्रेष्ठ होता आया।

अस्पताल

अस्पताल उस जगह का नाम होता है जहाँ आदमी बीमारी की हालत में दाखिल होता है और फिर मुर्दा होकर बाहर निकलता है। अस्पताल में जाकर उसकी बीमारी हमेशा के लिए दूर हो जाती है। बीमारी दूर करना ही अस्पतालों का लक्ष्य होता है और इस काम को वे पूरी ज़िम्मेदारी के साथ करते हैं। बीमारी के साथ-साथ बीमार आदमी भी यदि हमेशा के लिए चला जाए तो यह उनकी अतिरिक्त सफलता ही कही जाएगी।

अस्पताल प्रायः काफ़ी गन्दे होते हैं। सबसे ज़्यादा गन्दी जगह को आपरेशन थियेटर कहते हैं। इतनी गन्दगी इकट्ठी करने के सन्दर्भ में अस्पताल के विभिन्न कर्मचारियों को काफ़ी परिश्रम करना पड़ता है क्योंकि वैसे वहाँ सफाईवालों की या जमादारों की कमी नहीं होती।

आमतौर पर अस्पतालों में एस्प्रीन जैसी सस्ती दवाओं के अतिरिक्त और कोई दवा कभी नहीं मिलती हालाँकि दवाओं की खरीद पर लाखों रुपये खर्च किये जाते हैं। लाखों रुपयों की ये दवाइयाँ कहाँ जाती हैं, इसका पता आम पब्लिक को कभी नहीं लगता।

अस्पताल के डॉक्टर आम तौर पर बीमार आदमी से काफ़ी सख़्ती से पेश आते हैं और उसकी बीमारी के बारे में ज़्यादा बात नहीं करते। वही मरीज अगर शाम को डॉक्टर के घर पर उससे मिलता है तो उससे फीस तो ली जाती है पर उसको अपनी बीमारी बताने के लिए पूरा समय दिया जाता है और दवा भी अस्पताल के उस स्टाक से दी जाती है जो दिन के वक़्त हमेशा खाली बताया जाता था। जो लोग डॉक्टरों से उनके घर पर मिलते हैं, उनसे अस्पताल में भर्ती होने के बाद भी काफ़ी हमदर्दी का व्यवहार किया जाता है।

अस्पताल की काफ़ी नर्सें जवान और हसीन होती हैं। अस्पताल के डॉक्टर और बाकी अधिकारी इस प्रकार की नर्सों का पूरा-पूरा उपयोग करते हैं। आम आदमी को इस प्रकार की सुविधा बहुत कम प्राप्त होती है क्योंकि पहिले तो वह बीमार होता है और दूसरे उसे अस्पताल में भरती होने के लिए इतने ज़्यादा और इतने पेचीदा फ़ार्म भरने पड़ते हैं कि उसके पास बाकी काम को करने की हिम्मत या इच्छा बाकी ही नहीं रहती।

अस्पताल में क्या डॉक्टर और क्या नर्सें—सभी के दिन काफ़ी सख़्त होते हैं।

रोज़-रोज़ दुखी या फिर मुर्दे इंसानों को देखते-देखते उनके दिल पत्थर के हो जाते हैं और उन पर दूसरों की विपत्ति का कोई असर कभी नहीं पड़ता।

दफ़्तर

जैसाकि रिवाज है, रात के वक़्त लोग अपनी बीवियों के साथ सोकर बिताते हैं। रात की इसी थकावट को दूर करने के लिए नये और धुले कपड़े पहिनकर जिस जगह वे पिकनिक मनाने जाते हैं, उस जगह को दफ़्तर कहते हैं।

आम तौर पर दफ़्तर सुबह के दस बजे खुलते हैं और शाम को पाँच बजे बन्द होते हैं। मगर जहाँ तक बाबू लोगों का सवाल है वे दफ़्तर ग्यारह बजे तक ज़रूर पहुँच जाते हैं और चार बजे तक ज़रूर दफ़्तर में रहते हैं। चार्ल्स लैम्ब जो लन्दन में ईस्ट इण्डिया कम्पनी के दफ़्तर में क्लर्क था, वह भी ऐसा ही करता था। मेरे एक रिश्तेदार थे जो इस स्थिति के और भी परिमार्जित संस्करण थे। वे दिन में कभी घण्टे आध-घण्टे के लिए दफ़्तर चले जाते थे और बाकी वक़्त में उनका कोट कुर्सी पर टँगा रहता था। वह कोट ही उनकी उपस्थिति का प्रमाण था। अगर कभी कोई अफ़सर वगैरा सेक्शन में चले जाते थे तो उनसे सब लोग यही कहते थे कि वे शायद रिकॉर्ड रूम वगैरा में गये हैं और चूँकि उनका कोट यहीं टँगा है, इस कारण उनके दफ़्तर न आने का प्रश्न ही नहीं उठता।

ग्यारह बजे सुबह से चार बजे शाम तक सरकार का काम पूरी निष्ठा के साथ किया जाता है। शतरंज जमती है, ट्रांजिस्टर चलता है, कुत्ते की बोली बोली जाती है और अफ़सर और उनकी हसीन स्टेनोग्राफ़र के इश्क के क़िस्से बयान किये जाते हैं। गर्भवती स्त्रियों की छटा देने वाली फ़ाइलें खोली जाती हैं, चाय पी जाती है, अख़बार पढ़ा जाता है और एक फ़ाइल को दूसरी मेज़ पर भेजने के लिए रिश्वत ली जाती है। कुछ सरकारी दफ़्तर तो ऐसे हैं कि वहाँ पुलिसवाले तक रिश्वत देते हैं। मेरी पत्नी के एक रिश्तेदार हाईकोर्ट के जज थे। उनके रिटायर होने पर उनकी पेंशन और फण्ड वगैरा दिलवाने के सन्दर्भ में मुझे अन्त में चलकर स्वयं एकाउंटेण्ट जनरल से मिलना पड़ा था। अब आप सोच सकते हैं कि मामूली आदमी के केस में क्या हश्र होता होगा।

क्रिकेट के दिनों में तो सारा-का-सारा दफ़्तर बाहर लॉन पर आ जाता है और कामेण्टरी सुनता है। अफ़सर लोग तक अपने चैम्बर में यही करते हैं। क्रिकेट के कारण सरकार का जो समय ख़राब होता है, उसकी क़ीमत करोड़ों रुपये होती होगी। मेरा तो इस सन्दर्भ में यही नम्र सुझाव है कि कुछ ऐसी व्यवस्था की जाए कि टेस्ट मैच रात के वक़्त खेले जाया करें।

दफ़्तरों में अगर कोई अनुशासनप्रिय, ईमानदार और सख़्त किस्म का अफ़सर आ

जाता है तो उसके ख़िलाफ़ पोस्टर छपते हैं, नारेबाजी की जाती है और कभी-कभी उसका घेराव तक किया जाता है। मुझे यह बताते हुए कोई संकोच नहीं आता कि मैं भी इसी श्रेणी का अफ़सर हूँ और मेरे साथ यह सब कुछ किया गया है। एक बार तो स्थिति यह आ गयी थी कि अनुशासनहीन लोगों ने–जिनकी पहुँच मन्त्री जी तक थी–कुछ झूठे आरोप लगवाकर एक सप्ताह के लिए मुझे मुअत्तिल तक करा दिया था। विभाग के सचिव ने हस्तक्षेप किया और तब स्थिति सँभली। यह बात उन दिनों की है जिन दिनों मैं भारत सरकार का उपसचिव था।

मैंने ऊपर जो स्थिति बतायी है वह काफ़ी अतिरंजित है। दफ़्तरों में सैकड़ों ऐसे विभीषण हैं जो समय पर आते हैं, समय पर जाते हैं, दिन-भर काम करते हैं और रिश्वत कतई नहीं लेते। आप खुद ही सोचिए कि यदि ऐसे विश्वासघाती अफ़सर और कर्मचारी न होते तो सरकार की गाड़ी कैसे चलती?

मीटिंग

जो लोग सचिवालय में काम करने का अनुभव नहीं रखते, उन्हें मीटिंग के अर्थ और महत्त्व का पता नहीं होगा। स्थिति यह है कि जब किसी मुद्दे पर बहस करते-करते हालत यह हो जाए कि तन्वंगी फ़ाइल एक गर्भवती महिला की छटा देने लगे और मुद्दा फिर भी वहीं का वहीं रहे जहाँ कि वह था, तब सारे सम्बन्धित मन्त्रालयों के अधिकारी आपस में मिलकर एक मेज़ के चारों तरफ़ कुर्सियों पर बैठते हैं और बाकी बातों के अलावा इस मुद्दे पर भी विचार करते हैं जिसके लिए कि मीटिंग बुलायी गयी थी। इस प्रकार मामला तय करने पर सारी ज़िम्मेदारी किसी एक व्यक्ति विशेष पर नहीं रहती, वह मीटिंग में भाग लेने वाले सारे अधिकारियों के बीच बँट जाती है। सरकार में काफ़ी ऊँचे अधिकारी इस तरह के हैं कि उनमें सब गुण हैं मगर इल्लत बस इतनी है कि वे निर्णय की अन्तिम ज़िम्मेदारी अपने कन्धों पर नहीं ले सकते।

बातचीत के साथ-साथ मीटिंग में चाय और बिस्कुटों का दौर भी चलता है और कभी-कभी कहा-सुनी भी हो जाती है। मीटिंग की कार्यवाही का पूरा रिकॉर्ड रखा जाता है जिसे अंग्रेज़ी में 'मिनिट' कहा जाता है। सचिवालय में कहावत प्रचलित है कि 'मिनिटों' को बनाने के लिए 'घण्टे' बर्बाद किये जाते हैं। इन्हीं कारणों से प्रतापसिंह कैरो ने–जबकि वे पंजाब के मुख्यमन्त्री थे–सप्ताह में कुछ दिन ऐसे निश्चित कर दिये थे जिनमें कोई मीटिंग नहीं हो सकती थी।

व्याकरण

दुनिया में जितने भी जादू हैं, व्याकरण का जादू उन सबसे आगे है। घड़े का स्त्रीलिंग घड़ी होता है और सन्तरे का स्त्रीलिंग सन्तरी। सेना और पुलिस–दोनों इतनी

शक्तिशाली होते हुए भी स्त्रीलिंग होती हैं जिसका रहस्य मैं कभी नहीं समझ पाया। अंग्रेज़ी में पानी के जहाज़ (यानी कि शिप तक को) स्त्रीलिंग स्वीकार किया गया है। अष्टाध्यायी में पाणिनि तक ने 'सिंह' शब्द को बनाने के लिए 'हिंस' धातु को उल्टा किया। व्याकरण की गति वास्तव में अनन्त है। इसी अनन्त गति के कारण न जाने कितने ऐसे शब्द हैं जिनके सीन पर मौजूद होने का कोई कारण नज़र नहीं आता। उदाहरण के लिए 'आना' और 'जाना' तो ठीक क्रियाएँ हैं मगर 'आ जाना' क्रिया ऐसी है जिसकी ज़रूरत का पता नहीं लगता।

सोचता हूँ कि व्याकरण की विचित्रताओं पर पण्डित कामताप्रसाद गुरु व पण्डित किशोरीदास वाजपेयी से चर्चा करूँ मगर वह असम्भव नज़र आता है। इस स्थिति के अनेक कारण हैं। प्रमुख कारण यह है कि ये दोनों दिग्गज पंचत्व को प्राप्त कर चुके हैं। सरल भाषा में इन दोनों विद्वानों की मृत्यु हो चुकी है और इस कारण इनके साथ कोई चर्चा अब नहीं हो सकती।

छुट्टी

छुट्टी उस दिन को कहते हैं जिस दिन लोगबाग एक-दूसरे के आराम में बिना वजह खलल डालते हैं। वैसे छुट्टी एक ऐसी ज़रूरी चीज़ है कि भगवान तक को सृष्टि बनाने के बाद उसे लेना पड़ा था मगर इन दोस्तों, रिश्तेदारों और मोहल्ले के लोगों को क्या कहिए जो कि जान-बूझकर बड़ी मासूमियत के साथ आपका इतवार ख़राब करते हैं। बर्नाड शा ने शायद इसी कारण कहा था कि अन्तहीन छुट्टी का नाम नरक है। हेल इज़ नथिंग बट ए परपीचुअल हौली डे।

जब मैं बच्चा था तो छुट्टी के दिन पोखर में मेढक पकड़ा करता था ताकि अगले दिन उन्हें मौलवी साहब के ड्राअर में रख सकूँ। इन दिनों वे मज़े ख़त्म हो गये। अब तो प्राइमरी स्कूल के बच्चों तक के बस्ते का वज़न बच्चे के निजी वज़न से ज़्यादा होता है। छुट्टी के दिन बेचारे बच्चे होमवर्क करते हैं। ऐसे में मेढक को पकड़े तो कौन पकड़े?

सम्पादक

सबसे घटिया किस्म के सम्पादक वे हैं जो सबसे पहिले रचना की प्राप्ति की सूचना देते हैं, फिर उसकी स्वीकृति की सूचना देते हैं, इसके बाद रचना शानदार ढंग से छापी जाती है और अंक की एक प्रति और चेक आपको भेजा जाता है। धर्मयुग के सम्पादक डॉ. धर्मवीर भारती इसी श्रेणी में आते हैं। ऐसे सम्पादकों से बेहतर सम्पादक वे हैं जो कोई ख़तोकिताबत कभी नहीं करते पर रचना छाप देते हैं और कभी-न-कभी उसका पारिश्रमिक भी आपको भेज देते हैं। ज़्यादा श्रेष्ठ सम्पादक वे

हैं जो रचना को बगैर किसी कारण के आपको खेद व अभिवादन के साथ वापिस करते हैं और भविष्य में भी ऐसा ही सहयोग प्रदान करने की प्रार्थना करते हैं। सर्वश्रेष्ठ सम्पादक वह है जो रचना को न तो छापता ही है और न उसे कभी वापिस ही करता है। आप कितने ही पत्र लिख लें, इस श्रेष्ठ सम्पादक पर उसका कोई प्रभाव नहीं पड़ता। मुझे एक ऐसे भी परमश्रेष्ठ सम्पादक से साबका पड़ा है जिन्होंने मेरी रचना को अपने नाम से छापा था।

सम्पादक बहुत बड़ा आदमी होता है। खड़ी बोली के विकास में सरस्वती के सम्पादक महावीर प्रसाद द्विवेदी का जो योगदान है वह अजर और अमर है। उन्होंने पन्त और निराला तक की रचनाएँ वापिस भेजी थीं। पन्त जी की तो एक ऐसी रचना भी वापिस की थी जो द्विवेदी जी के स्नेहपात्र मैथिलीशरण गुप्त की मार्फत भेजी गयी थी। मुझे इस बात का हार्दिक अफ़सोस है कि द्विवेदी जी ने मेरी कोई रचना कभी वापिस नहीं की। इस दुखद स्थिति का प्रमुख कारण यह है कि मैंने लिखना ही तब शुरू किया जबकि द्विवेदी जी को स्वर्गवासी हुए काफ़ी वर्ष बीत चुके थे।

डॉक्टर

जब कोई व्यक्ति किसी दूसरे व्यक्ति की हत्या करता है तो पुलिस आती है, मुक़दमा चलता है और मुलजिम को सजा मिलती है। आम बोलचाल में ऐसे व्यक्ति को कातिल कहते हैं। इस सबके बरख़िलाफ़ जब कोई आदमी आपकी मर्ज़ी से सबके सामने आपके पैसे लेकर आपकी हत्या करता है तो वह डॉक्टर कहलाता है।

मैं एक ऐसे डॉक्टर को जानता हूँ जिसे कातिल भी कहते हैं। दरअसल स्थिति यह है कि यह डॉक्टर साहिब इलाज करने के साथ-साथ उर्दू में शायरी भी करते हैं और उस सन्दर्भ में इनका तखल्लुस यानी कि उपनाम 'कातिल' है। ऐसे कई मरीज निकले जो इनके इलाज से अच्छे हो गये। मगर उसके बाद इनकी शायरी सुनते-सुनते हलाक हो गये।

बढ़िया डॉक्टर वह होता है जिसका मरीज ठीक उसी बीमारी से मरता है जिसका डॉक्टर ने निदान किया था।

सबसे बढ़िया डॉक्टर वह होता है जिसकी नर्स या रिसेप्शनिस्ट कोई शोख और हसीन लड़की होती है। ऐसे डॉक्टर का इलाज छोड़ने को कभी तबीयत नहीं करती।

प्रजातन्त्र

प्रजातन्त्र से हमारा अभिप्राय उस सरकार से है जो गधों की होती है और गधों के भले के लिए गधों द्वारा ही चलायी जाती है। जनता की सेवा करने के इच्छुक गधों की तादाद इतनी ज़्यादा होती है कि सरकार बनाने के लिए चुनाव कराया जाता

है। इन चुनावों में लाखों रुपयों का खर्चा आता है और रुपये के अतिरिक्त शराब, गुण्डागर्दी और कालेधन का भी प्रयोग बदस्तूर किया जाता है।

चुनाव आम तौर पर हर पाँच वर्ष बाद होते हैं। चुनाव जीतने के बाद गधा लोग नेता कहलाते हैं। वे टोपी पहिनते हैं, सरकारी मोटरों पर चलते हैं, शानदार कोठियों में रहते हैं, भ्रष्ट अधिकारियों की मदद से अगले चुनाव के लिए पैसा इकट्ठा करते हैं और बाकी वक़्त में देश के लिए कानून बनाते हैं और सरकार चलाते हैं। जिस दल में ज़्यादा गधे होते हैं, वही दल सरकार बनाता है और इसी कारण कभी-कभी ऐसी नाज़ुक स्थिति आ जाती है कि दलबदल करने के सन्दर्भ में एक-एक गधे की क़ीमत पन्द्रह लाख रुपये तक पहुँच जाती है। इतनी भारी रकम के सामने गधा यदि दलबदल न करे तो और क्या करे?

एक ऊनी शॉल की कथा

मधु जो थी वह हमारे पड़ोस में ही रहती थी। उसके पति स्थानीय शिक्षा संस्थान में प्रोफ़ेसर थे और वह भी अंग्रेज़ी साहित्य के। बहुत विद्वान्, सरल, निश्छल और किफ़ायतशार आदमी। मधु के तीन छोटे बच्चे थे जो बेहद शरारती थे। हमारे बगीचे में घुस जाते और कच्चे अमरूद तोड़कर भाग जाते। मधु के माता-पिता अलीगढ़ में रहते थे हालाँकि तालों के धन्धे से उनका कोई सम्बन्ध नहीं था। मधु का एक ही भाई था जो आबकारी के महकमे में काम करता था और पता नहीं दिन-भर में कितनों के ताले खुलवाता था। वेतन तो शायद मधु के पति से कहीं कम था पर ऊपर की आमदनी इतनी थी कि हिसाब नहीं। उसकी पत्नी जो थी, उसका नाम कनक था। अपने पति की अमीरी का नशा उस पर इतना चढ़ गया था कि वह प्रत्येक ग़रीब आदमी का खुलेआम अपमान करने को तैयार रहती थी। वही 'क्षुद्र नदी भरि चलि उतराई' वाली गोस्वामी जी की वाणी जो यहाँ सटीक बैठती थी। कनक की वजह से मधु अपने मैके जाती ही बहुत कम थी और उसके पति तो भूलकर भी उधर क़दम नहीं रखते थे। मधु के माता-पिता और भाई सभी मधु और उसके परिवार से बेहद प्यार करते थे पर कनक जो थी उसकी ज़ुबान कोई नहीं बन्द कर सकता था।

पिछले वर्ष नैनीताल जाते हुए कनक और उसके पति मधु के यहाँ भी एक रात ठहरे। भाई तो प्रोफ़ेसर साहब से गप्पें मारता रहा और कनक जो थी वह मधु को घर दिखाती रही और ताने कसती रही। कहती रही कि देखो भाई, गर्मियों में तो पहाड़ जाना ही पड़ता है। मैदान में सिर्फ़ वे रहते हैं जो या तो ग़रीब हैं या जिनके पास बुद्धि नाम की वस्तु नहीं है। दूध आया तो फरमाने लगी कि इतना दूध तो उसका एक कुत्ता पीता है। मधु सुनती रही पर चुपचाप रही। अन्त में चलकर कनक ने फरमाया कि जैसा प्रोफ़ेसर साहब का सूट है, वैसा सूट तो नैनीताल के होटलों के खानसामा भी नहीं पहिनते और मधु की जो शॉल है वह तो भिखमंगों को देने लायक भी नहीं। इन बातों को सुनना था कि मधु जो थी वह फूट-फूटकर रोने लगी।

मधु ने निश्चय कर लिया कि अपनी शॉल और अपने पति का सूट ज़रूर बदलेगी। उसने जब अपने पति से बात का ज़िक्र किया तो वे बोले कि सूट अगले

वर्ष बन जाएगा मगर वह शॉल इस सर्दी में खरीद ले। मधु ने अपनी तिजोरी देखी तो लगभग सौ रुपये ऐसे निकले जिन्हें खर्च किया जा सकता था। उसने रुपये लिये और गाँधी आश्रम की दुकान की ओर चल पड़ी।

गाँधी आश्रम का शो-रूम काफ़ी बड़ा था। एक दीवार पर गाँधी जी का चित्र भी था जिसकी धूल न जाने कब से नहीं उतारी गयी थी। कर्मचारी भी काफ़ी थे मगर सिवाय गप्पें मारने के उन्हें और कोई चिन्ता नहीं थी। एक मूँछों वाले अधेड़ सज्जन थे जो मज़ाक़ सुनाते थे और बाकी जो लोग थे वे कहकहे लगाते थे। किसी मुशायरे का-सा माहौल था। कभी-कभी टेलीफ़ोन की घंटी बजती थी जिसका या तो जवाब ही नहीं दिया जाता था या फिर काफ़ी अभद्रता से बात की जाती थी। जिस वक़्त मधु ने वहाँ क़दम रखा तो वह मूँछों वाले मज़ाक़पसन्द महाशय बाकी साथियों को बता रहे थे कि रामराज्य में सारे मुसलमान, सिख और ईसाई बड़े प्रेम से रहते थे क्योंकि किसी भी रामायण में साम्प्रदायिक तनाव की चर्चा नहीं थी। एक और कर्मचारी ने कहा कि जब राजा रामचन्द्र के ज़माने में ये जातियाँ थीं ही नहीं, तो झगड़ा कैसे होता, तब सारे बाकी लोग हो-हो कर हँसने लगे।

मधु जो थी वह एक काउण्टर से दूसरे काउण्टर पर जाते-जाते वहाँ भी पहुँची जहाँ शॉल बिकती थीं। कई शॉल देखीं और एक शॉल पसन्द भी की परन्तु उसकी क़ीमत कोई डेढ़ सौ से ऊपर थी। मधु ने दुकान छोड़ी और घर की राह पकड़ी। रास्ते-भर वह यही सोचती रही कि बाकी रुपये कहाँ से आएँगे।

घर पहुँचकर उसने दूध लेना कम किया, चाय कम की और खाने में दो या तीन जगह सिर्फ़ एक चीज़ पकानी शुरू की। घर की अख़बार की रद्दी, पुरानी बोतलें और कनस्तर कबाड़ी को बेचे और पति का जेब खर्च कुछ कम किया। कपड़े धोने का काम भी खुद ही करना शुरू किया और इस अभियान का नतीजा यह निकला कि अगले महीने उस पर इतने रुपये हो गये कि वह डेढ़ सौ रुपये वाली शॉल खरीदने की स्थिति में पहुँच गयी। वह खुशी-खुशी गाँधी आश्रम की दिशा में चली और सोचने लगी कि वह भी अपने पति को आज एक सरप्राइज देगी।

जिस वक़्त वह गाँधी आश्रम में घुसी तो हालत वही थी जो वह पहिली बार देख चुकी थी। गाँधी जी के चित्र में गाँधी जी कम थे और धूल ज़्यादा। वह मज़ाक़-पसन्द महाशय लोगों को बता रहे थे शादी के बाद गर्भवती होना तो काफ़ी हद तक स्वाभाविक है और ब्रिटेन के युवराज और उनकी पत्नी जो इस बात को बिना बात इतना तूल दे रहे हैं तो क्यों दे रहे हैं। ज़रूर कुछ दाल में काला है। उनके साथी थे कि इस खोज पर काफ़ी कहकहे लगा रहे थे। बहरहाल धीरे-धीरे कहकहे ख़त्म हुए और उन्होंने महसूस किया कि दुकान में एक शालीन युवती भी खड़ी है। मधु शॉल वाले काउण्टर पर गयी और फिर वही कत्थई रंग की शॉल को पैक करने को कहा। काउण्टर के बाबू ने बताया कि नये दामों की सूची के अनुसार

यही शॉल अब दो सौ रुपये की हो गयी है। उसने बड़ी सहानुभूति से बताया कि यदि वे इसे पिछले महीने खरीद लेतीं तो पचास रुपये बचते। मधु ने शॉल छोड़ दी और पैदल ही घर की दिशा में चरण बढ़ाये। अब की बार वह वाकई चिन्तित थी।

अगला महीना फिर और किफ़ायत से मनाया गया। कलेजे पर पत्थर रखकर मधु ने बच्चों की गुल्लकें भी तोड़ डालीं। एक पुरानी टाइमपीस को भी बेच दिया गया जो उसके ससुर की घर भर में एकमात्र निशानी थी। कुछ उधार हमारे घर से भी लिया गया हालाँकि पिछला उधार अभी अदा करना बाकी था। बहरहाल मधु ने किसी तरह दो सौ या ढाई सौ रुपयों की रकम पूरी कर ली और शॉल खरीदने की दिशा में फिर क़दम बढ़ाये।

इस बार गाँधी आश्रम के मज़ाक़-पसन्द महाशय यह बता रहे थे कि जो स्त्रियाँ दो-दो पति और चार-चार प्रेमी रखती हैं वे यह कैसे याद रखती हैं कि आज उन्हें कहाँ जाना है। बात काफ़ी पते की थी। मधु ने कुछ भी न सुनने का उपक्रम किया और शॉलों वाले काउण्टर पर जा पहुँची। आज पुराना बाबू नहीं था। वही मज़ाक़-पसन्द महाशय पहुँचे और माल दिखाने लगे। वे माल कम दिखाते थे और मधु के सौन्दर्य को ज़्यादा देखते थे। उन्होंने पहिले तो यह बताया के पुराना माल सब बिक गया है और नया माल आया है जिसमें शॉल तो काफ़ी अच्छे हैं पर किसी की भी क़ीमत साढ़े तीन सौ से कम नहीं है। जब मधु ने कहा कि उसके पास तो सिर्फ़ ढाई सौ रुपये हैं तो वे हजरत काफ़ी प्यार से बताने लगे कि थोड़े दिनों में ढाई सौ रुपयों का तो सिर्फ़ कफ़न आया करेगा और कुछ नहीं।

मधु ने सुना और पानी माँगा। पानी आने से पहिले ही वह चक्कर खाकर गिर पड़ी और बेहोश हो गयी।

पत्नियों और गधों के बारे में

हमारे जीवन में पत्नी का बहुत बड़ा स्थान है। वेदों के अनुसार स्त्री का ही दूसरा नाम घर है। स्त्री पुरुष का आधा भाग होती है और उसके बिना पुरुष अपूर्ण रहता है। शिव का दूसरा नाम 'अर्धनारी नटेश्वर' है। शास्त्रों में यह नहीं बताया गया कि स्त्री पुरुष का ऊपर वाला आधा भाग होती है या कि नीचे वाला आधा भाग। वाल्मीकि के अनुसार दूसरे की स्त्री से अनुचित सम्बन्ध रखना सबसे बड़ा पाप होता है। ज़ाहिर है कि यदि आप दूसरों की पत्नियों से उचित सम्बन्ध रखते हैं तो वह कोई पाप नहीं है। वाल्मीकि ने आगे चलकर यह भी कहा है कि पति के बिना पत्नी सुख नहीं पाती चाहे उसके सौ पुत्र क्यों न हों। सौ पुत्रों को जन्म देने की प्रक्रिया में पत्नी को जो पति का सुख प्राप्त हुआ, उसकी चर्चा कवि कहीं नहीं करता। चाणक्य बड़ा 'प्रैक्टिकल' किस्म का इंसान था और इसी कारण उसने कहा कि गुणवती स्त्री हो तो उसे दुष्कुल से भी ले लेना चाहिए। उसके अनुसार रत्न, विद्या, धर्म और सुन्दर युवती किसी से भी ले लेना सर्वथा उचित होता है। मैं चाणक्य से एकदम सहमत हूँ हालाँकि उसकी शिक्षा का अनुसरण करने में मैं कई बार पिट भी चुका हूँ। भर्तृहरि ने कहा है कि पत्नी एक ही रखनी चाहिए चाहे वह नितान्त सुन्दरी हो या गुफा के समान भयानक हो। एको भार्या, सुन्दरी वा दरी वा। भर्तृहरि जो थे वे एक राजा थे और उनकी पत्नी एक और पुरुष से प्यार करती थी। इस सब का अन्तिम परिणाम यह रहा कि भर्तृहरि जो थे वे कवि हो गये। जो लोग कवि बनना चाहते हैं वे भर्तृहरि के जीवन से प्रेरणा लें।

आदर्श पत्नी की परिभाषा करते हुए नीतिकारों ने और कवियों ने बड़ी-बड़ी बातें कही हैं। एक स्थान पर बताया गया है कि आदर्श पत्नी वह है जो योजना बनाने में मन्त्री के समान हो, उन योजनाओं को कार्य में परिणत करने के सन्दर्भ में दासी के तुल्य हो, रूप में लक्ष्मी के समान हो, क्षमा करने में धरती के तुल्य हो, स्नेह करने में माता के बराबर हो और रात को शय्या में वेश्या के समान निर्लज्ज हो। अन्तिम गुण जो है वह विशेष रूप से ध्यान देने योग्य है। रघुवंश में 'अज विलाप' के सन्दर्भ में कालिदास ने भी कुछ इसी तरह कहा है। 'गृहिणी सचिवः सखा मिथः' वाला श्लोक। अज एक राजा का नाम था। अज का स्त्रीलिंग अजा

होता है जिसका अर्थ बकरी है। कितना बढ़िया नाम है। पुंल्लिंग है तो राजा है और स्त्रीलिंग है तो बकरी है। नपुंसकलिंग होने पर क्या स्थिति होती है, यह किसी शास्त्रकार ने कहीं नहीं बताया।

पत्नी पर मेरा ध्यान आज अचानक जो गया वह अख़बार पढ़ने के कारण गया। एक ख़बर तो यह है कि नेपाल के एक ज़िले में नवयुवकों की शादियाँ इस कारण नहीं हो रहीं क्योंकि वहाँ पानी की बड़ी कमी है। रहिमन पानी राखिए बिन पानी सब सून। दूसरी ख़बर यह है कि नयी दिल्ली में पुलिस ने एक व्यक्ति को इस कारण गिरफ़्तार किया क्योंकि वह अपनी सगी पत्नी को भगाकर लाया था। दरअसल बात यह थी कि मुसम्मात का जो पिता था वह उसे दामाद के पास कभी भेजता ही नहीं था। अन्त में चलकर स्थिति यह हो गयी कि पति को अपनी पत्नी खुद भगानी पड़ी। इस ख़बर से हम सभी को यह शिक्षा मिलती है कि कन्या का बाप जो होता है वह सफल प्रणय और सुखी विवाहित जीवन के सन्दर्भ में सबसे बड़ी बाधा उपस्थित करता है। अगर लड़कियों के बाप न हुआ करते तो दुनिया वाकई एक ख़ूबसूरत जगह हो सकती थी।

पत्नी के बाद अब मैं गधे की चर्चा करूँगा जिसके दो कारण हैं। पहिला कारण तो यह है कि पत्नियों की बात करते-करते मुझे पतियों की याद आने लगी जो कि नितान्त स्वाभाविक है। और फिर पतियों की याद क्या आयी कि मुझे गधों की याद ने तंग करना शुरू कर दिया। पति और गधे के बीच कोई खास अन्तर नहीं होता। पति लोग प्रायः गधे होते हैं। गधों और पतियों के बीच मौलिक अन्तर मात्र एक है और वह यह है कि गधों को गर्मी का मौसम प्यारा लगता है जब कि पति लोग हैं वे कुछ विशिष्ट कारणों से सर्दी का मौसम पसन्द करते हैं। गधों की याद आने का दूसरा कारण यह है कि अख़बार के अनुसार हरियाणा प्रदेश की सरकार इटली से चार गधों का आयात करना चाहती है ताकि सेना के लिए उम्दा खच्चर पैदा किये जा सकें। समाचार के अनुसार इटली के गधों से उम्दा गधे संसार में और कहीं नहीं मिलते।

ऊपर बताये गये समाचार को पढ़कर मेरे दिल को बड़ी चोट लगी और मैं एकदम हीनभावना से ग्रस्त हो गया। क्या हमारा देश गधों के सन्दर्भ में भी पीछे रह गया? जैसाकि आप लोग जानते हैं, आज़ादी मिलने के बाद बीसों वर्ष तक चुनाव जो थे वे 'दो बैलों की जोड़ी' के सहारे जीते जाते थे और चुनाव जीतने के बाद जो सरकार बनती थी वह सचिवालय में बैठने वाले गधों के सहारे चलती थी। इस सुखद स्थिति के बाद सहसा यह पता लगना कि हमारे बीच कोई सशक्त गधा नहीं है, स्वाभाविक रूप से दुख पहुँचाने वाला है। और प्रशासन या राजनीति तक ही गदहों की बात रखना भी गलत होगा क्योंकि क्या साहित्य और क्या कला—सभी बाकी क्षेत्रों में भी गधों को आशातीत सफलता मिली है जिससे हम सब परिचित हैं। ऐसी स्थिति में गधों को आयात करने वाली ख़बर क्या आपको अच्छी लगेगी?

एक दूसरी नौकरशाही

नौकरशाही से हमारा अभिप्राय प्रायः उन अफ़सरों और कर्मचारियों से होता है जो कि किसी आलीशान सचिवालय में या बाकी किसी शानदार इमारत में बैठते हैं और जो राजनीतिक नेताओं के बावजूद देश का प्रशासन चलाते हैं। बड़ा अफ़सर उस व्यक्ति को कहा जाता है जो कि एक बड़े कमरे में अकेला बैठता है और जिसकी स्टेनोग्राफ़र प्रायः कोई रूपवती युवती होती है। यह देश का दुर्भाग्य है कि आज मैं जो कुछ कहने जा रहा हूँ उसका ऊपर बतायी गयी नौकरशाही से कोई सम्बन्ध नहीं है। इस प्रबन्ध विशेष में तो मैं उन लोगों की चर्चा करने जा रहा हूँ जो कि घरेलू नौकर कहलाते हैं और जिनका रौब कभी-कभी इतना ज़्यादा होता है कि ब्यूरोक्रेट भी उनके सामने काँपने लगते हैं। पहिली नौकरशाही जो थी वह इस दूसरी नौकरशाही के सामने मात मान गयी। इस भयावह स्थिति के कई कारण हैं। पहिली बात तो यह है कि सरकार के आला अफ़सर बिना नौकर के घर चला ही नहीं सकते। फ्रांस के साथ करोड़ों रुपयों के मामलों को लेकर दस्तावेज़ पर दस्तख़त करना एक बात है और दो घण्टे लाइन में खड़ा होकर दिल्ली दुग्ध योजना का दिया गया दूध लाना एक दूसरी चीज़ है। इस दूसरी नौकरशाही की शानशौकत का एक कारण यह भी है कि बड़े लोग अभी भी एक-दूसरे की हैसियत इस बात से तय करते हैं कि फलाँ साहब के घर पर कितने नौकर काम करते हैं। अगर घर पर कोई भी नौकर काम नहीं करता तो उस घर को इज़्ज़त से देखने का कोई प्रश्न ही नहीं उठता।

यह दूसरी नौकरशाही ऊपर बतायी गयी सारी बातें जानती है और इसी कारण दिन-ब-दिन अनुशासनहीन होती जा रही है। सामने के तल्ले में एक साहब रहते हैं जिनका नौकर उनके पालतू कुत्ते को अपने साथ ले गया और फिर कभी नहीं लौटा। बराबर के तल्ले में जो नौकर था वह मालिक के बच्चे को ही उठाकर चला गया और फिरौती माँगने लगा। एक तीसरा हादसा उस दिन हुआ जिस दिन कि पिछले वाले फ्लैट में रहने वाले अफ़सर की निजी बीवी ही नौकर को इतनी अच्छी लगी कि दोनों एक साथ अन्तर्धान हो गये और आज तक नहीं लौटे। पति जो है वह प्रसन्न मुद्रा में है और उस दिन की प्रतीक्षा में है जिस दिन कोई युवती उसके साथ

भी भागने का प्रस्ताव करेगी। इस क्षेत्र के बाकी लोग जो हैं वे काफ़ी शालीनता के साथ उस दिन की प्रतीक्षा में लगे हैं जबकि कोई बहादुर इंसान इनकी भी उस अधेड़ पत्नी को भगाकर ले जाएगा जो कि बात-बात पर अपना चप्पल अपने पति को दिखाती है। मैं इन पतियों को ज़रूर देखता हूँ और कहना चाहता हूँ कि आप निश्चिन्त रहें; एक दिन ऐसा ज़रूर आएगा कि आपकी बीवी भी किसी-न-किसी के साथ भागेगी। भवभूति के शब्दों में पृश्वी बहुत बड़ी है और समय जो है वह अनन्त है। वैसे भी खुदा के यहाँ देर तो है पर अन्धेर नहीं।

घरेलू स्त्रियों की भाँति घरेलू नौकरों की भी हज़ारों किस्में पायी जाती हैं और सारी किस्मों को एक निबन्ध में पकड़ना असम्भव है। हाँ, अलबत्ता कभी उपन्यास लिखने बैठा तो उन सबकी चर्चा करूँगा। फ़िलहाल तो इतना ही बता सकता हूँ कि जहाँ एक तरफ़ ऐसे सात्त्विक किस्म के नौकर पाये जाते हैं जो कि सन्तोषी, मेहनतकश और ईमानदार होते हैं, वहाँ दूसरी तरफ़ ऐसे भी नौकरों की कमी नहीं है जो मालिक का ही सूट पहिनते हैं, उन्हीं के जूते पहिनते हैं, उन्हीं की सिगरेट पीते हैं और जो मालिक से भी कहीं ज़्यादा स्मार्ट लगते हैं। कुछ नौकर बीमार किस्म के होते हैं जो अपना ज़्यादा समय अस्पताल में ही गुज़ारते हैं मगर कुछ नौकर इतने पहिलवान छाप होते हैं कि उन्हें डाँटने से पहिले सम्भ्रान्त मालिक को कोई दस बार सोचना पड़ता है और अन्त में चलकर वे बेचारे शालीन मालिक इसी निष्कर्ष पर पहुँचते हैं कि अहिंसा जो है वही परम धर्म है। मैंने खुद एक ऐसा होनहार और रौबदाब वाला घरेलू नौकर देखा है जो कि आपको कर्ज दे सकता था, ड्राइंग रूम से लेकर मालिक की बीवी तक हर चीज़ को अपना समझता था और शहर में कहीं भी आने वाली फ़िल्म का प्रथम शो ज़रूर देखकर आता था। वह एक ऐसा कर्मठ व्यक्ति था जो कि मुहल्ले की हर ख़ूबसूरत नौकरानी से निकट सम्बन्ध रखता था।

अपनी इस छोटी-सी ज़िन्दगी में कुछ नौकर ऐसे भी देखने को मिले जो बराबर अख़बार पढ़ते थे, देश की राजनीति में पूरी दिलचस्पी रखते थे और गाहे-बगाहे किसी जुलूस में भी हिस्सा ले लेते थे। उनके विचार में वह लाल दिन दूर नहीं था जबकि सरमायेदारों का रक्त नालियों में बहेगा और जब वे जो होंगे, वे देश के मालिक होंगे। विभिन्न राजनीतिक दर्शनों के कारण इन लोगों में आपसी मारपीट वगैरा भी चलती रहती थी मगर उससे उनकी राजनीतिक आस्था में कोई कमी कभी नहीं आती थी। ऐसे नौकरों से भी मेरा साबका पड़ा है जो पढ़ना क्या, लिखना तक जानते थे। मेरा एक नौकर तो कमाल की शायरी करता था। मैंने जब उसे एक मुशायरे में अपना कलाम पढ़ते देखा तो मैं चकरा गया। घर आया, उसकी कमर ठोकी, पढ़ने को किताबें दीं और उसकी साहित्यिक प्रतिभा को विकसित करने के लिए जो कुछ भी सम्भव था, वह सब कुछ मैंने किया। बाद में जब पता चला कि वह जो इश्कियाना शायरी करता था, वह मेरी अपनी एक अदद पत्नी को ही

लेकर करता था तो निहायत दुःख के साथ उसे विदा देनी पड़ी। इसी प्रकार कुछ नौकर यदि नास्तिक होते हैं तो कुछ इतने सात्त्विक किस्म के भी होते हैं कि उनके पूजा-पाठ में दो घण्टे रोज़ निकल जाते हैं। बीवी है कि किसी तरह नाश्ता तैयार कर रही है जबकि नौकर साहब जो हैं वे अपनी आत्मा की शुद्धि में लगे हैं। और हाँ, संगीत-प्रेमी नौकरों का तो कहना ही क्या? कभी-कभी इतने पक्के गाने वाले मिल जाते हैं कि कोई दो-चार दिन बाद अपना घर जो है वह मियाँ तानसेन की क़ब्र लगने लगता है। उधर कोई ज़रूरी काम पड़ा है तो पड़ा रहने दीजिए, आप सिगरेट जलाकर यहाँ मूढ़े पर बैठिए और बड़े उस्ताद मियाँ नौकर बहादुर खान के द्रुत और विलम्बित का मज़ा लूटिए।

पुराने ज़माने में नौकरी करना कठिन माना जाता था। एक स्थान पर भर्तृहरि ने कहा है कि सेवाधर्म जो है वह इतना गहन है कि योगियों तक की समझ में नहीं आता। मगर इन दिनों जो स्थिति है वह एकदम विपरीत है। नौकर रखना जो है वह नौकरी करने से कहीं ज़्यादा कठिन होता जा रहा है। मेरे विचार में एक दिन ऐसा भी आएगा जबकि कुछ निश्चित स्थानों पर सप्ताह में एक दिन स्वयंवर जैसा मेला लगा करेगा जहाँ नौकर लोग जो हैं वे अपने मालिकों और मालकिनों को खुद चुना करेंगे। फ़िलहाल स्थिति यह है कि घरेलू नौकरों की ट्रेड यूनियन बनने जा रही है ताकि इनकी न्यायसंगत माँगें कानून द्वारा सुरक्षित की जा सकें। वेतनमान, इलाज, सफ़रभत्ता, छुट्टी और पेंशन इत्यादि विभिन्न चीज़ों का कानूनी प्रावधान हुआ करेगा और घरेलू नौकर को यह सुरक्षा दी जाएगी कि वह अपनी नौकरी से ज़बर्दस्ती नहीं निकाला जाएगा। अब यदि यह सब होने जा रहा है तो इसी में क्या आश्चर्य है कि नौकर और नौकरानियाँ अपने मालिक और मालकिनों का चुनाव स्वयं किया करेंगी?

एक समझदार इंसान होने के नाते मैं देख रहा हूँ कि भविष्य में चल कर नौकर की जो ज़िन्दगी होगी वह कुल मिलाकर मालिक की ज़िन्दगी से कहीं बेहतर होगी। इसी सत्य को मद्देनज़र रखते हुए खाकसार देश की उन सारी स्त्रियों से करबद्ध निवेदन करता है कि उनमें से जो रूपवती विधवा हैं (या जो निकट भविष्य में विधवा होने वाली हैं) वे खाकसार को अपनी खिदमत का मौक़ा दें और ज़िन्दगी को हर तरफ़ से एक-से-एक बेहतर खुशियों से भर दें।

जब मैं सभापति बना

जैसाकि मैं पहिले भी कहीं कह चुका हूँ, मैं कभी किसी सभा का सभापति नहीं बनाया गया, क्योंकि मुझसे ज़्यादा बेवकूफ़ इंसान हमेशा सीन पर मौजूद मिला। सभा का पति होने की बजाय मैं केवल अपनी निजी पत्नी का पति होकर ही जीवन व्यतीत करता रहा। मगर एक बार कुछ ऐसा हादसा हो गया कि मुझे सभापति बनना ही पड़ा।

असली बात पर आने से पहिले यह ज़रूरी है कि सभापतियों के बारे में कुछ कहा जाये। नायिका-भेद की तरह सभापतियों के भी अनेक प्रकार हैं। कुछ सभापति होते हैं जो सिवा सभापति बनने के और कोई धन्धा कभी करते ही नहीं। चाहे परिवार नियोजन का जलसा हो, चाहे महाकवि निराला की जन्मतिथि, चाहे काँजी हाउस का उद्‌घाटन हो और चाहे शहीद दिवस—वे हमेशा सभापति रहते हैं। ऐसे लोग सभापति ही पैदा हुए थे, सभापति के रूप में ही ज़िन्दा हैं और भगवान की कृपा रही तो सभापतित्व करते हुए ही मरेंगे भी। ऐसे जन्मजात सभापतियों के अतिरिक्त कुछ ऐसे भी जीव हैं जो सभापति बनने के लिए खुद प्रयास करते हैं। वे जलसे के लिए अपना शामियाना और फर्शी दरी देते हैं, फूलमाला के लिए पैसे भी उनका मुंशी ही देता है और सभा में भीड़ रखने के लिए स्वयंसेवक भी वे खुद ही जुटाते हैं। वे सभा प्रारम्भ होने के आधा घण्टे पहिले ही मंच पर पहुँच जाते हैं और सभा की समाप्ति के आधा घण्टा बाद तक वहीं बैठे रहते हैं।

एकाध सभापति ऐसा भी होता है जो कि सभा की कार्यवाही में दखल देता है, मगर ज़्यादातर सभापति ऐसे ही होते हैं कि मंच पर लगे तकिए के सहारे बैठकर निद्रालाभ करते हैं और तभी उठते हैं जबकि तकिया हटाने वाला अपना कार्यक्रम शुरू कर देता है। जो समझदार सभापति होते हैं वे गले में माला ग्रहण करने के उपरान्त थोड़ी ही देर बाद मौक़ा देखकर खिसक जाते हैं, ताकि जब अण्डा और टमाटर सभा में भाग लेने लगें तो उनका लाभ उठाने के लिए वे वहाँ उपस्थित न रहें। अण्डों और टमाटरों का और कभी-कभी जूतों तक का सभापति के पद से उतना ही घनिष्ठ सम्बन्ध है जितना कि श्याम की वंशी का गोपियों से था। इधर सभापति जी ने आसन ग्रहण किया और उधर अण्डे और टमाटरों की अन्तरिक्ष यात्रा शुरू हुई।

एक सभापति तो बाकायदा झोला लेकर जाया करते थे ताकि अण्डों और टमाटरों को इस्तेमाल करने के लिए घर ले जा सकें। इस दिशा में ये सज्जन विशेष इतने होनहार थे कि इनके आते ही अण्डों और टमाटरों का आदान-प्रदान शुरू हो जाता था। और अगर कहीं इन्होंने अपना मुँह खोल दिया तो जूता भी चलने लगता था। चलने शब्द का प्रयोग मैं बतौर मुहावरे के कर रहा हूँ वरना सच्चाई तो यह है कि जूता चलता कम और लगता ज़्यादा था। वे सभापति इतने चरित्रवान् थे कि अगर किसी जूते या चप्पल की दोनों किश्ते मंच तक पहुँच जाती थीं तो ये उन्हें भी उठाकर झोले में रख लेते थे और फिर अपना भाषण जारी कर देते थे।

इसी तरह एक और सभापति थे जिनके प्रकट होते ही पतिवाला भाग तो शेष रह जाता था और सभा जो होती थी वह तुरन्त विसर्जित हो जाती थी। एक और सभापति की याद भी मुझे आ रही है, जो पान इस कदर खाते थे कि जब वे भाषण करते थे तो भाषण बाद में निकलता था और पान पहिले। नतीजा यह होता था कि अगली सीट पर बैठे श्रोताओं के शुभ्रवस्त्र वहीं वीरगति को प्राप्त हो जाते थे।

सभापति अगर पुरुष न होकर स्त्री होती है तो व्याकरण के अनुसार वह सभापत्नी कहलाती है। कुछ सभापत्नियों का अनुभव भी मुझे है। एक तो शायद इतनी ख़ूबसूरत थीं कि उन्हें देखकर मुँह में छोटी इलायची रखनी पड़ती थी। मगर कुछ ऐसी भी सभापत्नियाँ देखने को प्राप्त हुईं जो व्याकरण के ही अनुसार नहीं, बल्कि वैसे भी यथार्थ जीवन में सच्ची सभापत्नियाँ थीं।

ऊपर लिखी स्थिति को ध्यान में रखकर मैं कभी सभापति बनने को राजी नहीं हुआ। मगर एक बार स्थिति ऐसी आ गयी कि शहर के बाकी बेवकूफ़ शायद कहीं और सभापति बनने चले गये और पानीपत के मैदान में खाकसार अकेला रह गया। और उस पर भी तुर्रा यह कि एक ही दिन में दो लड़ाइयाँ लड़नी थीं। दूसरे शब्दों में मुझे दो सभाओं का पति बनना था, जिनमें से एक शायद किसी स्थानीय नेता की शोक सभा थी और दूसरी एक विशिष्ट साहित्यिक की जन्मतिथि को लेकर संयोजित की जा रही थी। मैंने बाकायदा दो स्पीचें तैयार कीं और पतलून की जेब में रख लीं। सारी तैयारियाँ ठीक थीं। हाँ, अलबत्ता मैं यह ज़रूर भूल गया कि शोक-सभा सुबह को है या कि शाम को। दिन के दस बजे जब मैं घटनास्थल पर पहुँचा तो हॉल खचाखच भरा था। क्या संयोजक और क्या श्रोतागण सभी काफ़ी प्रसन्न मुद्रा में थे।

मैंने माइक पकड़ा और जन्मतिथि वाला भाषण पढ़ना शुरू किया। जैसाकि इन मौक़ों पर कहा जाता है वही मैंने भी कहा। मैंने व्यक्ति विशेष के गुणों पर प्रकाश डाला और कहना शुरू किया कि ऐसे आदमी की तुलना किसी गैर से करना मुश्किल है। यहाँ तक सब ठीक रहा। इसके बाद मैंने कहा कि भगवान करे कि हम लोग इसी काम के लिए यहाँ बार-बार उपस्थित हों तो इस पर इतनी तालियाँ पिटीं कि मैं हद से ज़्यादा प्रोत्साहित हो गया और आगे बढ़ता गया।

शाम की सभा में मैंने शोक-सभा वाला भाषण पढ़ना शुरू किया और जब मैंने कहा कि मरने वाले में क्या-क्या खूबियाँ थीं तो हॉल में फिर हथेलियाँ पिटने लगीं। मैं फूलकर कुप्पा हो गया। इसके बाद जब मैंने उसकी विधवा पत्नी व बच्चों के लिए चन्दे का प्रस्ताव रखा तो संयोजक ने मेरे कान में कहा कि शोक-सभा तो सुबह थी, यह तो जन्मतिथि वाला उत्सव है। मेरी सिट्टी-पिट्टी गुम हो गयी और इसके बाद मैंने क्या कहा, मुझे खुद याद नहीं। इतना याद है कि मैंने सामने वाले दरवाज़े का काफ़ी शीघ्रता से पूरा-पूरा लाभ उठाया और रात की गाड़ी से शहर छोड़ दिया। अगर एक दिन मैं वहाँ और रह जाता तो स्थिति यह होती कि अगले दिन मेरे उपलक्ष में शोक-सभा होती।

वह दिन है और आज का दिन है मैं फिर कभी सभापति नहीं बना। जब भी कहीं से कोई निमन्त्रण मिला तो विद्यापति की ये पंक्तियाँ उत्तर में लिख दीं :

सुन रसिया,
अब न बजाऊँ विपिन बंसिया।

लेखक और प्रकाशक : एक चिरन्तन प्रसंग

प्रकाशक और लेखक का सम्बन्ध काफ़ी पुराना है और मुर्गी और अण्डे वाले तर्क के आधार पर यह कहना कठिन है कि लेखक और प्रकाशक—इन दोनों में से पहले कौन आया। कुछ लोग यह भी पूछ सकते हैं कि इन दोनों में से अण्डा कौन है और मुर्गी कौन? पर इसका उत्तर मेरे पास है। प्रकाशक अण्डा है क्योंकि अण्डा शब्द पुंल्लिग है। प्रकाशक आम तौर से पुंल्लिग होता है। जो पहुँचे हुए प्रकाशक हैं वे तो पुंल्लिग की स्थिति को पार कर शिवलिंग की स्थिति को भी प्राप्त हो जाते हैं; उसी तरह शक्तिशाली और नंगे। जो लोग शाकाहारी हैं उन्हें मुर्गी और अण्डे के नानवेजिटेरियन तर्क के स्थान पर पेड़ और बीज का उदाहरण भी दिया जा सकता है। खाने-पीने की आदतों का उस समस्या पर प्रभाव नहीं पड़ना चाहिए जिस पर कि हम विचार कर रहे हैं।

बिना प्रकाशक के लेखक की कल्पना करना वैसा ही है जैसे बिना पति के पत्नी की कल्पना करना। भगवान ने शायद दोनों को एक साथ ही बनाया है। मेरे मोहल्ले में एक ऐसे लेखक और एक ऐसे प्रकाशक रहा करते थे जो एक ही दिन पैदा हुए थे। पुराने ज़माने में लेखक लोग दीवारों पर या शिलाओं पर लिखते थे। ये दीवारें और शिलाएँ प्रकाशक की होती थीं। प्रकाशक से अर्थ ही उस व्यक्ति से है जो लेखक की रचनाओं को प्रकाश में लाये और लेखक को हमेशा, 'अँधेरे बन्द कमरों' में रखे। लेखक जहाँ रोशनी में आया, उसकी प्रतिभा गयी।

हाँ, तो बाद में चलकर एक राजा भोज हो गये जिन्होंने एक ऐसे पेड़ का आविष्कार किया जिसके पत्तों पर किताबें लिखी जा सकती थीं। राजा भोज के कारण इन पत्तों को भोज पत्र कहते थे। राजा भोज की दो ही चीज़ें मशहूर हैं—एक भोज पत्र और दूसरा भोज प्रबन्ध। कवि वल्लाल के अनुसार राजा भोज प्रत्येक कुशल कवि को प्रत्येक अक्षर पर लाख के हिसाब से रुपया इनाम में दिया करते थे और साथ ही साथ उस कवि को दरबार में रख लिया करते थे ताकि सरकारी रुपया रियासत के बाहर न जाए।

धीरे-धीरे लेखक और प्रकाशक का सम्बन्ध और भी घनिष्ठ हो गया जिससे कि रसों का प्रादुर्भाव हुआ। लेखक और प्रकाशक में जो 'तू-तू मैं-मैं' होती थी उसमें यदि

लेखक निराला या बाण भट्ट की तरह तेजस्वी पुरुष हुआ जो कि प्रकाशक को कमर के बल साष्टांग रूप से सड़क पर चित कर सकें, तो उसे वीर रस का उत्पादक कहा जाता था। यदि प्रकाशक ने अपने नौकरों की मदद से लेखक को पटक दिया तो वह रौद्र रस कहलाता था। यदि लेखक के स्थान पर लेखिका कहीं प्रकाशक के पास पहुँच गयी तो शृंगार रस की सृष्टि होती थी। जहाँ शृंगार रस होता है वहाँ वात्सल्य रस खुद ही पहुँच जाता है। आप किसी लड़की से प्रेम करके देख लीजिए, बच्चे अपने-आप आ जाएँगे। प्रेमिका पपीते की तरह होती है, जहाँ आपने उसके हृदय के भीतर प्रवेश किया, बीज की भाँति बच्चे बैठे हुए मिले। जैसाकि मेरा एक दोस्त कहता है, प्रेम में शरीर भारी रहता है : शुरू-शुरू में नर का दिल भारी रहता है और बाद में मादा का पैर।

अगर प्रकाशक ने लेखक की रॉयल्टी नहीं दी वरन् इसके स्थान पर भगवान के स्मरण का रचनात्मक सुझाव दिया तो वैराग्य रस उत्पन्न होता था। इसी रस की प्राप्ति करने के बाद जब भवभूति अपने भूख से पीड़ित बच्चों के पास पहुँचे जिनकी कि स्कूल की फीस तक नहीं गयी थी तो उन्हें करुण रस की प्रधानता ज्ञात हुई। हाथापाई में अगर लेखक या प्रकाशक (या दोनों) पंचत्व को प्राप्त हो गये तो शान्त रस की निष्पत्ति होती थी और यदि लेखक महोदय रॉयल्टी का एडवांस लेकर अपनी कृति किसी दूसरे प्रकाशक को देते थे तो वह बीभत्स रस की स्थिति कहलाती थी। संक्षेप में सारे रस, लेखक और प्रकाशक के सम्बन्धों से ही उत्पन्न होते थे। यहाँ मैं यह भी बता दूँ कि रस शब्द का पर्यायवाचक शब्द अंग्रेज़ी में 'ज्यूस' के अलावा और कोई नहीं है।

लेखकों ने किताबें छपवाने के लिए क्या नहीं किया? तुलसीदास ने हनुमान जी को साधा, दाग़ और मीर ने नवाबपरस्ती की और ज़ौक़ ने बादशाह बहादुरशाह का पल्ला पकड़ा। डॉक्टर जानसन ने लॉर्ड चेस्टर फील्ड के घर के इसी सन्दर्भ में काफ़ी चक्कर लगाये थे। रीतिकालीन कवि देव इस मामले में काफी व्यस्त रहते थे। इन्होंने पहिले आजमशाह के लिए 'अष्टयाम' लिखा और उसके बाद भवानीदत्त के लिए 'भवानी विलास', कुशल सिंह के लिए 'कुशल विलास', उद्योत सिंह के लिए 'प्रेम चन्द्रिका', भोगीलाल के लिए 'रस विलास' और बाद में अकबर अली खाँ के लिए 'सुखसागर तरंग' की सृष्टि की।

कहने को तो प्रकाशकों के बारे में बहुत कुछ कह सकता हूँ पर कहूँगा नहीं। धीरे-धीरे लेखक स्वयं ही प्रकाशक होते जा रहे हैं (हालाँकि रॉयल्टी देने के वक़्त वे यही कहते हैं कि प्रकाशन का भार पत्नी सँभालती है।) ये 'लेखक-प्रकाशक' भुक्तभोगी होने के कारण नये लेखकों से बड़ा स्नेह करते हैं। एक ऐसे ही सज्जन ने मुझसे कई साल से कह रखा है कि यदि मैं इनकी एक किताब कोर्स में लगवा दूँ, एक कविता-संग्रह सम्पादित कर दूँ और एक फटीचर किताब पर अच्छी-सी भूमिका लिख दूँ तो ये मेरी अगली किताब मेरे अपने खर्च पर छपवाकर वितरित करने को तैयार हैं। अब आप ही बताइए, इतनी सहृदयता और कहाँ मिलेगी?

एक सफल स्त्री की रूपरेखा

पुरुषों की सफलता के जो नुस्खे हैं वे स्त्रियों के क्षेत्र में कभी काम नहीं करते। पुरुष और प्रकृति में जो चिरन्तन भेद है, वह यहाँ भी काफ़ी सफाई से काम करता है। किसी-किसी स्थिति में तो हालत यह है कि पुरुष के लिए जो गुण माना जाता है उसी को स्त्रियों के सन्दर्भ में दोष कहना पड़ता है।

पुरुषों के बारे में नीतिशास्त्रों ने कहा है कि ब्राह्ममुहूर्त में उठने से बुद्धि तीव्र रहती है, स्वास्थ्य ठीक होता है और घर चोरों से बचा रहता है। रात को सड़क पर चलते मुसाफिर का पर्स यदि जेब से निकलकर गिर गया हो तो वह भी उसे ही मिलता है जो ब्राह्ममुहूर्त में उठता है। किसी के बागीचे में फूल या पपीते तोड़ने हों तो भी ब्राह्ममुहूर्त से अच्छा समय और कोई नहीं। इन सबके विपरीत स्त्रियों के साथ स्थिति यह होती है कि उनके लिए देर तक सोते रहना ही शास्त्रों में श्रेयस्कर माना गया है। ऐसा करने से एक तो उन्हें चाय बनी-बनायी मिलती है, बच्चे कपड़े पहने हुए प्राप्त होते हैं और दूसरे उन्हें उलाहना देने वालों को यह कहने का मधुर अवसर भी मिल जाता है कि उनके रहते आपको काम करने की क्या ज़रूरत है और यह तो उनकी कार्यक्षमता का अपमान करना है। इतने मधुर वचन कहने के बाद चाय पीकर वे फिर सो जाती हैं। इस बार की सोयी जो उठती हैं तो स्थिति यह होती है कि ब्राह्ममूहर्त दुपहर में बदला हुआ होता है, बच्चे स्कूल से वापिस आते हुए होते हैं और घर का फ़र्श और फ़र्नीचर कभी का साफ़ हो चुका होता है। यही वह समय है जबकि घर की शालीन स्वामिनी सर्वसाधारण को यह समझाने की चेष्टा करती है कि आज ही वे वक़्त पर नहीं उठायी गयीं तो देख लीजिए, क्या-क्या बेड़ा गर्क हो गया।

गृहिणी की सफलता का दूसरा रहस्य इस बात में है कि वह बच्चों को आत्मनिर्भर होने दे। बच्चों को काम करने से रोकना उनके स्वाभाविक विकास में गतिरोध पैदा करना है। मेरे घर में बच्चे सारा काम खुद करते हैं। खुद सोकर उठते हैं, माँगकर चाय पीते हैं, चाय पीने के बाद बिना किसी बाहरी सहायता के कप को प्लेट से बजा-बजाकर दो टुकड़े करते हैं, कपड़े पहिनते हैं, बाथरूम जाते हैं और इसके बाद सेहत ठीक रखने के लिए एक-दूसरे से हाथापाई करते हैं। बड़ा बच्चा तो इतना

ज़िम्मेदार है कि छोटे बच्चे को वही पालता है। मेरे ख़याल में बड़ा होकर वह एक सफल पति बनेगा।

स्त्रियों को जीवन में सफल होने के लिए खाना बनाना कभी नहीं सीखना चाहिए। सृष्टि का कुछ ऐसा सिद्धान्त है जहाँ खाना बनाना आया कि वहीं दावतें और मेहमान शुरू हुए। मेरे सुखी घर में कभी कोई मेहमान नहीं आता, आता भी है तो खाना बाहर खाता है। एक सज्जन अपने पूर्वजन्म के दुष्कर्मों के प्रभाव से एक बार गृहस्वामिनी के हाथ का बना खाना खा गये थे तो उसका अंजाम आज तक भुगत रहे हैं। योग्य चिकित्सकों का कहना है कि मेरी पत्नी के हाथों बने भोजन का प्रभाव लगभग दस वर्ष तक रहता है। खाना बनाने की जगह स्त्रियों को संगीत में रुचि होनी चाहिए। संगीत में बड़ी सुविधा यह है कि इसमें समय बड़ी सरलता से कटता है। खाना खाया और बैठ गये देश के आलाप निकालने। एक बजे बैठे तो कोई दिन छिपे उठे। शाम का श्यामकल्याण का समय होता है, और रात को मालकोष का। हमारे पूर्वजों ने राग-रागिनियों को इतनी दूरदर्शिता से बनाया है कि हर समय के लिए कुछ-न-कुछ कार्यक्रम निश्चित होता है और स्थिति यह होती है कि जो संगीत में दखल रखता है, उससे किसी और काम की उम्मीद रखना बेकार है। इन्हीं कारणों से नीतिकार ने कहा है कि जो स्त्री साहित्य, संगीत या कलाओं को नहीं जानती वह बिना पूँछ और बिना सींग की हिरनी के तुल्य होती है।

सफल स्त्रियों का साहित्य में रुचि लेना बड़ा ज़रूरी है। इससे आसपास वालों पर रौब पड़ता है। मैं स्वयं एक ऐसी देवी जी को जानता हूँ जो यात्रा पर निकलते समय कभी मिल्टन और शेक्सपीयर से कम लेखक की किताब नहीं ले जातीं। घर पर वे अलबत्ता जेबी जासूस पढ़ती हैं। जासूसी से उन्हें बहुत सच्चा शौक है, एक बार मुझसे कह रही थीं कि शेक्सपीयर ने अपने जासूसी उपन्यासों में बड़ा कमाल दिखाया है। मैं चुप रहा। मेरे विचार में उनकी प्रशंसा यदि शेक्सपीयर खुद भी सुनता तो चुप ही रहता।

सफल स्त्रियाँ कभी मितव्ययी नहीं होतीं। खर्च कम होने पर पति नाम का जानवर धनी हो जाता है जिससे कि उसके आलसी होने का ख़तरा रहता है। पति को पुरुषार्थी और अध्यवसायी बनाये रखने के लिए आवश्यक है कि पत्नी मुद्रा का व्यय मुक्तहस्त से करे। ऐसी स्त्रियाँ सदा लोकप्रिय रहती हैं।

कुत्ता पालना भी एक ऐसा शौक है जो गृहिणियों के लिए निहायत ज़रूरी है। आपके घर में अगर कुत्ता है तो उसके बड़े फ़ायदे हैं। कुत्ता आपकी साड़ियाँ फाड़ता है, जिससे कि नयी साड़ियाँ आने में सहायता प्राप्त होती है। कुत्ता आपके मुहल्लेवालों का सामान तोड़ता है, जिससे उनकी और आपकी जान-पहिचान बढ़ती है। कुत्ता चन्दा माँगनेवालों से बचाता है। इसके अतिरिक्त कुत्ता साथ रखने से आपके व्यक्तित्व की शोभा बढ़ती है। कुछ शालीन स्त्रियाँ तो पति के साथ बाहर

जाने की अपेक्षा कुत्तों के साथ बाहर जाने को तरजीह देती हैं जो हमारी पुरानी संस्कृति के अनुकूल हैं। पुराने ज़माने में स्त्रियाँ कोई-न-कोई जानवर या पक्षी ज़रूर पालती थीं। सरस्वती जी हंस से प्रेम करती थीं और लक्ष्मी जी उल्लू से। शकुन्तला को हिरन प्यारे थे तो नूरजहाँ को कबूतरों का शौक था। रानी सारन्धा ने घोड़े के लिए राज्य और प्राण दोनों न्योछावर कर दिये थे। बाद में चलकर जानवर मिलने बन्द हो गये तो स्त्रियों ने पति पालने शुरू कर दिये।

स्त्रियों को चलचित्र और रागरंग का शौक होना बहुत आवश्यक है। इनसे सौन्दर्य-प्रसाधन के नये ढंग मालूम होते हैं। स्टण्ट-चित्रों से यह ज्ञात होता है कि पति की पिटाई किस तरह की जाए। शाम को शो जाने से रात का भोजन बनाने से भी छुट्टी मिलती है। क्लब और गोष्ठियों में जाना भी आजकल की नारियाँ सीख रही हैं, जो एक शुभ लक्षण है।

गृहिणी की सफलता का अन्तिम रहस्य यह है कि वह पति को इस तरह वश में रखे जैसेकि रानी पद्मावती हीरामन तोते को रखती थी। पद्मावती बड़ी चतुर स्त्री थी—हीरामन तोते से भी ज़्यादा। उसे देखकर राजा रत्नसेन मूर्छित हो गये थे। सफल पत्नी वही है जिसे देखकर पति मूर्छित हो जाए। ज़रूरी नहीं कि मूर्छा पत्नी के सौन्दर्य के कारण ही प्राप्त हो जैसाकि राजा रत्नसेन के साथ हुआ था। शारीरिक बल के प्रभाव से भी यदि पति चित हो जाए तो भी ठीक है। पति के शरीर पर कभी-कभी ध्यान देना वैसे भी बड़ा ज़रूरी है। हाथापाई करने से पति और पत्नी—दोनों का स्वास्थ्य ठीक रहता है और उन्हें मुटापा नहीं सताता। मारपीट की क्रिया यदि चार मित्रों के सामने सम्पन्न की जाए तो वे लोग भी आपकी प्रतिभा का लोहा मानेंगे, और आपके प्रति कृतज्ञ रहेंगे।

नयी सरकार : कुछ सुझाव

देश में नये चुनाव हो रहे हैं। कई राज्यों में और केन्द्र में नयी सरकार बनेगी। जैसे पेड़ अपने पत्ते बदलता है उसी तरह राज्य अपनी सरकार बदलते हैं। गीता की 'जीर्णानि वस्त्राणि यथा विहाय' वाली उक्ति यहाँ एकदम ठीक बैठती है। दूसरे शब्दों में जो कुछ हो रहा है वह गीता के अनुसार ही हो रहा है। लोग दल-बदल कर रहे हैं। पहिले खरबूजे को देखकर खरबूजा रंग बदलता था पर अब स्थिति यह है कि नेता को देखकर नेता रंग बदल रहे हैं। इस ऊपरी समानता के बावजूद भी स्थिति यह है कि मैं किसी नेता के पास होने की अपेक्षा खरबूजे से पास होना कहीं ज़्यादा पसन्द करूँगा।

ख़ैर, सरकार बहरहाल कोई भी हो, उसे कुछ-न-कुछ क़दम ऐसे ज़रूर उठाने हैं जिनसे राष्ट्र प्रगति के पथ पर अग्रसर हो। आप लोगों की आज्ञा से मैं कुछ महकमों की तरक्की के लिए चन्द सुझाव पेश करता हूँ जो मेरे ख़याल से मुल्क को आगे ले जाने में सहायक होंगे।

(अ) रेल विभाग

रेल के बारे में आम शिकायतें तीन हैं। एक तो यह कि लोग बगैर टिकट सफ़र करते हैं, दूसरी यह कि रेलें लेट हो जाती हैं और तीसरी यह कि कभी-कभी रेलों की आपस में टक्कर हो जाती है। पहली शिकायत दूर करने की दवा यह है कि रेल के टिकटों पर लॉटरी की तरह इनाम दिया जाय। इनाम पाने की उम्मीद में हरएक मुसाफिर टिकट खरीदेगा और टिकट चेकरों की परेशानी दूर हो जाएगी। दूसरी शिकायत दूर करने का तरीका यह है कि रेलवे बोर्ड टाइम टेबिल छापना बन्द कर दे। न रहेगा बाँस, न बजेगी बाँसुरी। तीसरी शिकायत के बारे में कुछ कर संकता कठिन है क्योंकि कवि के अनुसार हानि, लाभ, जीवन और मरण विधि के हाथ में होते हैं। अगर किसी के भाग्य में रेल दुर्घटना में ही मरना लिखा है तो उसे ग़रीब सिगनलमैन कैसे रोक सकता है?

(ब) वित्त विभाग

वित्त विभाग की समस्याएँ दो हैं। एक समस्या तो यह है कि नये कर किस चीज़

पर लगाये जाएँ और दूसरे यह कि लोग जो टैक्स देने से बचते हैं उनसे कैसे निबटा जाए? जहाँ तक पहली समस्या का प्रश्न है, मेरे ख़याल से कर लगाने के लिए इतनी ज़्यादा दिशाएँ शेष हैं कि ज़रूरत से ज़्यादा पैसा इकट्ठा किया जा सकता है। सरकार चाहे तो शादी पर टैक्स लगा सकती है। दूसरी शादी पर टैक्स की दर ज़्यादा होनी चाहिए। इसी तरह आयु कर भी लगाया जा सकता है। सरकारी आँकड़ों के अनुसार औसत हिन्दुस्तानी की उम्र पचपन साल के करीब बैठती है। जो आदमी पचपन साल से ज़्यादा जीता है, उसे टैक्स देना चाहिए। इसी तरह सौभाग्य कर भी लगाया जा सकता है। उदाहरण के लिए यदि किसी रेल-दुर्घटना में कोई बच गया तो उसे सौभाग्य कर अदा करना चाहिए। इस कर की दर 'बगैर कमाई' आय पर लगने वाले कर की तरह ज़्यादा होगी। निरक्षर होने पर भी कर लगाया जा सकता है जिससे साक्षरता भी बढ़ेगी और सरकार को आय भी होगी। पाँच साल में सारा देश साक्षर हो जाएगा और उस स्थिति में साक्षरता पर कर लगाया जाएगा। यह कर स्थायी होगा क्योंकि एक बार साक्षर होने के बाद फिर निरक्षर होना कठिन है। कलाकारों पर भी टैक्स लगाया जा सकता है। बिसमिल्ला खाँ को कितना भी टैक्स क्यों न देना पड़े पर बिना शहनाई बजाये वे कभी नहीं रह सकते।

जहाँ तक टैक्स-इवेजन का प्रश्न है वहाँ तो ज्योतिष की मदद के बिना कुछ कर पाना कठिन है। कानून में एक सेक्शन होना चाहिए कि आयकर का निर्धारण ज्योतिषी के अनुसार होगा और उसके ख़िलाफ़ कोई अपील नहीं होगी। इसके अतिरिक्त एक सरकारी ज्योतिषी की आय का निर्धारण दूसरे सरकारी ज्योतिषी द्वारा किया जाएगा ताकि वह अपने पद का दुरुपयोग न करे।

(स) गृह विभाग

गृह विभाग को चाहिए कि अफ़सरों की संख्या कम करे। अफ़सरों के कम होने पर दफ़्तर में काम वैसे ही कम हो जाता है। पार्किन्सन का नियम इस दिशा में अचूक है। अफ़सरों के चुनाव के बारे में भी कुछ नये क़दम उठाने होंगे। मेरे ख़याल में अफ़सर के लड़के को बिना किसी चुनाव के ही अफ़सर बना देना चाहिए क्योंकि बाप के अफ़सर होने की वजह से आधी ट्रेनिंग तो उसे पहिले ही मिल चुकी होती है। मध्यकाल में राजा और सामन्तों के पुत्र बिना किसी चुनाव के राजा और सामन्त बना करते थे। शहंशाह अकबर ने मिडिल स्कूल तक पास नहीं किया था और जैसाकि हम सभी जानते हैं वे कितने महान् शासक थे। गृह विभाग को एक से अधिक शादी करने पर जो पाबन्दी है, वह भी हटा लेनी चाहिए। इससे कर्मचारी वर्ग खुश होगा और घर व दफ़्तर—दोनों जगह ज़्यादा तबीयत के साथ काम करेगा। अदालतों के बारे में भी कुछ सोचना होगा। फ़िलहाल जो कायदा है वह काफ़ी लम्बा और देर

तलब है। मेरे ख़याल में मुक़दमों का फ़ैसला सिक्का उछालकर करना चाहिए। इधर से सिक्का गिरा तो सजा और उधर से गिरा तो रिहाई। रोम में पुराने ज़माने में यह कायदा काफ़ी प्रचलित था। वहाँ तो अपराधी को दो में एक दरवाज़ा खोलने को कहा जाता था। एक दरवाज़े से मृत्यु होती थी और दूसरे से किसी सुन्दर युवती से परिणय। इन्हीं कारणों से रोमन न्याय अभी तक संसार में प्रसिद्ध है।

(द) डाक-तार विभाग

इस विभाग से मुझे बड़ी शिकायत है। बिजली का बिल हमेशा वक़्त पर आता है और लड़की का ख़त हमेशा देर से। ग्रीटिंग टेलीग्राम तो इतने घिसे-पिटे हैं कि उनमें तुरन्त संशोधन होना चाहिए। आगे लिखे ग्रीटिंग तो एकदम जारी किये जाने चाहिए :

ग्रीटिंग नम्बर अट्ठाईस

सुना है आपकी बीवी नौकर के साथ भाग गयी है। हार्दिक बधाई स्वीकार करें।

ग्रीटिंग नम्बर उनतीस

पिता की मृत्यु का समाचार मिला। मेरी शुभकामनाएँ। भगवान करे कि ऐसा अवसर फिर भी आये।

ग्रीटिंग नम्बर तीस

ग्यारहवें बच्चे के जन्म की सूचना मिली। भगवान तुम दोनों को लम्बी उम्र दे।

ग्रीटिंग नम्बर इकत्तीस

आप गधे हैं। आपके बाप के बाप भी गधे थे।

ग्रीटिंग नम्बर बत्तीस

आपकी रचना मिली। पढ़ते-पढ़ते उप-सम्पादक को दिल का दौरा पड़ गया। ऐसी रचनाएँ बराबर भेजते रहें।

(क) योजना विभाग

यह विभाग यदि पंचवर्षीय योजनाओं के स्थान पर पच्चीसवर्षीय योजना बनाने लगे तो इसकी सारी दिक्कतें हल हो जाएँ।

(ख) खाद्य व स्वास्थ्य विभाग

मेरी समझ में यह नहीं आता कि ये दो विभाग एक साथ क्यों काम करते हैं? स्वास्थ्य विभाग के कारण जनसंख्या बढ़ती है और अन्त में चलकर उसी के कारण अन्न की कमी पड़ती है। इनमें से एक महकमा फौरन बन्द कर देना चाहिए। इसके अलावा खाद्य विभाग के मन्त्री और अफ़सर इतने दुबले-पतले होने चाहिए कि विदेशी लोग बिना किसी जाँच-पड़ताल के हमें अतिरिक्त अन्न दे दें।

(ग) विदेश विभाग

इससे पहिले कि मैं इस बारे में कुछ कहूँ, राष्ट्र का कर्त्तव्य है कि वह मुझे विदेश भेजे ताकि मैं विदेशी समस्याओं का पूरा अध्ययन कर सकूँ। वापिस आने पर इंशा अल्लाह ऐसी रिपोर्ट दूँगा कि उम्र के बाकी साल शायद विदेश में ही गुज़ारने पड़ेंगे।

राग गैरदरबारी : एक बहुत पुराना पत्र

प्रिय जोशी जी,

पत्र के लिए आभार।

पिछले काफ़ी दिनों से सरकार में काफ़ी उथल-पुथल चल रही है। पुरानी कांग्रेस शिव के धनुष की भाँति टूट गयी और धनुष तोड़ने के कारण श्रीमती गाँधी ने सरकार-रूपी सीता का वरण किया। बाद में जो कुछ हुआ, वह लक्ष्मण-परशुराम संवाद की तरह है जिसे दुहराने की ज़रूरत नहीं। लोकसभा भंग हो गयी है और नयी सरकार के बारे में हर तरह की अटकलबाजियाँ लगायी जा रही हैं। ऐसी स्थिति में मेरा तुच्छ सुझाव यह है कि यह वह समय है जबकि देश की सरकार को लेखकों के हाथ में छोड़ दिया जाय। मैं कोई नयी बात नहीं कह रहा हूँ। साहित्य और राजनीति का साथ बहुत पुराना है। इंग्लैण्ड के राजा जेम्स प्रथम ने तम्बाकू के बारे में किताब लिखी थी और स्वयं जूलियस सीजर ने गालप्रदेश की विजय का इतिहास लिखा है। बहादुरशाह ज़फ़र ग़ज़लें लिखते थे और गाँधी, नेहरू एवं चर्चिल ने भी साहित्य में काफ़ी योगदान किया। जेम्स प्रथम के दरबार में फ्रांसिस बेकन वित्तमन्त्री थे जो निबन्ध लिखने के साथ-साथ सरकार के खर्च की देखभाल भी करते थे। इस विषय में वह इतने दत्तचित्त थे कि सरकार की कुछ रकम गड़बड़ करने के आरोप में उन्हें कुछ वर्ष जेल में भी गुज़ारने पड़े। साहित्य और सरकार के सामंजस्य का इससे अच्छा उदाहरण और क्या हो सकता है?

आप लोगों की आज्ञा से मैं कल्पना करता हूँ, कि देश की सरकार लेखकों द्वारा बनायी जा रही है। क्योंकि राष्ट्रभाषा हिन्दी है और बाकी भाषाओं का ज्ञान मुझे कम है, मैं अपनी योजना हिन्दी लेखकों तक ही सीमित रखूँगा। हिन्दी से मेरा अर्थ उन उर्दू लेखकों से भी है जो अपनी किताबें हिन्दी में छपाते हैं।

यहाँ मुझे सहसा यह ज्ञान होता है कि लेखकों के मन्त्रालय निश्चित करना उतना सरल नहीं है जितना कि मैं समझता था। कुछ ऐसे लेखक हैं जो एक से अधिक विभागों के लिए उपयुक्त हैं और कुछ ऐसे विभाग हैं जिनके लिए एक से अधिक उम्मीदवार हो सकते हैं। उदाहरण के लिए रक्षा मन्त्रालय को ले लीजिए। अज्ञेय

तो यों उपयुक्त हैं कि वह सेना में वर्षों तक रहे हैं और बलवन्तसिंह यों उपयुक्त हैं कि उनसे पहिले स्वर्णसिंह तथा बलदेवसिंह रक्षामन्त्री रह चुके हैं। मेरा ख़याल है कि रक्षामन्त्री बलवन्तसिंह को होना चाहिए क्योंकि अज्ञेय श्रममन्त्री होने के लिए ज़्यादा उपयुक्त हैं। उन्होंने लिखा है :

दूर-दूर मैं वहाँ हूँ,
वह जो मिट्टी गोड़ता है
वह जो मिट्टी तोड़ता है
वह जो कज्जल पुता खानों में गुजरता है
वह जो कलम घिसता है
वह जो कचरा ढोता है
वह जो गदहे हाँकता है
वह जो तन्दूर झोंकता है
वह जो रद्दी बटोरता है
वह जो पापड़ बेलता है, बीड़ी लपेटता है
वह जो वर्क कूटता है
धौंकनी फूँकता है, कलई लगाता है, रेड़ी ठेलता है
रूई धुनता है, गारा सानता है, खटिया बुनता है
मशक से सड़क सींचता है
रिक्शा में अपना प्रतिरूप लादे खींचता है
जो जहाँ भी पिसता है
उसकी मैं कथा हूँ
दूर-दूर मैं....वहाँ हूँ

ऊपर लिखी पंक्तियों से दो बातें और ज़ाहिर होती हैं। एक तो यह कि अज्ञेय की रुचि कुटीर व्यवसायों की तरफ़ ज़्यादा है जो कि गाँधीवाद के अनुकूल है और दूसरी बात यह कि अज्ञेय जी एक ही समय में कितनी जगह उपस्थित हो सकते हैं। वह कचरा ढोने वाले के साथ भी हैं और रिक्शा चलाने वाले के भी। इतनी प्रतिभा का व्यक्ति यदि केन्द्र में मन्त्री न बने तो हम सभी का दुर्भाग्य है।

रेल मन्त्रालय के लिए कई उम्मीदवार हो सकते हैं। अज्ञेय ने भी 'बँधी लीक पर रेलें लातीं माल' वाली पंक्ति लिखी है और धर्मवीर भारती ने भी लिखा है :

फागुन के सूखे दिन
कस्बे के स्टेशन की धूल-भरी राह बड़ी सूनी-सी
ट्रेन गुज़र जाने के बाद
पके खेतों पर खामोशी हुई दूनी-सी

मगर मेरा ख़याल है कि रेल मन्त्री होने का सौभाग्य नागार्जुन को मिलना

चाहिए। उनका उपनाम ही यात्री है। बगैर टिकट चलने का अनुभव भी उनका कम नहीं होगा। उनसे अच्छा रेल मन्त्री देश को नहीं मिलेगा।

स्वास्थ्य मन्त्रालय में ऐसा मन्त्री होना चाहिए जिसके बच्चा न हो ताकि परिवार नियोजन को बल मिले। इस मन्त्रालय में प्रायः स्त्रियाँ रही हैं जैसे राजकुमारी अमृतकौर या सुशीला नय्यर। मेरे ख़याल में महादेवी वर्मा हर दृष्टि से उपयुक्त रहेंगी। उनमें शासकीय प्रतिभा भी है और मानवीय संवेदना भी।

कृषि मन्त्रालय के भी कई दावेदार हैं। अज्ञेय का 'ओ पिया पानी बरसा' वाला गीत काफ़ी ज़ोरदार है। रोटी से भी उन्हें बड़ा प्रेम है:

एक हाथ से तोड़ रहा हूँ रोटी
गीत दूसरे से लिखता जाता हूँ
गीत फाड़ फेंके
रोटी रह गयी हाथ में

लेकिन मेरे ख़याल से यह पद शमशेर बहादुर सिंह को मिलना चाहिए। वह जाति के जाट हैं और उन्हें खेती का अनुभव है। कितना मज़ा आएगा जब विदेशों में वह प्रेस रिपोर्टरों से कहेंगे :

बात बोलेगी बात ही
हम नहीं
भेद खोलेगी बात ही
हम नहीं

उन्हें देखकर विदेशी अगर हमें दुगुना अन्न न दे दें तो आप मेरा नाम बदल दीजिए। इस देश का यह दुर्भाग्य रहा है कि कृषि एवं खाद्य मन्त्री हमेशा स्वस्थ तथा हृष्ट-पुष्ट रहे जिसका नतीजा यह हुआ कि विदेशियों को हमारी असली स्थिति पर कभी विश्वास ही नहीं हुआ।

शिक्षा मन्त्रालय श्री लाल शुक्ल को मिलेगा। छंगामल इण्टर कॉलेज पर किताब लिखकर अकादेमी का पुरस्कार लेना छोटी बात नहीं। अगर वह किसी यूनिवर्सिटी पर किताब लिखेंगे तो ज़रूर नोबुल पुरस्कार मिलेगा।

गृह मन्त्रालय उपेन्द्रनाथ अश्क को मिलना चाहिए। मारपीट, फ़ौजदारी एवं मुक़दमेबाजी का उन्हें काफ़ी अनुभव है और कानून के वह विद्यार्थी भी रहे हैं। लक्ष्मीनारायण लाल उनके सहायक मन्त्री हो सकते हैं। झूठी दाढ़ी-मूँछ लगाकर खुफिया पुलिस के काम में जो सहायता वे करेंगे, उसका अन्दाज़ा वे लोग ही लगा सकते हैं जिन्होंने उनका अभिनय देखा है।

पन्त जी को 'मिनिस्टर विदाउट पोर्टफोलियो' होना चाहिए ताकि वे ईमानदारी से कह सकें कि 'सोने के तार-सा खिंच गया है दिन।' कामधाम से उन्हें कोई वास्ता नहीं होना चाहिए क्योंकि वे कहते हैं :

ओ सूक्ष्म हरित छायाओ
इन सूक्ष्म चेतना सूत्रों में
मुझे मत बाँधो
मैं गीत खग हूँ
ज्योतिजाल में नहीं फँसूँगा

और अगर फँस भी गये तो बकौल भारती जी के वे विभाग के सचिव से कहेंगे:

तो भी मैं क्या करूँ कनु
मैं तो वहीं हूँ
तुम्हारी बावरी मित्र
जिसे सदा उतना ही ज्ञान मिला
जितना तुमने उसे दिया

आबकारी का महकमा फ़िराक़ साहब को मिलना चाहिए। वह इतनी पिएँगे कि बाकी लोगों के लिए वैसे ही नशाबन्दी हो जाएगी। विदेश मन्त्रालय बच्चन जी को मिलेगा क्योंकि वह उसमें अफ़सर रह चुके हैं। जिस लेखक का भविष्य ख़त्म करना हो, उसे वित्त मन्त्रालय देना होगा।

यहाँ यह प्रश्न उठता है कि क्या ये महारथी साहित्य छोड़कर सरकार में आना पसन्द करेंगे? मैं कहता हूँ कि ज़रूर करेंगे। भारती जी के शब्दों में "हाय, बाण भट्ट हाय, तुमको भी, तुमको भी आख़िर यही होना था।"

कुछ मन्त्रालय छूट गये हैं मगर उन पर फिर विचार करेंगे। प्रधानमन्त्री कौन होगा, यह भी गौर करने की बात है। ख़ूबसूरती के लिहाज से अमृतराय सर्वश्रेष्ठ रहेंगे और हाज़िरजवाबी के लिए हरिशंकर परसाई। परसाई जी शायद गणतन्त्र दिवस को जनवरी से हटाकर मार्च में रख दें ताकि वह ठिठुरता हुआ न रहे। एकाध मन्त्री बीमार या वयोवृद्ध भी रखना होगा ताकि अतिरिक्त छुट्टी की सुविधा रहे।

फ़िलहाल इतना ही

आपका
रवीन्द्रनाथ त्यागी
14.3.1971

सेवा में
श्री मनोहर श्याम जोशी
सम्पादक 'साप्ताहिक हिन्दुस्तान'
नयी दिल्ली

मैं आज़ाद हूँ...

मैं आज़ाद हूँ। आज़ाद लोग भी कई तरह के होते हैं। एक आज़ाद तो वे थे जो देश की आज़ादी से पहिले भी आज़ाद थे जैसे—चन्द्रशेखर आज़ाद, मौलाना अबुलकलाम आज़ाद और पण्डित जगन्नाथ आज़ाद। मगर मैं उन लोगों में से नहीं हूँ। मैं जब पैदा हुआ था तब यह देश गुलाम था। इधर मेरा पैदा होना था और उधर कोई सत्रह साल बाद ही मुल्क आज़ाद हो गया। सत्रह साल का समय एक देश के इतिहास में कोई मायने नहीं रखता। इस मुल्क की आज़ादी के लिए मैं अपने-आपको काफ़ी हद तक ज़िम्मेदार समझता हूँ। न मेरे जैसे गुलाम होते और न मुल्क को आज़ाद होने की ज़रूरत पड़ती।

आज़ादी मिलने के बाद मैंने देश के प्रति अपने कर्तव्य से मुँह कुछ मोड़ लिया। सरकार, समाजवाद और प्रजातन्त्र—इन तीनों के लिए मैंने कोई ठोस काम नहीं किया। चूँकि मेरे पास ज़मीन नहीं थी, इस कारण पण्डित गोविन्द वल्लभ पन्त का ज़मींदारी उन्मूलन मुझे कृतज्ञ नहीं कर सका। मेरे पास बंजर, सूखी और बेकार ज़मीन भी नहीं थी जो मैं विनोबा भावे को ही देकर गर्व से सिर ऊँचा कर सकता। क्योंकि मैं शरणार्थी भी नहीं था, मैंने झूठे क्लेम भी पास नहीं करवाये हालाँकि वैसा करने की इच्छा बहुत थी। मैं तो हर तरफ़ से बेकार ही रहा। मेरे दोस्तों ने शराब के ठेके ले लिये, सड़कों पर बस के परमिट कटवा लिये, पंचवर्षीय योजनाएँ उनकी ड्योढ़ी तक पहुँच गयीं यानी कि उनके मकान, दरवाज़े और सड़कें सब पक्के बन गये। मगर मैं उतना ही पिछड़ा हुआ रहा। पिछड़ी जाति का न होने के कारण और पीछे रहना पड़ा जिसका मुझे सख़्त अफ़सोस है। मेरे पिता जी कहा करते थे कि बड़ा होकर तू गोबर निकलेगा। उनका आशीर्वाद सोलहों आने फलीभूत हुआ। गोदान में एक पात्र गोबर है और उसके बाद दूसरा गोबर मैं हूँ। इस दृष्टि से मेरे पिता का दर्ज़ा मुंशी प्रेमचन्द के बराबर ठहरता है। मैं तो गाँधी आश्रम का संयोजक तक नहीं बना। अब जब मैं गोबर हूँ तो मेरे माता-पिता क्या रहे होंगे, इसका अनुमान आप लगा सकते हैं।

ख़ैर, और कुछ हुआ या नहीं हुआ, इतना ज़रूर है कि मैं आज़ाद हो गया। आज़ादी के बाद मेरी शादी हुई और शादी के बाद बच्चे हुए। बच्चे मुझसे कहीं

ज़्यादा होनहार हैं। मैं जूता पहिनकर सड़क पर चलता हूँ और वे जूता आपस में चलाते हैं। लगता है कि बड़े होकर वे विपक्षी दल के नेता बनेंगे। इनमें से एक है जो रुपये के नोट में से सामान खरीदने के बाद जो कुछ बचता है, उसे अपनी जेब में रख लेता है। इसका भविष्य उज्ज्वल है, आगे चलकर यह ज़रूर देश के हित के लिए चन्दा बटोरेगा। एक और लड़का है जो एकदम निकम्मा है। दिन में सोता है और रात को जागता है। किसी दिन वह कोई बड़ा अफ़सर बनेगा।

आप हम सब बराबर हैं। जो मुर्गे खाता है वह भी आज़ाद है और जो दलिया खाता है वह भी आज़ाद है। वह जो कोठी में रहता है वह भी आज़ाद है और जो फ़ुटपाथ पर सोता है वह और भी ज़्यादा आज़ाद है। जो लट्ठे के थान छिपाता है वह भी आज़ाद है और जो चिथड़े पहिने घूमता है वह भी आज़ाद है। आज़ादी भी क्या बड़ी और बेहतरीन चीज़ है। वाकई इसका कोई जवाब नहीं।

आज मैं आज़ाद हूँ। चाहूँ तो दफ़्तर जाऊँ और चाहूँ तो दफ़्तर न जाऊँ। तनख्वाह हर हालत में मिलेगी। अगर अफ़सर नाराज हो गया तो ट्रेड यूनियन है। काले झण्डे मशाल का काम करते हैं। रेल में चलता हूँ तो टिकट लेने का तकल्लुफ नहीं करता। फर्स्ट क्लास के डिब्बे में से रेक्सीन काटता हूँ और जहाँ चाहता हूँ वहीं चेन खींचकर उतर जाता हूँ। एक दिन चेन ऐसी खींची कि डिब्बे से एकदम बाहर निकल आयी। अब वह बकरी बाँधने के काम आती है। हिसाब-किताब की दो कापियाँ रखता हूँ, एक अपने लिए और एक आयकर विभाग के लिए। साइकिल सड़क के बीचोबीच चलाता हूँ क्योंकि अगर कुछ हो भी गया तो जूते मोटरवाले पर ही पड़ेंगे। जहाँ तबीयत होती है, वहाँ थूकता हूँ और जहाँ तबीयत होती है वहाँ पेशाब करता हूँ। मुल्क अपना है, सड़कें अपनी हैं तो फिर वह तकल्लुफ किसलिए? पुलिस, मजिस्ट्रेट और जज वगैरह जो हैं ये तो अब अपने ही कर्मचारी हैं। प्रजातन्त्र में प्रजा बड़ी चीज़ है और तन्त्र छोटा। और जहाँ तक सरकार का प्रश्न है वह तो एक ऐसी स्त्री है कि चाहे जब उसके सतीत्व पर शक करना शुरू कर दो। वैसा करने के लिए अपने चरित्र पर ध्यान देना कतई ज़रूरी नहीं। अब मैं घी में चर्बी मिलाता हूँ, काली मिर्चों में पपीते के बीज और पेट्रोल में मिट्टी का तेल। मिल में झूठी आग लगाकर बीमे का पैसा लेना मेरा पैदायशी हक है। इसी तरह सीमेण्ट का सम्पर्क अगर रेत से न किया जाये, तो इमारत-रूपी सन्तान कभी उत्पन्न हो ही नहीं सकती। स्थिति यह है कि एक कवि की कुछ पंक्तियाँ याद आ रही हैं जो आज मैं अपने नाम से ही छपाना चाहता हूँ :

क्यों न रिश्वत लूँ, कि जब हाकिम हूँ मैं, सरकार हूँ
थानवी हरगिज़ नहीं हूँ अब मैं थानेदार हूँ
मैं सितमगर हूँ, सितम पेशा, सितम ईजाद हूँ
मुझको ये हक पहुँचते हैं क्योंकि मैं आज़ाद हूँ।

आत्मलेख

रवीन्द्रनाथ त्यागी के (यानी कि अपने) बारे में लिखना काफ़ी मुश्किल है क्योंकि, जैसाकि प्रायः होता है, इस आदमी की खाल के भीतर भी कई इंसान एक साथ छुपे हैं और कुल मिलाकर जो हालत है वह काफ़ी दिलचस्प, दयनीय और पेचीदा है।

आदमी क्रम-संख्या एक तो वह है जो कि बाहर से दीखता है। वह काफ़ी शिक्षित, सम्भ्रान्त, तथाकथित शालीन और कार्यतत्पर आला अफ़सर है जो कि देश की सर्वोच्च सिविल सेवाओं में से एक का सदस्य है और जिसे पौने सात हज़ार रुपये प्रति माह वेतन मिलता है। उसके पास प्रोविडेण्ट फण्ड है, पेंशन और ग्रेचुइटी की सुरक्षा है, शानदार मोटर है, एक ख़ूबसूरत शहर में काफ़ी बड़ी कोठी है, एक दूसरे बड़े नगर में एक प्लॉट है, दर्जनों सूट हैं, जूते हैं, छड़ियाँ हैं, फ़ाइलें हैं, बड़े-बड़े राजकीय समारोहों के निमन्त्रण-पत्र हैं और सुबह की व्यग्रता है और साँझ की उदासी है। वह कभी-कभी चाहते हुए भी छुट्टी नहीं ले सकता क्योंकि उस दिन उसे किसी मीटिंग में जाना है जिसमें किसी मेजर जनरल, रीयर एडमिरल या एयर वाइस मार्शल से बातचीत करनी है। उसका अपना कोई वक़्त नहीं, अपनी कोई ज़िन्दगी नहीं, अपनी कोई मृत्यु नहीं। यह सरकार की विशाल मशीनरी का एक छोटा-सा पुर्जा है जिसका अपने में कोई महत्त्व नहीं है। अगर वह न भी रहा तो भी यह मशीन चलती रहेगी और शायद ज़्यादा अच्छी तरह चलती रहेगी। वह फ़ार्मल है, स्नॉब है और झुँझलाता है। बढ़ती क़ीमतों और दिन-ब-दिन घटते अनुशासन के सामने उसकी स्थिति बराबर दयनीय होती जा रही है। मगर वह है कि चलता जा रहा है—दिशाहीन और बोधहीन। यह रवीन्द्रनाथ त्यागी का एक रूप है। शानदार दफ़्तरों में किसी एक सजे हुए कमरे का एकाकीबन्दी जिसे नितान्त अच्छे और ईमानदार आचरण पर भी जल्दी रिहाई की कोई गुंजाइश नहीं।

रवीन्द्रनाथ त्यागी की खाल में छिपा दूसरा आदमी वह है जो समाज की एक इकाई है। वह बूढ़ी माता का पुत्र है, दो होनहार बच्चों का पिता है और एक सुन्दर युवती का पति है। कर्तव्यों से बँधा हुआ, परिवार के स्नेह से अभिभूत और बच्चों के प्रति बुरी तरह आसक्त। छुट्टी में पिकनिक जाना, पहाड़ों की सैर करना, रेल में

खिड़की वाली सीट पर बैठकर यात्रा करना, ग्रामोफ़ोन पर पुराने गाने सुनना, जूते पालिश करना, फ़र्नीचर पेण्ट करना या किताबों की जिल्दें बाँधना उसका प्रमुख धन्धा है। रवीन्द्रनाथ त्यागी का यह दूसरा खाका है।

खाल में छिपा तीसरा छापामार सैनिक वह है जो नितान्त कला-प्रेमी है। वह साहित्य व लोकगीतों में इस तरह डूब जाता है कि उसे पता ही नहीं लगता कि दिन कब डूब गया। शास्त्रीय संगीत, प्रकृति का सौन्दर्य और साहित्य—इन तीन चीज़ों के अतिरिक्त जो कुछ भी इस पृथ्वी पर है वह बेकार है। पाल उड़ाकर जाती नावें, लोकगीतों की धुनें, सुनसान खेतों और वनों को तलवार की तरह चीरकर जाती रेलगाड़ियाँ और द्वादशी का चन्द्रमा जैसे सिर्फ़ उसी के लिए बने हैं। त्यागी जी का तीसरा नक्शा यह है।

मगर आदमी की शक्ल के इस जानवर के भीतर एक प्रेत और भी छिपा है जो रात-दिन कहीं दूर भाग जाना चाहता है। शायद मध्य प्रदेश की वन मेखला में जहाँ वह मज़दूरी करना चाहता है, भिक्षा माँगना चाहता है या फिर फकीर होकर किसी मन्दिर के अजिर में पड़ा रहना चाहता है जहाँ कि उसे कोई भी न जानता हो। फटे कपड़े और मैला शरीर—एक भयानक ग़रीब बचपन जो फिर उसे पुरानी ही लीक पर ले जाना चाहता है जहाँ से वह न जाने कितने संघर्षों के बाद निकला है। रवीन्द्रनाथ त्यागी का यह चौथा रूप है—एकदम फक्कड़ और उदास इंसान। पिछले बीस वर्षों से वह मानसिक अवसाद का बीमार है और स्थिति जब ज़्यादा गम्भीर हो जाती है तो उसे बिजली देनी पड़ती है।

आदमी न जाने कितनी ज़िन्दगियाँ एक साथ जीता है और ज़ाहिर है कि इतनी कुण्ठाओं, विसंगतियों और विरोधाभासों को एक साथ जीना ही व्यक्ति के व्यक्तित्व को सम्पूर्णता देता है। रवीन्द्रनाथ त्यागी के साथ अन्त में चलकर क्या स्थिति होगी—यह कहना मुश्किल है। हो सकता है, किसी दिन वह भी अपने दोस्त सुरेन्द्रपाल की भाँति आत्महत्या कर ले और यह भी हो सकता है कि वह अपनी कायरता के कारण पचहत्तर वर्ष की आयु तक ठाठ से जिये और नाती-पोतों से घिरा हुआ शानदार बँगले में स्वाभाविक मृत्यु को प्राप्त करे। आम आदमी को इनमें से किसी भी स्थिति से कोई फ़र्क़ नहीं पड़ता। शकील बदायूँनी ने ठीक ही कहा था कि हम रहें या न रहें, जहाँ तक ज़िन्दगी के मेलों का सवाल है, वे हमेशा इसी तरह चलते रहेंगे। यह कितने सन्तोष की बात है कि सुमित्रानन्दन पन्त के बाद भी वसन्त आता है, नीले नभ के आँगन में शारदहासिनी ज्योत्स्ना नाचती है और नदियाँ जो हैं वे अभी भी सोने के साँझ और प्रात और चाँदी के दिवस और रात—इन सबको बहाकर कहीं अज्ञात दिशा में ले जाती है। निराला के बाद भी बादल आते हैं और अपना राग गाते हैं। सृष्टि की यह उदासीन चिरन्तनता ही उसकी सबसे बड़ी शक्ति है। जयदेव, विद्यापति और कालिदास—कोई भी तो सृष्टि के क्रम को पूरी तरह नहीं पकड़ पाया

और उनकी इस असमर्थता ने ही उनकी कविता को चिरन्तन सौन्दर्य प्रदान किया।

रवीन्द्रनाथ त्यागी ने जो कुछ भी लिखा है (या वह जो कुछ भी लिखेगा) वह ऊपर बतायी गयी पृष्ठभूमि के ख़िलाफ़ ही समझा जा सकेगा। संसार के बाकी बड़े लेखकों की भाँति (!) रवीन्द्रनाथ त्यागी के साथ भी स्थिति यही है कि उसके लिए लिखना एक मजबूरी है। इसका यह अर्थ कभी नहीं है कि वह जो कुछ लिखेगा वह श्रेष्ठ ही होगा या उसे कोई मान्यता मिलेगी। जब भवभूति तक को उनके समकालीन आलोचकों ने प्रतिष्ठा नहीं दी और स्थिति यह आ गयी कि उन्हें करुण रस को ही अकेला रस स्वीकार करना पड़ा तो रवीन्द्रनाथ त्यागी को इससे कोई दुःख नहीं होना चाहिए कि उसके असफल साथी उन्हें एक श्रेष्ठ कवि और एक श्रेष्ठ व्यंग्यकार के बजाय सिर्फ़ 'एक नफीस हास्यकार' ही बताते रहें।

अब मैं रवीन्द्रनाथ त्यागी के बारे में कुछ दीगर बातें लिखूँगा। इस नाम का यह व्यक्ति पिछले पच्चीस वर्षों से हिन्दी में बराबर लिखता आ रहा है (इसके पूर्व वह रवीन्द्रनाथ ठाकुर के नाम से बँगला में लिखा करता था) और वास्तविकता यह है कि समाचार पत्र, रेडियो और टेलीविज़न पर छपे या प्रसारित हुए चन्द इण्टरव्यू वगैरा को छोड़कर किसी ने उस पर कुछ नहीं लिखा हालाँकि उसके साहित्य को लेकर चन्द लोग डॉक्टरेट ले चुके हैं। फ़िलहाल स्थिति यह आ गयी है कि यह काम उसे खुद ही करना पड़ रहा है। उपेन्द्रनाथ अश्क होते तो इस रचना को सुरेश सिन्हा या सुरेन्द्रपाल के नाम से छपाते पर त्यागी जी इतने निर्लज्ज हैं कि वे इसे अपने नाम से ही छपवा रहे हैं।

रवीन्द्रनाथ त्यागी स्वभाव से बड़े नम्र और संकोची हैं (जैसाकि इस रचना से प्रकट भी हो रहा होगा।) बहुत कम लोगों को यह मालूम होगा कि उनकी अनेक रचनाओं का अनुवाद अनेक देशी व विदेशी भाषाओं में हो चुका है जिसके कारण उन भाषाओं का स्तर काफ़ी गिरा है। मुल्क राज आनन्द की भाँति त्यागी जी ने यह कभी नहीं बताया कि उन्होंने प्रधानमन्त्री के साथ धूम्रपान किया है और राष्ट्रपति के साथ चाय भी पी है। हालाँकि ये सारी बातें एकदम सच हैं। एक बार वे कई हफ़्तों तक मुंशी जी के मेहमान भी रहे हैं जबकि वे (यानी कि मुंशी जी) उत्तर प्रदेश के राज्यपाल थे। कुछ वर्ष पूर्व अशोका होटल में युवराज कर्णसिंह ने उन्हें स्वयं अपने हाथों से कॉफी पिलायी थी और उनकी कविताएँ सुनी थीं। जगदीश चतुर्वेदी द्वारा संयोजित वह सन्ध्या काफ़ी सफल रही थी जिसका श्रेय युवराज कर्णसिंह को ज़्यादा और हम लोगों की कृतियों को कम जाता है। इन कृतियों में के. खोसा के चित्र भी शामिल हैं। महाप्राण निराला ने एक बार ज़ोरदार शब्दों में कहा था कि रवीन्द्रनाथ त्यागी आगे चलकर एक बड़ा साहित्यकार बनेगा। यह बात उन्होंने उन दिनों कही थी जबकि वे मानसिक रूप से काफ़ी विक्षिप्त रहा करते थे और उन्हें स्वयं यह पता नहीं रहता था कि वे क्या कह रहे हैं। त्यागी जी का सौभाग्य है कि उनका परिचय

सुमित्रानन्दन पन्त, वाचस्पति पाठक, उपेन्द्रनाथ अश्क, अमृतराय, नागार्जुन और बच्चन जैसे बड़े साहित्यकारों से रहा और काफ़ी घनिष्ठ रहा। त्यागी जी का संम्बन्ध कुछ गुप्त किस्म के लोगों से भी रहा है जैसे कि सर्वश्री माताप्रसाद गुप्त, प्रकाशचन्द्र गुप्त और जगदीश गुप्त। डॉक्टर ईश्वरी प्रसाद के अनुसार ये लोग सम्भवतः गुप्तवंश के अवशेष हैं। त्यागी जी के सम्बन्ध रघुपति सहाय 'फ़िराक़' से भी काफ़ी घनिष्ठ रहे हैं हालाँकि उतने घनिष्ठ नहीं जितना कि शायद आप समझना चाहेंगे।

रवीन्द्रनाथ त्यागी का जन्म उनके माता-पिता के विवाह के बाद ही हुआ था। उन दिनों यही रिवाज था। उनसे पहिले उनके ज़िले में एक प्रतिभावान व्यक्ति और भी हुआ था जिसका नाम सुल्ताना डाकू था। त्यागी जी बचपन में बच्चे थे और किशोरावस्था में किशोर। एक जागीरदार के बगीचे में घुसने और वहाँ से अमरूद तोड़ने का उन्हें उतना ही शौक था जितना कि शेक्सपीयर को था। जागीरदार की एक अदद हसीन लड़की भी थी और कुल मिलाकर स्थिति यह रही कि रवीन्द्रनाथ त्यागी ने उतने अमरूद नहीं खाये जितने कि जूते।

त्यागी जी ने प्रयाग विश्वविद्यालय से शिक्षा की अन्तिम सीढ़ी पार की। गोविन्द वल्लभ पन्त, अमरनाथ झा, कैलाशनाथ काटजू, तेजबहादुर सप्रू—और न जाने कितने महान् व्यक्ति भी इसी विश्वविद्यालय के स्नातक रह चुके थे। डॉक्टर धर्मवीर भारती और डॉक्टर रामकुमार वर्मा का सौभाग्य है कि त्यागी जी उनके छात्र थे। त्यागी जी को परिमल का सदस्य भारती जी ने ही बनवाया था और परिमल में जो मल आया वह तभी से आया। कमलेश्वर, रामावतार चेतन, दुष्यन्तकुमार और न जाने कितने और बड़े लोग त्यागी जी के सहपाठी थे और इनकी सफलता का एक बड़ा रहस्य यह भी है। त्यागी जी की नम्रता देखिए कि वे किसी से इस बात का ज़िक्र भी नहीं करते। यह रवीन्द्रनाथ त्यागी का सौभाग्य है कि जिस प्रकार प्रयाग में 'परिमल' के सदस्य थे, ठीक उसी प्रकार वे दिल्ली में 'भारती' के सदस्य रहे। 'भारती' के बाकी सदस्यों में डॉ. नगेन्द्र, जैनेन्द्र कुमार, अज्ञेय, विष्णु प्रभाकर और चन्द्रगुप्त विद्यालंकार विशेष रूप से उल्लेखनीय हैं।

रवीन्द्रनाथ त्यागी का छात्र जीवन बहुत संघर्षपूर्ण था। वे ट्यूशन करते थे और प्रूफ़ पढ़ते थे। कभी-कभी उन्हें एक ही वक़्त भोजन मिलता था। लड़कियों का ट्यूशन करना उन्हें विशेष रूप से प्रिय था। एक बार एक लड़की ने 'आहार निद्रा भय मैथुनं च' वाली पंक्ति का पूरा-पूरा अर्थ जानना चाहा था मगर त्यागी जी की कायरता देखिए कि वे कतरा गये। छात्र-जीवन में उन्हें एक लड़की से अनन्त प्रेम था और उस प्रेम को पवित्र रखने के लिए उन्होंने उस लड़की से शादी नहीं की।

इस सबके बाद रवीन्द्रनाथ त्यागी अखिल भारतीय सिविल सेवाओं की प्रतियोगिता में बैठे और देश का दुर्भाग्य देखिए कि वे इण्डियन डिफेंस एकाउण्ट्स सर्विस के लिए चुन भी लिये गये। कुल मिलाकर स्थिति यह रही कि वे कवि, व्यंग्यकार, पति

और पिता वगैरा होने के साथ-साथ एक बड़े अफ़सर भी हो गये। बच्चे उन्हें काफ़ी परेशानी और परिश्रम के बाद प्राप्त हुए और इसका श्रेय उनकी अपेक्षा डॉक्टरों को ज़्यादा जाता है। त्यागी जी एक विशाल हृदय व्यक्ति हैं क्योंकि डॉक्टरों के अनुसार उनका दिल कुछ ज़्यादा बढ़ गया है। त्यागी जी की मोटर उनके दिल की ही भाँति काली और चमकदार है। त्यागी जी ने मिस्टर जस्टिस मूथम व ई. पी. मून के साथ काम किया। ये दोनों सज्जन इण्डियन सिविल सर्विस के अफ़सर थे। त्यागी जी के साथ काम करने का प्रभाव देखिए कि जैसे ही ये दोनों अफ़सर विलायत लौटे, वैसे ही ब्रिटेन की रानी ने उन्हें 'सर' का खिताब दिया।

रवीन्द्रनाथ त्यागी इन दिनों अस्वस्थ हैं। यूँ उनके बचने की पूरी आशा है पर फिर भी यदि आप उनकी आर्थिक सहायता करना चाहें तो उससे उन्हें कोई एतराज़ नहीं होगा। शोक प्रस्ताव पास करना हो, अभिनन्दन ग्रन्थ निकालना हो तो वह भी कर लीजिए। फिर न कहना कि ख़बर नहीं दी। वैसे भी यदि त्यागी जी ठीक हो गये तो ये सारे कार्यक्रम आने वाले पच्चीस वर्षों तक के लिए टल जाएँगे। विष्णु शर्मा के अनुसार शुभ कामों में देर करना उचित नहीं। और वैसे भी कल का किसे पता? इस सन्दर्भ में यह बता देना भी उचित होगा कि बीमार पड़ने के सन्दर्भ में त्यागीजी ने बाकी साहित्यकारों के साथ भयानक गद्दारी की है क्योंकि वे जिस बीमारी से पीड़ित हैं वह गुप्त रोग नहीं है।

पिछले बाईस वर्षों में रवीन्द्रनाथ त्यागी ने (यानी कि मैंने) जो कुछ लिखा है वह आत्मतुष्टि के लिए ही लिखा है। मेरी इस आत्मतुष्टि के साथ-साथ यदि कुछ और लोगों को भी आनन्द की प्राप्ति हुई हो तो मेरे हमवतनो, उसमें मेरा कोई कसूर नहीं। मेरी सबसे ज़्यादा सफल रचना वह होगी जिसमें मेरे व्यक्तित्व के सारे रूप समाविष्ट होंगे। ऐसी रचना लिखना अभी बाकी है। अब तक मैंने लगभग साढ़े तीन सौ व्यंग्य लेख और लगभग उतनी ही कविताएँ लिखी हैं। विश्वसाहित्य में ऐसे कलाकार बहुत कम होंगे जिन्होंने अपनी सीमित प्रतिभा का विभिन्न विधाओं में इतनी ईमानदारी से बँटवारा किया होगा। मेरी रचनाओं में काफ़ी से ज़्यादा रचनाएँ साधारण कोटि की होंगी पर यह भी सच है कि मेरी काफ़ी कविताएँ और कुछ व्यंग्य रचनाएँ ऐसी हैं जो सारे मापदण्डों के अनुसार उत्कृष्ट और शाश्वत किस्म की हैं। मैं भी उस दिन की प्रतीक्षा में रहूँगा जिस दिन मुझे साहित्य अकादेमी का एवार्ड मिलेगा, ज्ञानपीठ पुरस्कार प्राप्त होगा और राज्यसभा की सदस्यता मिलेगी। मुझसे कहीं ज़्यादा घटिया लेखकों को अगर यह सब कुछ प्राप्त हुआ है तो मैं ही क्यों पीछे छोड़ दिया जाऊँगा? क्या मैं शक्तिशाली नेताओं के जूते साफ़ नहीं कर सकता? मेरा ख़याल है कि इन सब कामों को मैं बाकी लोगों की अपेक्षा कहीं ज़्यादा अच्छी तरह कर सकता हूँ। मैंने अब तक जितनी सफलता प्राप्त की है और जितना यश प्राप्त किया है, उसमें भी गुटबन्दी का काफ़ी योगदान रहा है। अगर

मैं शराफत और ईमानदारी के साथ अपना साहित्यिक जीवन जीता तो मैं भी उन लोगों की भाँति कभी का समाप्त हो गया होता जो मुझसे कहीं ज़्यादा मौलिक और कहीं ज़्यादा प्रतिभावान थे।

इस लेख के पढ़ने के बाद आप मेरे बारे में कुछ भी सोच सकते हैं मगर मैं तो मात्र वही कहूँगा जो मेरा अनन्य मित्र सुरेन्द्रपाल (जिसकी मृत्यु के बाद मैंने उसके परिवार के लिए कुछ भी नहीं किया) कहा करता था :

दूसरों की नज़र में
आदमी नहीं
आदमी का कार्टून हूँ मैं;
पिचका हुआ हैट
पैबन्द लगा कोट
नुची चिथी पतलून हूँ मैं;
जली हुई सिगरेट की बासी बू
कच्ची ताड़ी की खट्टी बदबू
हू-ब-हू हूँ मैं :
कुत्ते के मुँह में हड्डी का टुकड़ा
मोटा ताज़ा बलि का बकरा...

दूसरों की नज़र में
जाने क्या-क्या हूँ,
मगर अपनी नज़र में
मैं खुदा हूँ।

❑

पराजित पीढ़ी के नाम
(1988)

पराजित पीढ़ी के नाम

हमारे प्राचीन ग्रन्थों में लिखा है कि यदि कोई मनुष्य काम, क्रोध, मोह और लोभ को त्याग देता है तो वह परमानन्द को प्राप्त करता है। खाकसार के तुच्छ विचार में मनुष्य यदि केवल अख़बार पढ़ना ही छोड़ दे, तो भी उसे मोक्ष की प्राप्ति हो सकती है। दुनिया की जितनी भी परेशानियाँ हैं वे अख़बारों द्वारा ही तो आप तक पहुँचती हैं। दुर्भाग्यवश मैं और मेरी इकलौती और सगी पत्नी उन लोगों में से हैं जो कि बिना अख़बार पढ़े ज़िन्दा ही नहीं रह सकते और उसके परिणामस्वरूप स्थिति यह है कि हम दोनों प्रायः उदास ही रहते हैं। सुबह-सुबह यदि कोई भाग्यहीन व्यक्ति हम दोनों के दर्शन करे तो उसे यही लगेगा कि हम दोनों अभी-अभी किसी शव-यात्रा से वापस लौटे हैं और किसी दूसरी शव-यात्रा में शामिल होने जा रहे हैं। अब आज ही का दिन देख लीजिए : कितना सुहावना मौसम है, आकाश मेघों से आच्छादित है, वर्षा हो रही है और ऋतु ठीक वही है जिसमें आप कालिदास का मेघदूत या जयदेव का गीतगोविन्द पढ़ना चाहते हैं पर आप वैसा कर नहीं सकते क्योंकि अख़बार में छपा है कि कहाँ-कहाँ बाढ़ आयी हुई है, किन-किन पवित्र नदियों का पानी ख़तरे के निशान से ऊपर बह रहा है, कितने लोग कच्चे घरों के गिरने के कारण पंचत्व को प्राप्त कर चुके हैं (यानी कि मर चुके हैं) और महानगरों में फूटपाथ पर सोने वाले लाखों लोगों की कितनी दर्दनाक स्थिति है। अवधी का एक लोकगीत है जिसमें वर्षा ऋतु आने पर वर्षा मंगल गाने के बजाय अयोध्या के निवासी इस बात को लेकर दुःखी हैं कि पता नहीं ऐसी भयंकर वर्षा में राम, सीता और लक्ष्मण वन में कैसे भीग रहे होंगे। वर्षा के सन्दर्भ में बँगला के गोविन्ददास, मिथिला के विद्यापति और अवधी के तुलसीदास ने मेंढकों की बड़ी विशद चर्चा की है और उसके कारण मेंढक जो है वह साहित्य में कवि की अपेक्षा स्वयं कहीं ज़्यादा अमर हो गया है। मैं एक ऐसे कवि को व्यक्तिगत रूप से जानता हूँ जो मेंढक की ही भाँति अपना काव्यपाठ करते हैं और स्थिति यह रहती है कि मैं जब भी उनकी कविता सुनता हूँ, मुझे वर्षा ऋतु की याद सताने लगती है। भगवान उस कवि को लम्बी आयु दे।

पिछले दिनों सरकार का यश अचानक बहुत बढ़ गया। अदालत ने अवकाशप्राप्त

एक मेजर जनरल और एक एयर वाइसमार्शल को विदेशों के लिए हमारे देश में जासूसी करने के जुर्म में केवल दस-दस वर्ष का कठिन कारावास दे दिया। मुझे यह समाचार पढ़कर हार्दिक हर्ष हुआ क्योंकि मुझे सहसा महसूस हुआ कि हमारे पास अभी भी कुछ ऐसा ज्ञान है जो कि विदेशों के पास नहीं है। ये दोनों उच्च अधिकारी कितने महान् हैं जिन्होंने सारी वसुधा को ही अपना कुटुम्ब स्वीकार किया। और इन अधिकारियों से बड़े वे डॉक्टर हैं जिन्होंने अस्पताल में भरती एक रूपवती युवती के साथ सामूहिक बलात्कार किया जिसके कारण उस तन्वंगी युवती की आत्मा उसकी देह से हमेशा-हमेशा के लिए अलग हो गयी। शहर का बाज़ार पूरे दिन बन्द रहा। हालाँकि मुझ नाचीज़ की नज़र में जो कुछ हुआ वह ठीक ही हुआ। ऐसी युवती को जीने देने से क्या फ़ायदा जब कि वैसे ही देश की आदिवासी युवतियाँ अपनी भूख मिटाने के लिए बच्चों तक को बेच रही हैं। और फिर जब बाकी सारी विकास योजनाएँ सामूहिक रूप से सम्पन्न की जा रही हैं तो यदि बलात्कार भी सामूहिक रूप से सम्पन्न हो गया तो क्या अन्याय हो गया? समाजवाद लाना है तो रवीन्द्रनाथ ठाकुर का 'एकला चलो रे' वाला नारा हमें छोड़ना ही पड़ेगा।

इधर अख़बारों में बैंकों में डकैतियाँ पड़ने के शुभ समाचार प्रायः रोज़ ही छपने लगे हैं जिन्हें पढ़कर मुझे बड़ा आत्मिक कष्ट होता है। तीस साल सरकारी फ़ाइलें पढ़-पढ़कर अधेड़ हो जाने के बावजूद मुझ पर कभी इतना पैसा नहीं होगा जितना कि इन चन्द होनहार नौजवानों ने बैंकों के कर्मचारियों को झूठा या सच्चा तमंचा दिखाकर मिनटों में निकाल लिया। बैंक का चौकीदार यही देखता रहा कि उसकी बन्दूक ऊपर से चलती थी या कि नीचे से। असली बात तो यह है कि चेक काटकर बैंक से पैसा निकालने में इतना वक़्त लगता था कि लोगों को तमंचे वाले नुस्खे को अपनाने के लिए मजबूर होना पड़ा। और वैसे भी स्थिति यह है कि बैंक ही क्या, सारा देश ही सब तरफ़ से खुलेआम लूटा जा रहा है और कोई कुछ नहीं कर सकता। अदालत का सब-रजिस्ट्रार और सार्वजनिक निर्माण विभाग का ओवरसियर बेहद कम तनखाह पाता है पर उसकी बीवी हीरे की लौंग पहनती है। वकील पचास हज़ार रुपये कमाता है और सुप्रीय कोर्ट का न्यायाधीश चार हज़ार रुपयों की पगार पर काम करता है। नतीजा सामने है : न जाने कितनी कुर्सियाँ खाली पड़ी हैं पर कोई भी सफल वकील हाई-कोर्ट का जज बनना नहीं चाहता। मेरे एक बैरिस्टर दोस्त हैं जो खुलेआम यह कहते हैं कि पुलिस के थानेदार के पास जितनी शक्ति है, उतनी शक्ति तो राष्ट्रपति के पास भी नहीं है। आप किसी भी क्षेत्र में चले जाइए, स्थिति वैसी ही मिलेगी। चपरासी जो है वह बख्शीश माँगता है, बाबू जो है वह दस्तूर माँगता है, अफ़सर जो है वह रिश्वत लेता है और अन्त में चलकर मन्त्री जी जो हैं वे पार्टी के लिए चन्दा माँगते हैं। आज़ादी के बाद देश की उन्नति के लिए करोड़ों रुपये खर्च किये गये मगर तरक्की जो हुई वह अपेक्षाकृत कहीं कम हुई। सरकार

के दिये गये अरबों रुपयों को 'जीप पर सवार इल्लियाँ' (शरद जोशी) खा गयीं और सबके सामने दिन दहाड़े खा गयीं। तुगलक वंश के काल में भी एक बार भयानक अकाल पड़ा था और लाखों रुपयों की राशि सरकारी अमला खा गया था। शेरशाह सूरी तक माल के महकमे से रिश्वत नहीं हटा पाया था हालाँकि बाकी क्षेत्र में उसने भ्रष्टाचार लगभग समाप्त ही कर दिया था। तुगलक वंश की बात मैंने यह बताने के लिए की कि एक तो भ्रष्टाचार हमारे यहाँ पहले भी था और इतिहास हमेशा अपने आपको दुहराता आया। दूसरी बात मैं यह कहना चाहता था कि भ्रष्टाचार हमारी प्राचीन संस्कृति का एक अंग है और उसे समाप्त करना हमें शोभा नहीं देता। जनता के चुने हुए प्रतिनिधि यदि भ्रष्ट अधिकारियों को प्रश्रय देते हैं तो वे ठीक ही करते हैं। वे जानते हैं कि स्थिरता जो है वह प्रगति से कम महत्त्वपूर्ण कभी नहीं होती।

जनता के चुने हुए प्रतिनिधियों के सन्दर्भ में मुझे सहसा एक घटना याद आ गयी। लगभग पचीस वर्ष पहले मैं बिहार में नियुक्त था और पटना में मेरे निवास से लगी हुई एक विशाल कोठी थी जिसमें जनता के चुने हुए एक ऐसे विशिष्ट प्रतिनिधि रहते थे जो कुछ कारणों से मन्त्रिमण्डल में से निकाल दिये गये थे। मन्त्री-पद से हटाये जाने पर भी उन्होंने कोठी खाली नहीं की। सरकार ने पानी कटवाया, बिजली कटवायी, टेलीफ़ोन कटवाया पर वे थे कि सपरिवार उसी कोठी में रहते रहे। अन्त में चलकर स्थिति यह आ गयी कि सारी अनियमितताओं को दूर करने के लिए सरकार को विवश होकर उन्हें फिर से मन्त्री बनाना पड़ा।

गाँधीजी ने दक्षिण भारत के महान् मन्दिरों में हरिजनों का प्रवेश करवाया था। वैसे भी वे जब कभी दिल्ली आते थे तो भंगी कॉलोनी में ही ठहरते थे। मगर इस सबके और सरकार के अथक प्रयत्नों के बावजूद स्थिति अभी भी इतनी सुखद है कि हरिजन आज भी ज़िन्दा जलाये जाते हैं, सवर्ण लोगों को बचाने के लिए उन्हें झूठे कत्ल के मुक़दमों में फँसाया जाता है और यदि कोई चरित्रहीन व्यक्ति उनकी मदद करने की कोशिश करता है तो उसे खुलेआम तंग किया जाता है। एक प्रदेश में ऊँची जाति के एक व्यक्ति ने एक हरिजन कन्या से विवाह कर लिया और इस सन्दर्भ में प्रदेश की सरकार ने उसे पाँच हज़ार रुपयों का पुरस्कार भी दिया। मगर धीरे-धीरे सवर्ण अधिकारियों ने उसे सताना शुरू कर दिया और ऐसा वातावरण तैयार किया कि उसे सरकारी नौकरी से निकाला जा सके। इसी प्रकार जब एक निर्धन आदिवासी अस्पताल में भर्ती होने गया तो उससे एक सहस्र मुद्राएँ माँगी गयीं। अब तो स्थिति इतनी नाज़ुक हो गयी है कि पिछड़े वर्गों को सरकारी नौकरी में आरक्षण दिये जाने के मुद्दे को लेकर गुजरात में भयंकर दंगे तक हो गये और बाद में चलकर सारे मामले ने साम्प्रदायिक रूप ले लिया। हमारे देश में यह खास बात है कि जो कुछ भी असन्तोष होता है वह अन्त में चलकर साम्प्रदायिक रूप ही ग्रहण करता है। देश की जनता भगवान की इतनी भक्त है कि उसके नाम पर निरीह इंसान

की हत्या करने से कभी नहीं चूकती। अब आप ही सोचिए कि क्या इसी दिन को देखने के लिए पण्डित जवाहरलाल नेहरू और महात्मा गाँधी ने अपनी ज़िन्दगी के बेहतरीन वर्ष जेल की कोठरियों में रहकर गुज़ारे थे?

जहाँ तक मेरी बुद्धि (जिसे मेरी पत्नी के सिवा बाकी सभी लोग काफ़ी तीव्र समझते हैं) काम करती है, मैं समझता हूँ कि राष्ट्र के सामने इस समय मात्र तीन समस्याएँ हैं। पहली समस्या है भ्रष्टाचार की, दूसरी समस्या है बढ़ती हुई जनसंख्या की और तीसरी समस्या है दिन-ब-दिन बढ़ती हुई क़ीमतों की। ये तीनों समस्याएँ एक-दूसरे से काफ़ी जुड़ी हैं और मुझ नाचीज़ के ख़याल में यदि इन तीन समस्याओं को समय रहते नहीं सुलझाया गया तो देश फिर से गुलाम हो जाएगा। जहाँ तक मेरा प्रश्न है, मुझे इन समस्याओं को लेकर कोई चिन्ता नहीं है। यदि मैं रिश्वत लेना शुरू भी कर दूँ तो कोई खास बात नहीं होगी क्योंकि घूस लेना तो सारे संसार में सरकारी नौकरी का अनिवार्य अंग स्वीकार किया जाता है। सरकार के एक बहुत वरिष्ठ अधिकारी थे जो रोज़ स्नान करने के बाद मन्दिर जाते थे और भगवान की मूर्ति के सामने साष्टांग लेटकर प्रार्थना करते थे और फिर तिलक लगाते थे। इतना सब कुछ करने के बाद वे सारा दिन गलत काम करते थे और तबीयत के साथ घूस लेते थे। आत्मा भी प्रसन्न और परमात्मा भी प्रसन्न। जनसंख्या की वृद्धि के बारे में तो वह अफ़सर इतना सतर्क था कि शादी के पहले भी 'निरोध' का प्रयोग करता था। और जहाँ तक महँगाई का प्रश्न है, उसकी तो कोई चिन्ता है ही नहीं। जब भी दाम बढ़ते हैं तभी सरकार जो है वह महँगाई भत्ते की नयी किश्त दे देती है। सरकारी नौकरों के अलावा और भी करोड़ों जनता इस देश में रहती है जिन्हें कोई महँगाई भत्ता नहीं मिलता। मगर उन करोड़ों ग़रीब लोगों की चिन्ता करना तो सरकार का काम है। उस मुद्दे को लेकर मैं अपनी नींद क्यों ख़राब करूँ? इसके अलावा यदि देश में बाकी लोग नहीं होंगे तो सरकारी कर्मचारियों को महँगाई भत्ता देने के लिए सरकार टैक्स किस पर लगाएगी?

मैं हास्य-व्यंग्य की रचना लिखने बैठा था मगर इन अख़बारनवीसों की कृपा से निबन्ध में फिर 'उत्तररामचरित' की गन्ध आने लगी। सोचता हूँ कि यदि मैं इसी प्रकार अख़बार का सेवन करता रहा तो 'हिन्दी हास्य-व्यंग्य की अफ़सोस शाखा' (शरद जोशी) पेड़ से भी आगे निकल जाएगी। वैसे स्थिति यही है कि : पहले आती थी हाले दिल पर हँसी, अब किसी बात पर नहीं आती। इस शेर को मैं अपने नाम से पेश करना चाहता था मगर मेरे दुर्भाग्य से मेरे सारे पाठक पढ़े-लिखे हैं और जानते हैं कि शेर जो है वह ग़ालिब का है। मेरे विचार में देश में जो कुछ भी हो रहा है, उसकी ज़िम्मेदारी हम सब पर है और सिर्फ़ अख़बारवालों पर ही सारा दोष डालना ठीक नहीं है। हेराल्ड लास्की ने कहा था कि प्रत्येक देश को वैसी ही सरकार मिलती है जैसी कि सरकार के लिए वह योग्य होता है। हम सभी पराजित

हैं, सभी अपराधी हैं। डॉक्टर धर्मवीर भारती ने ('धर्मयुग' का सम्पादक बनने से पहले) ठीक ही कहा था :

हम सबके दामन पर दाग़
हम सबकी आत्मा में झूठ
हम सबके माथे पर शर्म
हम सबके हाथों में टूटी तलवारों की मूठ

हम सब थे सैनिक अपराजेय
पर हम थे बेबस लाचार
वह था कठपुतलों का खेल
ऊपर थी कलई, पर लकड़ी के थे सब हथियार

हम सबके थे अपने गीत
आख़िर तक गाने की शर्त
पर जाने कैसे बदले बोल
हमने गाया कुछ, पर अलग निकला अर्थ

सच्चा साहित्यकार : एक आफ़िस नोट

(एक)

काफ़ी ज़िम्मेदार किस्म के लोग कभी-कभी यह कहते हैं कि सच्चा साहित्यकार वही व्यक्ति बन सकता है जो लिखने-पढ़ने के अलावा और कोई काम न करता हो। जहाँ कुछ और धन्धा पकड़ा या नौकरी वगैरह की, बस वहीं उसका जो साहित्यकार था, वह ख़त्म हो गया। इस मत के विपरीत कुछ आचार्यों का कहना यह है कि साहित्य और बाकी धन्धे बड़ी अच्छी तरह साथ-साथ चलाये जा सकते हैं। अन्त में चलकर तीसरा मत यह है कि जब कोई व्यक्ति किसी और धन्धे को छोड़कर साहित्यकार बनता है तो या तो पुराना धन्धा ख़त्म हो जाता है या स्थिति यह रहती है कि पुराना धन्धा और साहित्य—दोनों ही ख़त्म हो जाते हैं। विश्व के साहित्य को देखने से पता लगता है कि ऊपर लिखे तीनों मत लगभग ठीक हैं। इसी बात को सिद्ध करने के लिए यह नोट लिखा जा रहा है। आशा है, इसके पढ़ने से नवोदित लेखकों और कवियों का भविष्य के बारे में पथ प्रशस्त होगा।

(दो)

जो साहित्यकार अपने जीवन में लिखने-पढ़ने के अतिरिक्त और कुछ नहीं करते, उन्हें हम तीन वर्गों में बाँट सकते हैं। यह विभाजन इस प्रकार किया जा सकता है :

(अ) कुछ लोग साहित्य के अतिरिक्त कोई और धन्धा इस कारण नहीं करते कि वे लोग वैसे ही अपने जीवन में इतने धनी और समृद्ध होते हैं कि उन्हें आजीविका कमाने के लिए कुछ करने की ज़रूरत ही नहीं पड़ती। 'बाबरनामा' के लेखक बाबर, 'तम्बाकू के ख़तरे' लिखने वाले जेम्स प्रथम, (जिन्हें यूरोप का सबसे विद्वान् बेवकूफ़ कहा जाता था), 'गाल राज्य की विजय' लिखने वाले जूलियस सीजर, बहुत उम्दा ग़ज़ल लिखने वाले बहादुर शाह 'ज़फ़र' और 'तीन शतक' लिखने वाले भर्तृहरि—सब-के-सब व्यक्तिगत जीवन में सम्राट् थे। अब आप ही सोचिए कि इन लोगों को नौकरी या

रवीन्द्रनाथ त्योगी के पुत्र अशोक के विवाह (नवम्बर, 1986) के अवसर पर
पुत्रवधू दीपा के साथ भोज के समय

रवीन्द्रनाथ त्यागी के पुत्र अशोक के विवाह के अवसर पर
श्रीमती कुसुम गोयनका एवं कमल किशोर गोयनका,
श्री जगदीश चतुर्वेदी व अनुभूति चतुर्वेदी
1986

और कोई धन्धा करने की क्या ज़रूरत थी? इसी प्रकार रवीन्द्रनाथ ठाकुर, (जो कभी वर्षा मंगल के अवसर पर अपना काव्य गाते हुए नृत्य भी किया करते थे), टालस्टाय, हर्षवर्धन और भारतेन्दु हश्चिन्द्र को भी साहित्य-साधना के साथ कोई और काम करने की आवश्यकता ही क्या थी?

(ब) काम न करने वालों का दूसरा वर्ग उन साहित्यकारों का रहा जो किसी राजा या अमीर के दरबार में रहते थे। चन्द बरदाई, भूषण, बिहारी, विद्यापति, मीर तकी मीर, ग़ालिब और न जाने कितने और महान् कलाकार दरबारी होते थे और साहित्य-सेवा करते थे। इस प्रकार के कवियों में केशव का ज़िक्र मैं खासतौर पर करूँगा क्योंकि उन्होंने 'रामचन्द्रिका' के साथ-साथ 'जहाँगीर जस चन्द्रिका' भी लिखी थी जिससे यह लोक और परलोक—दोनों ठीक रहें। चण्डिदास का मुझे पता नहीं कि वे दरबारी कवि थे या कि नहीं। हाँ, उनके बारे में इतना पता ज़रूर है कि वे एक 'धोबिन' से उसी प्रकार प्रेम करते थे जैसे कि 'आलम' नाम से एक हिन्दी कवि एक 'रंगरेजिन' के साथ करते थे। हरिजनों का साहित्य के प्रति जो योगदान है, उस पर शोध होनी अभी बाकी है। दरबारों का आश्रय लेने के कारण पण्डित जवाहरलाल नेहरू हिन्दी कविता को 'दरबारी कविता' कहा करते थे जो काफ़ी हद तक सच था। और ज़्यादा महत्त्वपूर्ण बात तो यह है कि राज्य का आश्रय लेने की यह प्रथा हिन्दी में अभी भी चल रही है। राज्यसभा की सदस्यता मिलना, पद्मश्री से अलंकृत होना, साहित्य अकादेमी का एवार्ड लेना और सरकारी खर्चे पर विदेश जाना—ये वे बातें हैं जिनके लिए हमारा प्रतिष्ठित कलाकार किसी भी मन्त्री और सचिव के जूते पालिश कर सकता है और कर रहा है। मैं खुद इस दौड़ में शामिल होना चाहता हूँ। राज्याश्रय लेना तो हमारी पुरानी संस्कृति का अंग है। आप 'भोजप्रबन्ध' को उठाकर पढ़ लीजिए संस्कृत के सारे कवि राजा भोज के दरबारी थे और लाखों रुपये प्राप्त करते थे—प्रत्यक्षरलक्षं ददौ। कालिदास भी उन्हीं में से एक थे।

(स) अन्त में चलकर कोई और काम करने वाले काफ़ी साहित्यकार ऐसे थे (थे ही नहीं, वरन् हैं और रहेंगे) जो फटेहाल रहने पर भी किसी भी क़ीमत पर अपना आत्मसम्मान बेचने को तैयार नहीं थे। डॉक्टर जानसन, महाप्राण निराला, स्वर्ण-कवि सुमित्रानन्दन पन्त और ज़िगर मुरादाबादी ऐसे ही सच्चे साहित्यकार थे। निरालाजी जैसे काव्य के देवता ने अपना जीवन इतने दुःख में गुज़ारा कि अन्त में चलकर वे विक्षिप्त ही हो गये (ठाठ जीवन का वही जो ढह गया है : मैं अलक्षित हूँ यही कवि कह गया है)। सुमित्रानन्दन पन्त ने काफ़ी हद तक अपनी आर्थिक स्थिति के कारण विवाह ही नहीं किया और सारी उम्र अकेलेपन की पीड़ा चुपचाप सही। (एकाकीपन का अन्धकारः दुःसह है इसका मूक भार)। नागार्जुन की भी लगभग ऐसी ही दर्दनाक स्थिति रही (पियो सन्त हुगली का पानी; पैसा सच है, दुनिया फानी)। नजीर अकबराबादी भी इसी श्रेणी में आते हैं। भयंकर ग़रीबी के दिनों में

भी उन्होंने लखनऊ के नवाब का दरबारी होना पसन्द नहीं किया था। उनके बारे में कहावत है—कहने को था 'नज़ीर' मगर 'बेनज़ीर' था।

(तीन)

जैसा कि लेख के प्रथम पैराग्राफ़ में बताया गया है, काफ़ी साहित्यकार ऐसे हैं जो बाकी धन्धों के कारण साहित्यकार नहीं रह पाये। राजगोपालाचारी बहुत ऊँचे दर्जे के कहानीकार थे। उनकी 'दुखी दुनिया' (जिसकी भूमिका महात्मा गाँधी ने लिखी) जिसने पढ़ी है, वह उसकी दर्द-भरी कथाओं को कभी भूल नहीं सकता। दुर्भाग्यवश श्री राजगोपालाचारी राजनीति में चले गये, भारत के अन्तिम गर्वनर जनरल रहे मगर साहित्यकार के रूप में वे समाप्त हो गये। साहिर लुधियानवी, शकील बदायूँनी और मजरूह सुलतानपुरी जैसे ही लुधियाना, बदायूँ और सुलतानपुर को छोड़कर बम्बई की फ़िल्मी दुनिया में गये वैसे ही उनका काव्य भी लगभग ख़त्म ही हो गया। डॉक्टर धर्मवीर भारती जिन्होंने 'अन्धा युग' जैसी मार्मिक और महान् कृति हिन्दी को दी (यह कथा ज्योति की है अन्धों के माध्यम से) वे भी जैसे ही बम्बई की वैभवशाली नगरी में घुसे, वैसे ही उनका वह उत्कृष्ट लिखना समाप्तप्राय हो गया। उन्हें देखकर मुझे प्रायः उनकी अपनी ही पंक्ति याद आती है (हाय बाणभट्ट हाय, तुमको भी, तुमको भी आख़िर यही होना था!)

(चार)

अब मैं उन लोगों पर आता हूँ जो साहित्यकार भी थे और साथ में बाकी धन्धा भी सफलतापूर्वक करते थे। मैथ्यू आर्नल्ड कवि होने के साथ-साथ स्कूलों के इंस्पेक्टर थे। चार्ल्स लैम्ब ईस्ट इण्डिया कम्पनी के लन्दन स्थित मुख्य कार्यालय में एक क्लर्क थे, शरतचन्द्र काफ़ी दिनों एकाउण्टेण्ट-जनरल के दफ़्तर में एक मामूली बाबू थे, बंकिम बाबू एक मजिस्ट्रेट थे और उर्दू के महान् हास्यकार पतरस बुख़ारी एक बड़े सरकारी अफ़सर थे। फ़िराक़ साहब विश्वविद्यालय में अंग्रेज़ी के अध्यापक थे और वही काम बच्चनजी भी करते थे। बाद में चलकर वे केन्द्रीय सरकार में अधिकारी भी रहे पर इससे उनके लेखन पर कोई प्रभाव शायद नहीं पड़ा (मैं कलम और बन्दूक चलाता हूँ दोनों; ऐसे बन्दे दुनिया में कम पाये जाते)। राय कृष्णदास ने लिखा है कि जयशंकर प्रसाद व्यापार का भार भी सँभालते थे और साहित्य-सृष्टि भी करते थे। उनके शब्दों में प्रसादजी 'दोनों रकाबों में कसकर पाँव रखते थे'। कन्हैयालाल माणिकलाल मुंशी गुजराती के महान् साहित्यकार होने के साथ-साथ, एक प्रतिभावान् वकील और एक कुशल राजनीतिज्ञ भी थे। बाबू वृन्दावनलाल वर्मा इतने बड़े कथाकार होने के साथ-साथ एक कुशल वकील और एक साहसी शिकारी

भी थे। अब्दुर्रहीन खानखाना दोहे भी लिखते थे और अकबर के नवरत्नों में से भी एक थे। अंग्रेज़ी के सफल गद्य लेखक फ्रांसिस बेकन जेम्स प्रथम के वित्तमन्त्री भी थे और कुछ गोलमाल करने के सन्दर्भ में वे कई वर्ष सरकारी जेल में भी बन्द रहे थे। आज भी हिन्दी में श्रीलाल शुक्ल, गोविन्द मिश्र और विनोदचन्द्र पाण्डेय हैं जो आला अफ़सर होने के साथ-साथ प्रथम श्रेणी के कलाकार भी हैं। इस सन्दर्भ में खाकसार बड़ी नम्रता के साथ अपना नाम भी पेश करता है। आशा है, इस बात पर किसी भी ईमानदार व्यक्ति को कोई आपत्ति नहीं होगी। यदि फिर भी कोई सज्जन कोई आपत्ति उठाते हैं तो मैं बिना संकोच के कहूँगा कि वे ईमानदार ही नहीं हैं। उनकी बात सुनने से क्या फ़ायदा?

(पाँच)

अब मैं उन लोगों की चर्चा करूँगा जिनका पुराना और असली धन्धा साहित्यकार बनने के बाद ख़त्म हो गया। अंग्रेज़ों की 'डॉक्टर सिरीज' लिखने वाले प्रख्यात हास्यकार रिचर्ड गार्डेन व्यक्तिगत जीवन में डॉक्टर ही थे। यही स्थिति सर कानन डायल और सामरसेट माम की थी। ये दोनों भी पेशे से डॉक्टर ही थे। ओलिवर गोल्डस्मिथ भी एक डॉक्टर ही था और एक दिन जब उसने डॉक्टर जानसन से कहा कि वह केवल अपने मित्रों का ही इलाज करता है तो डॉक्टर जानसन ने बड़ी संजीदगी के साथ उसे सलाह दी थी कि कितना अच्छा हो यदि वह (यानी कि गोल्डस्मिथ) मित्रों के स्थान पर केवल अपने शत्रुओं का ही इलाज किया करता। कानूनी बातों को लेकर महान् हास्य कथाएँ लिखने वाले हेनरी सिसील अपने व्यक्तिगत जीवन में एक असफल वकील ही थे। उनके बारे में मशहूर है कि उनकी पहली पुस्तक की पाण्डुलिपि को सोलह प्रकाशकों ने ठुकराया था और आज स्थिति यह है कि प्रत्येक पुस्तक के सन्दर्भ में हेनरी सिसील हर बार सोलह प्रकाशकों को ठुकराते हैं। साहित्यिक होने के कारण अकबर इलाहाबादी अपने असली धन्धे में सफल नहीं हो सके। वे सिर्फ़ जज होकर ही रिटायर हुए जबकि अगर वह सरकार के ख़िलाफ़ न लिखते तो शायद उन्हें हाईकोर्ट का जज होने का अवसर भी प्राप्त हो सकता था। वैसे उनका निजी विचार यह था कि शायरी के कारण तो उन्हें जीवन में और भी तरक्की मिलनी चाहिए थी (कौन कहता है कि फन्ने शायरी मनहूस है, शेर कहते-कहते मैं डिपुटी कलक्टर हो गया)। बालकृष्ण राव और जगदीशचन्द्र माथुर इण्डियन सिविल सर्विस के सदस्य थे मगर नौकरी के कारण वे बड़े साहित्यकार नहीं हो पाये और साहित्य-प्रेम के कारण वे अपनी नौकरी में भी कुछ खास नहीं कर पाये (न ख़ुदा ही मिला न विसाले सनम; न इधर के रहे न उधर के रहे)।

(छह)

साहित्य और उसके साथ कोई और धन्धा करना उचित होगा कि नहीं– इस प्रश्न पर एक और दृष्टिकोण से भी देखना पड़ेगा। अंग्रेज़ी के महान् हास्यकार वुडहाउस अपनी पुस्तकों के आधार पर शानदार जीवन व्यतीत करते थे। ग्राहम ग्रीन जैसे द्वितीय श्रेणी के लेखक भी करोड़पति हैं। मैं पूछता हूँ कि हिन्दी (जो हमारी राजभाषा है) का कोई लेखक ऐसा है जो मात्र कलम का सिपाही बनकर शालीन जीवन व्यतीत कर सके? पिछले वर्ष मुझे एक बहुत बड़े प्रकाशक के यहाँ से छह हास्य-व्यंग्य की पुस्तकों के बदले में पाँच सौ पचास रुपये का चेक आया था। प्रकाशकों के इसी उदार व्यवहार के कारण मैथिलीशरण गुप्त, यशपाल, वृन्दावनलाल वर्मा, जैनेन्द्रकुमार और उपेन्द्रनाथ अश्क को लेखक के साथ-साथ प्रकाशक भी बनना पड़ा। महमूद गजनवी ने फ़िरदौसी को उसके 'शाहनामा' लिखने पर साठ हज़ार अशर्फ़ियाँ तो नहीं दी मगर फिर भी उसके मरने पर साठ हज़ार रुपये उसने ज़रूर भिजवाए। हिन्दी के प्रकाशक तो लेखक की मृत्यु पर उसके परिवार को साठ रुपये भी नहीं देंगे। अब यदि हिन्दी (जो हमारी राजभाषा है) की यह स्थिति है तो देश की जो बाकी भाषाएँ (खासकर उर्दू) है, उनका क्या हश्र होगा, यह आप खुद सोच सकते हैं। मैं यकीन दिलाता हूँ कि मैं आपके इस चिन्तन में कोई दखल नहीं दूँगा।

(सात)

इस निबन्ध के यशस्वी लेखक को इस बात का बड़ा अफ़सोस है कि वह इस लेख को हास्यपूर्ण नहीं बना सका। मगर इस स्थिति का एक कारण है और वह कारण यह है कि इसमें सारे सन्दर्भ और समस्या को सरकारी आफ़िस नोट की शैली में उभारा गया। खुदा गवाह है कि सरकार का कोई आफ़िस नोट ऐसा नहीं होता जिसे पढ़कर किसी को हँसी आये। ज़्यादातर आफ़िस नोट ऐसे ही होते हैं कि उन्हें पढ़कर रोना ही आता है। भवभूति ने जो 'एको रसः करुणमेव' वाला नारा बुलन्द किया था, उससे पता लगता है कि कभी वह भी सरकारी कर्मचारी रहा था।

समझदार लोग

समझदार लोग सदा से होते आये। पुराने ज़माने में नारद मुनि जो थे, वे काफ़ी समझदार किस्म के प्राणी थे और इसी कारण एक देवता को दूसरे देवता से भिड़ाते रहते थे। रामायण काल में सुग्रीव और विभीषण भी काफ़ी समझदार लोग थे। सुग्रीव ने रामचन्द्रजी को बालि से भिड़वा दिया। बालि बेचारा मारा गया और उसकी गद्दी और उसकी पत्नी सुग्रीव को मिल गयी। विभीषण ने भी रामचन्द्रजी की सहायता से अपना भाई मरवाया जिसके फलस्वरूप उसे लंका का राज्य प्राप्त हुआ। महाभारत काल में कुन्ती बड़ी समझदार किस्म की मुसम्मात थी। आजकल तो सूर्य की किरणों से 'सोलर एनर्जी' ही प्राप्त करने की चेष्टा की जा रही है जब कि कुन्ती ने सूर्य के सहयोग से पुत्र प्राप्त किया था। पाण्डवों के बारे में सबसे ज़्यादा दिलचस्प बात यही है कि उनमें से कोई भी पाण्डु का पुत्र नहीं था। सारे बच्चे नियोग की प्रथा से उत्पन्न हुए थे। और कृष्णजी का तो कहना ही क्या–वे तो हर तरफ़ से समझदार थे। लड़ाई के मैदान में उन्होंने अर्जुन को गीता पढ़ाई और शान्ति के समय उन्होंने हज़ारों गोपियों से प्यार किया। सच बात तो यह है कि यदि भागवत नहीं लिखी जाती, तो सूरदास, चण्डीदास, विद्यापति, पद्माकर, गोविन्ददास व जयदेव भी प्रकाश में नहीं आते।

मुग़लकाल में सबसे ज़्यादा समझदार आदमी दो थे। एक था जीवन खाँ और दूसरे थे मिर्ज़ा राजा जयसिंह। जीवन खाँ एक पठान डाकू था जिसे दो बार मृत्यु-दण्ड की सजा सुनाई गयी थी और दोनों बार दाराशिकोह ने उसे बादशाह शाहजहाँ से माफ करवाया था। बाद में जब दाराशिकोह युद्ध में हार गया तो उसने ईरान की राह पकड़ी। रास्ते में जीवन खाँ का गाँव पड़ता था। दाराशिकोह ने उस पर किये गये अहसानों को याद करते हुए, उससे शरण माँगी। जीवन खां ने उसका बड़ा स्वागत किया और उसे औरंगज़ेब के हवाले कर दिया। इसी प्रकार मिर्ज़ा राजा जयसिंह शाहजहाँ के दरबार में दाराशिकोह की मिजाजपुर्सी करते थे क्योंकि वही सबसे बड़ा शहज़ादा था जिसे गद्दी मिलनी थी। मगर जैसे ही दाराशिकोह का पतन प्रारम्भ हुआ, वैसे ही राजा जयसिंह औरंगज़ेब के साथ हो गये।

ईस्ट इण्डिया कम्पनी में लार्ड क्लाइव जैसा सयाना और कोई नहीं था। उसी ने सेठ अमीचन्द को धोखा दिया जिसके कारण अमीचन्द को बनारस आना पड़ा, जहाँ उसके वंश में भारतेन्दु हरिश्चन्द्र ने जन्म लिया। हिन्दी साहित्य के विकास में क्लाइव का जो स्थान था, उसका पता काफ़ी कम लोगों को है। ईस्ट इण्डिया कम्पनी के ज़माने में ही मीर जाफर ने नवाब सिराजुद्दौला से पवित्र पुस्तक पर हाथ रखकर उसकी मदद करने का वादा किया था मगर प्लासी की लड़ाई में उसने नवाब को धोखा दिया। बाद में पता चला कि मीर जाफर ने जो कसम खायी थी वह पवित्र पुस्तक पर हाथ रखकर नहीं खायी थी। वह तो कपड़े में बँधी हुई मात्र एक ईंट थी जिस पर उसने हाथ रखा था।

इतिहास की खास आदत यह है कि वह अपने को सदा से दुहराता आया। आज़ाद होने के बाद अपने इस सारे जहाँ से अच्छे हमारे हिन्दुस्तान में भी समझदार लोग बहुतायत से होने लगे। साहित्य के क्षेत्र में स्वर्ण-कवि सुमित्रानन्दन पन्त को राज्यसभा की सदस्यता कभी नहीं मिली और ज्ञानपीठ पुरस्कार मिला भी तो दिनकर के बाद मिला। ज़ाहिर है कि पन्त जी समझदार इंसान नहीं थे। उनके बरख़िलाफ़ मुंशी प्रेमचन्द शायद समझदार किस्म के इंसान थे। डॉ. गोयनका के अनुसार ग़रीबी और भुखमरी की सच्ची तस्वीर उतारने वाला वह महान् कलाकार अपने व्यक्तिगत जीवन में कभी उतना ग़रीब नहीं था। प्रेमचन्द के आम पाठक अभी भी यही विश्वास करते हैं कि प्रेमचन्द एक ग़रीब इंसान थे और उनके उस विश्वास को तोड़ने की चेष्टा करने वाले डॉक्टर कमल किशोर गोयनका को इस तरह देखा जाता है जैसे कि उन्होंने कोई भयंकर विश्वासघात किया हो। हाँ, अलबत्ता यह विचित्र संयोग है कि डॉ. गोयनका को अपनी खोज में जो भी सामग्री मिलती है वह ऐसी ही होती है जो प्रेमचन्द के ख़िलाफ़ जाती है। इसी प्रकार अज्ञेयजी की असाध्यवीणा को सबसे पहले 'धर्मयुग' में धर्मवीर भारती ने बजाया। मुझे इस बात की पूरी आशंका है कि अज्ञेयजी 'नोबल प्राइज' ज़रूर हासिल कर लेंगे। 'कितनी नावों में कितनी बार' चढ़ने वाले अज्ञेय अपने 'आँगन के पार वाला द्वार' हमेशा से खुला रखते आये। निरालाजी की बात करना बेकार है; वे इंसान नहीं थे, वे तो काव्य के देवता थे। उपेन्द्रनाथ 'अश्क' भी समझदार इंसान रहे और प्रसव के अतिरिक्त शेष सारी बीमारियों से बीमार रहते हुए भी उन्होंने काफ़ी विदेश-यात्राएँ कीं, प्रकाशन खोला और गवर्नरों के मेहमान भी रहे। मैं खुद भी काफ़ी समझदार हूँ और इसी कारण बिना किसी विशेष प्रतिभा के हिन्दी का एक प्रतिष्ठित लेखक और कवि स्वीकार किया जाता हूँ। आपको यह जानकर दुःख होगा कि प्रेमचन्द पर काम करने के बाद डॉक्टर गोयनका मेरी प्रतिनिधि रचनाओं का एक संग्रह सम्पादित कर रहे हैं। भगवान उनकी रक्षा करे और उन्हें अच्छी बुद्धि प्रदान करे।

स्वतन्त्र देश में जनता के प्रतिनिधि भी काफ़ी हद तक समझदार होते आये।

कम से कम तीन मुख्यमन्त्री तो ऐसे ज़रूर हुए जिन्होंने करोड़ों रुपयों का गोलमाल किया। एक और सज्जन तो इतने ईमानदार निकले कि उन्होंने ज़मीन के एक प्लॉट को दर्जनों संस्थाओं के पास एक साथ गिरवी रखा और उन सार्वजनिक संस्थानों से लाखों रुपयों का ऋण लिया। एक प्रदेश की सरकार ने तो एक सार्वजनिक पार्क और एक रेलवे-स्टेशन को ही रिज़र्व बैंक के नाम गिरवी रख दिया। न जाने कितनी युवतियों का उद्घाटन किया, न जाने कितने रुपयों की घूस ली और न जाने कितने ईमानदार अफ़सरों का अपमान किया। 'ना कुछ तेरा, ना कुछ मेरा, चिड़िया रैन बसेरा रे' वाली बात। भगतसिंह, राजगुरु, सुखदेव और बिस्मिल ने क्या इसी आज़ादी के लिए अपने प्राण दिये थे?

अभी कुछ दिनों पहले हमारे प्रधानमन्त्री एक प्रदेश के दौरे पर गये। वे आदिवासियों के दैनिक जीवन को पास से देखना चाहते थे ताकि उनकी मदद की जा सके। उनकी हज़ार कोशिशों और धमकियों के बावजूद प्रदेश के प्रशासन ने नकली आदिवासी दिखाये और उनके खान-पान व रहन-सहन को देखकर प्रधानमन्त्री बेचारे चक्कर में पड़ गये। इसी प्रकार रेलवे के एक ऐसे कर्मचारी को गिरफ़्तार किया गया जो बरसों पहले मृत्यु को प्राप्त हो चुका था। उसके परिवार को पेंशन दी जा चुकी थी, उसके बच्चों को नौकरी दे दी गयी थी और कुल मिलाकर उसने प्रशासन को मात्र पैंतीस हज़ार रुपयों का घाटा पहुँचाया था। पता नहीं इस केस में सरकार कैसे धोखा खा गयी क्योंकि वैसे तो स्थिति यही रहती है कि पेंशनर यदि खुद भी पेंशन लेने जाए तो ख़ज़ाने का अधिकारी उसके जीवित रहने का प्रमाण-पत्र माँगता है और अगर वह जून के महीने के लिए जीवित मान भी लिया जाता है तो स्थिति यह रहती है कि उसे इस बात का प्रमाण-पत्र अलग से लाना पड़ता है कि वह मई के महीने में भी जीवित था। एक प्रदेश के एक विधायक पर चोरी करने का इलजाम लगाया गया। उत्तर प्रदेश के हाई स्कूल बोर्ड ने इतनी प्रगति कर ली है कि नकद मुद्रा प्राप्त करने पर आपको किसी भी श्रेणी का प्रमाण-पत्र दिया जा सकता है और आपकी जन्म-तिथि कुछ भी दिखाई जा सकती है। एक मज़ाक़-पसन्द विधायक ने विधानसभा में एक प्रमाण-पत्र पेश किया जिसके अनुसार स्वयं मुख्यमन्त्री ने दो वर्ष पहले ही हाई स्कूल पास किया था। सारी बुराइयों की जड़ मात्र धन ही है। रूसो ने ठीक ही कहा था कि आदमी अमीर होना नहीं चाहता, वह ज़्यादा अमीर होना चाहता है। ए मैन डज नॉट वाण्ट टु बी रिच, ही वाण्ट्स टू बी रिचर। बच्चन ने ठीक ही लिखा है—गाँधी न नेता, जवाहर न नेता, नेता है सैंया रुपैया!

देश में सबसे ज़्यादा समझदार आदमी नटवरलाल है जिसने जालसाज़ी करके करोड़ों रुपये इधर से उधर किये। पिछली बार उसे बड़ी सजा हुई, मगर हमेशा की तरह वह फिर फ़रार हो गया। कितने गर्व की बात है कि एक बार उसे पुलिस अधिकारियों की एकेडेमी में भाषण देने बुलाया गया था ताकि वह बता सके कि

उसने जालसाजी को कला के स्तर पर कैसे पहुँचाया! बात भी ठीक ही थी। वैसे भी तो एक अपराधी में और पुलिस में कोई खास अन्तर नहीं होता। जो पुलिस के लोग मेरी बात का बुरा मानते हैं वे इलाहाबाद हाईकोर्ट के जज आनन्दनारायण मुल्ला का ऐतिहासिक फ़ैसला पढ़ लें, जिसमें उन्होंने देश की पुलिस की बखिया उधेड़ी थी। जज होने के साथ-साथ मुल्ला साहब एक मार्मिक शायर भी थे। स्थिति यह थी कि—उन्हें गाने की आदत भी है और शौके इबादत भी, दुआएँ निकलती हैं उनके मुँह से ठुमरियाँ बनकर (अकबर)।

पैसे की बात काफ़ी हो गयी। आइए, अब कुछ वक़्त रूपवती युवतियों के बीच गुज़ारें। एक प्रदेश के एक मन्त्री जब विदेश गये तो अपनी पत्नी को भी साथ ले गये। बाद में पता चला कि वह युवती उनकी पत्नी नहीं वरन् उनकी प्रेयसी थी। मेरा ख़याल है कि इस समाचार को पढ़कर जैनेन्द्रकुमार खुशी से उछल पड़े होंगे। उड़ीसा से एक और समझदार आदमी की ख़बर मिली है जिसने कुल मिलाकर नवासी बीवियों से शादी की है। इन पत्नियों में से सत्तावन पत्नियों ने उसे तलाक दिया, छब्बीस पत्नियों की मृत्यु हो गयी और बाकी जो हैं वे उसके साथ रहती हैं और गृहस्थाश्रम व्यतीत करती हैं। लड़कियों की बात क्या चली कि मुझे भी किसी की याद आने लगी। मगर मैं उसकी दिशा में गया नहीं। कवि के शब्दों से स्थिति यह रही कि :

बंगलए-जानाँ सवा दो कोस है।
चल नहीं सकते बड़ा अफ़सोस है।।

जीवन में मैं क्या बनना चाहता था?

बाकी लोगों की भाँति अपने बचपन में मैं भी एक बच्चा ही था। उन दिनों मैं अपने पिताजी के साथ शाम को रेल देखने जाया करता था। मैं देखा करता था कि पहले सिगनल गिरता था, फिर इंजन का ड्राइवर गर्दन टेढ़ी करके हमेशा यह देखा करता था कि गार्ड साहब ने हरी झण्डी या हरी बत्ती दिखाई या नहीं। जैसे ही गार्ड साहब हरी झण्डी या हरी बत्ती दिखाते थे, वैसे ही ड्राइवर जो था वह इंजन की सीटी बजाता था और गाड़ी चलाना शुरू कर देता था। उन दिनों डीजल या बिजली के इंजन नहीं थे, सिर्फ़ स्टीम के इंजन होते थे जो छुक-छुक करते थे और ख़ूब धुआँ छोड़ते थे। मैं ध्यानपूर्वक देखा करता था कि गार्ड साहब की कितनी इज़्ज़त थी; उनकी झण्डी के बिना गाड़ी चल नहीं सकती थी। और जैसे ही वह अपनी हरी बत्ती दिखाते थे, वैसे ही ड्राइवर को गाड़ी चलानी पड़ती थी चाहे मुसाफिर बैठे हों, उतरे हों या नहीं। मुझे इस बात को बताने में कोई संकोच नहीं है कि उन दिनों मेरी अपने जीवन में केवल रेलवे का गार्ड बनने की ही इच्छा थी। भगवान की कितनी कृपा रही कि मेरी वह इच्छा पूरी नहीं हुई।

थोड़ा और बड़ा होने पर मुझे अपने पिता से डर लगने लगा था। वे सबको गालियाँ देते थे, हम लोगों को मारते-पीटते थे, कमाते कुछ नहीं थे और हम लोगों को छोड़कर घर से भाग जाने की धमकी दिया करते थे। उन दिनों मैं सोचा करता था कि कितना अच्छा होता कि उनकी जगह मैं स्वयं ही अपना पिता होता। कुछ तकनीकी कठिनाइयों की वजह से मेरा यह स्वप्न कभी साकार नहीं हुआ और मैं अपना बाप खुद नहीं बन सका।

थोड़ा और बड़ा होने पर मेरे विचार बदल गये। हमारे कस्बे के एक सम्भ्रान्त सज्जन रिटायर होने के बाद अपने घर लौट आये और अपनी जागीर की देखभाल करने लगे। उनका नाम था रायबहादुर डॉक्टर कल्याण सिंह त्यागी। वे बर्मा में जेल के सुपरिण्टेण्डेण्ट थे। उन्हें रायबहादुर बनाने वाला जो आज्ञापत्र था, उस पर लार्ड इरविन के दस्तख़त थे। वे कस्बे में रहकर भी बदले नहीं थे और बाकी देसी अंग्रेज़ों की भाँति तीन पीस का सूट पहनते थे, फ़ैल्ट कैप लगाते थे और सिगार पीते थे।

वे रोज़ शाम को शहर के एक दूसरे सम्भ्रान्त व्यक्ति से मिलने जाया करते थे जो एक रिटायर्ड डिप्टी कलेक्टर थे। दोनों की ख़ूब छनती थी। डॉक्टर कल्याणसिंह ने कस्बे के लिए बहुत कुछ किया। उन्होंने एक हाई-स्कूल खुलवाया, लड़कियों के लिए अलग से एक मदरसा बनवाया और मुर्द-घाट पर एक टीन डलवायी ताकि वर्षा ऋतु में भी मुर्दों के फूँकने में कोई असुविधा न हो। टीन पड़ जाने से मुर्द-घाट इतना सुन्दर हो गया था कि उसमें जलाये जाने की इच्छा काफ़ी प्रबल हो जाती थी। मैं सोचता था कि बड़ा होने पर मैं भी उन्हीं की तरह शान से रहूँ और एक विधवाश्रम खोलूँ। मगर भाग्य ने मेरी यह इच्छा पूरी नहीं होने दी।

हमारे स्कूल के जो हेडमास्टर थे उनका नाम था रामचरन सिंह त्यागी। वे बड़े सख़्त, अनुशासनप्रिय, निःसन्तान और भीतर से बड़े ही कोमल हृदय व्यक्ति थे। वे हमें अंग्रेज़ी का व्याकरण पढ़ाया करते थे। मैं ज़िन्दगी में जो कुछ भी बना, वह उन्हीं की सहायता से बना। काश, मैं भी उन्हीं की भाँति किसी की मदद कर सकता। उनका रोबदाब देखकर मैं यही सोचा करता था कि ज़िन्दगी में कुछ बनना है तो हेडमास्टर ही बनना है। मगर मैं वैसा भी नहीं हो पाया।

यूनिवर्सिटी जाने पर मेरे सपनों का क्षितिज बहुत बड़ा हो गया। अब मैं दिलीपकुमार बनना चाहता था। 'नदिया के पार' और 'जोगन', इन दो चित्रों ने मुझे पागल बना दिया था। मैं एक कान्फ्रेंस में भाग लेने बम्बई गया तो दिलीपकुमार से मिलकर आया। उसी यात्रा के दौरान मैंने राजकपूर, नरगिस, निगार सुलताना और मुकरी से भेंट की। जहाँ तक अशोककुमार का प्रश्न है, स्थिति यह रही कि काफ़ी कोशिशें करने के बावजूद वे 'अशोककुमार' के स्थान पर 'शोक कुमार' ही रहे। प्राण और ओमप्रकाश को हमने पास से देखा और गीता राय से भी मुलाकात की। बड़ी सुन्दर युवती थी। पृथ्वीराज कपूर को मैंने पहले से इलाहाबाद में ही देख रखा था और उनको दुबारा देखने की कोई इच्छा नहीं थी। इतने वर्षों बाद भी–जबकि मैं अधेड़ हो चुका हूँ–मुझे यह कहने में कोई संकोच नहीं होता है कि 'देवदास' के दिलीपकुमार, 'तीसरी कसम' के राजकपूर, 'परिणीता' के अशोककुमार और 'गाइड' के देव आनन्द को मैं जीते-जी कभी नहीं भुला सकता। और सबसे बड़ा था मोतीलाल जिसने 'देवदास' में चुन्नीलाल का रोल इतनी शान से अदा किया कि लगता था जैसे विमल राय जो थे वे शरत् बाबू से भी आगे निकल गये। मुझे सारी ज़िन्दगी यही अफ़सोस रहेगा कि मैं मोतीलाल, वुडहाउस और स्तालिन को नहीं देख पाया।

स्टूडियो और शूटिंग देखने के बाद, फ़िल्मों में जाने की मेरी इच्छा सदा के लिए ख़त्म हो गयी। देश के दुर्भाग्य से मैं चित्रपट का अभिनेता नहीं बना। हाँ, अलबत्ता उस सबके बरख़िलाफ़ अब मैं सुमित्रानन्दन पन्त की भाँति उन जैसा ही एक कवि बनना चाहता था। मैंने भी अपने बाल बढ़ाए और उन्हीं की भाँति कोमलकान्त पदावली की रचना करनी प्रारम्भ की। मगर बाल बढ़ाने से ही तो कोई पन्त या

निराला नहीं बन सकता। पन्त और निराला–दोनों बेहद सुन्दर व्यक्ति थे। इधर मैं था कि लम्बे-लम्बे बालों के कारण ब्रह्मराक्षस लगने लगा। थोड़े दिनों बाद छायावाद की छाया मुझ पर से हट गयी। गाँव आने से पहले ही मैंने अपने केश कटवा लिये। सिर को उस्तरे से साफ़ कराया गया जैसा कि 'बेनहर' के नायक ने किया था। 'बेनहर' पिक्चर उन्हीं दिनों देखी थी और उसका प्रभाव पड़ना स्वाभाविक था।

गाँव आया तो कृपालसिंह के क़िस्से सुनने को मिले। हमारे ही गाँव का वह शानदार जवान डाकू बन चुका था। आदमी को वह इस तरह ख़त्म करता था जैसे वह किसी ऐसे कीड़े को मसल रहा हो जिसके बारे में अकबर इलाहाबादी ने ग़ज़ल लिखी थी। मेरी उससे मुलाकात हुई और मैं मन-ही-मन उसका प्रशंसक बन गया। न जाने कितनी डकैतियों और कत्लों के बाद वह पकड़ा गया और उसे फाँसी दी गयी। गाँव से इलाहाबाद वापस जाने के बाद मेरी भेंट हाईकोर्ट के एक जज से हो गयी। वे मेरी ही जाति के थे। मुझे अभी तक याद है कि उनकी नियुक्ति के आज्ञा-पत्र पर राष्ट्रपति राजेन्द्रप्रसादजी ने हिन्दी और अंग्रेज़ी–दोनों लिपियों में दस्तख़त किये थे। जज साहब को देखकर मैं डाकू कृपालसिंह को भूल गया। मैंने महसूस किया कि एक जज जो है वह कितना बड़ा आदमी होता है। वह फाँसी की सजा देता है जो कि राष्ट्रपति भी नहीं दे सकते। राष्ट्रपति मृत्युदण्ड को माफ तो कर सकते हैं, मगर वे मृत्युदण्ड दे नहीं सकते। स्थिति यह हो गयी कि यदि पहले मैं डाकू कृपालसिंह बनना चाहता था तो अब मैं मिस्टर जस्टिस झण्डूदत्त शर्मा बनने की सोचने लगा। मगर यह स्थिति भी ज़्यादा दिनों नहीं चली। एक तो मुझे जज साहब ने खुद ही बताया कि उनकी नौकरी से ज़्यादा गन्दी नौकरी दूसरी नहीं थी क्योंकि वे सारी उम्र सुबह से शाम तक उन्हीं लोगों को देखते थे जो कातिल थे, डकैत थे और धोखेबाज थे और दूसरे उन्हीं दिनों नगर में जवाहरलाल नेहरू व जयप्रकाश नारायण दोनों ने अपने-अपने भाषण दिये और मैंने निश्चय कर लिया कि मैं राजनीति में ही प्रवेश करूँगा। मैंने विश्वविद्यालय की छात्र-यूनियन के उपसभापति पद के लिए इलेक्शन लड़ा और बहुत वोट पाये। बहरहाल, स्थिति यह रही कि मैं राजनीति में भी जा नहीं पाया जिसका मुझे अब तक अफ़सोस है। माना कि मैं सरदार पटेल या गोविन्दवल्लभ पन्त नहीं बन सकता था, पर फिर भी जब साधारण से साधारण विधायक लखपति बन सकते हैं तो मैं करोड़पति तो बन ही सकता था। और करोड़पति बनने के बाद भगवान की भक्ति के अलावा और बचता ही क्या है? टालस्टाय के शब्दों में एक आदमी को आख़िर कितनी ज़मीन चाहिए?

विधाता ने जो कुछ भालपट्ट पर लिखा है, उसे कोई नहीं मिटा सकता। इसी कारण न चाहते हुए भी मैं केन्द्रीय सरकार की सर्वोच्च सिविल सर्विसेज में से एक के लिए चुना गया और धीरे-धीरे इस स्थिति पर पहुँच गया कि हवाई जहाज़ से यात्रा करूँ और जनरलों के साथ खाना खाऊँ। रहने के लिए बड़ी-बड़ी कोठियाँ,

बाहर जाने के लिए देश-भर के दौरे और हुकूमत करने के लिए नीचे काम करने वाले हज़ारों कर्मचारी और न जाने कितने राजपत्रित अधिकारी। मन के किसी कोने में साहित्य के प्रति लगाव अब भी था जिसका पता मुझे काफ़ी समय बाद लगा। स्थिति यह रही कि मैं एक बड़ा सरकारी अफ़सर और एक छोटा साहित्यकार बना। सारे लेखक भवभूति या दोस्तोव्स्की नहीं बनते। मगर भगवान की असीम कृपा है कि मैं संसार के श्रेष्ठतम लेखकों और कवियों की कृतियों को पढ़ तो सकता हूँ और उनकी कला को देख तो सकता हूँ। इतना क्या कुछ कम है? आज मैं आपको वह सत्य बताता हूँ जिसे अभी तक मैंने कभी नहीं बताया। वह रहस्यपूर्ण सत्य यह है कि काफ़ी लेखक मेरी इज़्ज़त सिर्फ़ इस कारण करते हैं क्योंकि मैं एक बड़ा अफ़सर हूँ और दूसरी तरफ़ काफ़ी बड़े अफ़सर ऐसे हैं जो मेरी इज़्ज़त इस कारण करते हैं क्योंकि उनकी निगाह में मैं एक बड़ा साहित्यकार हूँ। वैसे असलियत यही है कि मैं मूलतः एक साहित्यकार ही था, सहित्यकार ही हूँ और साहित्यकार ही रहूँगा।

साहित्य का धन्धा भी इधर काफ़ी कठिन हो गया है। एवार्ड उन्हें मिलते हैं जिनके पीछे अज्ञेयजी का हाथ है, राज्यसभा में वे जाते हैं जिनके पीछे प्रधानमन्त्री का सहारा है और विदेश वे जाते हैं जो पाँच-पाँच कार रखते हुए भी 'प्रगतिशील' हैं। जो विशुद्ध साहित्यकार हैं वे वहीं हैं जहाँ निराला उन्हें छोड़ गये थे : मैं अलक्षित हूँ, यही कवि कह गया है।

मुझे लिखते-लिखते कोई पचीस वर्ष होने को आ गये। मैंने आधा समय कविता को दिया और आधा समय हास्य-व्यंग्य को। स्थिति यह है कि काफ़ी लोग मेरी कविता पढ़कर हँसते हैं और हास्य-व्यंग्य को पढ़कर रोते हैं। इतनी सफलता मुझे मिलेगी—इसकी आशा मुझे खुद कभी नहीं थी। मेरी सरकार से प्रार्थना है कि वह मुझे 'भारत-रत्न' दे या न दे, 'अकादेमी अवार्ड' व 'ज्ञानपीठ पुरस्कार' दे या न दे, मगर मुझे 'पद्मश्री' ज़रूर बनाये। 'पद्मश्री' ही एक ऐसी चीज़ बची है जो 'अन्धा युग' के कवि धर्मवीर भारती को 'चकाचक' के लेखक गोपालप्रसाद व्यास के साथ और 'ठिठुरता हुआ गणतन्त्र' के लेखक हरिशंकर परसाई को 'काका के कारतूस' के कवि काका हाथरसी के साथ बिठाती है। ऐसा समाजवाद और कहाँ देखने को मिलेगा!

अब यह जीवन तो खलास हो गया। इसकी चिन्ता करना बेकार है। अब तो यह देखना है कि अगले जन्म में क्या बनने के लिए प्रभु से प्रार्थना करूँ? मैं तो चाहता हूँ कि अगले जन्म में भगवान रजनीश बनूँ। विदेशों में आश्रम, कुण्डलिनी उठवाती हुई रूपवती विदेशी युवतियाँ और 'सम्भोग से समाधि' तक की निरन्तर यात्रा। कोई मैं झूठ बोल रिया...कोई मैं ज़हर घोल रिया...कोई ना...भाई कोई ना...भाई कोई ना...।

प्रेम-पत्रों की परम्परा

पुराने ज़माने में लोग चिट्ठी-पत्री नहीं लिखा करते थे। इस स्थिति का प्रमुख कारण यह था कि उन दिनों डाक-विभाग नहीं था। दमयन्ती के साथ विवाह करने के सन्दर्भ में देवताओं ने अपना सन्देश दमयन्ती को नल द्वारा भिजवाया था। नतीजा—जैसा कि ज़ाहिर होना चाहिए था—यह निकला कि दमयन्ती ने नल के साथ ही शादी कर डाली। ठीक इसी तरह एक और सज्जन थे जो सेना में अधिकारी थे और अपनी प्रिय पत्नी से बहुत दूरी पर नियुक्त थे। वे अपनी पत्नी को रोज़ एक प्रेम-पत्र लिखा करते थे जिसका परिणाम यह निकला कि उनकी पतिव्रता पत्नी पोस्टमैन के साथ ही भाग गयी। यह वही पोस्टमैन था जो पति के पत्र उसकी पत्नी को रोज़ दिया करता था। नल और दमयन्ती के एक-दूसरे को भेजे गये सन्देश हंस द्वारा पहुँचते थे। महाकवि जायसी की रानी पद्मावत और राजा रत्नसेन सन्देश भेजने के लिए हीरामन नामक तोते का प्रयोग करते थे। कालिदास के यक्ष ने अपनी प्रिय पत्नी को जो सन्देश भिजवाया था वह मेघ द्वारा भिजवाया था। मेघदूत के बारे में पुराने लोगों ने कहा है कि उनकी सारी उम्र माघकाव्य और मेघदूत पढ़ने में ही निकल गयी। माघेमेघे गतं वयः। मानव जीवन का इससे अच्छा उपयोग और क्या हो सकता है?

धीरे-धीरे स्थिति सुधरी और पत्रों का आदान-प्रदान प्रारम्भ हुआ। संसार का पत्र-साहित्य अब बहुत समृद्ध है। लार्ड चेस्टरफील्ड अपने पुत्र को बराबर पत्र लिखते थे जो कि अब साहित्यिक सम्पत्ति माने जाते हैं। इन पत्रों का प्रभाव लार्ड चेस्टरफील्ड के होनहार सुपुत्र पर यह पड़ा कि वह एक नौकरानी के साथ भाग गया। इसी प्रकार डॉक्टर जानसन ने जो पत्र लार्ड चेस्टरफील्ड को लिखा था वह अंग्रेज़ी साहित्य की अमूल्य उपलब्धि माना जाता है। महान् व्यक्तियों के पत्रों के अनेक संकलन छपे हैं। 'पिता के पत्र पुत्री के नाम', 'संसार के महत्त्वपूर्ण पत्र' (जो कि कई मोटे-मोटे खण्डों में हैं) और 'प्रसिद्ध व्यक्तियों के प्रेम-पत्र' जैसी अनेक पुस्तकें इस विषय पर निकली हैं। पिछले कई महीनों से मैं ऐसी ही पुस्तकें पढ़ता रहा हूँ। यह निबन्ध जो मैं लिखने जा रहा हूँ, उसी अध्ययन का परिणाम है। तुलसीदास होते तो इस रचना के प्रारम्भ से पहले तो गणेशजी को लड्डू खिलाते (मोदक प्रिय मुद मंगलदाता) और फिर लिखते कि यह रचना 'नाना पुराण निगमागम सम्मत' है। मैंने इस प्रबन्ध में

केवल प्रेम-पत्रों की ही चर्चा की है क्योंकि उनमें जो आकर्षण है वह बाकी पत्रों में नहीं है। प्रेम-पत्रों के सन्दर्भ में दो बातें बतानी ज़रूरी हैं। पहली बात तो यह है कि प्रेम-पत्र लिखने के लिए विद्वान् होना कतई ज़रूरी नहीं है। कबीर के कहने के अनुसार प्रेम में मात्र ढाई अक्षर होते हैं और जो भी उन्हें पढ़ लेता है वह पण्डित हो जाता है। दूसरी बात यह है कि प्रेम-पत्रों की परम्परा हमारे देश में बहुत पहले से रही है। राजा रवि वर्मा ने एक चित्र बनाया है जिसमें शकुन्तला जो है वह दुष्यन्त को पत्र लिख रही है। मुझे यह सौभाग्य प्राप्त है कि मैंने राजा रवि वर्मा की उस कलाकृति को अपने मूल रूप में त्रिवेन्द्रम् के संग्रहालय में देखा है। राजा रवि वर्मा से मैं नहीं मिल पाया जिसके कि कई कारण थे। सबसे बड़ा कारण यही था कि राजा रवि वर्मा मेरे त्रिवेन्द्रम पहुँचने से अनेक वर्ष पूर्व इस असार संसार से विदा ले चुके थे।

अब्राहम लिंकन सारी उम्र 'मेरी' नाम की अपनी प्रेयसी को पत्र लिखते रहे हालाँकि मेरी ने उनके साथ कभी विवाह नहीं किया। इस स्थिति का प्रमुख कारण यह था कि वह कुरूप ही नहीं बल्कि निर्धन भी थे। टालस्टाय 'सोनिया' नाम की युवती से प्रेम-पत्रों का आदान-प्रदान करते रहे हालाँकि उनकी शादी सोनिया की बड़ी बहन एलिज़ाबेथ के साथ तय हो चुकी थी। कुमारी बैरट अपनी कविताएँ ठीक कराने के लिए ब्राउनिंग से मिला करती थी। स्थिति यह आ गयी कि कविता पीछे छूट गयी और उन दोनों को एक-दूसरे से प्रेम हो गया। कार्लाइल की प्रेयसी अपने प्रेमी से बराबर यह पूछती थी कि तुम तम्बाकू क्यों पीते हो? (ठीक उसी रीतिकालीन नायिका की तरह जो अपने प्रेमी से पूछा करती थी—मो मन कहा न पी लियो, पियत तमाखू लाल?) महान् मनोवैज्ञानिक फ्रायड अपनी प्रेयसी से अरसे तक विवाह नहीं कर सके थे क्योंकि उनकी आर्थिक स्थिति बहुत ख़राब थी। मित्रों से प्रार्थना की गयी थी कि विवाह के अवसर पर उपहार न लाकर वे नकद रुपया ही दें। हैज़लिट ने प्रवास के समय अपनी प्रेयसी से साफ़-साफ़ कहा था कि एक ज़िन्दा कुत्ता एक मरे हुए शेर से ज़्यादा भयानक होता है और इसी कारण तुम किसी ऐसे घटिया आदमी से प्रेम करना शुरू न कर देना जो मेरी ग़ैरहाज़िरी में तुमसे मिलता हो। वर्ड्सवर्थ ने अपनी प्रेयसी को सलाह दी थी कि वह मोटा होने की कोशिश करे। लार्ड टेनीसन ने अपनी वसीयत में लिखा था कि मेरे सारे प्रेम-पत्र जिन्हें मैं अपनी ज़िन्दगी में नष्ट नहीं कर पाया—मेरी मृत्यु के बाद जला दिये जाएँ। गेटे ने लगभग आधा दर्जन युवतियों से प्रेम किया था और नाजायज़ बच्चों पर दया खाकर उसने अपनी एक प्रेयसी से शादी भी की थी। श्रीमती हैलवेशियस ने बेंजामिन फ्रैंकलिन को साफ़-साफ़ लिखा था कि मैं पचास वर्ष और चार महीने तक तुम्हारी पत्नी रही हूँ। बस, उतने से ही सन्तोष करो। आमीन।

चेखव के अनेक प्रेम-पत्र प्राप्त हैं जो 'लीडिया' नाम की एक युवती को लिखे गये हैं। थियेटर में नाच-गाने का काम करने वाली यह कन्या चेखव से बुरी तरह

प्रेम करने लगी थी। चेखव के पत्र बहुत मार्मिक हैं और जॉन कीट्स द्वारा फैनी को लिखे गये पत्रों की याद दिलाते हैं। फ्रांस की क्रान्ति का पिता रूसो भी अपनी प्रेमिका को बराबर पत्र लिखता था और एक पत्र में तो उसने साफ़-साफ़ कहा था कि उसके जीवन को दुखी बनाने में उसकी प्रेयसी ने काफ़ी हाथ बँटाया था। दोस्तोव्स्की ने वृद्ध होने पर भी अपनी प्रेमिका को (जिसकी आयु उस समय पैंतालीस वर्ष थी) साफ़-साफ़ बताया था कि या तो वह कुछ समझती ही नहीं या अपनी अनुभवहीनता के कारण जो समझती है वह गलत है। उसने लिखा था कि वह अपनी प्रेयसी के नन्हे से पैर की उँगलियाँ चूमने को व्याकुल है। चार्ल्स डिकिन्स ने अपनी प्रेयसी को एक प्रेम-पत्र में लिखा था कि उसके पास कहने को कुछ भी नया नहीं बचा था क्योंकि जो भी वह लिखना चाहता था वह संसार के शेष प्रेमी पहले ही लिख चुके थे! कवयित्री बैरट ने कवि ब्राउनिंग को लिखा था कि भविष्य में वह जो भी आनन्द प्राप्त करेगी वह मात्र उसी के माध्यम से करेगी। कुछ विशिष्ट कारणों से इन दोनों को शादी बड़े ही गुप्त ढंग से करनी पड़ी थी। शादी के वक़्त बैरट ने अपनी शादी की अँगूठी बार-बार उतारी थी ताकि उसका प्रेमी उसे वह अँगूठी बार-बार पहना सके। शादी के तुरन्त बाद उसने अपने पति से कहा था कि वह अपनी बहन को आदेश दे कि वह मुझसे प्यार करे। वही ननद-भावज का सदियों पुराना टंटा।

रोम के महान् कूटनीतिज्ञ सिसरो ने अपनी प्रेयसी को लिखा था कि हालाँकि तुम पूरी तरह बरबाद हो चुकी हो पर फिर भी यदि मेरा साथ दो तो मैं पूरी बर्बादी से बच सकता हूँ। मुंशी प्रेमचन्द ने अपनी पत्नी शिवरानी को लिखा था कि क्या यही न्याय है कि तुम तो मौज करो और मैं अकेला तुम्हारे नाम की माला फेरता रहूँ? इटली का कवि रोज़ेटा बड़ा ईमानदार आदमी था। उसने अपनी प्रेयसी से साफ़-साफ़ पूछा था कि तुम्हारी कामवासना की स्थिति क्या है? अवध के नवाब वाजिदअली शाह की सैकड़ों बेगमों में से एक बेग़म उन्हें अन्त तक पत्र लिखती रही। जब नवाब कलकत्ता में थे तो इस बेग़म ने (यानी कि शैद बेग़म ने) लिखा था : काश, होते दिल मेरे दो इश्क में, एक रखते एक देते इश्क में। इसी प्रकार दो बार नोबिल पुरस्कार प्राप्त करने वाली मेरी क्यूरी कभी इतनी ग़रीब थी कि ससुराल भी वह साइकिल पर बैठकर गयी थी। शादी से पूर्व उसने अपने प्रेमी को बराबर यह लिखा था कि विज्ञान की जो किताब तुम मुझे दे गये थे, वह इतनी कठिन है कि हम दोनों साथ बैठकर ही पढ़ें तभी मेरी समझ में आ सकती है, वैसे नहीं। हमारे 'सोनार बंगला देश' के महाकवि नजरुल इस्लाम ने अपनी पत्नी को सारी उम्र में केवल एक ही पत्र लिखा था और वह भी विवाह के सोलह वर्ष बाद लिखा था। स्वामी रामतीर्थ ने अपनी एक युवती-मित्र को उसके प्रेम-पत्र के उत्तर में लिखा था कि तुम्हारा आपे से बाहर हो जाने का एकमात्र कारण तुम्हारा पेट है। तुम अगर अपना हाजमा ठीक कर लो तो सारी परेशानी हल हो जाएगी! मोज़ार्ट ने भी अपनी

प्रेंयसी को लिखा था कि तुम अपने स्वास्थ्य का ख़याल रखो और वसन्त की हवाओं से बचो। बाहर घूमने जाओ तो अकेले नहीं जाना। वैसे मेरी सलाह तो यही है कि तुम घर में ही रहो, बाहर न निकलो।

शैले भी विचित्र व्यक्ति था। 'मेरी' ने उससे शादी उन दिनों की थी जबकि वह एकदम निर्धन था पर जैसे ही निर्धनता समाप्त हुई, उसने एक दूसरी सुन्दरी से प्रेम-सम्बन्ध स्थापित कर लिया था। पण्डित रंगीलाल द्वारा लिखित किस्सा तोता-मैना (आठ भाग) वाकई एक सच्ची किताब है। फ्रांस की एक साहित्यकार युवती–जो हर बात में मर्दों की तरह ही रहती थी–एक कम उम्र नवयुवक प्रेमी को लेकर इटली गयी और वहाँ स्थिति यह रही कि जो डॉक्टर उस नवयुवक का इलाज करने आता था, वह उसी के प्रेमपाश में बँध गयी! कितनी होनहार लड़की थी! मैं स्वयं एक ऐसे नवयुवक को जानता हूँ जो एक भूतपूर्व सुन्दर युवती और उसकी कन्या–दोनों को एक साथ प्रेम-पत्र लिखता था और दोनों से बराबर उत्तर प्राप्त करता था। वह तो इत्तफ़ाक से सारी बात का पता उस व्यक्ति को लग गया जो उस युवती का पति व उस कन्या का बाप था। रीतिकाल जो था वह वीरगाथाकाल में बदल गया।

बायरन एक बहुत बड़ा प्रेमी था। प्रेम करना उसके लिए कुटीर-व्यवसाय नहीं था, वह एक भारी उद्योग था। 'गाईकोली' नाम की एक सुन्दर बालिका अपने पति के साथ कहीं गयी थी। उसकी उम्र उस समय कोई सतरह या अठारह साल थी। ऐसी स्थिति में भी बायरन उसको काफ़ी अश्लील पत्र लिखता रहा। एक पत्र में उसने लिखा था कि उसका एकमात्र सहारा उसका बूढ़ा नौकर था। 'मदाम बावरी' का लेखक फ्लावेयर अपनी प्रेयसी को लिखा करता था कि वह उसके चेहरे का, कन्धों का, गर्दन का व उसकी मुसकराहट का सबसे बड़ा प्रशंसक था मगर जो चीज़ उसे पागल बना देती थी वह उसकी प्रेमिका की आवाज़ थी। वह लिखता था कि ज़्यादा प्रेम करना बरबादी का दूसरा नाम है और आनन्द जो है वह एक राक्षसी प्रवृत्ति है। उसका कहना था कि वह सारी चीज़ों को, यहाँ तक कि अपने सन्देह को भी, सन्देह की दृष्टि से ही देखता था। सोफिया ने अपने प्रेमी को लिखा था कि मैं बीमार हूँ, यह बीमारी तुम्हारे प्यार की वजह से है और इससे मैं कभी भी अच्छा होना नहीं चाहती। बालज़क ने अपने प्रेयसी को लिखा था कि वह उसे ज़्यादा पत्र इस कारण नहीं लिख पाता क्योंकि उसके पास डाक टिकट के लिए पैसे नहीं होते।

विक्टर ह्यूगो की प्रेमिका ने लिखा था कि वह उसे इतने चुम्बन देना चाहती है जिससे उसके और ह्यूगो के बीच एक पुल बन जाए! इस 'जूलियट' नाम की लड़की से विक्टर ह्यू गो कभी शादी नहीं कर पाया क्योंकि उसकी पहली पत्नी ने उसे तलाक नहीं लेने दिया। जार्ज बर्नार्ड शा ने अपनी चहेती को एक ही दिन में तीन प्रेम-पत्र लिखे थे। उसने लिखा था कि "तुम उल्लू हो तुम्हें दिन की रोशनी में कुछ भी नहीं दीखता। तुम कुछ भी नहीं जानतीं और जो थोड़ा बहुत जानती हो,

वह गलत है। ईश्वर तुम्हारी रक्षा करे।" अगले पत्र में उसने लिखा कि "यह पत्र मैं इस कारण लिख रहा हूँ क्योंकि अपने पिछले पत्रों में मैं तुम्हें जी-भरकर गालियाँ नहीं दे सका था। बाकी गालियाँ मैं अगले पत्र में दूँगा क्योंकि इस वक़्त मुझे नींद आ रही है। फिर भी ओ मेरी दुष्ट, मैं तुम्हारी सुन्दर देह के टुकड़े-टुकड़े करना चाहता हूँ।" उसकी प्रेयसी कैंपबेल ने उत्तर में लिखा था कि "तुम बड़े ही दीन हो; तुम एक मामूली स्त्री को भी नहीं समझ सकते।" इसी प्रकार एक युवती थी जिसके प्रेमपाश में जकड़े दोस्तोव्स्की फ्रांस तक गये थे। उस युवती ने उन्हें कोई 'लिफ्ट' नहीं दिया। पच्चीस वर्ष बाद जब वह भूतपूर्व युवती दोस्तोवस्की से मिलने गयी तो वे उसे पहचान तक न सके। हैरियट विल्सन ने वायरन को लिखा था कि मरने से पहले हम दोनों एक साथ सूँघनी सूँघना चाहेंगे। मैथ्यू आर्नल्ड की प्रेमिका उससे अकसर पूछा करती थी कि तुम मेरे ऊपर ध्यान न देकर घुड़दौड़ में जो दिलचस्पी लेते हो, वह क्यों लेते हो? कारण छोड़ सबै घर को, प्रिय काहे कबूतर पालन लागे?

विशिष्ट व्यक्तियों की प्रेम-पत्र यात्रा समाप्त हो गयी। अब मैं इस सन्दर्भ में कुछ अपनी चर्चा करूँगा। मैं अनेक युवतियों के सम्पर्क में आया मगर मैंने किसी भी मुसम्मात को पत्र कभी नहीं लिखा। स्थिति यह है कि मैं उन सबको सार्वजनिक तौर पर बहन कहता हूँ और कोई बुरा नहीं मानता। प्रेम मैंने बड़े पैमाने पर किये हालाँकि वे सब पवित्र ही रहे जिसका कि अब मुझे हार्दिक दुख है। प्रेम करने में मेरी तत्परता व उदारता का कारण मात्र इतना है कि—खुदाया कैसी-कैसी सूरतें तूने बनाई हैं, कि हर सूरत कलेजे से लगा लेने के क़ाबिल है। प्रेम के सन्दर्भ में मैंने अपनी नाव किसी ऐसे ठाँव पर कभी नहीं बाँधी जहाँ कि सारे का सारा गाँव पूछने की स्थिति में आ जाए। ज़िन्दादिली की हालत यह है कि पचपन वर्ष से ऊपर की आयु हो गयी है, तीस वर्ष से एक सर्वगुणसम्पन्न पत्नी के साथ रह रहा हूँ, पर मैं हूँ कि अभी भी किसी ऐसी रूपवती युवती की खोज में लगा हूँ जिससे मैं अन्तिम प्यार कर सकूँ। न जाने किस घर में अनजान, छिपी हो तुम प्राणों की प्राण।

आपकी ज्ञानवृद्धि के लिए मैं आपको बता दूँ कि संसार का सबसे लम्बा प्रेम-पत्र वह है जो एलिज़ाबेथ (प्रथम) के काल में एक साहसी और धैर्यवान प्रेमी ने अपनी उतनी ही धैर्यवान प्रेयसी को लिखा था। उस प्रेमपत्र में आठ सौ पृष्ठ थे और चार लाख बीस हज़ार शब्द थे। यह पत्र अपनी लम्बाई के कारण ब्रिटिश म्यूज़ियम में अभी भी सुरक्षित रखा है। और इस सबके बरख़िलाफ़ संसार का सबसे छोटा प्रेम-पत्र वह है जो इंग्लैण्ड के प्रधानमन्त्री लायड जार्ज ने फ्रांस की एक नर्तकी को भेजा था। उस पत्र में उन्होंने मात्र दो शब्द लिखे थे—'प्रणय याचना'। उस नर्तकी ने उत्तर में एक ही शब्द लिखा था—'अफ़सोस'।

इस हल्के-फुल्के निबन्ध को समाप्त करने से पहले मैं आपसे तीन बातें और करूँगा। पहली बात तो यह है कि प्रेम-पत्र लिखने की परम्परा हमारे देश में बहुत

प्राचीन काल से है और इस कारण प्रेम-पत्र लिखते हुए या पढ़ते हुए कोई संकोच या भय नहीं होना चाहिए। शकुन्तला ने दुष्यन्त को पत्र लिखा था तो पुण्डरीक ने महाश्वेता के नाम चिट्ठी भेजी थी। अवन्ति-सुन्दरी ने राजवाहन को 'प्रणय-पत्रिका' भेजी थी तो गुणमाला ने भी जीवन्धर के साथ ऐसा ही किया था। उर्वशी ने जो प्रेमपत्र पुरुरवा को लिखा था वह नाटककार की गलती से विदूषक के हाथ में पड़ गया था। रुक्मिणी तक ने श्रीकृष्ण को प्रेमपत्र लिखा था और इस कारण और उदाहरण देने से कोई फ़ायदा नहीं। महाजनो येन गताः स पन्थाः। दूसरी बात यह है कि प्रेम-पत्र जो हैं वे प्रेमी और प्रेमिकाओं के ही बीच लिखे गये—पति और पत्नी के बीच नहीं। तीसरी बात यह है कि संसार में जितने भी प्रेम-पत्र हैं वे सब अमीर लोगों के ही हैं, ग़रीब लोगों के नहीं। एक कहावत के अनुसार कभी फ़ारस में ऐसा भयंकर अकाल पड़ा था कि दश्मिक में लोग इश्क करना भूल गये थे। पूर्वी उत्तर प्रदेश का एक ग्राम-गीत भी कुछ-कुछ वैसी ही बात कहता है :

भुखिया के मारे बिरहा बिसरगा
भूल गयी कजरी कबीर :
देखि के गोरी के उठत जोवनवा
अब उठे न करेजवा में पीर

अपने पुत्र के नाम एक खुला पत्र

प्रियवर,

अब तुम्हारी शिक्षा पूरी हो गयी। अब तुम्हें जीवन का सच्चा संघर्ष झेलना है। दस्तूर के मुताबिक पिता होने की हैसियत से मैं तुमसे उम्र में बड़ा हूँ और इसी कारण मैं तुम्हें सलाह देने के अपने हक का फ़ायदा उठाना चाहता हूँ। मैं काफ़ी पढ़ा हूँ और न जाने कितने बड़े-बड़े लोगों से मिला हूँ या उनके निकट सम्पर्क में आया हूँ। वैसे भी मैं नयी पीढ़ी को ज़्यादा आशा, विश्वास और गर्व से देखता हूँ। जो कुछ मैंने अपने जीवन में देखा है उसको तुम तक पहुँचाना मेरा कर्तव्य है। आशा है कि तुम मेरी नसीहतों को याद रखोगे और उनसे फ़ायदा उठाओगे।

मेरी पहली नसीहत यह है कि इब्ने इंशा (उर्दू की आख़िरी किताब) के मुताबिक यह तुम पर निर्भर रहता है कि तुम ज़्यादा पण्डित और विद्वान् बनकर मात्र नवरत्न के पद तक ही पहुँचो या बेपढ़ा रहकर शहंशाह अकबर की भाँति हिन्दुस्तान के मालिक बनो। जब भी समय मिले, इस चिरन्तन और ऐतिहासिक तथ्य पर ज़रूर विचार किया करो। यह स्थिति आज भी ठीक वही है जो पाँच सौ वर्ष पहले थी और भविष्य में भी इस कटु सत्य पर कोई आँच आती नहीं दीखती।

मेरी दूसरी नसीहत यह है कि तुम कपड़े हमेशा शानदार पहनना। तुम्हारी आत्मा को आँकने के लिए समय किसी के पास नहीं है। ज़ाहिर है कि लोग-बाग जिल्द देखकर ही किताब खरीदेंगे और एक बार खरीदने के बाद वे कभी नहीं पढ़ेंगे कि किताब के अन्दर लिखा क्या है। जो कोई भी तुम्हें महँगी क़ीमत पर खरीदेगा वह हमेशा यह कोशिश करेगा कि तुम बड़े आदमी बनो। अपनी खरीद को सही साबित करने के लिए वह हमेशा तुम्हारे गुणों को ही देखेगा और उन्हें बाकी लोगों को दिखाएगा। तुम्हें इससे ज़्यादा सुरक्षा और कहाँ मिलेगी?

मेरी तीसरी नसीहत यह है कि अपने निजी सचिव के स्थान पर हमेशा किसी शोख, हँसमुख और स्मार्ट लड़की को ही रखना। ऐसा करने से तुम्हें परम सुख की प्राप्ति होगी और बहुत से कठिन काम पलक मारते ही सिद्ध हो जाएँगे। मेनका, तिलोत्तमा और उर्वशी अभी भी जीवित हैं। वे तुम्हारी रक्षा करेंगी। मेरे इस कम

कहने को ज़्यादा समझना और इस सलाह का पूरा फ़ायदा उठाना।

मेरी चौथी नसीहत यह है कि अपने चपरासी को अपने सगे बाप से ज़्यादा बड़ा समझना। सचिवालय या प्राइवेट फ़र्मों में भी तुम्हारी प्रतिष्ठा स्थापित करने में जितनी मदद तुम्हारा चपरासी करेगा, उतनी मदद सरकार का सचिव और फर्म का मैनेजिंग डाइरेक्टर नहीं कर सकेगा।

मेरी पाँचवीं नसीहत यह है कि जनता के चुने हुए प्रतिनिधियों को और प्रेस वालों को हमेशा अपना बनाकर रखना। जो नेता और पत्रकार चरित्रहीन हों, उनकी अतिरिक्त इज़्ज़त करना। वे वक़्त पड़ने पर तुम्हारी मदद कहीं ज़्यादा करेंगे।

मेरी छठी नसीहत यह है कि स्टाफ़ यूनियन और वर्कर्स यूनियन के पदाधिकारियों को राष्ट्रपति से ज़्यादा सम्मान देना। स्टाफ़ में यदि सौभाग्यवश कोई हरिजन या अनुसूचित जाति का व्यक्ति हो तो उसे तो अपने उपर्युक्त सगे बाप से भी ज़्यादा इज़्ज़त देना। याद रखना कि तुम्हारी शिकायत 'थ्रू प्रॉपर चैनेल' ऊपर तक बहुत दिनों बाद पहुँचेगी जबकि यूनियन के नेता मन्त्रीजी से उसी शाम बात करेंगे। मन्त्रीजी भी बेचारे क्या करें, उनके प्राण भी तो इन्हीं तोतों के भीतर छिपे हैं।

मेरी सातवीं नसीहत यह है कि जब भी दौरे पर जाओ तो दो-चार सुन्दर लड़कियों के साथ ज़रूर सम्पर्क रखो। सुन्दर वस्तुओं की उपेक्षा करना भगवान का अपमान करना होगा।

मेरी आठवीं नसीहत यह है कि अपने वरिष्ठ अधिकारियों को हमेशा प्रसन्न रखना। आमतौर से इन लोगों को पुरानी शराब और नयी लड़कियाँ ज़्यादा पसन्द आती हैं। इस सबके अतिरिक्त तुम भी अपने सीनियर्स की पत्नियों और कन्याओं पर विशेष ध्यान रखना, उनकी इच्छाओं को सन्तुष्ट करना और बाकी समय में उन्हें 'माताजी' या 'बहनजी' ही कहकर पुकारना। इसी प्रकार यदि कोई वरिष्ठ अधिकारी तुम्हारी इकलौती पत्नी या बहन या माता के प्रति विशेष दिलचस्पी दिखाता है, तो उसमें अपनी टाँग न अड़ाना।

मेरी नौवीं नसीहत यह है कि यदि कोई श्रद्धालु भद्र पुरुष तुम्हें मुद्रा, आभूषण, सोने के बिस्कुट या हीरे-जवाहरात भेंट करना चाहे, तो उन्हें कभी नहीं ठुकराना। घर आयी लक्ष्मी का आदर व स्वागत करना हमारी पुरानी प्रथा है।

मेरी दसवीं नसीहत यह है कि अपनी जवान आया, हसीन नौकरानियाँ और समयसिद्ध विधवाएँ—इन सबको अपने सीने से लगाकर रखना। दुःखी आत्माओं और उपेक्षित स्त्रियों के उद्धार का कोई और उपाय अभी तक नहीं निकला।

मेरी ग्यारहवीं नसीहत यह है कि किसी फ़ाइल पर कभी निर्णय न लेना। यदि कभी निर्णय लेना पड़ भी जाए, तो वहाँ दस्तख़त नहीं करना। जो दस्तख़त करता है, वही फँसता है।

मेरी बारहवीं नसीहत यह है कि ग़रीबों की कोई मदद कभी नहीं करना। जिन

लोगों को स्वयं ईश्वर ने ग़रीब बनाया है, उन्हें अमीर बनाने का हक इंसान को कैसे मिल सकता है? ठीक है न?

मेरी तेरहवीं नसीहत यह है कि अपने बेतन को तो बाकी खज़ाने की चाबी के स्थान पर प्रयोग करना। असली आय तो वही है जो ऊपर की आमदनी कहलाती है। यदि कोई विधवा भी अपने पति के बीमे की रकम या प्रोविडेण्ट फण्ड लेने फटेहाल तुम्हारे पास आती है, तुम तब भी अपने कमीशन को न भूल जाना। हाँ, अलबत्ता विधवा यदि रूपवती युवती हो तो जैसा उचित समझो, वैसा करो।

मेरी चौदहवीं नसीहत यह है कि अपने दफ़्तर में धर्म, प्रान्तीयता, जाति, वर्ण और भाषा के आधार पर ख़ूब गुटबन्दी चलाना। हिन्दुस्तानी बनने से उत्तर प्रदेश के निवासियों को क्या मिल गया? याद रखो कि यदि हमें जीवन में आगे बढ़ना है तो हमें गुजराती, मराठी, पंजाबी, बंगाली या दक्षिणी भारतीयों में से कुछ न कुछ बनना ही पड़ेगा।

मेरी पन्द्रहवीं नसीहत यह है कि दौरे पर बराबर जाते रहना। गर्मियों में कश्मीर, दार्जिलिंग या रानीखेत और सर्दियों में बंगलौर, मद्रास या बम्बई। हर स्थान पर जो वस्तु विशिष्टता रखती हो, उसे कर्मचारियों से खरीदवाना और शान से वापस लौटना। तुम्हें जानकर शायद सुखद आश्चर्य होगा कि देहरादून में नौसेना का एक रीयर एडमिरल हमेशा रहता है। वह ग़रीब वहाँ क्यों रहता है, इसका पता उसे खुद भी नहीं।

मेरी सोलहवीं नसीहत यह है कि तुम्हारे पास चाहे कितने भी विलायती और शानदार सूट हों, एक सूट खादी का ज़रूर रखना और उसे गाँधी आश्रम से ही खरीदना। मुसीबत के समय खादी की पोशाक बहुत काम आएगी।

सतरहवीं नसीहत यह है कि घर में चाहे तुम वैष्णव व पंक्तिपावन ब्राह्मण रहो, पर बाहर जाकर मांस, मछली, मुद्रा, मदिरा और बाकी चीज़ों पर बराबर ध्यान देते रहो। वाममार्गियों के अनुसार 'एते पंच मकाराः स्यु मोक्षदाः ही युगे युगे'। वाममार्गियों को आजकल वामपन्थी कहा जाता है।

मेरी अन्तिम नसीहत यह है कि पूजापाठ, सत्यनारायण की कथा, एकादशी का व्रत, सन्तोषी माता का उपवास, हनुमान चालीसा और दीगर पवित्र वस्तुओं को कभी नहीं भूलना। अपनी संस्कृति की हमें रक्षा करनी है। तीर्थ-यात्रा और दान-पुण्य तो हमारी परम्परा के अंग हैं। यदि यह धर्म न हो तो हममें और जानवर में फ़र्क़ ही क्या रह जाए? धर्मेण हीनाः पशुभिर्समानाः।

बस, आज इतना ही। बाकी फिर। रात गहरा रही है और मुझे नींद आ रही है। तुम्हें पता होगा कि लार्ड चेस्टरफ़ील्ड अपने प्रिय पुत्र को ऐसे ही पत्र लिखा करते थे। लड़के पर उन नसीहतों का इतना ज़बर्दस्त असर पड़ा था कि वह एक नौकरानी के साथ यूरोप भाग गया था।

मेरा जो कर्तव्य था वह मैंने पूरा कर दिया। आगे तुम और तुम्हारा भाग्य। हिन्दी के एक कवि हैं जिनका नाम 'अज्ञेय' है, मैं यहाँ उनकी वाणी उद्‌धृत करता हूँ :

सागर के किनारे तक
तुम्हें पहुँचाने का
उदार उद्यम ही मेरा हो :
फिर वहाँ जो लहर हो, तारा हो,
सोनतरी हो, अरुण सबेरा हो
वह सब, ओ मेरे वर्य,
तुम्हारा हो, तुम्हारा हो, तुम्हारा हो

दो बहुमूल्य पुस्तकें

इस बार दिल्ली गया तो दो बहुमूल्य पुस्तकें मुझे मुफ़्त प्राप्त हुईं। एक किताब मेरे एक ऐसे मित्र-प्रकाशक ने दी (हालाँकि प्रकाशक बन जाने के बाद कोई भी व्यक्ति मित्र नहीं रहता) जिससे पिछले वर्ष कुछ मनमुटाव हो गया था क्योंकि उन्होंने हिसाब तो एकदम ठीक भेजा था पर ड्राफ्ट नहीं भेजा था। इस बार उन्होंने हिसाब तो ग़लत दिया पर ड्राफ्ट तुरन्त दे दिया। मनमुटाव एकदम ख़त्म हो गया। दोस्ती को बरकरार रखने के लिए उन्होंने मेरी अगली पुस्तक का अनुबन्ध दिया जो मैंने तुरन्त दस्तख़त करके उन्हें वापस दे दिया। चाय भी पिलाई और एक बहुमूल्य पुस्तक भी दी। जो पुस्तक उन्होंने मुझे दी उसका नाम है 'नील यक्षिणी'। इसमें देवेन्द्र सत्यार्थी के 'प्रलाप' हैं और बाकी कुछ और सामग्री भी है। उसी दिन सन्ध्या समय मेरे परम मित्र जगदीश चतुर्वेदी आये और एक वैसी ही शानदार किताब और दे गये। पुस्तक का नाम है—'जगदीश चतुर्वेदी : एक विवादास्पद रचनाकार'। एक ही दिन में दो बहुमूल्य पुस्तकें पाकर मैं वास्तव में पुलकित हो उठा।

दिल्ली से वापस लौटकर मैंने बाकी काम बन्द करके सबसे पहले इन दोनों पुस्तकों का पारायण किया। मुझे यह महसूस हुआ कि दोनों पुस्तकों में बराबर ताज़गी है। दोनों पुस्तकें बहुत ही भव्य ढंग से छपी हैं और दोनों की क़ीमत भी (यानी कि मात्र दो सौ रुपया) बराबर है। दोनों पुस्तकों में अनेक चित्र हैं और दोनों पुस्तकों में मित्रों और प्रशंसकों के पत्र हैं। इसके अतिरिक्त बाकी सामग्री भी दोनों ग्रन्थों में एक-सी ही है। बड़ी बात यह है कि दोनों रचनाकारों ने अपने ख़िलाफ़ जो कुछ कहा जाता था या लिखा जाता था, उसे भी उतनी ही सुरुचि के साथ छपने दिया। यह हिम्मत सब में नहीं होती। गौरव के परमशिखर पर पहुँचने के बाद भी निराला जो थे वे पन्त जी से ईर्ष्या करते थे और पन्तजी थे जो अपनी अन्तिम कृति 'लोकायतन' की बुराई नहीं सुन सकते थे हालाँकि वह सारी निन्दा एकदम ठीक होती थी। उनकी इस बेकार और बेदम कृति की आलोचना के कारण ही प्रयाग की 'विवेचना' नाम की महत्त्वपूर्ण साहित्यिक संस्था टूट गयी थी। इन सबके अलावा इन दोनों पुस्तकों के एक समान होने का अन्तिम कारण यह भी है कि दोनों ग्रन्थ हिन्दी ही में हैं।

मुझे ग्राम गीतों से अनन्त प्रेम है। रामनरेश त्रिपाठी की 'कविता कौमुदी (ग्राम गीत)' नाम की पुस्तक मैंने कभी लाइब्रेरी से चुराई थी। डॉक्टर अमरनाथ झा ने कहा था कि त्रिपाठीजी यदि इस पुस्तक के अलावा कुछ और न भी लिखते, तो भी वे अमर थे। मगर ऐसा हुआ नहीं। त्रिपाठी जी ने और पुस्तकें भी लिखीं और वे फिर भी मर गये। 'नील यक्षिणी' के प्रमुख पात्र देवेन्द्र सत्यार्थी ने लोकगीतों की खोज में अनन्त यात्राएँ कीं, हज़ारों लोगों से मिले और लाखों गीत इकट्ठे किये। महात्मा गाँधी, रवीन्द्रनाथ ठाकुर, सुमित्रानन्दन पन्त, सुनीतिकुमार चटर्जी, नन्दलाल बोस और न जाने कितने बाकी बड़े लोगों ने उनकी महानता को स्वीकारा। सत्यार्थीजी ने दाढ़ी रखी जिसके कारण उन्हें बगैर टिकिट रेल में सफ़र करने और भिक्षा माँगने में मदद मिली। साहिर लुधियानवी ने उनकी दूसरों की रचना सुनाने की प्रवृत्ति पर ख़ूब जमकर लिखा। उनको लेकर न जाने कितने झूठे-सच्चे लतीफ़े लिखे गये और न जाने कितने अनुभव ऐसे हैं जो सत्यार्थीजी के साथ ही ख़त्म हो जाएँगे। उन्होंने जो कुछ हिन्दी को दिया है वह हमेशा अविस्मरणीय रहेगा। वे अमर हैं। कुछ और लोगों ने भी इस दिशा में ध्यान दिया है मगर मेरे विचार में मात्र दाढ़ी रखने से ही कोई 'अज्ञेय' या 'सत्यार्थी' नहीं हो जाता। मैं अगर कभी इतनी लम्बी यात्रा करता तो ग्राम गीतों के साथ-साथ ग्राम बालाओं पर भी उतना ही ध्यान देता।

सत्यार्थीजी की भाँति जगदीश चतुर्वेदी भी अमर हैं। भारतेन्दु ने हिन्दी गद्य की भाषा निश्चित की, महावीरप्रसाद द्विवेदी ने खड़ी बोली को कविता के लिए स्वीकारा, निराला ने हिन्दी काव्य को छन्द से मुक्ति दिलाई, अज्ञेय ने छायावाद के बाद हिन्दी कविता को 'नयी कविता' के नाम से एक नया मोड़ दिया और जगदीश चतुर्वेदी ने क्या भाव और क्या भाषा—दोनों में अश्लीलता और बीभत्सता को बहुत बड़े पैमाने पर कलात्मक बनाया। पन्त और निराला सिर्फ़ अधरों और वक्षों तक ही रहे, उन्होंने टट्टी, पेशाब या सहवास की एकदम उपेक्षा की। श्रीलाल शुक्ल ने गद्य में और जगदीश चतुर्वेदी ने पद्य में जीवन के इस सच्चाई भरे पहलू पर ध्यान दिया और हिन्दी की स्त्रैणता और नामर्दी को दूर करने की दिशा में क़दम उठाया। हिन्दी को महाकवि चिरमीन के स्तर तक लाने के लिए, भावी पीढ़ियाँ इन दोनों कलाकारों को याद रखेंगी। बच्चन ने तो सिर्फ़ कहा ही था (दुनिया अकसर मेरे कानों में कहती है, इस कमजोरी को मूढ़ छिपाया जाता है) मगर जगदीश चतुर्वेदी ने कर दिखाया। कुछ लोग सोचते होंगे कि बच्चन ने ऊपर लिखी पंक्ति प्रेम के सन्दर्भ में लिखी होगी, मगर वे गलत हैं। बच्चन ने यह पंक्ति जमालगोटा खाने के बाद लिखी थी। यकीन न हो तो उनसे पूछ लीजिए। पत्रों के उत्तर देने में जितनी तत्परता बच्चन बरतते हैं, उतनी किसी और बड़े साहित्यकार ने शायद कभी नहीं बरती। जगदीश चतुर्वेदी से मुझे ईर्ष्या है मगर मैं उस जैसा प्रतिभावान दोस्त खोना नहीं चाहता। उसके ख़िलाफ़ कहने के लिए भी मेरे पास काफ़ी सामग्री है। उदाहरण के लिए

देवेन्द्र सत्यार्थी की फ़ोटो रवीन्द्रनाथ ठाकुर के साथ है, जब कि जगदीश चतुर्वेदी की फ़ोटो रवीन्द्रनाथ त्यागी के ही साथ है। मगर इस दिलचस्प सन्दर्भ में आप यह भी न भूलिए कि जहाँ एक तरफ़ सत्यार्थीजी जीवन जी चुके हैं वहाँ जगदीश चतुर्वेदी को अभी बहुत जीवन जीना है।

दोनों ग्रन्थ पढ़ने के बाद मैं सिगरेट सुलगाता हूँ और सोचने लगता हूँ कि क्या कभी कोई ऐसी किताब मुझ पर भी निकलेगी या नहीं? यशः प्रार्थी कवि। यशः प्रार्थी व्यंग्यकार। अब मैं लगभग पचपन वर्ष का हो गया। और किसी ने भी तो इस दिशा में नहीं सोचा। प्रयाग में एक 'रंगीन व्यक्तित्व' हैं जिन्होंने पचास वर्ष की आयु होने पर अपना अभिनन्दन खुद ही किया था। और यही बात दिल्ली के एक आचार्य की भी है जिनके अभिनन्दन के लिए उपराष्ट्रपति डॉ. ज़ाकिर हुसैन आये थे। इस सन्दर्भ में मैं आपको सूचित कर दूँ कि बड़े-बड़े लोगों के पत्र और संस्मरण मैं भी ख़ूब सहेजकर रखता हूँ ताकि उन्हें कभी भुनाया जा सके। मेरे जैसे छोटे आदमी को यदि ऊपर उठना है तो बड़े लोगों की बैसाखियों के सहारे ही तो उठना है! मैं कोई निराला जैसा बेवकूफ़ थोड़े ही हूँ कि भयंकर गर्मी में ईंट का तकिया लगाकर किसी सुनसान सड़क पर गुलमुहर के नीचे लेटा रहूँ? मुझे नहीं बनना 'काव्य का देवता'; मैं तो 'काव्य का कारतूस' बनना चाहता हूँ। मेरे लिए बस इतना ही काफ़ी है। उदासी के इन क्षणों में मुझे अपने प्रिय मित्र डॉ. कमल किशोर गोयनका की याद आती है जिन्हें यह गलतफ़हमी है कि मैं बड़ा निश्छल, सच्चा और समर्पित कलाकार हूँ। जगदीश चतुर्वेदी के बारे में जिस महान् ग्रन्थ की चर्चा ऊपर की गयी है, वह उन्होंने ही सम्पादित किया है। इनकी ठीक वही गति होगी जो भर्तृहरि के शब्दों में गंगा की हुई। कवि ने कहा है कि गंगा स्वर्ग से शिव के सिर पर गिरी, वहाँ से पहाड़ों पर गिरी, फिर निचले मैदानों में आयी और अन्त में चलकर समुद्रों में गिरी। बड़े से बड़ा आदमी भी जब पतित होना शुरू होता है तो फिर वह पतित होता ही चला जाता है। डॉ. गोयनका कभी प्रेमचन्द पर अधिकार रखते थे, उसके बाद वे जगदीश चतुर्वेदी पर आये और अब वे मुझ पर आएँगे। उन जैसा दयनीय प्राणी और कौन होगा? मुझ पर किताब निकलेगी और ऐसी निकलेगी कि उसकी क़ीमत ढाई सौ रुपया होगी। निराला के जीवन-काल में यदि ढाई सौ क्या, मात्र ढाई रुपये की किताब भी नहीं निकली तो उससे क्या?

मैंने इस निबन्ध के शीर्षक में दोनों पुस्तकों को 'बहुमूल्य' बताया है जो एकदम ठीक है। दोनों पुस्तकों में से प्रत्येक की क़ीमत दो सौ रुपया है। यदि इतने पर भी आप उन्हें बहुमूल्य नहीं कहेंगे तो क्या यह अन्याय नहीं होगा? वैसे मैं तो इन्हें 'अमूल्य' भी कह सकता हूँ क्योंकि मुझे तो दोनों पुस्तकें मुफ़्त ही मिली हैं। ठीक है न?

बैठे-ठाले

आज मेरा किसी भी काम के करने को जी नहीं चाहता। मन कुछ इस तरह उन्मन हो रहा है जैसाकि 'गुंजन' लिखते समय सुमित्रानन्दन पन्त का रहा करता था। जो लोग काम-धन्धे में लगे भी हैं, उन्हें भी काम से रोकने की तबीयत हो रही है। ठीक वही स्थिति जिसमें कवि ने कहा था 'प्राण रहने दो यह गृहकाज, आज रहने दो सब गृहकाज'। मैं खुद तो ठाली बैठा ही हूँ, दूसरों को भी ठाली बिठाना चाहता हूँ। दफ़्तर की छुट्टी है, धूप का दिन है और मैं हूँ कि नितान्त निष्क्रिय स्थिति में शीतलपाटी पर लेटा हूँ और सारे जग का मुजरा ले रहा हूँ। खाली दिमाग़ शैतान का घर होता है और इसी कारण मन में एक के बाद एक विचार प्रवेश कर रहे हैं। जैसीकि धर्मराज युधिष्ठिर ने यक्ष को सूचना दी थी कि मन की गति वायु से भी ज़्यादा तीव्र होती है, ठीक वैसा ही आज मैं महसूस कर रहा हूँ। मेरे पवित्र मन में जो विचार एक के बाद एक उठ रहे हैं, उनमें से कुछ की चर्चा मैं यहाँ करूँगा। मेरा ख़याल है कि वैसा करने से बहुतों का भला होगा।

सोचता हूँ कि नौकरी बहुत दिन कर ली और अब समय आ गया है कि पेंशन लेकर राजनीति में कूद पड़ूँ। अगर सारे प्रतिभावान् और ईमानदार लोग राजनीति में आने लगे तो देश की स्थिति बदल सकती है। मगर देश का दुर्भाग्य है कि होनहार और ईमानदार लोग नौकरियों में चले जाते हैं और जो नाकारा और गलत किस्म के इंसान हैं वे चुनाव लड़ते हैं। विधान सभा के मेम्बर तक लाखों रुपयों की हैसियत रखते हैं। कोटा, परमिट और पार्टी के नाम पर चन्दा अलग और दल बदलने की क़ीमत अलग। मेरे काफ़ी मित्र राजनीति में चले गये हैं और सब के सब गले तक रिश्वत, अपराध और भ्रष्टाचार में डूबे हुए हैं। एक मित्र तो बहुत दिलचस्प आदमी हैं। उन्होंने ड्राइंग रूम से बाथरूम तक एक टेलीफ़ोन लगवा रखा है और हर आने वाले की सिफ़ारिश मुख्यमन्त्री से इसी टेलीफ़ोन पर की जाती है जिसका कनेक्शन सिर्फ़ बाथरूम तक है। वे हमेशा आँख मारते रहते हैं और भगवान से प्रार्थना करते रहते हैं कि उनके क्षेत्र में सूखा पड़े या बाढ़ आये। कोई विपत्ति आएगी तो उन्हें लाखों रुपयों के ग़बन करने का सुनहरा अवसर मिलेगा।

सोचता हूँ कि यदि राजनीति में नहीं जाना चाहता था तो धर्म के क्षेत्र में ही कुछ ठोस काम करता। भगवान रजनीश और महेश योगी हमारे देखते-देखते कहाँ से कहाँ पहुँच गये। धर्म के नाम पर इस देश में ही नहीं वरन् किसी भी देश में क्या नहीं किया जा सकता? क्या नहीं किया गया?

आज शाम को एक साहित्यिक गोष्ठी की बैठक है। वही एक-एक समोसा और कुल्हड़ में चाय। एक विशिष्ट व्यक्ति आ रहे हैं जो भगवान रजनीश की विचारधारा पर भाषण देंगे। उसे सुनने ज़रूर जाऊँगा। भाषण के बाद 'भ्रमरजी' अपना गीत सुनाएँगे और कुमारी मधु अपनी कहानी पढ़ेंगी। मधुजी के पढ़ने का ढंग कुछ ऐसे मौलिक किस्म का है कि सुखान्त कहानी भी दुखान्त कहानी का ही प्रभाव छोड़ती है। मुझे मधुजी की रचनाएँ बहुत पसन्द आती हैं और उसका एकमात्र कारण यह है कि कुमारी मधु ज़रूरत से ज़्यादा ख़ूबसूरत हैं और वे अपने शरीर से ज़्यादा से ज़्यादा लोगों को आनन्द देना चाहती हैं। सब अख़बारों के सम्पादक उनके व्यक्तिगत मित्र हैं और सारे पेशेवर आलोचक उनके गुलाम हैं। अपने इन्हीं गुणों के कारण पिछले चार-पाँच वर्षों में ही वे विख्यात लेखिका हो गयीं। कल उनकी नयी किताब का विमोचन है। जैनेन्द्रकुमारजी पेपर पढ़ेंगे। मधुजी की अपनी मोटरें सब तरफ़ घूमेंगी और गोष्ठी के लिए सारे लेखकों को इकट्ठा करेंगी। परसों गोष्ठी का सचित्र विवरण सभी प्रमुख पत्रों में छपेगा। आजकल साहित्य में जमने के लिए प्रतिभा और परिश्रम के स्थान पर वह सब कुछ भी होना चाहिए जो मधुजी के पास है। सिर्फ़ प्रतिभा और परिश्रम से आप कभी इतने महत्त्वपूर्ण लेखक नहीं बन सकते कि जैनेन्द्रकुमारजी आप पर पेपर पढ़ें। वे बेचारे तो 'साहित्य में प्रेयसि के स्थान' वाले प्रश्न में ही इतने उलझे रहते हैं कि किसी और काम के लिए समय ही नहीं बचता।

साहित्यिक गोष्ठी की चर्चा क्या चली कि मुझे कल कम्पनी बाग में लगी कुत्तों की प्रदर्शनी की याद आने लगी। शहर के सारे बड़े आदमी अपने-अपने कुत्ते लेकर आये थे। कुत्तों की जो मालकिन थीं वे भी एक से बढ़कर एक ख़ूबसूरत थीं। एक युवती तो इतनी सुन्दर और शोख थी कि मैं मन ही मन सोचने लगा कि अगर मैं आदमी न होकर उसका कुत्ता होता तो कितना भाग्यशाली होता। उस हालत में मैं उसकी बाँहों में सिर रखकर सो तो सकता था।

सोचता हूँ कि निठल्लापन हटाने के लिए सिनेमा या बाज़ार ही चला जाऊँ। मगर वहाँ जाने से भी क्या फ़ायदा? सिनेमा जो भी होगा उसमें वही पुराने गाने होंगे, वही गिने-चुने कलाकार होंगे और वही कर्णभेदी संगीत होगा। हत्या होगी, बलात्कार होगा और मारधाड़ होगी। पता नहीं ऐसे चित्र किसके देखने के लिए बनाये जाते हैं और नयी पीढ़ी पर इसका क्या प्रभाव पड़ेगा? प्रेम के दृश्य तो अब इतने ज़्यादा अश्लील आने लगे हैं कि अपनी सगी पत्नी के साथ भी उन्हें देखने में शर्म आती है। जहाँ तक बाज़ार का प्रश्न है, वहाँ मेरे जैसे निश्चित आय वाले व्यक्ति

के लिए कोई जगह नहीं है। स्थिति यह है कि मैं जब भी बाज़ार जाता हूँ तभी मुझे हीनभावना का दौरा पड़ जाता है। जम्मू में टमाटर भी बारह रुपये किलो है। मेरा तो निश्चित मत है कि नौकरी-पेशा ईमानदार व्यक्ति को बाज़ार भूलकर भी नहीं जाना चाहिए। अकसर ऐसा होता है कि हम लोग खुशी-खुशी बाज़ार जाते हैं और लौटते हैं तो इस मुद्रा में लौटते हैं कि मानो हम किसी शवयात्रा से लौटे हैं। ऐसी स्थिति में बाज़ार जाने से क्या फ़ायदा?

एक दोस्त की याद आती है जिसकी बीवी से मैं मन ही मन इश्क करता हूँ। इस दिशा में मैंने अभी तक कभी भी कुछ नहीं किया क्योंकि दोस्त जो है वह हनुमानछाप इंसान है। पता नहीं कब मेरा भुरता बनाकर रख दे। शरीर ही धर्म का प्रथम साधन है। इसकी रक्षा करना मेरा कर्तव्य है। और इस तरह का इश्क तो मेरा काफ़ी युवतियों से है जिसका मेरे सुखी गृहस्थ जीवन पर कोई प्रभाव नहीं पड़ता। चरित्र तो पत्नी का ठीक होना चाहिए, बाकी सब कुछ चलता है। पति, पत्नी और वह—यह तो एक चिरन्तन प्रथा है जिसे कोई नहीं ख़त्म कर सकता।

पेस्तरनाक ने लिखा है कि रेल के किसी छोटे स्टेशन पर धूप में बेंच पर बैठकर टाइमटेबुल पढ़ना स्वयं में एक बहुत बड़ा आनन्द है। रेल से मुझे भी बहुत प्रेम है पर अपार भीड़ को देखकर उससे डर लगने लगता है। मैं शीतलपाटी पर लेटा रहता हूँ और अख़बार पढ़ने लगता हूँ। अख़बार में भी वे ही घिसे-पिटे समाचार छपते हैं। जिन्हें पढ़कर शर्म आती है। बच्चे और स्त्रियाँ आलू और प्याज की तरह बाज़ारों में बेचे जाते हैं, दिन-दहाड़े बैंकों में डकैतियाँ पड़ती हैं और बड़ी मुश्किल से पकड़े गये अपराधी को अदालत जमानत पर छोड़ती है ताकि वह अपने ख़िलाफ़ के गवाहों से फ़ैसला कर सके। विधान सभाओं में जूता चलता है और गन्दी-गन्दी गालियाँ दी जाती हैं। अख़बार पढ़कर मैं हमेशा दो बातें सोचता हूँ। बात क्रम संख्या एक तो यह है कि यदि हमारे देश में कानून और व्यवस्था, जनसंख्या की वृद्धि, महँगाई और भ्रष्टाचार—इन चार मोर्चो पर समय रहते काम नहीं किया गया तो देश का क्या होगा? बात क्रम संख्या दो यह है कि यदि अमेरिका जैसे विशाल देश में प्रजातन्त्र चल सकता है तो हमारे यहाँ क्यों नहीं चल सकता?

मैं शीतलपाटी छोड़ देता हूँ और 'बैठे-ठाले' शीर्षक से एक निबन्ध लिखने बैठ जाता हूँ। मेरी यही नियति है। जो समर्थ है वह पाप करता है और जो कायर है वह उपदेशक, आलोचक और व्यंग्यकार बनता है। यह स्थिति सदा से ऐसी ही रही है और भविष्य में भी सदा ऐसी ही रहेगी।

आज का आदमी

विज्ञ लोगों का मत है कि पुराने ज़माने में इंसान जो होता था, वह गुफ़ाओं में रहता था। वह जानवरों की खाल के कपड़े पहिनता था और कच्चा गोश्त खाता था। खाल के कपड़े तो अब भी बड़े लोग (खासकर बड़ी अमीर युवतियाँ) कसकर पहनते हैं और कच्चा गोश्त जो है वह अभी भी इफ़रायत के साथ खाया जाता है। यह दीगर बात है कि बड़े-बड़े पूँजीपति जो हैं वे बेकसूर मज़दूरों और कुलियों का ही गोश्त खाते हैं, बेकसूर जानवरों का नहीं। स्थिति में जब सुधार आया तो प्रागैतिहासिक लोगों का स्थान ऐतिहासिक व्यक्तियों ने ले लिया। इन लोगों ने बड़ी तरक्की की और ज़िन्दगी को एक नया मोड़ दिया। खेती-बाड़ी शुरू की गयी, सूरज और चाँद की पूजा करनी शुरू की गयी, भगवान का पता लगाने के लिए सयाने लोग तैनात किये गये और बाकी वक़्त जो बचा वह युद्ध करने में और स्वयंवर जैसी प्रथाओं में भाग लेने में लगाया गया। यह बड़े सन्तोष की बात है कि स्वयंवर की प्रथा का पालन अमीर घरानों की लड़कियाँ अभी भी करती चली आ रही हैं। बाद में चलकर काव्य आया और चारणों ने अपने आश्रयदाता राजाओं की प्रशंसा में श्रेष्ठ से श्रेष्ठ कविताएँ लिखीं। ते वन्दिनः ता कथाः। वीरगाथाकाल का जन्म इसी समय हुआ। आगे चलकर स्थिति यह हो गयी कि राजा और प्रजा—दोनों प्रातःकाल तो भक्तिकाल के रूप में गुज़ारते थे, दिन के समय वीरगाथाकाल चलता था और रात्रि जो थी वह रीतिकाल को दी जाती थी। कुल मिलाकर जीवन काफ़ी व्यस्त रहता था।

काल की गति चलती रही। शेक्सपीयर के कथनानुसार समय और समुद्र का ज्वार, कभी किसी के लिए नहीं रुकता। धीरे-धीरे नायिका के स्थान पर भाप का इंजन आया, देवी-देवताओं की जगह बिजली आयी और वीरों के स्थान पर मज़दूर आये। मालती के लता-मण्डपों और बकुल के कुंजों के स्थान पर पाँच सितारों वाले होटलों का निर्माण किया गया और आश्रमों के स्थान पर बड़ी-बड़ी मशीनों के साथ कारखाने प्रकट हुए। परिणाम यह रहा कि इंसान की ज़िन्दगी जो थी वह पूरी की पूरी तरह बदल गयी। वे आनन्द ख़त्म हो गये जिनका वर्णन दास वंश के कवि (यानी कि सूरदास, तुलसीदास, कालिदास, गोविन्ददास, केशवदास, मलूकदास, कबीरदास व

चण्डीदास) अनुप्रास वाली भाषा में किया करते थे। महानगरों की भागदौड़, आपाधापी और भीड़ में लोग इस तरह फँस गये जैसे कि मछली जो है वह जाल में फँसती है। इस दर्दनाक स्थिति को देखकर मेरे मित्र भारतभूषण अग्रवाल ने सारी सचाई को अपने नीचे लिखी पंक्तियों में बाँधा :

और तब धीरे-धीरे ज्ञान हुआ
भूल में मैं सिर छोड़ आया हूँ दफ़्तर में,
हाथ बस में ही टँगे रह गये,
आँखें ज़रूर किसी फ़ाइल में उलझ गयीं,
मुँह टेलीफ़ोन से चिपटा होगा, सदा
और पैर तो ज़रूर क्यू में ही रह गये होंगे :
तभी तो विदेह होकर
मैं अपने घर आया

महानगरों में किसी का कुछ भी तो अपना नहीं रह गया। शानदा रेस्तराँ है, लोग कॉफ़ी पी रहे हैं पर असलियत यह है कि वे सब के सब अनुपस्थित हैं। सामने जो बाबू बैठा है वह अपने बॉस की चंचल सेक्रेटरी की याद में खोया है, बॉस जो हैं उनका चश्मा दफ़्तर की किसी ज़रूरी फ़ाइल में उलझा है, कॉमरेड जो बैठे हैं उनका मन रूस या चीन की यात्रा कर रहा है, पत्रकार जो बैठे हैं वे किसी प्रेस कान्फ्रेंस में उलझे हैं, प्रोफ़ेसर जो हैं वे किसी टैक्स्ट बुक कमेटी में फँसे हैं, व्यापारी जो है वह आयकर विभाग के किसी अधिकारी से बातें कर रहा है, जननेता जो है वह अपने अभिनन्दन की बातों में खोया है और सामने जो शोख हसीना बैठी है वह अपने नये बॉयफ्रेण्ड के फ्लैट के सपने में खोयी है। कितनी अजीब बात है कि रेस्तराँ में इतनी भीड़ है और फिर भी सब के सब ग़ैरहाज़िर हैं। सब लोगों के दिल ठीक उसी तरह कहीं दूरी पर हैं जैसे कि लोक-कथाओं में राक्षस के प्राण सात समन्दर पार किसी तोते में छिपे रहते थे।

महानगर के इस माहौल में भी स्वर्गीय भारतभूषण अग्रवाल अपने अतीत को नहीं भूले। पुराने देवी-देवता भी इन्हीं महानगरों में रह रहे हैं और स्थिति यह है कि:

मेनका अस्पताल में नर्स हो गयी
विश्वामित्र करने लगे ट्यूशन
उर्वशी ने डांस स्कूल खोल लिया
नारद गिटार बजाने लगे
और बृहस्पति करने लगे अंग्रेज़ी से अनुवाद

मैं वाकई बड़ा अभागा हूँ। मेरे सभी प्यारे मित्र एक-एक करके मुझे छोड़ते जा रहे हैं। एक दुष्यन्त था जो सालों तक हाईस्कूल में मेरे साथ रहा। हर बात पर नीली आँखें दिखलाने वाला। हम दोनों साथ-साथ लाला तुलाराम की दूकान से 'खूनी

वसीयतनामा' या 'संन्यासी डाकू' जैसे महान् उपन्यास लाया करते थे और साथ-साथ पढ़ा करते थे। उसने मेरे नाम में 'त्यागी' जुड़वाया और मैंने उसे 'दुष्यन्त नारायण' से 'दुष्यन्तकुमार' बनाया। मेरी सबसे पहली कविता शायद उसी ने किसी छोटे-मोटे अख़बार में छपवायी थी जिसका कि वह सम्पादक था। मेरी उस कविता के छपने के कुछ ही दिनों बाद वह रिसाला छपना बन्द हो गया था। दुष्यन्त जैसा मस्त और खुलेदिल आदमी भी शहरों की दुनिया में आकर बदल-सा गया था। उसकी एक कविता नीचे देता हूँ जिससे मेरा अभिप्राय स्पष्ट हो जाएगा :

पाँवों से सिर तक जैसे एक जुनून
बेतरतीबी से बढ़े हुए नाखून,
टखने ज्यों मिले रक्खे हों बाँस
पिण्डलियाँ कि जैसी हिलती-डुलती काँस,
कुछ ऐसे लगते हैं घुटनों के जोड़
जैसे ऊबड़-खाबड़ राहों के मोड़,
गट्टों-सी जंघाएँ निष्प्राण मलीन
कटि, रीतिकाल की सुधियों से भी क्षीण,
पुट्ठे हों जैसे सूख गये अमरूद
चुकता करते-करते जीवन का सूद,
पिचकी अमियों से गाल, सटे-से कान
आँखें जैसे तरकश के खुट्टल बान,
तिनकों से उड़ते रहने वाले बाल
विद्युत् परिचालित मखनातीसी चाल,
बैठे तो फिर घण्टों जाते हैं बीत
सोचते प्यार की रीत, भविष्य, अतीत,
कितने अजीब हैं इनके भी व्यापार
इनसे मिलिए ये हैं दुष्यन्तकुमार

सोचता हूँ कि लगे हाथों अपने इस लेख में एक कविता अपनी भी उद्धृत कर दूँ। और लोग यदि मेरी कविता को अपेक्षित स्वीकृति नहीं देते तो क्या हुआ, मैं खुद तो अपना ढोल बजा ही सकता हूँ। 'प्रसाद' तक ने अपनी रचनाएँ छपवाने के लिए एक पत्रिका निकाली थी। भारतेन्दु हरिश्चन्द्र ने भी ऐसा ही किया था। वैसे भी अपनी प्रशंसा खुद करने के अतिरिक्त और चारा ही क्या है? पिछले वर्ष मैंने अपना पाँचवाँ उत्कृष्ट काव्य-ग्रन्थ अज्ञेयजी को समर्पित किया। वे मेरे यहाँ भोजन पर भी आये। मेरी लड़की ने उनके ऑटोग्राफ़ लिये और हवाई अड्डे पर विदा के समय मैंने उनके चरण भी छुए। अलबत्ता अज्ञेयजी हैं कि उन्होंने पुस्तक की प्राप्ति तक की सूचना नहीं दी। और न देंगे। मैं उनके गुट के बाहर जो हूँ। सारा हिन्दी

साहित्य एक तरफ़ और गुटबन्दी और अवसरवाद एक तरफ़। बहरहाल उनके इस मौन से इस बात पर कोई फ़र्क़ नहीं पड़ता कि यदि मुझसे असाध्यवीणा बजनी है तो बजेगी और ज़ोर से बजेगी। अपनी जिस कविता का ज़िक्र मैं ऊपर कर रहा था वह नीचे दी जाती है। मेरी इस कालजयी कविता में बताया गया है कि आज का जीवन कितना झूठा और फ़ार्मल हो गया है। कविता इस प्रकार है :

ड्राइंग रूम में वह नहीं आया
उसके चमचमाते जूते आये,
जब वह मिलाया उनसे हाथ
तो मुलाकात रह गयी दस्तानों तक,
जब वह बैठा सोफ़े पर
तो उसकी जगह एक शानदार सूट वहाँ बैठ गया,
कफ़ों ने पकड़ा काफ़ी का कप
टाई और कालर ने नाश्ता किया :
उसके होठ नहीं हँसे बिल्कुल
सिर्फ़ उसकी सिगरेट चमकी,
विदा की जगह हिलता रहा रूमाल :
वह नहीं निकला पोर्च के बाहर
सिर्फ़ उसकी मोटर निकली

रचना लम्बी होती जा रही है। आपको तो यह रचना पढ़कर नींद आएगी मगर मुझे तो लिखते-लिखते ही नींद आ रही है। वैसे भी मैं लम्बी रचना कभी नहीं लिखता। आप ही सोचिए कि यदि मैं लम्बी रचना लिखने में रुचि लेता तो क्या मैं 'रंगभूमि' या 'कामायनी' नहीं लिख सकता था?

ऊपर मैंने अज्ञेयजी के चरण छूने की चर्चा की है। इस सन्दर्भ में मैं आपको तीन बातें बताना चाहता हूँ। पहली बात तो यह है कि कम से कम हिन्दी-संसार में इस समय कोई ऐसा महान् साहित्यकार नहीं है जो नयी प्रतिभाओं को उभारने की चेष्टा करे। दूसरी बात यह है कि मेरे परिवार में बड़ों के पैर छूने की परम्परा रही है जिसे मैं नहीं तोड़ सकता। अज्ञेयजी अब भी कहीं मिलेंगे तो मैं अब भी उनके चरण छूऊँगा। (एक बार जब जबलपुर गया तो परसाईजी के चरण छूने का सौभाग्य प्राप्त हुआ। इत्तफ़ाक से उन दिनों उनकी एक टाँग टूटी हुई थी। चरण छूने में मुझे भी कष्ट हुआ और उन्हें भी। इसी छोटी-सी घटना को लेकर उन्होंने 'विकलांग श्रद्धा का दौर' नाम की पुस्तक निकाली जिसे छपते ही उन्हें साहित्य अकादेमी पुरस्कार प्राप्त हुआ। आशा है अब आप लोग मेरे द्वारा चरण-स्पर्श कराने का महत्त्व समझ गये होंगे। मैं तो प्रत्येक वरिष्ठ साहित्यकार को सलाह दूँगा कि अपने चरण-स्पर्श के लिए वे मुझे एक सहस्र मुद्राएँ दें और साहित्य अकादेमी का एवार्ड प्राप्त करें) तीसरी

और अन्तिम बात यह है कि मेरे कुछ पाठक ऐसे ज़रूर होंगे जो समझते होंगे कि मैंने अज्ञेयजी के चरण इस कारण छुए थे कि वे अपनी कृपा-दृष्टि मुझ पर बनाये रखें ताकि मुझे भी मान्यता मिले। इस सन्दर्भ में मैं केवल यही कहना चाहूँगा कि जो लोग ऐसा समझते हैं वे भी ठीक हैं। मेरे बारे में ऐसी कोई बात कभी नहीं रही जिसे मैं अपने पाठकों से छिपाना चाहूँ। अपनी इसी सरलता के कारण (आत्म-प्रशंसा के लिए और झूठ बोलने के लिए क्षमा चाहता हूँ) मैंने न जाने कितनी बार धोखा खाया और स्थिति जो थी वह यह रही कि कवि को कहना पड़ा :

दिल की बस्ती भी शहर दिल्ली है
जो भी गुज़रा है, उसने लूटा है

कवि की अन्तिम इच्छा

जैसा कि आपने भी महसूस किया होगा, साहित्यकार लोग प्रायः दाढ़ी पालते आये। गीता प्रेस, गोरखपुर की सूचना के अनुसार वाल्मीकि व व्यास दाढ़ी रखते थे। इनके अतिरिक्त ग़ालिब, देवेन्द्र सत्यार्थी, नागार्जुन, निराला, हरिऔध, रवीन्द्रनाथ ठाकुर, पुश्किन, चेख़व, तुर्गनेव, अज्ञेय, टालस्टाय इत्यादि साहित्यकारों ने भी दाढ़ी रखी। जो लेखक जितना ज़्यादा बड़ा होता था, वह उतनी ही बड़ी दाढ़ी रखता था जिसके कारण तुलनात्मक आलोचना में आसानी रहती थी। मीर तकी मीर और अकबर इलाहाबादी में कौन बड़ा था, इसका अन्दाज़ा आप उनकी दाढ़ी देखकर ही आसानी से लगा सकते थे।

दाढ़ी क्यों रखी जाती थी, इसका पूरा पता मुझे कभी नहीं लगा। शायद हज़ामत बनाने में जो वक़्त लगता है, उसे बचाने के लिए दाढ़ी रखते थे। दाढ़ी से बाकी वक़्त फ़र्नीचर की सफ़ाई, पेण्टिंग और एक-दूसरे की दाढ़ी बाँधकर सामूहिक नृत्य करने में मदद मिलती थी। ज़िगर मुरादाबादी जब चश्मे बेचा करते थे तो शायद उन्हें अपनी दाढ़ी से ही साफ़ किया करते थे। दाढ़ी रखने से वे कर्ज़दारों और पुलिस से भी बच सकते थे। जब ख़तरा महसूस किया तभी दाढ़ी को अन्तर्धान किया और नाम बदल लिया।

कवि होने के कारण मेरी भी इच्छा होती है कि एक अदद दाढ़ी उगा लूँ। अच्छा खाद और पानी मिले तो गन्ने की तरह दाढ़ी भी जल्दी बढ़ाई जा सकती है। वक़्त ज़रूरत दाढ़ी से मैं अपना जूता भी पालिश कर सकता हूँ। मगर इस सबके बावजूद मैं अब तक कभी दाढ़ी नहीं रख पाया। इस स्थिति के कई कारण हैं। एक कारण तो यह है कि मैं भी उन युवतियों की भाँति हूँ जो अपने वस्त्र और अपने शरीर—इन दोनों को एक साथ ज़्यादा से ज़्यादा दिखाना चाहती हैं। यदि मैंने दाढ़ी उगा ली तो मेरी नयी कमीज़ के कॉलर और शानदार टाई को कोई कैसे देखेगा? इसके अतिरिक्त मैं तमाखू पीता हूँ। सिगरेट जलाने की प्रक्रिया में यदि दाढ़ी में भी आग लग गयी तो स्थिति गम्भीर हो जाएगी। मेरे बचपन में एक बार रामलीला की नौटंकी में हनुमानजी ने अपनी पूँछ से ऐसा 'लंका-दहन' किया था कि रामायण गाने वाले पण्डितजी की दाढ़ी भी काफ़ी जल गयी थी। दाढ़ी न रखने का सबसे बड़ा कारण यह रहा कि मैं

नहीं चाहता कि मेरी (या मेरे किसी मित्र की) पत्नी मुझसे यह प्रश्न पूछे कि आर्य-पुत्र, आप मेरा चुम्बन ले रहे हैं या कि मेरे कपोल-रूपी कपोलों को ब्रुश कर रहे हैं? लेडी कर्ज़न के इसी प्रश्न के कारण ही लार्ड कर्ज़न ने अपना चेहरा साफ़ करवाया था।

न जाने कितनी पुस्तकों और पत्रिकाओं में मैंने राम और लक्ष्मण के चित्र देखे हैं। वनवास के भयंकर दिनों में भी उनका मुखमण्डल साफ़ रहता था। मैं वाकई यह कभी नहीं समझ पाया कि वनवास के वर्षों में राम को 'सेफ्टी रेज़र' कैसे मिला और वनवास के दिनों में उन्होंने परिवार नियोजन कैसे किया?

मैं सरकार से अनुरोध करना चाहता हूँ कि सरकार इस दिशा में कुछ ठोस क़दम उठाये। साहित्यकारों के ऊपर सरकार ने अभी तक अपनी दृष्टि पूरी तरह नहीं डाली है। यह उचित होगा कि कुछ काम जल्दी ही सम्पन्न किये जाएँ। पहले तो ऐसा कानून बनना चाहिए कि प्रत्येक कवि या लेखक दाढ़ी अनिवार्य रूप से रखे। जो लेखक दाढ़ी रखेगा, वह रेल में मुफ़्त चलेगा। इस रिआयत के देने से सरकार को कोई हानि नहीं होगी क्योंकि लेखक लोग वैसे ही कौन-सा टिकट खरीदते हैं? इसके अलावा सरकार को उचित होगा कि वह दाढ़ीवान साहित्यकार की पुस्तकें प्रकाशन विभाग से छपवाए ताकि लेखक को कोई प्रकाशन धोखा न दे सके। जो प्रतिभावान साहित्यकार हैं मगर नया होने के कारण जिन्हें प्रकाशक नहीं मिलता, उनकी पुस्तकों को छापने की ज़िम्मेदारी सरकार ले। कौन लेखक प्रतिभावान है और कौन नहीं, इसका निर्णय डॉक्टर नामवर सिंह करेंगे। वे आपको 'अज्ञेय' तो नहीं बना सकते पर 'ज्ञेय' ज़रूर बना सकते हैं—ऐसा मेरा विश्वास है।

दाढ़ी भी हर एक को नहीं फबती। जार्ज बर्नार्ड शा की दाढ़ी उनके व्यक्तित्व को एक विचित्र प्रतिभा प्रदान करती थी जबकि व्हिटमैन की दाढ़ी ठीक उसी घास की याद दिलाती थी जिसका ज़िक्र कवि ने अपनी पुस्तक 'लीवृस ऑफ़ ग्रास' में किया था। मैं कभी-कभी सोचता हूँ कि प्रेमचन्द, सुमित्रानन्दन पन्त और जयशंकर प्रसाद दाढ़ी रखते तो कैसे लगते? ये तीनों साहित्यस्रष्टा कुछ भी छिपाना नहीं चाहते थे और इसी कारण उन्होंने दाढ़ी नहीं रखी। 'रत्नाकर जी' का चेहरा ज़रूर ऐसा था जो दाढ़ी की ज़रूरत को याद दिलाता था। देवकीनन्दन खत्री यदि दाढ़ी रखते तो वह उन्हें भी तिलस्म बना देती। इधर सुना है कि राजेन्द्र यादव 'चन्द्रकान्ता' पर अपनी भूमिका लिख रहे हैं। कितना अच्छा हो कि वे 'चन्द्रकान्ता' की सन्तति पर भी उतना ही ध्यान दें। हाँ, अलबत्ता 'भूतनाथ' पर उनकी भूमिका की कोई ज़रूरत नहीं। उस पर उनका चित्र भर छप जाए तो काफ़ी है।

इस बात का पता भी मुझे कभी नहीं लगा कि मीरा, सरोजिनी नायडू, महादेवी, एमिली ब्राण्ट, चार्लोट ब्राण्ट और पर्ल बक ने दाढ़ी क्यों नहीं रखी। कुछ लोग कहेंगे कि भला कहीं स्त्रियाँ भी दाढ़ी रख सकती हैं? मुझ खाकसार का निवेदन है कि सारी बात रहस्यवादी है और मात्र ऊपर दिया तर्क मेरी इस (लघु) शंका का

पूरा समाधान नहीं करता। सारी स्थिति को समझने के लिए शरद जोशी से जासूस घुण्डीदास उधार लेना पड़ेगा। दाढ़ी ख़ुदा का नूर है बेशक मगर जनाब, फ़ैशन की इंतज़ामे सफ़ाई को क्या करूँ? मेरा विचार है कि कवयित्रियाँ जो दाढ़ी नहीं रखतीं, वे शायद फ़ैशन की वजह से नहीं रखतीं। नहीं तो मैंने अपने इस क्षणभंगुर जीवन में ऐसी देवियों के दर्शन किये हैं जिनके मुखारविन्द देखकर 'वन महोत्सव' की याद आती थी। फ़ैशन बड़ी बुरी चीज़ है। कार्ल मार्क्स और एंजेल्स—दोनों दाढ़ी रखते थे और तबीयत के साथ रखते थे मगर बाद में चलकर स्थिति यह रही कि लेनिन ने नाम मात्र को दाढ़ी रखी, स्तालिन ने मात्र मूँछें रखीं। (ठीक वैसी ही जैसी कि कभी मैथिलीशरण गुप्त रखा करते थे) और ब्रेजनेव ने चेहरा एकदम साफ़ कर लिया। मज़दूरों की हालत दुरुस्त करने के लिए वे कोई भी त्याग कर सकते थे।

जैसा कि मैंने ऊपर कहा है, मैं भी दाढ़ी रखना चाहता हूँ (मुझको है अपने कवि की लाज निभानी)। इस दिशा में मैं भरसक प्रयत्न करूँगा। मैं तो चाहूँगा कि चाहे तो सरकार इस सन्दर्भ में मात्र एक या दो लाख रुपयों की ग्राण्ट मुझे दे दे ताकि मैं 'अधिक अन्न उपजाओ' की तर्ज़ पर 'अधिक दाढ़ी उगाओ' का आन्दोलन शुरू कर सकूँ। मैं क़ीमती शराब पिऊँगा, विदेश जाऊँगा, वातानुकूलित दर्जे से यात्रा करूँगा और बाकी राशि में से जो भी सम्भव है, वह दाढ़ी के लिए शत-प्रतिशत करूँगा। स्थिति यह होगी कि मेरे क्षेत्र में 'मच्छर तो रहेगा पर मलेरिया नहीं रहेगा' की तर्ज़ पर 'दाढ़ी तो रहेगी पर कवि नहीं रहेगा' वाली बात सच निकलेगी। सार्वजनिक धन को ग़बन करने की कोई सम्भावना हुई तो मैं बंगला देश चला जाऊँगा और काज़ी नज़रुल इस्लाम का संक्षिप्त संस्करण बनकर वहीं कविता लिखूँगा।

मैं दाढ़ी को साहित्य की परिधि में ही रखना चाहता हूँ ताकि रचना दाढ़ी से लम्बी न हो जाए पर वैसा पूरी तरह करना कठिन प्रतीत होता है। इतिहास से पता लगता है कि दाढ़ी अमन से लेकर युद्धों तक का कारण बनी है और कभी-कभी निहायत चिकने गालों वाली रानियों ने भी उसे लगाने की कोशिश की है। रूस के सम्राट पीटर महान् ने सन् सतरह सौ पाँच में दाढ़ी रखने के ख़िलाफ़ बड़ा सख़्त कानून बनाया था और स्थिति यह थी कि दाढ़ी रखने वाले अमीरों को उस पर कर देना पड़ता था। आगे चलकर सन् सतरह सौ बाईस में उसने एक और हुक्म जारी किया था जिसके फलस्वरूप यदि कोई व्यक्ति दाढ़ी रखता था तो उसे पोशाक भी पुराने ढंग की ही पहननी पड़ती थी। इसके विपरीत इंग्लैण्ड में रानी एलिज़ाबेथ (प्रथम) के समय में दाढ़ी रखना बड़े गौरव की बात समझी जाती थी। उनके शासनकाल में तो लम्बी दाढ़ी रखने के सन्दर्भ में प्रतियोगिता तक होती थी। बाइबिल के काल में घुँघराली और सुनहरी दाढ़ी को श्रेष्ठ माना जाता था। शेक्सपीयर के नाटकों में दाढ़ी की काफ़ी चर्चा है। एक नाटक में नायिका कहती है कि जिन-जिन पुरुषों की दाढ़ियाँ मुझे अच्छी लगेंगी, उन्हें मैं चुम्बन दे सकती हूँ। एक और नाटक में एक

युवती कुछ दूसरे किस्म की बात करती है और कहती है कि दाढ़ी वाले पति से प्रेम करने के बजाय मैं खुरदरे कम्बल में लिपटना ज़्यादा पसन्द करूँगी। जर्मन भाषा में एक कहावत है कि जो व्यक्ति दाढ़ी न रखता हो, उसे मूर्ख समझना ही उचित है और इसके ख़िलाफ़ इंग्लैण्ड में एक कहावत अभी भी प्रचलित है जिसके अनुसार मात्र दाढ़ी रखना यह हर्गिज़ सिद्ध नहीं करता कि आदमी बुद्धिमान है या नहीं।

सिकन्दर महान् दाढ़ी से बड़ी नफ़रत करता था। उसकी सेना के सारे सिपाही और सिपहसालार दाढ़ीविहीन ही होते थे। रोमन सम्राट एफ़िकेनस को भी दाढ़ी से बेहद नफ़रत थी। इस सबके विपरीत रोमन सम्राट हेड्रियन दाढ़ी को अपनी प्रियतमा से भी ज़्यादा प्यार करता था और उसे हमेशा सीने से लगाकर रखता था। मिस्र में तो एक ऐसा समय आया कि दाढ़ी की लम्बाई को व्यक्ति के पद के अनुसार निश्चित किया जाता था। ईसा से सोलह सौ वर्ष पूर्व मिस्र की एक रानी नकली दाढ़ी लगाकर रात को नगर का दौरा किया करती थी। सम्राट दाऊद के राजदूत अमन की दाढ़ी को लेकर भयंकर युद्ध हुआ था।

दाढ़ी को अब मैं और नहीं खींचूँगा। इस टॉपिक पर मैं 'दाढ़ी : नीलयक्षिणी' नाम से एक विस्तृत प्रसंग अलग से लिख चुका हूँ जो डॉक्टर धर्मवीर भारती को बहुत पसन्द आया था। हाँ, अलबत्ता इस सन्दर्भ में आपको मैं एक सच्ची घटना ज़रूर सुनाऊँगा। एक रियासत के रईस थे जो गवर्नर से मिलने जा रहे थे। लखनऊ के चारबाग स्टेशन पर जब वे गाड़ी से उतर रहे थे तभी एक दाढ़ी वाले व्यक्ति ने उनका पर्स निकाल लिया। रईस साहब ने उस व्यक्ति का पीछा किया मगर काफ़ी भागने के बाद भी वह पॉकेटमार की सिर्फ़ दाढ़ी ही पकड़ पाये। स्थिति यह रही कि दाढ़ी उनके हाथ में रह गयी और जेबकतरा भीड़ में खो गया। बिना दाढ़ी के तो उसे पहचानना भी मुश्किल था। चोर असली था मगर दाढ़ी नकली थी।

मुझे पूरा विश्वास है कि हिन्दी के मेधावी ज्ञाता अब दाढ़ी पर खोज करेंगे। वीर गाथा काल में तो क्या स्त्री और क्या पुरुष, सभी दाढ़ी रखते थे। भक्तिकाल में भी दाढ़ी का प्रभाव रहा। रीतिकाल में नायक दाढ़ी रखता था पर नायिका चन्द्रमुखी होती थी। 'दाढ़ी का नायिका के विशिष्ट अंगों पर प्रभाव' या 'दाढ़ी और हिन्दी कविता में रहस्यवाद' जैसे विषयों पर थीसिस लिखी जा सकती है जिस पर डॉक्टरेट मिलेगी और ज़रूर मिलेगी। बस विद्वान् नवयुवक रीतिकालीन नायिका पर उतना ही परिश्रम करें जितना कि ग्वाल कवि का नायक किया करता था। अब बाकी कुछ और कहने को क्या रह गया? हाँ, अलबत्ता इतनी सलाह ज़रूर दूँगा कि पराजित पीढ़ी के मेरे सहकर्मी कम से कम दाढ़ी और मूँछें ज़रूर बढ़ा लें। ऐसा करने से उनका भीतरी खोखलापन तो वहीं रहेगा जहाँ कि वह है पर बाहर से देखने पर वे ज़रूर बहादुर लगेंगे। इतना क्या कम है? बस यही है कि मेरे कवि की अन्तिम इच्छा...

हमारी राजभाषा

भारत की (यानी कि सारे जहाँ से अच्छे हमारे इस हिन्दुस्तान की) राजभाषा विधान के अनुसार हिन्दी है। यह बड़े सन्तोष की बात है कि विधान बनने के लगभग पैंतीस वर्ष बाद भी हिन्दी की हालत वही है जो कि विधान बनने के पहले थी। सरकार ने इस दिशा में बड़ी तत्परता से काम किया है। हिन्दी-भाषी प्रदेशों को खुश रखने के लिए राजभाषा संसद-समिति बनायी है, हिन्दी सलाहकार की नियुक्ति की है और यह भी निश्चित किया है कि सारे केन्द्रीय कार्यालयों में रबर की मोहरें हिन्दी और अंग्रेज़ी दोनों भाषाओं में बनें, अधिकारियों के नामपट्ट भी दोनों भाषाओं में लिखे जाएँ और फ़ाइलों और रजिस्टरों के शीर्षक तो हिन्दी में अवश्य ही लिखे जाएँ। रजिस्टर के भीतर कौन-सी भाषा लिखी जाती है, यह एक दीगर बात है। राजभाषा विभाग भी बनाया गया जिसमें मेरे जैसे हिन्दी ज्ञाता अधिकारी के बजाय ऐसे अधिकारियों को ऊँचे-ऊँचे पद दिये गये जिन्हें हिन्दी में दस्तख़त करना भी नहीं आता। जो ऐसे प्रदेश से हैं जिनकी भाषा हिन्दी नहीं है, वे इस कारण प्रसन्न हैं कि सब वैधानिक शर्तों के बाद भी हिन्दी जो है वह केवल नाम के लिए ही राजभाषा है; असली भाषा जो है वह तो अंग्रेज़ी है। इतने वर्ष बीतने के बाद भी कानून की पुस्तकें अंग्रेज़ी में ही हैं और जितनी भी बड़ी नौकरियाँ हैं, उनमें भी घुसने के लिए अंग्रेज़ी का ही ज्ञान ज़रूरी है; हिन्दी का नहीं। प्यार और दुलार की यह नीति यदि चलती रही तो यह निश्चित है कि लगभग सौ वर्ष बाद हिन्दी अवश्य ही वास्तविक राजभाषा बन जाएगी। मैं पूछता हूँ कि एक देश के इतिहास में सौ वर्ष क्या होते हैं?

कुछ प्रदेशों में भी हिन्दी को राजभाषा का पद दिया गया। मैं उत्तर प्रदेश का निवासी हूँ और मुझे यह देखकर बड़ा सन्तोष हुआ कि हिन्दी की लिपि ही राज्य-लिपि स्वीकार की गयी है, भाषा जो है वह वही फ़ारसी है जो नवाब आसफ़ुद्दौला के ज़माने में प्रयुक्त होती थी। उत्तर प्रदेश यदि फ़ारसी के शब्दों का प्रयोग करता है तो बिहार के राजपत्र कभी-कभी ऐसी संस्कृतनिठ भाषा में छपते हैं कि उनके समझने के लिए आपको राहुल सांकृत्यायन बनना ज़रूरी है। कुछ गाँधीवादी मन्त्री ज़रूर ऐसे हैं जो सरल व आम बोलचाल की भाषा का प्रयोग करते हैं। पण्डित श्रीनारायण चतुर्वेदी ने लिखा है कि एक मन्त्री ने फ़ाइल पर लिखा—'उपसचिव कृपया बोलें।' उपसचिव

से बातचीत हो जाने के बाद मन्त्रीजी ने फ़ाइल पर लिखा कि 'उपसचिव बोल गये।'

संसद की राजभाषा समिति के सदस्य, मौसम के अनुसार विभिन्न नगरों का दौरा करते हैं, केन्द्रीय कार्यालयों में हिन्दी की प्रगति आँकते हैं, शानदार होटलों में ठहरते हैं और आसपास के तीर्थस्थानों या दर्शनीय स्थानों को भी पवित्र करते हैं। कुछ सदस्य अधिकारियों को बताते हैं कि द्विभाषी रबर की मोहरों में हिन्दी के जो अक्षर हैं वे अंग्रेज़ी के अक्षरों की अपेक्षा छोटे क्यों हैं? ऐसे महत्त्वपूर्ण सुझाव देने के बाद माननीय सदस्य राजधानी लौट जाते हैं, लाखों रुपयों का खर्चा होता है और हिन्दी वहीं रहती है जहाँ कि वह उनके आने से पहले थी। एक ऐसी समिति से मेरा भी पाला पड़ा है मगर मेरे सौभाग्य से समिति के अध्यक्ष एक ऐसे साहित्य-प्रेमी और शालीन व्यक्ति थे, जैसा कि मैंने अपने जीवन में अभी तक कहीं नहीं देखा। कुलीन व्यक्ति की बात ही अलग है। एक ऐसी ही समिति से मेरा पाला पहले भी पड़ा है। एक संसद सदस्य थे जिन्होंने हिन्दी पर उतना ध्यान नहीं दिया था जितना कि समोसों और रसगुल्लों पर दिया था। एक और सदस्य थे जिन्होंने अपनी वृद्धावस्था के बावजूद कोई आधा किलो काजू खाये थे।

एक ऐसी ही तीसरी समिति का मुक़ाबला मैंने काफ़ी दिनों पहले मेरठ में भी किया था। उस समिति के एक सदस्य ने बड़ी नम्रता के साथ बताया था कि कभी वे भी मेरे विभाग में क्लर्क थे। मैं गद्‌गद हो गया। हमारे विभाग ने काफ़ी बड़ी-बड़ी हस्तियों को जन्म दिया है। नीरद चौधरी कभी हमारे विभाग में बाबू थे। श्री शोआब हमारे विभाग में कण्ट्रोलर थे जो बाद में चलकर पाकिस्तान के वित्तमन्त्री बने। मेरी ही सर्विस के एक उच्चाधिकारी बाद में चलकर पाकिस्तान के प्रधान मन्त्री बने। उनका नाम मुहम्मद अली था। मुहम्मद अली ने वह काम किया जो कि इतिहास में हमेशा लिखा जाएगा। अन्तरिम सरकार में कांग्रेस ने वित्त मन्त्रालय का भार लियाकत अली खान को देना चाहा मगर मुस्लिम लोग की दृष्टि में वित्त मन्त्रालय स्वीकार करना अपना अपमान करना था। उनकी दृष्टि में मुस्लिम लीग को गृह मन्त्रालय, रक्षा मन्त्रालय या विदेश मन्त्रालय मिलना चाहिए था। श्री मुहम्मद अली (वे उन दिनों रक्षा मन्त्रालय के वित्तीय सलाहकार थे) को जैसे ही पता चला कि मुस्लिम लीग वित्त मन्त्रालय को ठुकरा रही है, वैसे ही वे कार में बैठे और जिन्ना साहब के पास गये। कोई आधा घण्टा बातचीत हुई और उसके बाद मुस्लिम लीग ने वित्त मन्त्रालय स्वीकार कर लिया और लियाकत अली वित्तमन्त्री के रूप में अन्तरिम सरकार की कैबिनेट में शामिल हुए। एक सप्ताह के भीतर ही पण्डितजी व सरदार पटेल की आँखें खुल गयीं क्योंकि स्थिति यह थी कि प्रधानमन्त्री और सरदार पटेल भी वित्त मन्त्रालय की स्वीकृति के बिना एक चपरासी तक भर्ती नहीं कर सकते थे। थोड़े ही दिनों बाद अन्तरिम सरकार जो थी वह टूट गयी। इस घटना से पता लगता है कि पाकिस्तान के सच्चे निर्माता मुहम्मद अली जिन्ना नहीं थे बल्कि पाकिस्तान बनाने

वालों में जो सबसे ज़्यादा योगदान देने वाले व्यक्ति थे वे मेरी ही सर्विस के सदस्य और भारत सरकार की रक्षा सेवाओं के वित्तीय सलाहकार श्री मुहम्मद अली थे।

गाँधीजी हिन्दी साहित्य सम्मेलन के सभापति बने और उन्होंने कहा कि 'हिन्दुस्तानी' ही राजभाषा होनी चाहिए। पण्डित नेहरू का कहना था कि हिन्दी तो दरबारी कवियों की भाषा है। बच्चनजी की 'मधुशाला' सुनकर भी उनके ऊपर लिखे विश्वास पर कोई असर नहीं पड़ा और जब गाँधीजी ने कहीं यह पूछ लिया कि क्या हिन्दी में कोई रवीन्द्रनाथ ठाकुर है तो निराला जी की उनसे खासी झड़प हो गयी (प्रबन्ध प्रतिमा)। अपनी तीस वर्ष की राजपत्रित नौकरी को ध्यान में रखते हुए मैं कहता हूँ कि सरकारी काम-काज में लगभग सौ शब्दों की ज़रूरत पड़ती है। इससे ज़्यादा शब्द जानने वाला व्यक्ति सरकार में काम नहीं कर सकता। मुंशी प्रेमचन्द की हिन्दी ही राजभाषा बन सकती है, जयशंकर प्रसाद की हिन्दी नहीं। हाँ, अलबत्ता यह बात अलग है कि डॉक्टर अमरनाथ झा और डॉक्टर कैलाशनाथ काटजू चाहते थे कि संस्कृत ही हमारी राजभाषा बने क्योंकि सारी क्षेत्रीय भाषाओं में संस्कृत के ही शब्द पाये जाते हैं, फ़ारसी के नहीं।

मेरे विचार में राजभाषा के लिए सरकार जो कुछ कर रही है, वह ठीक ही है। भाषा को लेकर प्रान्तों का बँटवारा हो ही गया, अब देश का बँटवारा करने से क्या फ़ायदा? और यदि हिन्दी वास्तव में राजभाषा हो गयी तो न जाने कितने लोग जो राजभाषा विभाग और केन्द्रीय हिन्दी निदेशालय वगैरह में काम करते हैं, एकदम बेकार हो जाएँगे। उनका क्या होगा? और जनता के चुने हुए उन प्रतिनिधियों का क्या होगा जो बेचारे अपने परिवारों के साथ लम्बे-लम्बे दौरों पर जाते हैं, वातानुकूलित होटलों में ठहरते हैं, सरकारी अफ़सरों के हाथ माला ग्रहण करते हैं और सेना के अधिकारियों की सैल्यूट को स्वीकार करते हैं। हिन्दी आगे बढ़े या न बढ़े, ये लोग खुद आगे क्यों न बढ़ें? हाँ, अलबत्ता इस सन्दर्भ में दो अदद शिकायतें फिर भी बचती हैं। पहली शिकायत तो यह है कि इन लोगों को कम से कम बाहर से तो हिन्दी के प्रति अपनी निष्ठा प्रकट करनी ही चाहिए जो कि वे नहीं करते। संसदीय समिति के एक सभापति ने दिल्ली वापस जाकर मुझे धन्यवाद का अर्ध-सरकारी पत्र लिखा था जो कि अंग्रेज़ी में था। उनके पत्र को पढ़कर हँसी भी आयी और रोना भी आया। दूसरी शिकायत यह है कि ऐसे अनेक संसत्सदस्य हैं जो व्यक्तिगत जीवन में मेरी रचनाएँ पढ़ते हैं और मेरी प्रशंसा भी करते हैं। वैसे भी हिन्दी में मुझे लिखते हुए कोई पचीस वर्ष हो गये। सारी प्रमुख पत्र-पत्रिकाओं में मैं छपता हूँ और जितने भी चोटी के प्रकाशक हैं, उन सभी के सूची-पत्रों में मेरी किताबों के नाम शामिल हैं। पर ये लोग हैं जो मुझसे जब सरकारी दौरों पर मिलते हैं तो इस तरह व्यवहार करते हैं जैसे कि इनके लिए मैं एकदम अजनबी हूँ। मैं जानता हूँ कि मैं भवभूति या बर्नार्ड शा नहीं हूँ जिसे हर

कोई जाने पर फिर भी जब एक बार एक संसत्सदस्य–जो अपनी एक पुस्तक में मेरा नाम लेकर मेरी प्रशंसा तक कर चुके थे–मुझसे पूछने लगे कि मैं कौन हूँ और हिन्दी से मेरा क्या सम्बन्ध है? तब मैं चुप रहा और शायर के इस कलाम को याद करता रहा (छोटे मुँह : बड़ी बात) :

पूछते हैं वे कि ग़ालिब कौन है
कोई बतलाए कि हम बतलाएँ क्या?

दिशाहीन

आजकल मैं मेरठ में नियुक्त हूँ। सुनता हूँ कि यहाँ परीक्षाओं में बड़े ज़ोर-शोर के साथ नकल चलती है। ख़ैर, जब सभी लोग यही बात कहते हैं तो चलिए, मैं भी माने लेता हूँ। वैसे असलियत यह है कि मैंने नकल करते हुए किसी छात्र को अपनी आँखों से तो देखा नहीं। इस असलियत का छोटा-सा कारण यह है कि जिस वक़्त परीक्षाएँ होती हैं और नकल होती है, उस वक़्त खाकसार जो है वह अपने चैम्बर में बैठा रहता है और फ़ाइलें निबटाता रहता है। वैसे एक-दो बार इच्छा हुई कि चला जाए और सारे सन्दर्भ को ठीक तरह समझा जाए। मगर मैंने वैसा किया नहीं क्योंकि वैसा करने में इस क्षणभंगुर देह को क्षति पहुँचने की सम्भावना थी। ख़बर है कि अंग्रेज़ी लेखिका नयनतारा सहगल जब दुर्भाग्यवश स्थिति देखने गयीं तो पिटते-पिटते बचीं। शरीर को धर्म का प्रथम साधन स्वीकार करते हुए, खाकसार ऐसी जगह कभी नहीं जाता। मैं यहीं दफ़्तर के वातानुकूलित कमरे में बैठा रहा और नकल करने की ख़बरों का जायज़ा लेता रहा।

कहते हैं कि पुराने ज़माने में नकल करने के लिए भी अकल की ज़रूरत पड़ती थी। अब वे दकियानूसी बातें ख़त्म हो गयीं। अब नकल करने के लिए मात्र चाकू काफ़ी है। मेज़ पर चाकू रखिए और भरपेट नकल कीजिए। एक प्रतिभावान् छात्र थे जो कम से कम परिश्रम करने में विश्वास रखते थे। उन्होंने नकल नहीं की, उन्होंने हर प्रश्न के सामने किताबों में से पृष्ठ फाड़े और उन्हें उत्तर-पुस्तिका में चिपका दिया। और हाँ, साथ ही साथ यह भी लिख दिया कि या तो उन्हें पास किया जाए या फिर परीक्षक की भेंट उपकुलपति से करवायी जाएगी ताकि वे समझ सकें कि मौलिक तो इस संसार में कुछ भी नहीं है। संसार में जो कुछ है, वह नकल ही नकल है। कालिदास और तुलसीदास तक ने पुराने काव्यों से चोरी की और शेक्सपीयर का तो कहना ही क्या—उसने तो मार्लो नाम के एक ग़रीब व्यक्ति के सारे नाटक खरीदे और फिर उन्हें अपने नाम से छपवा दिया। वाल्मीकि ने रामचरित क्या लिखा कि बाद के सारे बड़े कवियों ने उसी 'थीम' को पकड़कर अपना श्रेष्ठ काव्य लिखा। परीक्षा-भवन में एक बार ऐसी बालिका भी पकड़ी गयी जो सारे प्रश्नों के उत्तर अपने

ब्लाउज़ पर ही लिखकर ले गयी थी। जब निरीक्षण प्रारम्भ हुआ तो उसने अपना ब्लाउज़ उतारा और गवाक्ष-मार्ग से बाहर फेंक दिया। कवि के शब्दों में अब वह खुद ही एक खुली किताब बन गयी। जिसकी जितनी तबीयत चाहे, वह उसे उतना पढ़ ले। कुछ लड़कियाँ प्रश्नों के हल साड़ियों के बॉर्डर पर या पेटीकोटों पर इस कुशलता से उतारती थीं कि दूर से देखने में वह कोई डिज़ाइन लगता था। इस देश की बालिकाएँ कला में हमेशा से दिलचस्पी लेती रहीं और यह क़दम भी शायद उसी दिशा में प्रगति का सूचक था। लड़कियों के बरख़िलाफ़ जो लड़के थे वे प्रश्नों के हल रूमाल या पाजामे वगैरह पर लिखकर ले जाते थे। अगर किसी दिन पाजामा या पेटीकोट भी उतारना पड़ गया तो भारतीय शिक्षा-प्रणाली की सच्ची तस्वीर आपके सामने प्रस्तुत हो जाएगी। इसी प्रकार कानून के विद्यार्थियों ने शपथ लेकर वकीलों की मदद ली और आयकर का प्रश्न-पत्र तो आयकर के दफ़्तर में जाकर ही हल किया गया। प्राप्त विवरणों के अनुसार कहीं-कहीं तो प्रश्न-पत्र व उत्तर-पुस्तिकाएँ एक दिन पहले ही उपलब्ध थीं ताकि लड़का लोग उन्हें खरीद सकें और वक़्त से पहले उनमें जवाब लिख लें। फिर न कहना कि हमने ख़बर नहीं दी। एक मामला ऐसा भी नज़र आया कि असली छात्र के स्थान पर एक और कहीं ज़्यादा पढ़ा-लिखा लड़का परीक्षा-भवन में गया और उत्तर लिख आया। बाद में पता चला कि उसका पेशा ही यह था। परोपकाराय सतां विभूतयः। एक और स्थान पर तो अध्यापकों ने भी इस महायज्ञ में इतना निःस्वार्थ योगदान दिया कि कहते हुए भी शर्म आती है। उन्होंने छात्रों की मदद करने की तीन-सूची रूपरेखा तैयार की। यदि कोई छात्र एक सहस्र मुद्रा दे, तो उसे नकल करने की छूट थी। यदि कोई छात्र दो सहस्र मुद्रा दे तो निरीक्षक स्वयं भी उसकी मदद करने को हाज़िर था। और अन्त में चलकर यदि कोई छात्र तीन हज़ार मुद्राएँ देता था तो वह बाहरी लोगों की भी सहायता उपलब्ध कर सकता था। ऊपर बताये गये सारे मामलों में सबसे ज़्यादा प्रत्यक्ष और सरल तरीका एक और प्रत्युत्पन्नमति छात्र ने अपनाया और नकल करने के सन्दर्भ में नया कीर्तिमान स्थापित किया। उसने सिर्फ़ इतना किया कि एक मेधावी छात्र की उत्तर-पुस्तिका को परीक्षा के अन्त में बलपूर्वक छीन लिया और उस पर अपना रोल नम्बर लिखकर निरीक्षक महोदय को दे दिया। इतना मौलिक व अप्रकाशित ढंग न पहले कभी सुना था, न देखा था। जैसा कि ज़ाहिर है, ऊपर लिखे लिखे सारे स्वयंवर केवल मेरठ में ही नहीं हुए, बल्कि न जाने कितने परीक्षा-केन्द्रों पर हुए। मेरठ के लड़के तो फिर भी काफ़ी शरीफ़ निकले और मेरठ की लड़कियों ने तो नकल की ही नहीं। वे बेचारी कन्याएँ तो यह माँग ही करती रहीं कि उन्हें भी नकल करने की सुविधाएँ दी जाएँ। जब सब जगह परीक्षाएँ एक सार्वजनिक यज्ञ का रूप धारण करती जा रही हैं तो इस स्वयंवर में मेरठ की लड़कियाँ ही क्यों पीछे रहें? शिवजी का यह धनुष नहीं टूटेगा तो उनका विवाह कैसे होगा?

ऊपर बतायी गयी स्थिति पर विचार करने के बाद मन में कई प्रतिक्रियाएँ उठती हैं। पहले तो यह दुःख होता है कि नकल की यह सुविधा हमारे शिक्षाकाल में क्यों नहीं थी? हम लोग थे कि 'चक्रवर्ती गणित' और 'गोल्डन ट्रैज़री' पढ़ते-पढ़ते पागल हो जाया करते थे। फिर यह प्रश्न उठता है कि कॉलेजों और विश्वविद्यालयों में नकल का वातावरण क्यों बनता जा रहा है? ज़ाहिर है इसके भी कारण होंगे। हरि अनन्त, हरिकथा अनन्ता। तीसरी बात यह है कि नैतिकता और अनुशासन का ह्रास क्या छात्रों में ही हुआ है, समाज के शेष शालीन वर्गों में नहीं? अन्तिम बात यह है कि स्थिति सुधारने के लिए क्या किया जाए क्योंकि यदि जो चल रहा है, वह चलता रहा तो वह दिन दूर नहीं है जबकि कॉलेज और काँजीहाउस—इन दोनों पवित्र स्थानों के बीच का अन्तर कतई मिट जाएगा।

नकल करना एक ऐसी समस्या है जिसके कि अनेक कारण हैं। पहला कारण तो यह है कि देश के ज़्यादातर नवयुवक अब कॉलेज जाने लगे। बिना डिग्री प्राप्त किये न नौकरी मिलती है और न पत्नी ही। नौकरी के बिना तो काम शायद चल भी सकता है पर पत्नी का अभाव एक ऐसी चीज़ है जिसके साथ मनुष्य का जीवित रहना कठिन है। रोटियों की तकलीफ़ सबसे बड़ी तकलीफ़ होती है और यह तकलीफ़ पूरी तरह तभी मिटती है जबकि घर में एक अदद बहू आ जाती है। जैसे-जैसे छात्रों की संख्या बढ़ती गयी, वैसे ही वैसे बाकी मामला मुश्किल होता गया। राज़नीतिक दलों ने हर कॉलेज में अपने अखाड़े खोल लिये और जो छात्र-आन्दोलन बाबू जयप्रकाश नारायण ने किसी और मकसद से शुरू किया था, आख़िर में चलकर वह छात्रों के ख़िलाफ़ ही जाने लगा। दूसरा कारण यह है कि यह जो बड़े पैमाने पर सुव्यवस्थित रूप से नकल होती है, वह बिना शिक्षकों की सक्रिय सहायता के कभी नहीं चल सकती। कुछ शिक्षक तो इस कारण चुप रहते हैं कि कहीं किसी लड़के को कुछ कह दिया तो वह वहीं पलटकर थप्पड़ न मार दे। गुरु और शिष्य के सम्बन्ध अब इतने मधुर हो चुके हैं कि कहीं-कहीं तो छात्र लोग अपने शिक्षकों की कपालक्रिया तक करने में नहीं हिचकते। शिक्षक यदि मर गया तो उसकी विधवा पत्नी को पचास-साठ रुपया पेंशन के अतिरिक्त और क्या मिलेगा? इसी कारण जो चतुर निरीक्षक हैं वे गाँधीजी के तीन बन्दरों की भाँति न कुछ देखते हैं, न कुछ सुनते हैं और न कुछ कहते हैं। जो और भी दूरन्दाज़ निरीक्षक हैं वे अभी भी रीतिकाल में ही रहते हैं। एक प्रोफ़ेसर थे जिनके विभाग में हमेशा एक विशिष्ट कन्या ही सर्वप्रथम आती थी। इस रीतिकालीन प्राध्यापक की जब वीर गाथाकालीन पिटाई की गयी तो बेचारे एकदम भक्ति कालीन मुद्रा में आ गये। नकल करने का तीसरा कारण यह है कि लड़के पढ़ते हैं हिन्दी में जबकि सारी ऊँची नौकरियों के इम्तहान होते हैं अंग्रेज़ी में। छात्र जानते हैं कि उनका कोई भविष्य है ही नहीं। उन्हें दादरा गाना सिखाया जाता है जब कि दरबार में पहुँचने पर उनसे कहा जाता है कि वे श्याम कल्याण

में गाएँ। ऐसी स्थिति में, आप ही बताइए, वे करें तो क्या करें? वे हड़ताल करते हैं, कॉलेज बन्द होते हैं और इस वर्ष की परीक्षा अगले वर्ष होती है। यदि कॉलेज पढ़ाई के लिए मात्र तीन ही महीने के लिए खुलता है तो पास होने के लिए सिवा नकल करने के और चारा ही क्या बचता है? इस सबके अतिरिक्त जो चारों ओर का माहौल है वह इतना दिलचस्प है कि कुछ कहा ही नहीं जा सकता। एक प्रदेश में एक मन्त्रीजी को ब्रेकफास्ट पर बुलवाया गया और जब वे वहाँ पहुँचे तो उनके एक साथी ने उनकी ठुकाई कर दी। अब जब नेताओं का यह हाल है तो दिशाहीन छात्रों को ही क्यों दोष दिया जाता है? बोलो, क्या मेरी आवाज़ तुम तक पहुँचती है?

जैसा कि आपने अब समझ लिया होगा, सारी स्थिति काफ़ी गम्भीर है। इस स्थिति को पुलिस या भाषणों से नहीं बदला जा सकता। सरकार को उचित होगा कि वह इस मामले की सब पहलुओं से जाँच करने के लिए एक कमीशन बिठाए। हालाँकि मैं काफ़ी व्यस्त आदमी हूँ पर फिर भी यह ज़िम्मेदारी अपने हाथों में लेने को तैयार हूँ। सारा काम अवैतनिक होगा, सिर्फ़ जेब-खर्च वगैरह के लिए पाँच हज़ार मुद्रा प्रति माह लूँगा, एक स्टाफ़ कार रखूँगा, हवाई जहाज़ से दौरे करूँगा और एक हसीन स्टेनोग्राफ़र रखूँगा। काम जी लगाकर करूँगा और पाँच वर्ष के भीतर ही भीतर अपनी पूरी रिपोर्ट सरकार को पेश कर दूँगा। आप लोगों में से शायद कुछ लोग मेरे सुझाव पर मुसकराएँ पर मैं दावे के साथ कहता हूँ कि अन्त में चलकर सरकार ठीक वही काम करेगी, जो मैं आज बता रहा हूँ। कवि के शब्दों में स्थिति यह है कि :

हवा कुछ ऐसी बदली है ज़माने की
दुआएँ माँगता हूँ, होश में न आने की

वे दिन इलाहाबाद के

प्रयागराज इस धरती माता पर बसा वह भाग्यशाली नगर है जहाँ मैंने अपने पचपन वर्ष के इस क्षणभंगुर जीवन के लगभग ग्यारह वर्ष बिताये हैं। मेरी पहली पुस्तक प्रयाग में ही प्रकाशित हुई और मैंने अपनी सारी उच्च शिक्षा भी वहीं के विश्वविद्यालय में (जो अब एक काँजी हाउस की छटा देता है) प्राप्त की। मेरा अपनी भावी पत्नी से वाग्दान भी वहीं सम्पन्न हुआ और मेरी पहली मोटरगाड़ी भी प्रयाग में ही आयी। अभी तक वही पत्नी और वही मोटर मेरा साथ दे रही हैं और अब मैं उन्हें शायद ही बदलूँ। मेरी पहली सन्तान भी (जो पुल्लिंग थी और है) मुझे वहीं प्राप्त हुई। सिविल सर्विस की परीक्षा भी मैंने प्रयाग केन्द्र से ही उत्तीर्ण की और जीवन में प्रथम प्रेम का अनुभव भी मैंने वहीं प्राप्त किया। मेरे दुर्भाग्य से यह प्रेम अन्त तक पवित्र ही रहा।

प्रयाग एक अनुपम स्थान है। यहाँ पवित्र पुण्य सलिला भगवती भागीरथी (उत्तररामचरित) और कालिन्दी एक-दूसरे से मिलीं। हिन्दी में इन नदियों को गंगा-जमुना कहते हैं। (इस नाम पर एक चलचित्र भी बना, जिसमें दिलीपकुमार और वैजयन्तीमाला ने अभिनय किया। पिक्चर को संगीत नौशाद ने दिया और उसका निर्माण महबूब खान ने किया। पिक्चर जो थी वह इन नदियों से भी ज़्यादा चली।) संगम होने के बाद—जैसा कि दुनिया का दस्तूर है—नाम केवल उसी नदी का शेष रहा जो बड़ी थी। जिस अमृत के लिए कभी सागर-मन्थन किया गया था, उसकी कुछ बूँदें प्रयाग में भी गिरी थीं और इसी पाप का प्रायश्चित्त करने के लिए हर बारह वर्ष बाद संगम पर कुम्भ का महान् मेला लगता है। कोई तीस वर्ष पहले एक बार कुछ ऐसा सुन्दर प्रबन्ध किया गया था कि कुम्भ के यात्रियों में से कई हज़ार भक्तों ने भगदड़ और भीड़ के कारण तत्काल मोक्ष की प्राप्ति की थी। ऐसी पवित्र मृत्यु प्रत्येक के भाग्य में नहीं होती। इत्तफ़ाक की बात देखिए कि एक तरफ़ यह होता रहा और दूसरी ओर प्रयाग के क़िले में एक चाय-पार्टी चलती रही जिसमें देश के राष्ट्रपति से लेकर खाकसार तक शामिल था। कुम्भ के अवसर पर यात्रियों को लूटा जाता है, उनके बच्चों को (खासकर लड़कियों को) भगाया जाता है (ताकि वे अपंग किये जा सकें या उन्हें कोठों पर बिठाया जा सके) और उनकी पत्नियों

के साथ बलात्कार किया जाता है। धार्मिक महन्त लोग अपनी पवित्र जिम्मेदारियों से कभी पीछे नहीं हटते।

तीर्थस्थान होने के साथ-साथ इलाहाबाद वह जगह है जहाँ उत्तर प्रदेश का हाईकोर्ट स्थित है। पचासों जज हैं, सैकड़ों बैरिस्टर हैं और लाखों मुक़दमे हैं। डॉ. कैलाशनाथ काटजू, पण्डित मोतीलाल नेहरू और सर तेज बहादुर सप्रू प्रयाग उच्च न्यायालय के ही वकील थे। चौधरी चरणसिंह का कहना है कि जब अपराध पश्चिमी उत्तर प्रदेश में सम्पन्न किये जाते हैं तो ऊँची अदालत को पूर्वी उत्तर प्रदेश में रखना कहाँ तक न्यायसंगत है? चौधरी साहब यह कभी नहीं कहते कि अपराध कम होने चाहिए या नहीं होने चाहिए, उनकी शिकायत तो मात्र इतनी है कि अदालत उसी क्षेत्र में होनी चाहिए जहाँ कि अपराध किये जाते हैं। मैं चरणसिंहजी की वाणी श्रवण करता हूँ और उनके चरण छूना चाहता हूँ।

प्रयाग का विश्वविद्यालय भी कभी काफ़ी प्रतिष्ठित था। जिन दिनों मैं वहाँ पढ़ता था तब प्रायः प्रत्येक विभाग में अपने विषय का कोई दिग्गज वहाँ ज़रूर विराजमान था। इतिहास डॉक्टर ईश्वरीप्रसाद पढ़ाते थे, अंग्रेज़ी विभाग के अध्यक्ष सतीशचन्द्र देव थे, अर्थशास्त्र में जमशेद कैखुसरू मेहता थे, गणित को डॉक्टर गोरखप्रसाद सँभालते थे और रसायनशास्त्र में नीलरतन धर थे। हिन्दी विभाग जो था वह डॉक्टर रामकुमार वर्मा की 'रेशमी टाई' से बँधा था। संस्कृत में क्षेत्रेश चट्टोपाध्याय का नाम प्रसिद्ध था। कुछ लोग ऐसे भी थे जो कि प्रसिद्ध गुप्तवंश से सम्बन्ध रखते थे और उन लोगों में से प्रकाशचन्द्र गुप्त, जगदीश गुप्त और माताप्रसाद गुप्त के नाम मुझे अभी तक याद हैं। बी.ए. की अपेक्षा एम.ए. में पढ़ना ज़्यादा अच्छा लगता था क्योंकि एम.ए. में लड़के और लड़कियाँ साथ-साथ पढ़ते थे। विश्वविद्यालय में काफ़ी शानदार छात्रावास भी थे और जो छात्र उनके बाहर रहते थे, उन्हें 'डेलीगैसी' का निवासी कहा जाता था। डैलीगेसी के धन का काफ़ी गोलमाल किया जाता था। इस सबसे ज़्यादा दिलचस्प चीज़ छात्रों की यूनियन होती थी जिसका एक चुनाव खाकसार ने भी लड़ा था और बहुत ही कम वोटों से हारा था। मैं विश्वविद्यालय के 'स्टूडेण्ट फ़ेडरेशन' का अध्यक्ष भी रहा। यदि कोई व्यक्ति बीस-पच्चीस वर्ष की आयु में साम्यवादी नहीं होता तो समझ लीजिए कि उसके पास दिल नहीं है और यदि कोई व्यक्ति चालीस वर्ष की आयु में भी साम्यवादी रहता है तो समझ लीजिए कि उसके पास दिमाग़ नहीं है। मैं भी इसी कहावत का शिकार था।

इतिहास की दृष्टि से भी प्रयाग एक महत्त्वपूर्ण नगर रहा। वनवास को जाते समय रामचन्द्रजी भरद्वाज मुनि से मिलने यहाँ आये थे। वह आश्रम जिसमें मुनि भरद्वाज कभी रहते थे, अभी भी विद्यमान है हालाँकि फ़िलहाल यह आश्रम काफ़ी गन्दी बस्ती में है और शायद इसी कारण कोई ऋषि या मुनि वहाँ अब नहीं रहता। द्रौपदी का जो पाँच भाइयों के बीच बँटवारा सम्पन्न हुआ था वह भी प्रयाग में ही

हुआ था और गंगाजी का वह घाट अभी भी द्रौपदी घाट के नाम से पुकारा जाता है। आजकल भी रात के समय लड़कियों का प्रेमियों के बीच बँटवारा यहाँ सम्पन्न किया जाता है। इलाहाबाद का क़िला सन् पन्द्रह सौ पचहत्तर के आस-पास अकबर ने बनवाया था जिसके भीतर दो चीज़ें बहुत देखने लायक हैं। एक है अशोक की लाट और दूसरी इमारत है रानी जोधाबाई का महल। अशोक की यह ऐसी अकेली लाट है जिस पर अशोक, जहाँगीर और जनरल नील से लेकर बाँदा के कालूराम हलवाई तक—सबके शिलालेख उत्कीर्ण हैं। जनरल नील ने सन् अठारह सौ सत्तावन के गदर में यहाँ विद्रोहियों के साथ बड़े अत्याचार किये थे। जब जहाँगीर इलाहाबाद का गवर्नर था तो उसने एक राजा की सहायता से अबुलफ़ज़ल को मरवाया था जिसके कारण उन दोनों पर करोड़ों का जुर्माना हुआ था और महाकवि केशवदास उस जुर्माने को माफ़ कराने के लिए अपने मित्र राजा टोडरमल के पास गये थे। सम्राट् हर्षवर्धन हर पाँच वर्ष की अवधि के बाद संगम आता था और अपना सारा कोष खाली करके ही वापस लौटता था। अगर अब कोई राजा वैसा करता तो हर्षवर्धन के स्थान पर शोकवर्धन कहलाता। प्रयाग से थोड़ी ही दूर कौशाम्बी नाम की नगरी खुदाई से निकली है जिसके सन्दर्भ में राजा उदयन और नगरवधू आम्रपाली को आज भी याद किया जाता है। मैं जब कौशाम्बी गया तो पत्थर का नक्काशीदार एक टुकड़ा सबकी आँखों से बचाकर अपने ड्राइंगरूम में रखने के लिए ले आया। गंगा के उस पार पुरुरवा व उर्वशी की भूमि है। उर्वशी पर मरने वाले लोगों में कवि दिनकरजी का नाम काफ़ी प्रसिद्ध है। उन्होंने यहाँ कुछ समय बिताया और बाद में 'उर्वशी' नाम का महाकाव्य लिखा जिस पर उन्हें ज्ञानपीठ एवार्ड मिला हालाँकि पन्त और निराला दोनों जीवित थे और दिनकर के मुकाबले करोड़ों गुना महान् थे। जहाँगीर का लड़का खुसरो (जिसको शाहजहाँ ने इस देह से मुक्ति दिलवायी थी) प्रयाग में ही दफ़नाया गया क्योंकि उसकी हिन्दू माता और पत्नी—वे दोनों भी यहीं दफ़नाये जा चुके थे। उमर खैयाम ने कहा है कि जहाँ भी किसी सुलतान का रक्त गिरा वहीं गुलाब जो थे वे ज़्यादा लाल खिले। खुसरोबाग में गुलाब तो नहीं—हाँ, अमरूद बहुत बढ़िया पैदा होते हैं। मैंने ऊपर रानी जोधाबाई का ज़िक्र किया है। इतिहासकारों में मतभेद है और यह निश्चित नहीं है कि वह जहाँगीर की माँ थी या पत्नी। बहरहाल, वह इन दोनों में से एक ज़रूर थी। पत्नी तो वह निश्चित रूप से थी; अलबत्ता यह दीगर बात है कि वह जहाँगीर की पत्नी थी या उसके बाप की। दोनों स्थितियों में कोई विशेष अन्तर मुझे तो दिखाई नहीं पड़ता। गदर के बाद ईस्ट इण्डिया कम्पनी की समाप्ति का घोषणा-पत्र लार्ड कैनिंग ने प्रयाग के मिण्टो पार्क ही में पढ़ा था।

प्रयाग का महत्त्व इस कारण भी है क्योंकि यह उत्तर प्रदेश की दूसरी राजधानी है। हाईकोर्ट, बोर्ड ऑफ़ रेवेन्यू, डायरेक्टर ऑफ़ एजुकेशन, इंस्पेक्टर जनरल (पुलिस), एकाउण्टेण्ट जनरल—इन सभी के कार्यालय प्रयाग में ही हैं, हालाँकि इंस्पेक्टर जनरल

(पुलिस) व डायरेक्टर ऑफ़ एजुकेशन वगैरह खुद लखनऊ में ही रहते हैं। प्रयाग से व लखनऊ से, एक-एक गाड़ी रात को चलती है जिसके द्वारा फ़ाइलें प्रयाग से लखनऊ व लखनऊ से प्रयाग पहुँचायी जाती हैं। ऐसा सुन्दर प्रबन्ध और कहीं नहीं देखा गया। वही लोक-कथाओं के राक्षस वाली बात : शरीर प्रयाग में है और प्राणों का जो तोता है वह लखनऊ में है। रास्ते में सात समुन्दरों के स्थान पर फाफामऊ की विशाल गंगा पड़ती है। बस, मात्र यही एक अन्तर है।

प्रयाग के आसपास की जो परिधि है वह प्रयाग से भी ज़्यादा आकर्षक है। 'पूरब का शीराज़ा' शाही नगर जौनपुर, अयोध्या, चित्रकूट, विन्ध्याचल और चुनार एकदम पास लगे हैं। विन्ध्याचल के क्षेत्र में अष्टभुजा का मन्दिर है, चचई, विण्ढम और टांडाफ़ाल के झरने हैं जिन्हें देखने हज़ारों लोग जाते हैं हालाँकि किसी भी झरने ने मुझे कभी आकृष्ट नहीं किया। अरे भाई, पानी ऊपर से गिरेगा तो नीचे को ही तो गिरेगा। इसमें आश्चर्य की बात कौन-सी हो गयी? आश्चर्य तो तब होता जब पानी नीचे से ऊपर को जाता। इसी क्षेत्र में तमसा नदी है जिसकी चर्चा कालिदास ने 'रघुवंश' में की है। वितमसा तमसा सरयूतटाः। लोअर खजूरी डैम और अपर खजूरी डैम नितान्त सुन्दर स्थल हैं। गोबिन्दगढ़ में बड़ी मनोरम झील है और वहाँ जो महल है उसमें रीवा के सफ़ेद शेर रहते हैं। हम अच्छे-खासे खाना खाकर घास पर लेटे थे मगर जैसे ही शेरों की दहाड़ सुनी वैसे ही एकदम भाग खड़े हुए। बाद में ड्राइवर मुन्नीलाल ने बताया कि वह आवाज़ शेर की नहीं बल्कि किसी गधे की थी। चुनार का क़िला राजा विक्रमादित्य का बनवाया हुआ है और भर्तृहरि, आल्हा-ऊदल और वारेन हेस्टिंग्ज़ के नाम से जुड़ा है। बनारस से भागकर वारेन हेस्टिंग्ज़ चुनार के ही क़िले में छिपा था। उसका वह कमरा अभी भी सुरक्षित है, उसके बाहर तख्ती लगी है और भीतर कुत्ते जो हैं वे कुत्तियों से प्रणय करते हैं। इतिहास से बड़ी और कोई मज़ाक़ नहीं।

मगर सब कुछ कहने के बाद मैं असली बात आपको अब बतलाऊँगा। प्रयाग की महानता का रहस्य मात्र यह है कि वह सदा से साहित्य का गढ़ रहा है। अब मैं साहित्य की ही चर्चा करूँगा।

प्रयाग सदा से साहित्य का गढ़ रहा मगर मैं सिर्फ़ बीसवीं सदी की ही चर्चा करूँगा। श्रीधर पाठक और महाकवि अकबर—दोनों इलाहाबाद ही में रहते थे (रखा यहाँ है क्या, सिवा अकबर के और अमरूद के)। उनके बाद आये महावीरप्रसाद द्विवेदी जिन्होंने अनेक वर्षों तक हिन्दी की सर्वश्रेष्ठ पत्रिका 'सरस्वती' का सम्पादन किया। भारतेन्दु के बाद हिन्दी के दूसरे स्तम्भ द्विवेदीजी ही थे। फिर आ गया छायावाद जिसके दो स्तम्भ (पन्त और निराला) प्रयाग में ही रहे। द्विवेदीजी वैसे छायावाद से ज़्यादा प्रभावित नहीं थे पर फिर भी उन्होंने पन्तजी की कितनी ही कविताएँ प्रकाशित कीं। द्विवेदीजी को तो मैं नहीं देख पाया क्योंकि जब तक मैं

सीन पर पहुँचा तब तक वे इस मनुष्यवती देह को नश्वर सिद्ध कर चुके थे पर उनके दो उत्तराधिकारियों को मैंने अवश्य देखा—एक थे देवीदत्त शुक्ल और दूसरे थे पदुमलाल पुन्नालाल बख़्शी। हिन्दी साहित्य सम्मेलन के प्राण थे पुरुषोत्तम दास टण्डन जिन्हें दाढ़ी रखने के कारण राजर्षि कहा जाता था। बाद में चलकर भारत सरकार ने उन्हें 'भारतरत्न' से सुशोभित किया।

पन्त और निराला की त्रासदी यह रही कि ये दोनों महाकवि साथ-साथ पैदा हुए। मेरे जैसे असंख्य पाठक यही स्वीकार करते हैं कि निरालाजी कवि की हैसियत से पन्तजी से बड़े हैं। मगर कुछ और बातें भी हैं जिन्हें कभी नहीं भुलाया जाना चाहिए। निरालाजी ने पन्तजी के साथ कई बार अभद्र व्यवहार किया। कालाकाँकर में उन्होंने पन्तजी को मुखातिब करके अपनी लुंगी खोल दी और इसी प्रकार एक बार प्रयाग में पन्तजी को ललकारा कि आओ, दम हो तो मुझसे कुश्ती लड़ो। इसी प्रकार कवि-सम्मेलनों या बाकी अवसरों पर निरालाजी जान-बूझकर कुछ ऐसा काम करते थे जिससे उनकी पब्लिसिटी हो जाए। उदाहरण के लिए किसी एक महत्त्वपूर्ण सम्मेलन के बीच उन्होंने फ़रमाया कि मुझे तो वेश्या चाहिए, तुरन्त प्रबन्ध करो। इसके अतिरिक्त पता नहीं क्यों, वे पन्तजी से ईर्ष्या भी करते थे। अपनी कला की चर्चा करते हुए भी उन्होंने पन्तजी की ही बुराई की है और बड़े फूहड़ ढंग से की है। इन्हीं सब कारणों से स्थिति इतनी दुखी हो गयी कि एक ही नगर में रहते हुए भी ये दोनों महान् कवि एक-दूसरे से वर्षों तक नहीं मिले। निरालाजी दुखी होकर फ़िराक़ साहब से स्वयं ही कहा करते थे कि "माई डियर, पन्त इज़ नॉट अवेलेबिल।" अब आप ही सोचिए कि ऐसी स्थिति में कोई क्या करता? डॉ. धर्मवीर भारती पन्तजी के बड़े भक्त थे। अब पन्तजी पचास वर्ष के हुए तो 'संगम' ने विशेषांक निकाला जिसके सह-सम्पादक भारतीजी ही थे पर बाद में चलकर कुछ ऐसा ज़रूर हुआ कि उन्हें 'गुलीवर की तीसरी यात्रा' नाम की समुद्री कहानी लिखनी पड़ी। पन्तजी की मृत्यु के अवसर पर भी 'धर्मयुग' के मुखपृष्ठ पर पन्तजी का चित्र नहीं छपा हालाँकि अमिताभ बच्चन के भयंकर चोट खाने के सन्दर्भ में उनका पूरा चित्र 'धर्मयुग' के कवर पर छपा। पन्तजी से ज़रूर कोई ऐसी अक्षम्य भूल हुई होगी जिसके कारण भारतीजी जैसे निश्छल, कवि, भक्त और विनयी व्यक्ति को ऐसा दुःख पहुँचा जिसे वे चाहते हुए भी भुला नहीं सके। 'लोकायतन' लिखकर पन्तजी ने अपनी मिट्टी ज़रूर पलीद की।

उन दिनों फ़िराक़ और बच्चन दोनों अंग्रेज़ी विभाग में व्याख्याता थे। दोनों प्रसिद्ध थे। फ़िराक़ साहब बेतकल्लुफ़ इंसान थे जो शायद दिन में भी शराब पी लिया करते थे जबकि बच्चनजी किसी बड़े अधिकारी की भाँति बड़े 'स्नौबिश' ढंग से रहते थे। उनके पास मोटर भी थी और बँगला भी। मगर घर पर वे काफ़ी मुक्त ढंग से रहते थे। जब मैं पहली बार उनके घर गया तो उन्होंने मेरी कविताएँ सुनीं,

उनकी कमियाँ बताईं और यह भी कहा कि आज तो एक त्योहार का दिन है कि एक नया कवि उनके घर पर आया। फ़िराक़ साहब शाम को ख़ूब शराब पीते थे, सबके सामने बरामदे में मूता करते थे और या तो हिन्दी वालों को फ़ोश गालियाँ दिया करते थे या फिर अपनी प्रशंसा के पुल बाँधा करते थे। उन्हीं के यहाँ मैंने एक बार डॉ. अमरनाथ झा को देखा था और अपनी इस प्रथम भेंट में ही मैं समझ गया था कि वे नितान्त हीनभावना से ग्रस्त और दयनीय किस्म के व्यक्ति थे। ऐसे लोगों को सहन करना बड़ा कठिन काम है। मगर जब तक ताज़ीराते-हिन्द में दफ़ा तीन सौ दो है, तब तक आप और कर ही क्या सकते हैं?

जिन दिनों की मैं बात कर रहा हूँ, उन दिनों 'नयी कविता' और 'नयी कहानियों' का आन्दोलन शुरू-सा ही हुआ था। 'प्रतीक' नाम का अख़बार छपता था जिसमें छपना एक गौरव की बात थी। मगर उससे भी ज़्यादा कठिन था 'परिमल' का सदस्य बनना। 'परिमल' एक ऐसी संस्था थी जिसमें सारे बड़े साहित्यकार शामिल थे। हम जैसे 'छुटभैये' वहाँ जाने का स्वप्न भी नहीं देख सकते थे। परिमल के कर्ता-धर्ता थे डॉ. धर्मवीर भारती जो उन्हीं दिनों हिन्दी विभाग में नियुक्त हुए थे। दुबले-पतले, ज़रूरत से ज़्यादा लम्बे और सोने की कमानी का धूप का चश्मा लगाने वाले 'गुनाहों के देवता'। वे जो वर्तमान रूप रखते हैं (जिसमें वे 'ठेले पर हिमालय' जैसे लगते हैं) वह तो बाद की बात है। उन्होंने दुष्यन्तकुमार, कमलेश्वर और मुझ जैसे नये लेखकों को परिमल में लाने के लिए 'सह परिमल' की स्थापना की। मेरे पास परिमल के एक विशेष समारोह पर खींचा गया एक फ़ोटो है जिसमें सर्वेश्वरदयाल सक्सेना, रमानाथ अवस्थी, ओंकार शरद, सुमित्रानन्दन पन्त, अज्ञेय, इलाचन्द्र जोशी, दुष्यन्तकुमार, लक्ष्मीकान्त वर्मा, डॉ. रघुवंश, केशवचन्द्र वर्मा, गिरधर गोपाल, ओंकारनाथ श्रीवास्तव, सुरेन्द्र चतुर्वेदी, जगदीश गुप्त, गंगाप्रसाद पाण्डेय, लक्ष्मीनारायण लाल, श्री हरि, अजित कुमार, शालिग्राम शर्मा, रवीन्द्रनाथ त्यागी, रामावतार चेतन और धर्मवीर भारती को तैंतीस वर्ष बाद भी पहचाना जा सकता है। इसी प्रकार एक और चित्र है जिसमें अमरकान्त, अमृतराय, सुरेश सिन्हा, डॉ. सत्यव्रत सिन्हा, नरेश मेहता, केशवचन्द्र वर्मा, विजयदेव नारायण साही, श्रीलाल शुक्ल, उपेन्द्रनाथ अश्क, केशवप्रसाद मिश्र, रवीन्द्रनाथ त्यागी, प्रभात रंजन, उमाकान्त मालवीय और डॉक्टर रघुवंश साथ-साथ बैठे हैं। ये दोनों चित्र ऐतिहासिक व अमूल्य हैं क्योंकि इनमें मैं शामिल हूँ।

अब प्रयाग गये अरसा गुज़र गया। न रहे मिट्ठू बाबू और न रहे वे वाचस्पति पाठक जिन्होंने मेरा प्रथम कविता संग्रह 'भारती भण्डार' से छापा था हालाँकि मैं पन्त, प्रसाद और निराला में से कोई भी नहीं था। डॉ. रामशंकर शुक्ल 'रसाल' भी नहीं रहे और न रहे 'कामायनी' की 'मानवीय' टीका करने वाले विश्वम्भर मानव। एक कवयित्री ज़रूर हैं जो अपने को डॉ. अमरनाथ झा का स्त्री संस्करण बनाने में पिछले चालीस वर्षों से व्यस्त हैं मगर मुझे क्या वे स्वयं और क्या उनकी कविता—इन दोनों

में कभी कोई दिलचस्पी नहीं रही। डॉक्टर रसाल गोल टोपी पहनते थे, बन्द गले का कोट धारण करते थे (जिसे वे रात को किसी घड़े में रखते थे)। नीचे धोती पहनते थे और सबसे नीचे जुराब और फ़ुल बूट पहनते थे। मेरा प्यारा दोस्त सुरेन्द्रपाल भी नहीं रहा। उसने आत्महत्या कर ली। यही काम डॉ. केशरीप्रसाद चौरसिया ने भी सफलतापूर्वक सम्पन्न किया। साही साहब की भी मृत्यु हो गयी और प्रकाशचन्द्र गुप्त भी नहीं रहे। प्रयाग जाने को अब दिल नहीं करता।

कभी-कभी सोचता हूँ कि प्रयाग विश्वविद्यालय का उपकुलपति बन जाऊँ ताकि सीनेट हॉल की उस गौरवशाली घड़ी की मरम्मत करा सकूँ जिसके शीशे बरसों से टूटे पड़े हैं और उन पत्थर की गोल बेंचों को भी ठीक करा सकूँ जिन पर हम लोग (मैं, जितेन्द्र शुक्ला, रविशंकर मिश्रा और अंजनीप्रसाद गौड़) चाँदनी रातों में बैठा करते थे। बस इस तरह के दो-चार काम सम्पन्न करने के तुरन्त बाद मैं त्याग पत्र दे दूँगा और मुझे हटाने के लिए छात्रों को पुलिस नहीं बुलवानी पड़ेगी। सच्ची बात तो यह है कि कई वर्ष पूर्व जब मैंने युनिवर्सिटी की बाहरी हालत इतनी दर्दनाक देखी थी तब मैंने दौरे से वापस आकर एक पत्र वाइस चांसलर को लिखा था। मगर वे बेचारे क्या करते, मेरी चिट्ठी पहुँचने से पूर्व वे बाकायदा मुअत्तिल कर दिये गये थे।

मेरी काश्मीर-यात्रा

पिछले साढ़े तीन वर्षों से मैं सेना की उत्तरी कमान का रक्षा-लेखा-नियन्त्रक हूँ। इस अवधि में मैंने काँगड़ा, लद्दाख और काश्मीर की यात्राएँ कीं। योल मुझे बहुत अच्छा लगा। पीछे नीले पहाड़ और उनके आगे लगे पीले धानों के खेत। योल की यात्रा में मुझे महाप्राण निराला की कविता बराबर याद आती रही : 'स्वर्ण शस्य अंचल धरती का लहराया; सखि वसन्त आया'। योल में एक मन्दिर है जिसके बारे में दो बातें विशिष्ट हैं। पहली बात तो यह है कि वहाँ हनुमानजी की जो मूर्ति है वह वाकई इतनी विशाल है कि यदि हनुमानजी उसे स्वयं देख लें तो मूर्च्छित हो जाएँ। दूसरी बात जो है वह यह है कि जहाँ तक मेरी पैनी निगाह गयी वहाँ तक मैंने यही देखा कि भक्तों में ज़्यादा तादाद युवा व रूपवती स्त्रियों की थी और उनमें भी विदेशी युवतियाँ जो थीं वे कहीं ज़्यादा बहुमत में थीं। हमारे देश से जो वस्तु सबसे ज़्यादा निर्यात की जाती है, वह हमारा धर्म और अध्यात्म है। रजनीशजी को देख लीजिए। परसाईजी के अनुसार वे पहले मात्र रजनीश थे। उसके बाद वे आचार्य रजनीश हो गये। आचार्य रजनीश एक बार प्रयाग भी आये थे। लोकभारती प्रकाशन के भीतर उनका प्रवचन हुआ था जिसे सुनने के लिए सुमित्रानन्दन पन्त भी आये थे। रजनीशजी ने काफ़ी उलझी-उलझी बातें कीं और जब मैंने उन्हें आड़े हाथों लिया, तब भी वे शान्त और सन्तुलित ही रहे। इसके बाद वे विदेश चले गये, आचार्य के स्थान पर भगवान हो गये और 'सम्भोग से समाधि तक' जैसे आध्यात्मिक ग्रन्थ लिखने लगे। इसी प्रकार हरिद्वार के महेश योगी निकले, जिन्होंने भावातीत चिन्तन का प्रचार किया, संसार के सभी देशों को चुनौती दी कि वे उनकी सलाह मानें और अपनी समस्याओं का समाधान उनसे करवाएँ। बहरहाल, स्थिति यह है कि ये दोनों सज्जन बेतहाशा अमीर हैं, विदेशों में आश्रम रखते हैं, सुन्दर युवतियों के बीच रहते हैं और हमारे देश की सभ्यता और संस्कृति को विदेशों में प्रतिष्ठित करने में जुटे हैं। मेरे विचार में इन दोनों को 'भारतरत्न' की उपाधि मिलनी चाहिए। और कौन जाने कि एक दिन वैसा हो ही जाए? स्त्रियों के चरित्र को और पुरुष के भाग्य को देवता तक नहीं जानते, मनुष्य की तो बिसात ही क्या है?

काश्मीर मैं कई बार गया हूँ। इस बार मैं वायुयान से श्रीनगर जाना चाहता था ताकि कम से कम खर्च पर, पत्नी को भी हवाई जहाज़ में बैठने का सुअवसर प्राप्त हो सकता। कुछ कारणों से वैसा नहीं हो सका। मुद्रा का राक्षस बड़ा विकट है। वैसे भी वायुयान के अपहरण की जितनी सुखद घटनाएँ दिल्ली, जम्मू, श्रीनगर वाले हवाई मार्ग पर हुई हैं, उतनी और कहीं नहीं हुईं। कितना अच्छा होता कि मैं मात्र अपनी सगी पत्नी को ही विमान में बिठाता और उसका अपहरण किया जाता। सीता से मुक्ति पाने के बाद राम ने कितना अच्छा महसूस किया होगा, उसका अनुमान आप लगा सकते हैं। और इन दिनों तो स्थिति इतनी सुखद है कि दूसरी पत्नी मिलने से ज़्यादा सरल कोई और काम है ही नहीं। दिल्ली में एक नवयुवक ने अपनी पत्नी की हत्या की और थोड़े ही दिनों बाद उसने दूसरी शादी कर ली। कुछ कारणों से दूसरी पत्नी गर्भवती हो गयी और उधर सर्वोच्च न्यायालय ने उसे आजीवन कारावास का दण्ड दे दिया। यह भी कितनी विचित्र बात है कि सेशन जज ने उसे अपराधी ठहराया था, हाईकोर्ट ने उसे बरी किया था और उसके बाद सुप्रीम कोर्ट ने उसे फिर अपराधी घोषित किया। वही सत्य हैं, वे ही गवाह हैं, वही कानून है पर माननीय अदालतें हैं कि भिन्न-भिन्न निर्णय देती हैं। और आम नागरिक इस सारे तमाशे को अपने पिछले पैरों पर खड़ा-खड़ा देखता रहता है। इसके अतिरिक्त वह कर ही क्या सकता है? राष्ट्रपति को यह अधिकार तो है कि वे सज़ायाफ़्ता आदमी की सज़ा माफ़ कर दें पर उनके पास यह अधिकार नहीं है कि किसी आदमी को कोई सज़ा दे सकें चाहे वह आदमी कितना भी बड़ा गुनहगार ही क्यों न हो। यह अधिकार केवल थाना लाल कुर्ती के दारोगाजी को ही है। वे चाहें तो किसी भी शरीफ़ आदमी को जेल भिजवा दें। डॉक्टर काटजू ने अपनी पुस्तक 'स्मरणीय मुकद्दमे' में एक स्थान पर एक ऐसे व्यक्ति की चर्चा की है जो बिना किसी कसूर के फाँसी के तख़्ते पर चढ़ा दिया गया था। जहाँ तक जजों का प्रश्न है, स्थिति यह है कि उनके वेतन अभी भी वही हैं जो विधान बनाने के समय निर्धारित हुए थे। अब आप ही बताइए, एक पचास हज़ार प्रतिमाह कमाने वाला बैरिस्टर तीन हज़ार वेतन के पीछे हाईकोर्ट का जज क्यों बनेगा? नतीजा सामने है, न जाने कितनी बेंचें खाली पड़ी हैं, कितने ही जज भ्रष्ट हो गये हैं और न जाने कितने जज सनकी हो गये हैं। सनकी जजों की चर्चा करते हुए निशीथकुमार राय ने अपनी 'डिप्टी की डायरी' में लिखा है कि एक जज थे जो किसी नट की भाँति पैरों में बाँस बाँधकर घर से अदालत तक जाया करते थे।

जम्मू से काश्मीर तक की सड़क 'सीमा सड़क संगठन' द्वारा देखी-भाली जाती है जो कि भयंकर परिस्थितियों में भी लगातार काम करता रहता है। इस संगठन की जितनी भी प्रशंसा की जाए उतनी ही कम है। सीमा सड़क संगठन की प्रशंसा मैं यूँ भी कर रहा हूँ कि उन्होंने दौरे पर जाने के लिए मुझे अपनी गाड़ी और ड्राइवर

ही नहीं दिये वरन् हर पचास मील बाद चाय भी पिलायी, दोपहर का खाना भी खिलाया और अपने डाक बँगले में सबसे बढ़िया कमरा ठहरने को दिया। बहरहाल, श्रीनगर तक की जो यात्रा है उसके पूरा करने के बाद मुझे राबर्ट लुई स्टीवेंसन की वह उक्ति बराबर याद आती रही जिसमें उन्होंने कहा है कि यात्रा करना जो है वह गन्तव्य स्थान पर पहुँचने से कहीं ज़्यादा बेहतर चीज़ है। आप लोग यह जानकर खुश होंगे कि राबर्ट लुई स्टीवेंसन ने एक गधी पर चढ़कर सारे यूरोप की यात्रा की थी। मैं गधी पर तो नहीं बैठा (और न मेरी पत्नी ही ने वैसा किया) पर मुझे यात्रा बेहद मनोरम लगी। मोड़ के बाद मोड़ के बाद मोड़। चारों तरफ़ शानदार पहाड़ियाँ, देवदार के वन और नदियों और नालों का चंचल सौन्दर्य। सन् उन्नीस सौ पचपन में जब मैं काश्मीर गया था तब रात को बनीहाल में ठहरना पड़ता था। 'जवाहर टनेल' तब तक नहीं बनी थी। मुझे याद है कि हमारी बस इतनी ऊँचाई तक गयी थी कि कई अदद मेघदूत बस के भीतर घुस आये थे और उन्होंने यक्ष का सन्देश हमें इतनी तत्परता से सुनाना शुरू किया कि सर्दी के मारे हम लोग काँपने लगे थे।

श्रीनगर एक सुन्दर और गन्दा शहर है। प्रकृति सुन्दर है और पुरुष गन्दा है। डल झील इतनी गन्दी हो गयी है कि उसमें डूबकर आत्महत्या करने की तबीयत होती है। नूरजहाँ और जहाँगीर के लगाये हुए शानदार बाग़ हैं जिनमें पानी की कमी से हालत काफ़ी खस्ता है। होटल बेहद महँगे हैं। दूकानदार जो है वह विदेशी सैलानियों को बुरी तरह लूटता है। लाखों-लाखों रुपयों के कालीन बनते हैं, अखरोट की लकड़ी पर बहुत शानदार और बारीक नक्काशी की जाती है और अन्त में चलकर काग़ज़ की लुगदी से काफ़ी कलात्मक चीज़ें बनायी जाती हैं। इस सबके बावजूद जो कारीगर है वह अब भी उतना ही ग़रीब है जितना कि कभी पहले था। जिसे भगवान ने ही ग़रीब बनाया हो, उसके लिए भला इंसान क्या कर सकता है?

यात्री लोग श्रीनगर में हेडक्वार्टर बनाकर आस-पास के सुन्दर स्थल देखते हैं। गुलमर्ग में संसार का सबसे बड़ा गोल्फ़ का मैदान है। खिलेनमर्ग में वह रेखा आ जाती है जिससे आगे सारे वर्ष बर्फ़ पड़ी रहती है। पहलगाम भी एक सुन्दर स्थान है। अमरनाथ की यात्रा इसी स्थान से प्रारम्भ होती है। काफ़ी कठिन यात्रा है। लोग-बाग़ टट्टू वग़ैरह भाड़े पर ले लेते हैं। मगर हमने वैसा नहीं किया। मैं और मेरी इकलौती पत्नी—दोनों इतने 'स्वस्थ' हैं कि यदि हम टट्टू ले लेते तो उस ग़रीब की जान वाकई ख़तरे में पड़ जाती। हम लोग सोनमर्ग भी गये मगर वहाँ यह जानकर बड़ा दुःख हुआ कि वहाँ जो सिन्ध नदी है वह संसार-प्रसिद्ध सिन्ध नदी से अलग है। सोनमर्ग की यात्रा वास्तव में बहुत मनोरम है। लेह को जो सड़क जाती है, सोनमर्ग होकर ही जाती है।

काश्मीर में लोग साहित्य और कला के सच्चे प्रेमी हैं। इस बात का पता मुझे तब लगा जब कि वहाँ के रेडियो व टेलीविज़न ने मुझे बुलाया और मेरा इण्टरव्यू लिया।

पता नहीं क्यों, काश्मीरियों के नाम प्रायः 'ऊ' पर ख़त्म होते हैं। काटजू, नेहरू, गारू, सप्रू, मुट्टू, वांचू, हाण्डू, गुर्टू, बुत्थू, काछरू, गंजू और कुंजरू उदाहरण के तौर पर बताये जा सकते हैं। यूँ आनन्दनारायण मुल्ला भी काश्मीरी हैं पर उनकी बात अलग है क्योंकि वे कवि हैं। बिना लीक के तीन हैं, शायर, शेर, सपूत। नामों को लेकर हम कुछ मित्र कभी प्रयाग विश्वविद्यालय में पढ़ने वाले ऐसे छात्र का पता लगाना चाहते थे जिसका कि नाम सबसे ज़्यादा लम्बा हो। 'रुद्रशंकर प्रतापबहादुर सिंह' काफ़ी दिनों लिस्ट में सर्वोच्च रहे। फिर एक दिन एक ऐसे साथी मिले जिनका नाम 'शिवशंकर मन कामेश्वरनाथ पाण्डे' था। उसके बाद हमने लड़कियों के नामों के बारे में खोज की पर उस हादसे को फिर कभी बताऊँगा।

मैं कोई सात दिन श्रीनगर रहा। पत्नी और लड़की घूमती रहती थीं और मैं अपने दफ़्तरों का निरीक्षण करता रहता था। ख़ूब काजू खाये, मुफ़्त की सिगरेट पी और रोज़ ही कहीं न कहीं शानदार डिनर लिया। सरकार से जो भत्ता मिला, उससे खरीदारी की गयी। कुल मिलाकर मैं इसे अपना सौभाग्य ही कहूँगा कि मेरी सर्विस सेना से सम्बन्धित है। फ़ौज में अफ़सर निडर, स्पष्ट वक्ता और स्नेही होते हैं। भ्रष्टाचार सेना में नागरिक प्रशासन की अपेक्षा बेहद कम है। हाँ, अलबत्ता सेनाओं में अपव्यय ज़रूर है, जो किसी न किसी दिन ज़रूर ख़त्म हो जाएगा।

काश्मीर के पुराने इतिहास में जो लोग दिलचस्पी रखते हों वे कल्हण की लिखी 'राजतरंगिणी' पढ़ें। कल्हण का जन्म मुझसे बहुत पहले हुआ था। जिस प्रकार काश्मीर में कल्पनातीत सौन्दर्य व भयंकर ग़रीबी का सामंजस्य है, ठीक उसी प्रकार कल्हण की 'राजतरंगिणी' न केवल पन्द्रह सौ वर्षों का इतिहास ही है वरन् वह साथ ही साथ एक श्रेष्ठ काव्य-ग्रन्थ भी है। मुझे यह सब कुछ इसलिए कहना पड़ रहा है क्योंकि यह पोथी मैंने कभी नहीं पढ़ी। अरे, पढ़ना ही है तो 'प्रजातरंगिणी' पढ़ो, 'राजतरंगिणी' पढ़ने से अब क्या फ़ायदा?

वेश्यावृत्ति का सन्दर्भ

वात्स्यायन (जिसका अज्ञेयजी से कोई सम्बन्ध नहीं है) ने अपने कामसूत्र में वेश्या की परिभाषा करते हुए कहा है कि यदि कोई स्त्री केवल धन या अन्य किसी लोभ या दबाव के कारण किसी पुरुष से यौन सम्बन्ध स्थापित करती है तो वह वेश्या कहलाती है। मेरे मित्र दास साहब (जो पुलिस के इंस्पेक्टर जनरल हैं और जिन्होंने वेश्यावृत्ति और अपराध—इन दोनों के बीच जो सम्बन्ध है, उसको लेकर काफ़ी खोज की है) के अनुसार हमारे देश में वेश्यावृत्ति गैर-कानूनी नहीं है मगर वेश्यालय चलाना ज़रूर एक अपराध माना गया है। मुझे आपसे यह कहते हुए कोई संकोच नहीं है कि यद्यपि मैंने अभी तक कभी भी वेश्यागमन नहीं किया है (जिसका कि मुझे हार्दिक अफ़सोस है) मगर मैं वेश्याओं के क्षेत्र में काफ़ी घूमा हूँ। 'लाल बत्ती क्षेत्र' के बाहर कुलीन और शालीन परिवारों में जो 'वेश्याएँ' हैं, उनसे भी मेरा काफ़ी परिचय रहा है और मुझे यह कहते हुए बड़ा दुःख होता है कि मुझे कभी भी कोई ऐसी वेश्या नहीं मिली जिसकी तुलना 'देवदास' की चन्द्रमुखी, 'तीसरी कसम' की 'हीराबाई' या 'वैशाली की नगरवधू' आम्रपाली से कर सकूँ। इस बात पर शोक-प्रस्ताव पारित करने के बाद मैं आगे बढ़ता हूँ।

डॉक्टर क्रूक्स के अनुसार वेदों के समय में भी वेश्यावृत्ति चलती थी। बुद्धकाल में तो एक ऐसी राजकुमारी थी जो वेश्यावृत्ति करती थी और एक रात्रि के बदले में एक सहस्र मुद्राएँ लेती थी। जातक कथाओं में एक ऐसी रानी का उल्लेख है जिसका सम्बन्ध केवल चौंसठ व्यक्तियों से था। मौर्यकाल में तो वेश्याओं को समाज में एक विशिष्ट स्थान दिया जाता था और उनकी आय पर कर लगता था। धार्मिक स्थानों में 'देवदासी' और युद्धों में 'विषकन्या' का उपयोग खुलेआम किया जाता था। मृच्छकटिक की नायिका वसन्तसेना भी वेश्या है पर यह चारुदत्त के प्रेम में फँसकर गृहस्थाश्रम में आ जाती है। उसकी इस विपन्न स्थिति को देखकर एक पुराना ग्राहक कहता है कि हाय-हाय, जिस स्थान में सौभाग्य का सौदा हुआ करता था, रूप का वही बाज़ार आज नष्ट हो रहा है। मृच्छकटिक (मिट्टी की गाड़ी) का विदूषक कहता है कि प्रेम के अथाह सागर में चलने वाली जो गाड़ियाँ हैं, उनमें रूपवती युवतियों के कुच, जंघाएँ

और नितम्ब ही तो प्रमुख हैं। यातायात के इस साधन पर शायद ही किसी कवि ने 'सादा जीवन उच्च विचार' वाला ऐसा उदाहरण दिया हो। कवि कहता है कि स्त्रियाँ हृदय से किसी को चाहती हैं, आँखों के इशारे से किसी और को बुलाती हैं, अपना यौवन जो है उसे और किसी को दिखाती हैं और अन्त में चलकर शय्यालाभ जो करती हैं, वह किसी और के साथ करती हैं। खुशी की बात यह भी है कि सुन्दर लड़कियों का अपहरण पहले भी होता था। सीताहरण, रुक्मिणीहरण व सुभद्राहरण इसके उदाहरण हैं।

आठवीं शताब्दी में दामोदर गुप्त ने 'कुट्टनीमतम्' नामक एक प्रसिद्ध ग्रन्थ लिखा जिसके अनुसार कामाचार के द्वारा धन अर्जित करने वाली स्त्रियों को वेश्या कहा जाता था। संस्कृत की लगभग सभी कथाओं में वेश्याओं की चर्चा की गयी है। वेश्याओं में जो ज़्यादा सुन्दर और सुखदायिनी होती थी उन्हें 'गणिका' कहकर पुकारा जाता था। कवि के अनुसार किसी भी स्त्री पर कभी भी विश्वास नहीं करना चाहिए क्योंकि उनका तो स्वभाव ही पतन की ओर जाना है, वे कभी भी ऊपर उठ ही नहीं सकतीं। राजमल ने एक पोथी लिखी जिसका नाम था लाठी संहिता। जैसाकि पुस्तक के नाम से ही ज़ाहिर है, यह काफ़ी प्रभावशाली पुस्तक है। चाणक्य व विष्णु शर्मा ने भी युवतियों को नहीं बख्शा बशर्ते कि वे रूपवती रही हों। जब मनुष्य के भाग्य और स्त्री के स्वभाव को ब्रह्मा भी नहीं जानते, तब हम और आप उसे क्या समझेंगे?

महाभारत में नारी को 'नरक का द्वार' बतलाया गया तो शूद्रक ने वेश्या को 'मरघट का फूल' कहकर पुकारा। मगर फिर भी लिच्छवि राज्य में आम्रपाली का बहुत आदर किया जाता था। सम्राट् हर्ष के दरबार में न जाने कितनी गणिकाएँ थीं। ऐसे भी अनेक राजा थे जो रूपवती युवतियों के विवाह पर कानूनी रोक लगाते थे ताकि ऐसे युवतियाँ किसी एक पुरुष विशेष की सम्पत्ति न होकर सारे समाज की सेवा कर सकें। प्लेटो ने भी पत्नियों के समाजवाद की चर्चा की है। बिम्बसार के राज्य में एक वेश्या थी जो आम्रपाली से भी ज़्यादा सुन्दर थी और इसी कारण शालवती नाम की वह सुन्दरी आम्रपाली से दुगुनी फ़ीस लेती थी। राज्य के कोषाध्यक्ष की कन्या ने शालवती को अपने पति के साथ रात गुज़ारने के लिए एक सहस्र मुद्राएँ दी थीं। कुल मिलाकर इसी सुन्दरी को पन्द्रह रातों के लिए बुक किया गया था। बिम्बिसार के वेश्यालय में पाँच सौ वेश्याएँ थीं। इस युग की वेश्यावृत्ति के बारे में सबसे दिलचस्प बात यह है कि मनु और चाणक्य जैसे व्याख्याकारों ने भी स्त्रियों के ही चरित्र पर ध्यान दिया और ज़रा-सा सन्देह होने पर भी उसी के लिए कठोर दण्ड की व्यवस्था की जबकि पुरुषों को पूरी-पूरी छूट दी। पुरुष जो था वह चाहे जितनी पत्नी, उपपत्नी, दासी, गणिका और रखैलों को रख सकता था। यह है हमारी प्राचीन आर्ष संस्कृति जिसकी रक्षा के लिए शंकराचार्य और दयानन्द सरस्वती ने अपने प्राण दिये।

मुस्लिम शासन के समय में भी वेश्यावृत्ति बराबर रही। अकबर के हरम में

बेगमों के अलावा पाँच हज़ार चुनी हुई सुन्दरियाँ थीं जिनका कि प्रत्येक वर्ष 'स्टॉक टेकिंग' होता था। जहाँगीर के लिए ईरान और इराक से लड़कियाँ लायी जाती थीं। शाहजहाँ व उसके बड़े लड़के दाराशिकोह में एक युवती को लेकर काफ़ी मनमुटाव हुआ था। बेग़म समरू एक वेश्या की ही पुत्री थी। मगर मुस्लिमकाल की वेश्याएँ मात्र वेश्या ही नहीं वरन् कलाकार भी होती थीं। वे नाचना-गाना जानती थीं और उनमें से कोई-कोई तो शायरी भी करती थी। दादरा और ठुमरी का जो जन्म हुआ वह इन्हीं के कोठों पर हुआ। लाखों के बोल सुने, सँवरिया तेरे लिए।

यह हमारा परम सौभाग्य है कि मुल्क के आज़ाद होने के बावजूद वेश्यावृत्ति समाप्त नहीं हुई। मेनका, उर्वशी और तिलोत्तमा जो हैं वे अब भी बड़े लोगों की समाधि भंग करने के लिए भेजी जाती हैं। उमराव जान की भाँति भोली लड़कियाँ अब भी भगायी जाती हैं और उन्हें वेश्यावृत्ति स्वीकार करने के लिए विवश किया जाता है। सविता मुकर्जी नाम की एक गर्भवती लड़की ने अस्पताल से कूदकर आत्महत्या कर ली। इस बालिका को बुरी तरह पीटा जाता था, भूखा रखा जाता था और गर्भवती होने की स्थिति में भी वेश्यावृत्ति के लिए मजबूर किया जाता था। मरने के वक़्त उसके पास से मात्र तीस रुपये की महान् राशि निकली जो कि एक उदारमना ग्राहक ने उसे दी थी। वेश्यावृत्ति करने के लिए भगाये जाने से पूर्व वह कलकत्ता में कोई मज़दूरी करती थी। उसका एकमात्र कसूर यह था कि वह सुन्दर थी। एक और वेश्या के सन्दर्भ में पुलिस ने बताया कि ऐसी लड़कियों को लगभग तीस रुपये प्रति दिन की आमदनी होती है। इस राशि में से कुछ रुपया उस व्यक्ति को देना पड़ता है जो कि कोठे को चलाता है। बाकी रुपया जो बचता है उसमें से पुलिस को भी दस्तूर देना पड़ता है। असलियत यह है कि वेश्या होने के बावजूद लड़की जो है उसे सारे परिश्रम और पीड़ा के बाद कोई डेढ़ रुपया प्रतिदिन बचता है। अब आप ही सोचिए कि कहाँ आजकल की ये ग़रीब वेश्याएँ और कहाँ आम्रपाली और वसन्तसेना जैसी गणिकाएँ। सच्ची बात तो यह है कि अब वेश्यावृत्ति में भी सिवा भुखमरी और अपमान के कुछ नहीं बचा।

कुछ वेश्याएँ आजकल भी ऐसी हैं जो आराम और इज़्ज़त के साथ रहती हैं। बड़े-बड़े होटलों में लड़की लेनी हो तो वह काफ़ी महँगी पड़ती है। इनमें ऐसी भी युवतियाँ हैं जो अपनी रात आपको देने के साथ-साथ आपको गुप्तरोग भी देती हैं जिसका कोई दाम अलग से नहीं लिया जाता। न वेश्या सती, न गदहा जती। वैसे अभी भी ऐसी वेश्याएँ ज़रूर होंगी जिन्हें लेकर यशपाल ने 'हलाल का टुकड़ा' जैसी कहानी लिखी थी।

मैं समझ नहीं पा रहा कि इस निबन्ध की समाप्ति कैसे करूँ? एक साहित्यकार होने के नाते मैं जानता हूँ कि रचना शुरू करने की अपेक्षा उसको समाप्त करना कहीं ज़्यादा कठिन काम है। मैं सिगरेट सुलगाता हूँ और सोचता हूँ कि क्या समाज जो है वह वेश्याओं के बिना सचमुच रह सकता है? परदेस में रहने वाले ग़रीब कुली

और मज़दूर अपनी शारीरिक भूख को मिटाने के लिए वेश्या के यहाँ न जाएँगे तो कहाँ जाएँगे? मेरा तो निश्चित मत है कि वेश्यावृत्ति को पुराने दिनों की भाँति फिर से स्वीकृति दी जाए—कानूनी स्वीकृति भी और साथ ही साथ सामाजिक स्वीकृति भी। धन्धे का राष्ट्रीयकरण कर दिया जाए तो और भी अच्छा। उन्हें लाइसेंस मिले, उनकी डॉक्टरी जाँच होती रहे और उनकी आय पर कर भी लगे। उनकी बस्ती शहर में कहीं एक जगह न हो, उन्हें भी बाकी नागरिकों की भाँति कहीं भी रहने का अधिकार दिया जाए। उनके बच्चों को स्कूल में दाखिल किया जाए तो उनके बाप का नाम न पूछा जाए। हर ऐसे व्यक्ति को जो कि वेश्या से शादी करना चाहता है, राष्ट्रीय सम्मान और आर्थिक सहायता दी जाए। वेश्याओं के बच्चों को नौकरी पाने के लिए विशेष संरक्षण देना चाहिए। वेश्यावृत्ति को किसी भी और पेशे के समान ही स्वीकार करना उचित होगा। इसके अलावा और कोई चारा मुझे तो नहीं दीखता। उर्दू के महान् कवि दाग़ देहलवी कलकत्ता की सुन्दर वेश्या मुन्नीबाई से इश्क करते थे। कुछ लोगों का कहना है कि ग़ालिब भी एक ऐसी लड़की से प्यार करते थे जो कि कोठे पर उन्हीं के कलाम को गाया करती थी। हिन्दी सिनेमा की एक महान् अभिनेत्री एक वेश्या की ही पुत्री थी।

वेश्यावृत्ति एक ऐसी चीज़ है जिससे बचना कठिन है। यह एक ऐसा सच है जिसे नकारा नहीं जा सकता। अगर हम इस सत्य को स्वीकार कर लें तो वह एक बहुत बड़ा और शानदार क़दम होगा। वेश्या तो रहेंगी ही, चाहे वे खुलेआम वेश्यावृत्ति करें या चोरी-चोरी वैसा करें जैसाकि भले घरों की कुछ बेटियाँ और बहनें अभी भी करती हैं। बड़े-बड़े शहरों में कुछ ऐसी साहसी लड़कियाँ हैं जो काफ़ी अमीर होते हुए भी 'काल गर्ल्स' होने का धन्धा मात्र इस कारण करती हैं कि उनकी जेब और ज़्यादा भरी रहे और उन्हें जीवन का 'थ्रिल' प्राप्त हो सके।

मैं जानता हूँ कि जो सपना मैं देख रहा हूँ, वह कभी सच नहीं होगा। बच्चन के अनुसार—विश्व सपना सच नहीं करता किसी का। मैं जानता हूँ कि लोग वेश्याओं के पास भी जाते रहेंगे और उनको उस नरक से निकालेंगे भी नहीं। पुरुष जो है वह स्त्री से कहीं ज़्यादा स्वार्थी और क्रूर होता है। लड़कियाँ मेलों से भगायी जाएँगी, कम क़ीमत पर दलाल जो हैं वे उन्हें कोठे की मालकिन को बेचेंगे और कोठे की जो 'नायिका' हैं वे उन अबोध बालिकाओं को भूखा रखेंगी, उन्हें बाहर नहीं निकलने देंगी और उन्हें मजबूर करेंगी कि वे नरक के कीड़े की ज़िन्दगी बिताएँ। पैसा जो है वह बहुत बड़ी चीज़ है। थोड़े से रुपयों के लालच में माँ-बाप अपनी लड़कियों को बेचते हैं (अभी एक देहाती नौजवान ने अपनी सगी बहन को इस कारण बेचा है ताकि वह एक भैंस खरीद सके) और बाकी लोग बच्चों को भगाते हैं, उन्हें अपंग करते हैं और उनसे भीख मँगवाते हैं। नागार्जुन ने ठीक ही कहा था :

पियो सन्त हुगली का नानी
पैसा सच है, दुनिया फ़ानी

हिन्दी दिवस

देश में जिस प्रकार गणतन्त्र दिवस, स्वाधीनता दिवस, बाल दिवस, शिक्षक दिवस और शहीद दिवस मनाये जाते हैं, उसी प्रकार हिन्दी दिवस भी मनाया जाता है। हिन्दी दिवस चौदह सितम्बर को ही क्यों मनाया जाता है—इस बात का पता मुझे नहीं है। शहीद दिवस की भाँति शायद हिन्दी दिवस भी उसी दिन मनाया जाता है जिस दिन उसकी मृत्यु हुई थी। जिस प्रकार किसी बड़े व्यक्ति के निधन पर एक सप्ताह तक शोक मनाया जाता है, उसी प्रकार कुछ संस्थान ऐसे भी हैं जो हिन्दी दिवस के स्थान पर हिन्दी-सप्ताह का आयोजन करते हैं।

इस बार मेरे दफ़्तर के लोगों ने भी निश्चय किया कि हिन्दी दिवस मनाया जाए और शानदार ढंग से मनाया जाए। 'न भूतो न भविष्यति' वाली बात। दफ़्तर के नेताओं ने विस्तृत कार्यक्रम बनाया और तय किया कि सबसे पहले 'बीती विभावरी, जाग री' का नारा लगाते हुए सारे नगर में प्रभातफेरी लगाई जाए, उसके बाद हाल ही में खरीदी गयी हिन्दी पुस्तकों की प्रदर्शनी लगायी जाए और उसके बाद 'राष्ट्रीय एकता व हिन्दी का भविष्य' शीर्षक को लेकर एक भाषण प्रतियोगिता रखी जाए और उसमें सर्वश्रेष्ठ वक्ता को दफ़्तर की सबसे सुन्दर लड़की माला पहनाये। दोपहर के बाद 'सरकारी काम-काज में हिन्दी का प्रयोग' विषय पर एक परिचर्चा हो, उसके बाद एक कवि-सम्मेलन हो और अन्त में चलकर 'अन्धा युग' के नृत्य-नाटिका के रूप में रंगमंच पर प्रदर्शित किया जाए। जब इस विषय में मुझसे पूछताछ की गयी तो मैंने सारी बातों की स्वीकृति दे दी। इसके बाद सारे कार्यक्रम के लिए चन्दा किया गया और नाटक का रिहर्सल भी शुरू कर दिया गया।

शेक्सपीयर ने लिखा है कि समय और समुद्र का ज्वार किसी की प्रतीक्षा नहीं करते। आख़िर वह दिन आ ही गया जिसकी सबको प्रतीक्षा थी।

मैं इसे दुर्भाग्य ही कहूँगा कि हिन्दी दिवस का श्रीगणेश ही कुछ ऐसा हुआ कि काफ़ी हिन्दी-प्रेमियों का दिल ही नहीं बल्कि शरीर भी टूट गया। प्रभातफेरी लगाते समय कुछ कुत्तों ने जुलूस का पीछा किया और कुछ को काट भी लिया। कुत्तों से बचने के लिए दफ़्तर के कर्मचारी इधर-उधर भागने लगे तो थाना लालकुर्ती के सिपाहियों

ने उन्हें चोर समझकर पकड़ लिया और हवालात में बन्द कर दिया। प्रभातफेरी के कारण जिन युवतियों की नींद उचट गयी थी वे भी प्रभातफेरी वालों को गालियाँ देने लगीं। दाग़ देहलवी ने जो कहा था वह पूरी तरह सच निकला : दी मुअज़्ज़न ने अज़ाँ शब की वस्ल पिछले पहर, हाय कमबख़्त को किस वक़्त ख़ुदा याद आया।

दिन के दस बजे पुस्तकों की प्रदर्शनी की गयी। राज्य के एक मन्त्री (जो कभी हमारे ही दफ़्तर में बाबू होते थे) उद्घाटन करने आये। किताबें काफ़ी थीं और ज़्यादातर उन लोगों की थीं जिनके कारण लोगों ने हिन्दी पढ़नी सीखी थी। बाबू देवकीनन्दन खत्री, गोपालराम गहमरी, कर्नल रंजीत, शषधर दत्त, कृष्णकान्त कुशवाहा, प्यारेलाल आबारा, ओमप्रकाश शर्मा और गुलशन नन्दा का पूरा का पूरा जनप्रिय साहित्य हमारे सामने था। कुछ किताबें ऐसी थीं जो महिला कर्मचारियों के लिए विशेष रूप से खरीदी गयी थीं और उनमें 'विवाहित आनन्द', 'पत्नी पथ प्रदर्शक' और 'सचित्र कामकला' (दोनों भाग) विशेष आकर्षण रखती थीं। हम लोगों ने उस प्रदर्शनी में कोई एक घण्टा लगाया और फिर हम लोग शेष कार्यक्रमों के लिए बाहर निकल आये।

दफ़्तर के लॉन में एक विशाल पण्डाल लगा था जिसके चारों ओर 'स्वागतम्' का बोर्ड लगा था। भाषण के लिए एक माइक्रोफ़ोन था जो या तो बोलता ही नहीं था और अगर बोलता था तो इतने ज़ोर से बोलता था कि कानों के पर्दे फटने लगते थे। वक्ता काफ़ी थे और कुछ तो वाकई इतने प्रसन्न थे कि हिन्दी के लिए प्राण तक न्यौछावर कर सकते थे जिसकी कि इत्तफ़ाक से कोई खास ज़रूरत महसूस नहीं हुई। एक वक्ता थे, जिन्होंने ऐसी हिन्दी बोली जिसमें आधे से ज़्यादा फ़ारसी थी और ठीक उनके बरख़िलाफ़ एक वक्ता ऐसे भी थे जिन्होंने सरल हिन्दी के पक्ष में ऐसा भाषण दिया जिसमें 'ठेठ हिन्दी का ठाठ' था। ज़्यादातर लोगों ने यही कहा कि राष्ट्र चाहे रसातल को चला जाए पर हिन्दी का भविष्य उज्ज्वल रहे। एक सज्जन ने तो यहाँ तक कहा कि हिन्दी के लिए प्राण तो क्या, वे अपनी पत्नी तक को छोड़ सकते हैं। मन्त्रीजी जल्दी में थे, वे चले गये। उन्हें किसी शराब की दूकान का उद्घाटन करना था। भाषणों के बाद बूँदी के लड्डू बँटे जिन्हें देखकर सबको गणेशजी की याद आने लगीं। मोदकप्रिय मुद मंगलदाता, विद्या वारिधि बुद्धि विधाता। सबसे श्रेष्ठ वक्ता कौन था, यह निश्चित नहीं किया जा सका हालाँकि इस मुद्दे को लेकर कुछ कर्मचारियों के बीच हाथापाई तक हो गयी। दफ़्तर की सबसे ज़्यादा सुन्दर लड़की कौन थी, यह भी तय नहीं किया जा सका। भाषण के बाद लंच हो गया। मैं बराबर उस वक्ता के बारे में सोचता रहा जिसने कहा था कि महावीरप्रसाद द्विवेदी ने हिन्दी की इतनी सेवा की थी कि 'द्विवेदी' के स्थान पर उन्हें 'चतुर्वेदी' कहना कहीं ज़्यादा उचित होगा। उनका कहना था कि व्यक्ति का नाम उसके जन्म के आधार पर नहीं वरन् उसके कर्म के आधार पर निश्चित करना चाहिए। मैं उनके

तर्क से काफ़ी प्रभावित हुआ।

लंच के बाद परिचर्चा शुरू हुई। परिचर्चा क्या थी, गृहयुद्ध की शुरुआत थी। एक सज्जन थे जिनकी शक्ल-सूरत हनुमानजी से मिलती थी और वैसे भी उनकी मूँछों का साइज हनुमानजी की पूँछ से कम नहीं था। उन्होंने अश्वघोष जैसी वाणी में कहा कि हिन्दी को यदि वाकई राजभाषा बनाना है तो 'ताजिराते हिन्द' में एक दफा और जोड़नी पड़ेगी। सरकार यदि प्यार और दुलार से ही काम लेती रहेगी तो सिवा नामपट्टों, रबर की मुहरों और लिफ़ाफ़ों पर लिखे पतों के अलावा हिन्दी को कोई स्थान कभी नहीं मिलेगा। हिन्दी के नाम पर विभाग खुलते रहेंगे, अफ़सर लोग विदेश जाते रहेंगे और जनता के प्रतिनिधि मौसम के अनुसार देश के सुन्दर स्थानों का दौरा करते रहेंगे। बस, इसके आगे कुछ नहीं होगा। कुछ और लोग थे जो सरकार की उदार नीति के पक्ष में थे मगर हनुमानजी के उस जेबी संस्करण ने किसी और को बोलने ही नहीं दिया। सूत्रधार से शुरू करके भरतवाक्य तक उन्होंने ही बोला। जब किसी ने कुछ आपत्ति की तो वे मूँछें ऐंठकर बोले कि आप ज़रा बाहर आइए, मैं सिखाता हूँ कि हिन्दी कैसे आती है!

कोई चार बजे शाम को कवि-सम्मेलन शुरू हुआ। कुछ कवि उर्दू के भी थे। कवि-सम्मेलन का संचालन कौन करे—इस मुद्दे को लेकर काफ़ी झगड़ा-फिसाद हुआ। अन्त में चलकर एक ऐसे होनहार व्यक्ति को यह ज़िम्मेदारी सौंपी गयी जो कि हर कवि के बाद एक अश्लील चुटकुला सुना सकता था। सबसे पहले एक ऐसे कविजी प्रकट हुए जो वीरगाथाकाल का चरित्र रखते थे। उन्होंने जो जोश भरी कविता सुनाई उसे सुनकर निराला की 'जागो फिर एक बार' की याद आती थी। संक्षेप में उन्होंने यह कहा कि देश एक रहे या न रहे, हिन्दी को राजभाषा स्वीकार करना ही होगा और उसका प्रयोग अनिवार्य किया ही जाएगा। जो लोग ऐसा नहीं करेंगे, वे देशद्रोही होंगे। उनकी उस ओजपूर्ण कविता में कविता कम थी, ओज ज़्यादा था। उन्होंने मुट्ठियाँ तानीं, हाथ-पैर हिलाए और यह साबित कर दिया कि कविता मात्र श्रव्य-काव्य ही नहीं है वरन् दृश्य-काय भी है। उनके बाद संचालक ने एक अश्लील लतीफा सुनाया, जिससे तनाव जो था वह कम हो गया। उसके बाद एक कवयित्रीजी आयी जिन्होंने अपने कोकिल स्वर में एक प्रणय गीत पढ़ा। कविता से लगता था कि उस कवयित्री के पति सात समन्दर पार किसी दूर देश को चले गये थे और कवयित्री जो थीं वे सन्तान का सुख देखना चाहती थीं जो कि पति के अभाव में उन्हें शायद नहीं मिल सकता था। कविता शुरू में छायावादी रही, फिर रहस्यवादी हुई और बाद में चलकर प्रगतिवाद को भी पार करके यथार्थवादी हो गयी। अन्त में चलकर कवयित्रीजी ने स्पष्ट शब्दों में अपने जीवनसाथी को सम्बोधित करके कहा था कि यदि वे नियत अवधि के भीतर वापस नहीं लौटे, तो वह दूसरी शादी कर लेंगी क्योंकि वह बिना पति के तो रह सकती थी मगर बिना सन्तान के नहीं।

कवयित्रीजी जमीं और काफ़ी जमीं क्योंकि देखने में वे सुन्दर थीं और गला उनका मधुर था। कुछ कवि हूट कर दिये गये। एक कविजी इतने स्वस्थ थे कि मंच पर बैठने की प्रक्रिया में उनकी पैण्ट पीछे से फट गयी। उर्दू के एक कवि 'हैरत' थे जिन्हें संचालक महोदय ने 'गैरत' नाम से पुकारा। उन्होंने इस अपमान के सामने काव्यपाठ को मना कर दिया। कुछ काफ़ी फूहड़ उपनाम वाले हास्य रस के कवि थे, वे ख़ूब जमे। कुछ कवियों ने दफ़्तर के बड़े साहब (यानी कि मुझे) को लेकर काफ़ी भला-बुरा कहा मगर श्रोताओं ने उसे बार-बार पढ़ने को कहा। मुझे अपनी लोकप्रियता का पहली बार एहसास हुआ। कवि-सम्मेलन करीब दो घण्टे चला।

शाम सात बजे हम लोग भारतीजी की अमर कृति 'अन्धायुग' का मंचन देखने इकट्ठे हुए। इत्तफ़ाक कुछ ऐसा हुआ कि प्रोग्राम शुरू होते ही बिजली किसी के साथ भाग गयी। 'अन्धायुग' इतना प्रत्यक्ष प्रभाव भी डाल सकता है, इसका पता मुझे उसी दिन हुआ। हम लोग बत्ती की प्रतीक्षा में लगभग एक घण्टा बैठे रहे मगर बिजली थी कि नहीं आयी। हम अन्धायुग देखकर तो नहीं मगर भोग कर ज़रूर आये। उस घोर अन्धकार में कुछ लोगों को विद्यापति की याद आ गयी और उन्होंने एक लड़की को छेड़ दिया। बाबू लोगों के दो दल अलग-अलग बन गये और एक दल ने दूसरे दल से कहा कि हिन्दी दिवस के उपलक्ष में एकत्र की गयी राशि में से उसने लगभग एक हज़ार रुपयों का ग़बन किया है। झगड़े-फिसाद के उस दौर में किसी ने एक बाँस खींच लिया जिसके कारण पण्डाल जो था वह नीचे गिर गया। काफ़ी खुदाई के बाद हम लोग प्रकाश में आये।

जैसा कि आपने भी एहसास किया होगा, हमारा हिन्दी दिवस काफ़ी सफल रहा।

गाँधी जयन्ती

आज गाँधी जयन्ती की छुट्टी है। आज मुझे कोई काम नहीं करना है। तीन बार चाय पी चुका हूँ और फ़िलहाल अख़बार लेकर आरामकुर्सी पर लेटा हूँ। पाँव जो हैं वे सामने वाली दूसरी आरामकुर्सी पर फैले हैं। भीतर आँगन में और बाहर लान पर धूप फैली है और कुल मिलाकर ऐसा लगता है कि दिन जो है वह कवि सुमित्रानन्दन पन्त के शब्दों में सोने के तार-सा खिंच गया है। मैं सिगरेट सुलगाता हूँ और अख़बार पढ़ने लगता हूँ।

सबसे पहले पन्ने पर देश के एक महानगर में साम्प्रदायिक दंगों के होने की सुखदायक ख़बर छपी है। यह जानकर कितना सन्तोष होता है कि इतनी वैज्ञानिक प्रगति होने पर भी देश की जनता अपने धर्म को अभी भूली नहीं है। धर्म जो है वह अब भी सबसे ऊपर है और उसी के आधार पर सैकड़ों निरपराधों को इस क्षणभंगुर शरीर से मुक्ति दिलाई जाती है। बात भी ठीक है : बड़ी चीज़ तो आत्मा है, न कि यह नश्वर देह। और फिर यह धर्म ही तो है जो हमें सृष्टि के बाकी जीवों से अलग करता है। धर्म न रहे तो हममें और संसार के बाकी पशुओं में क्या फ़र्क़ रहेगा? धर्मेण हीनाः पशुभिः समानाः। और यह जानकर तो और भी सन्तोष होता है कि ये जो साम्प्रदायिक दंगे हैं वे अपने आप नहीं होते वरन् भगवान के विशिष्ट भक्तों द्वारा करवाए जाते हैं। भगवान के इन भक्तों को मैं मन-ही-मन प्रणाम करता हूँ। साम्प्रदायिक दंगों के समाचार के बाद दूसरी खुशी का समाचार यह पढ़ता हूँ कि सरकार ने महँगाई भत्ते की चार किश्तें और बढ़ा दीं। सरकारी कर्मचारियों के अतिरिक्त बाकी देशवासी जो हैं, उनसे मुझे क्या लेना-देना? उनकी तकदीर में यदि खाली पेट फुटपाथ पर लेटना लिखा है तो उस सन्दर्भ में मैं क्या कर सकता हूँ? अगर मेरी तनख्वाह बढ़ती है तो मेरे लिए देश प्रगति कर रहा है। कुछ विशेषज्ञों का कहना है कि आज़ादी के बाद देश की प्रगति के लिए अरबों रुपये लगाये गये मगर भ्रष्टाचार, अपव्यय, बढ़ती हुई जनसंख्या और महँगाई के कारण देश उतना आगे नहीं बढ़ा जितनी कि उससे अपेक्षा की जाती थी। मैं विशेषज्ञों से एकदम असहमत हूँ। मेरे विचार में भ्रष्टाचार और अपव्यय हर देश में होता है, महँगाई जो है वह आर्थिक

प्रगति की सूचक है और जनसंख्या की वृद्धि जो है उस पर कोई प्रतिबन्ध लगाना तो एक चिरन्तन कुटीर उद्योग पर लात मारना है। बच्चे तो भगवान की मूर्ति हैं; उन पर कोई भी रोक लगाना भगवान के काम में दखल देने के बराबर होगा जिसे एक धार्मिक व्यक्ति होने के कारण मैं कभी माफ़ नहीं कर सकता। वैसे भी बच्चे पैदा करना तो एक कुटीर व्यवसाय है और हम सभी जानते हैं कि गाँधीजी कुटीर व्यवसायों की कितनी क़द्र करते थे। गाँधी जयन्ती के दिन परिवार नियोजन की चर्चा करना उनका सार्वजनिक अपमान है जिसे खाकसार कभी बर्दाश्त नहीं कर सकता।

मैं अख़बार पढ़ना बन्द कर देता हूँ और देश की स्थिति के बारे में सोचने लगता हूँ। सबसे प्रथम मेरा ध्यान विधान सभाओं पर जाता है। दर्शक-गैलरी से यह देखना कितना अच्छा लगता है कि देश के लिए कानून बनाने वाली इन सभाओं के सम्मानित सदस्य तातानुकूलित हॉल में कितनी साफ़-साफ़ गालियाँ देते हैं, एक-दूसरे के साथ कैसे हाथापाई करते हैं और सही क़ीमत प्राप्त हो जाने पर कितनी सरलता से दल-बदल करते हैं। विधान में निश्चित की गयी सारे मूल अधिकारों की स्वतन्त्रता विधान सभाओं में ही तो देखने को मिलती है। किसी-किसी स्थिति में तो एक विधायक पन्द्रह लाख तक में बिकता है। देश में जनता के प्रतिनिधि का मूल्य जितना भी बढ़ जाए उतना ही कम है। एक प्रदेश में एक विधायक एक लड़की का पीछा करने के सन्दर्भ में गिरफ़्तार हो गये थे जो कि एकदम अनुचित था। यदि सदियों से पिछड़ी हुई स्त्री जाति पर विधान सभा के सदस्य अपना ध्यान नहीं देंगे तो फिर कौन देगा? महाराष्ट्र में एक भूतपूर्व मन्त्री को कानून के सामने तोला जा रहा है जो एकदम गलत है। जनता के निर्वाचित नेताओं का अनतुले ही रहना देश को गरिमा प्रदान करता है। और यह तो और भी सन्तोष की बात है कि हमारे ये विधायक लोग अपनी शक्ति को पहिचानते हैं। एक प्रदेश में एक सम्मानित विधायक पुलिस से कुछ गलत काम करवाना चाहते थे मगर पुलिस की प्रवृत्ति अभी भी वही है जो कि देश के आज़ाद होने से पहले रहा करती थी। पुलिस ने विधायक की आज्ञा नहीं मानी जिसके कारण पुलिस के सहायक कमिश्नर को दण्ड भोगना पड़ा। बाल गंगाधर तिलक व महात्मा गाँधी ने यही कल्पना की थी कि स्वाधीन हो जाने के बाद पुलिस जनता की सेवा करेगी। मगर पुलिस है कि फिर भी उसी दण्ड संहिता का पालन करना चाहती है जिसे कि लार्ड मैकाले ने सौ वर्ष पहले बनाया था। गाँधी जयन्ती के पुण्य अवसर पर मैं देश के सभी नागरिकों से अपील करता हूँ कि पुराने 'ताजिराते हिन्द' के स्थान पर नया 'ताजिराते हिन्द' बनना चाहिए। जो कानून गुलाम देश के लिए बनाया गया था वह आज़ाद मुल्क पर कभी लागू नहीं हो सकता।

विधान सभाओं के बाद मेरा ध्यान कार्यपालिका पर जाता है। हमारी कार्यकारिणी वास्तव में इतनी चुस्त व ईमानदार है कि उस पर प्रत्येक देशवासी को सच्चा गर्व हो सकता है। स्थिति यह है कि अगर ज़रूरत पड़ती है तो हमारी पुलिस अन्धों पर

लाठीचार्ज करने से नहीं झिझकती। हरिजन लोग ज़िन्दा जलाये जाते हैं और प्रशासन इस सब मामले में कोई हस्तक्षेप नहीं करता। आज़ाद मुल्क में प्रत्येक नागरिक को कुछ भी कर डालने की पूरी स्वतन्त्रता है जो एकदम सराहनीय है। एक प्रदेश के राज्यपाल के पोते का अपहरण कर लिया गया और बतौर फिरौती के मात्र एक लाख रुपये माँगे गये। मगर पुलिस और प्रशासन दोनों उसी वीतरागी भाव से सब कुछ देखते रहे और एक लाख मुद्राओं के सन्दर्भ में कवि बल्लाल रचित भोज प्रबन्ध नामक पोथी में वर्णित 'प्रत्यक्षरलक्षं ददौ' वाली पंक्ति को याद करते रहे। एक शेरशाह सूरी का ज़माना था कि एक अकेली औरत सोने की अशर्फ़ियाँ लेकर पेशावर से कलकत्ता तक जा सकती थी और एक आज का ज़माना है कि अपनी सम्पत्ति खोने के लिए आपको कहीं नहीं जाना पड़ता। चोर और डाकू हैं कि आपके घर में आपके सामने आपकी सम्पत्ति ले जाते हैं और आप देखते रहते हैं। इतनी सुविधा इस देश में पहले कभी नहीं थी। कार्यकारिणी की चुस्ती देखनी हो तो कलकत्ता में हाल में हीं बने एक टेलीफ़ोन की समाधि देखिए। यह टेलीफ़ोन पिछले दो वर्षों से 'डैड' यानी कि मृत था और निरन्तर प्रयत्न करने पर भी उसकी दुरुस्ती नहीं की गयी थी। अन्त में चलकर स्थिति यह हो गयी कि संवेदनशील लोगों ने उस मुर्दा टेलीफ़ोन का अन्तिम संस्कार कर दिया और उसकी समाधि काले पत्थर से बना दी गयी। शामियाना लगा, लाउडस्पीकर पर भजन गाये गये और मुर्दे के सम्मान के लिए श्राद्ध-भोजन भी सम्पन्न किया गया।

व्यवस्थापिका व कार्यकारिणी के बाद यदि न्यायपालिका की भी कुछ चर्चा की जाए तो असंगत नहीं लगेगी। देश में हज़ारों छोटी-बड़ी अदालतें हैं और मुक़दमे हैं कि लाखों की तादाद में पड़े हुए हैं। सारा काम सही ढंग से होता है और किसी भी अदालत में किसी तरह की कोई रिश्वत कभी नहीं चलती। यह दीगर बात है कि अदालतें कानून की रक्षा करने की प्रक्रिया में कभी-कभी न्याय नहीं दे पातीं पर इस सब में अदालतों का कोई दोष नहीं है। कानून जो है वह न्याय के ऊपर है। देश में सैकड़ों युवतियाँ पति या सास-ससुर के बुरे व्यवहार के कारण आत्महत्या करती हैं मगर कानून का बड़प्पन देखिए कि किसी भी केस में किसी को कोई सज़ा नहीं मिलती। यह भी बड़े सुख की बात है कि सरकार भी न्यायपालिका की इज़्ज़त करती है। सेशन जज जो फाँसी या कालापानी की सजा देता है, सारा काम दो हज़ार या सवा दो हज़ार रुपयों के मासिक वेतन पर करता है। हाईकोर्ट के जजों को भी वही तीन हज़ार रुपये प्रति माह का वेतन मिलता है जो कि सन् उन्नीस सौ सैंतालीस में निश्चित किया गया था। सरकार चाहती है कि न्यायाधीश लोग 'सादा जीवन और उच्च विचार' वाली पद्धति के अनुसार अपना जीवन-यापन करें। वकीलों की आमदनी लाखों में होती है तो हुआ करे। न्याय की क़ीमत पैसे से नहीं बल्कि पद की गरिमा से आँकी जानी चाहिए। इसी सात्त्विकता को ध्यान में रखते हुए सुप्रीम

कोर्ट के एक जज को रहने के लिए कोठी नहीं दी गयी। वे सपरिवार पिछले एक वर्ष से किसी गेस्ट हाउस या रेस्ट हाउस में रह रहे हैं। अब आप ही बताइए कि न्यायपालिका की गरिमा बढ़ाने के लिए सरकार कुछ और करे तो क्या करे? आख़िर गाँधीजी का सादा जीवन यापन करने का सिद्धान्त किसी क्षेत्र में तो पालन किया जाय। और फिर इस सन्दर्भ में न्यायपालिका से श्रेष्ठ क्षेत्र और क्या हो सकता है?

मैं एक सिगरेट और सुलगाता हूँ और देश के बारे में सोचने लगता हूँ। मेरे विचार में जो कुछ भी हो रहा है वह ठीक हीं हो रहा है। अभिनेता लोग नेता बनते जा रहे हैं जो एकदम तर्कसंगत है। दोनों पेशों में पब्लिक को बेवक़ूफ़ बनाने को ही कला माना जाता है। अब यदि अमेरिका में एक भूतपूर्व अभिनेता राष्ट्रपति बन सकते हैं तो हमारे देश में यदि मद्रास और आन्ध्रप्रदेश के मुख्यमन्त्री भूतपूर्व अभिनेता हैं तो इससे किसी को एतराज़ क्यों होना चाहिए? लेखक लोग भी जान-बूझकर ऐसे साहित्य की सृष्टि कर रहे हैं जो उनको राज्यसभा के लिए मनोनीत होने में या पद्मश्री मिलने में सहायता कर सके। देश के विभिन्न भाग आज़ाद होना चाहते हैं ताकि फिर वही स्थिति आ सके जबकि इस देश में एक साथ बत्तीस चक्रवर्ती सम्राट् हुआ करते थे। रेल, डाक और तार विभाग और डॉक्टर तथा नर्सें प्रायः हड़ताल पर ही रहते हैं जो कि शायद देश के हित ही में है। अस्पताल में आदमी टूटी पैर की हड्डी ठीक करवाने जाता है मगर स्थिति यह रहती है कि टाँग तो ठीक हो जाती है पर हसीन नर्सों को देखकर उसका दिल टूट जाता है जिसका कोई इलाज नहीं होता। सार्वजनिक निर्माण कार्य इतना हो रहा है जितना कि पहले कभी नहीं हुआ था। गाँधीजी कुटिया में रहते थे और तीसरे दरजे में सफ़र करते थे। संस्कृत के 'मुद्राराक्षस' नामक नाटक में दी गयी सूचना के अनुसार मौर्य साम्राज्य के प्रधानमन्त्री चाणक्य भी छप्परों में ही निवास करते थे। अब यह देखकर गाँधीजी की आत्मा को कितना सुख पहुँचता होगा कि खादी ग्रामोद्योग भवन की इमारतें कितनी विशाल और शानदार हैं और उनमें खादी का विक्रय करने वाली चंचल युवतियाँ कितनी सुन्दर हैं। देश की राज़धानी में प्रत्येक प्रदेश का अपना अलग भवन है—ठीक उसी प्रकार जैसे कि आज़ादी के पूर्व देश की रियासतें दिल्ली में 'हैदराबाद हाउस', 'कश्मीर हाउस', 'पटियाला हाउस' और 'बड़ौदा हाउस' रखा करती थीं। सादगी का हाल यह है कि सरकार के चपरासी और चौकीदार वगैरह भी खादी की जगह टेरेलीन की वर्दी माँग रहे हैं। विरोधी पार्टियाँ इतनी ज़्यादा और इतनी बेकार हैं कि वर्तमान सरकार को हटाने के अलावा उनका और कोई कार्यक्रम ही नहीं है। जो कुछ भी किया जा रहा है वह देश के इतिहास में स्वर्णाक्षरों में लिखा जाएगा।

निबन्ध ख़त्म करने से पहले गाँवों की स्थिति पर भी एक नज़र डालनी चाहिए। सरकार ने अरबों रुपये गाँवों के लिए दिये मगर विकास खण्ड अधिकारी, गाँव के सरपंच और सरकारी अमला उस सबको खा गया। गाँवों का विकास हुआ मगर

उतना और उस प्रकार का नहीं जैसा कि गाँधी जी चाहते थे। कुटीर व्यवसायों में आपसी मुक़दमेबाजी और फ़ौजदारी को छोड़कर बाकी सब कुछ पीछे रह गया। पहले हमारे गाँव लंकाशायर और मैनचेस्टर के लिए कच्चा माल पैदा करते थे, अब वे वही काम आज़ाद हिन्दुस्तान के चन्द महानगरों के लिए करते हैं। स्थिति इतनी नाज़ुक है कि विशेषज्ञों के अनुसार यदि पिछड़े वर्ग का शोषण नहीं रोका गया तो देश में ग़रीबों की संख्या सन् दो हज़ार ईसवी तक उतनी हो जाएगी जितनी कि आज़ादी के वक़्त सारे हिन्दुस्तान की आबादी थी।

अब मुझे और कुछ नहीं कहना। सोचता हूँ कि आज के बाद मैं भी गाँधीजी के तीन बन्दरों की तरह न कुछ देखूँगा, न कुछ सुनूँगा और न कुछ बोलूँगा। सोचता हूँ कि खादी का क़ीमती सूट पहनूँ, गाड़ी निकालूँ और क्लब जाऊँ। थोड़ी-सी शराब पिऊँगा, बिलियर्ड खेलूँगा और फिर मिसेज डिसूजा के साथ खाना खाऊँगा। उनके पति आजकल दौरे पर बाहर गये हुए हैं। अभी वे यदि न लौटे हुए, तो मैं मिसेज डिसूजा के साथ ही रात गुजारूँगा। मैंने माना कि मिसेज डिसूजा मेरी पत्नी नहीं हैं पर आप खुद ही सोचिए कि गाँधी जयन्ती के दिन भी अपने और पराये की मनोवृत्ति रखना कितना असंगत होगा?

लेखक और सम्पादक के बीच

जब श्री नारायणदत्त 'नवगीत' (हिन्दी डाइजेस्ट) के सम्पादक थे तो वे अपने लेखकों को बड़ी दिलचस्प सलाह दिया करते थे। उनका वह 'घोषणा-पत्र' इस प्रकार छपता था:

:अपने लेखकों से:

(एक) जो रचनाएँ जीवन में अनास्था जगाएँ, देश के विभिन्न समुदायों में स्नेह-सूत्र तोड़ें, व्यक्तिगत आक्षेप करें, सहज स्वस्थ सुरुचि को ठेस पहुँचाएँ या जो कैलेण्डर देखकर पत्रों, जन्त्रियों और पुण्य तिथियों के उपलक्ष में लिखी गयी हों, उनको हम नहीं छाप सकेंगे।

(दो) आपके अन्यत्र छपे लेख का नया संस्करण, कश्मीरी कविता का तमिल में उल्था, अलबर्तो मोराविया के 'रोम की औरत' का भारतीय रूपान्तर, कौशाम्बी की कामकन्या, सर्वविदित हास्योक्तियों का श्रेय आपके ज़िला-महाकवि या तहसीली-राजनेता को देने वाले विनोद प्रसंग, हमें नहीं भेजिए।

(तीन) वेदों में हृदय-प्रतिरोपण, कोसी कलाँ के जंगलों में जिराफ़ और बबर शेर की मुठभेड़, कामायनी में 'क' अक्षर का प्रयोग, 'महावानर पुराण' में मिर्ज़ापुर का उल्लेख, कड़वी लौकी के रस से सर्व रोगों का उपचार—इन विषयों से हमें परहेज है।

(चार) लेखमालाएँ या मास भविष्य लिखने के आश्वासन कृपया हमें न दें और एक साथ सवा सत्ताईस कविताएँ भी न भेजें।

(पाँच) रचना पर्याप्त हाशिया और पंक्तियों के बीच काफ़ी स्थान छोड़कर सधे अक्षरों में काग़ज़ के एक ओर लिखकर या टाइप करवाकर भेजें। भेजने से पूर्व रचना को मनोयोग से पढ़ लें; भले ही वैसा करने से रचना एक दिन बाद भेजनी पड़े।

(छह) लेख के आरम्भ में या अन्त में अपना पूरा-पूरा पता लिखें।

(सात) रचना के साथ टिकिट लगा और पूरा पता लिखा लिफ़ाफ़ा अवश्य रखें। यदि ऐसा नहीं किया गया तो रचना लौटाई नहीं जाएगी।

मुझे सम्पादकजी के उपरोक्त सुझाव बड़े प्रिय लगते थे। एक बार मैंने उनका एक उत्तर भी उन्हीं की शैली में लिखा था। यह कालजयी उत्तर नीचे दिया जाता है।

जैसा कि आप देखेंगे, यह उत्तर आज भी लगभग सारे सम्पादकों पर लागू होता है :

:अपने सम्पादकों से:

(एक) जब मैं लिखता हूँ कि रचना अप्रकाशित है तो उसका अर्थ मात्र यह होता है कि वह रचना—जहाँ तक मुझे पता है—हिन्दी में पहले कभी नहीं छपी है। यह रचना संसार की किसी और भाषा में भी नहीं छपी—इसकी गारण्टी तो अज्ञेयजी भी आपको नहीं दे सकते, मैं क्या चीज़ हूँ।

(दो) कृपया यह ध्यान रखें कि मेरी रचना आपके नाम से न छपे। यह बात मैं आपसे इस कारण कह रहा हूँ क्योंकि दो बार आप ऐसा हादसा कर चुके हैं।

(तीन) पिछली रचना के पारिश्रमिक में से आपने अपनी पत्रिका का वार्षिक चन्दा काट लिया था। मैं चुप रहा। इसी वर्ष जो अगली रचना छपी तो आपने फिर वैसा ही किया। कृपया ऐसा अन्याय न करें और कम से कम दुबारा काटी गयी राशि तो ज़रूर ही वापस कर दें।

(चार) आपके विशेषांक में मेरी रचना जो छपी है वह तो ठीक है पर मेरा नाम देकर जो चित्र आपने छापा है वह मेरा न होकर किसी लड़की का है। मैं आपको यकीन दिलाता हूँ कि अभी तक मेरा यौन-परिवर्तन नहीं हुआ है और न निकट भविष्य में होने की आशा है। मैं आपसे वादा करता हूँ कि यदि कभी मेरा यौन-परिवर्तन हुआ तो उसकी ख़बर सबसे पहले मैं आपको ही दूँगा। मेरी पत्नी को भी इस रहस्य का पता आपका समाचार-पत्र पढ़कर ही लगेगा, वैसे नहीं।

(पाँच) यह जानकर हर्ष होता है कि आप अश्लील रचनाएँ नहीं छापते हालाँकि वैसा करना पाठकों के साथ अन्याय ही है। बहरहाल, जब आपका पत्र इतना 'सात्त्विक' है तो क्या मैं जान सकता हूँ कि उसमें अश्लील विज्ञापन कैसे छपते हैं? हाँ, अलबत्ता यदि आप गुप्तांगों के केश हटाने वाली क्रीम के सचित्र विज्ञापन को अश्लील नहीं समझते तो मुझे आपसे और कुछ नहीं कहना।

(छह) मुझे ज्ञात है कि आप शराब व सिगरेट के विज्ञापन कभी नहीं छापते। मुझे यह भी पता है कि आपका पत्र हिन्दू-धर्म की विसंगतियों को सबके सामने लाने में सदा से आगे रहा और यही नहीं, आपने कभी सरकार को भी नहीं बख़्शा। मगर क्या मैं पूछ सकता हूँ कि बीसवीं शती के अन्त में भी आप चन्द रुपयों के बदले में लेखकों का कापीराइट क्यों खरीदते हैं? क्या मेरी आवाज़ तुम तक पहुँचती है?

(सात) अपना पता अपनी रचना के प्रारम्भ में मैं इस कारण नहीं लिखता क्योंकि आपने एक बार उसे रचना का शीर्षक बनाकर छापा था।

(आठ) याद रखिए कि मुझे पूरी जानकारी है कि आपने सरकारी कोटे से मिले काग़ज़ को काले बाज़ार में बेचा था। चूँकि आप एक महान् साहित्यकार के सम्बन्धी थे, आप आज तक जेल नहीं गये। यह न भूलिए कि मेरे पास ठोस प्रमाण हैं जिनके

आधार पर आपको सज़ा हो सकती है। मेरी रचना अस्वीकृत करने से पहले सौ बार सोच लीजिए। कहीं ऐसा न हो कि हमारी प्रथम भेंट अदालत में ही हो।

(नौ) मैंने जो कुछ ऊपर लिखा है, उसे उतना सीरियसली न लें। आपके सिवा साहित्य के क्षेत्र में मेरा कौन है? मैं तो जो कुछ भी हूँ, वह आपकी ही वजह से हूँ। इस बार जब इधर आएँ तो खाकसार के पास ही ठहरें। जैसे मेरे बच्चे, वैसे आपके बच्चे। जैसी मेरी बीवी, वैसी आपकी बीवी। अरे, यदि सम्पादक लोग न होते तो लेखक लोग कहाँ से बनते? यदि सरस्वती-सम्पादक पण्डित महावीर प्रसाद द्विवेदी कृपा न करते तो मैथिलीशरणजी 'गुप्त' ही रहते, 'प्रकट' न हुए होते। सम्पादक की महिमा अपरम्पार है। वह चाहे तो गधे को भी साहित्यकार बना सकता है। खाकसार का केस आपके सामने है। अब तो कोई संशय नहीं रहा न?

(दस) मैंने पिछले तीन वर्षों की फ़ाइलें देखी हैं। जिन रचनाओं को आपने भेजने के लिए मना किया है, वे ही रचनाएँ सबसे ज़्यादा छपी हैं। क्या आप भी खाने के दाँत और दिखाने के दाँत अलग-अलग रखते हैं ताकि लोग आपको हाथी समझें, गधा नहीं?

(ग्यारह) वह कन्या अपनी कविता लेकर आपके पास आयी या नहीं? उसे ज़रूर जगह देना, वह आपको जगह देगी। बड़े काम की कन्या है। तभी तो मैं कभी-कभी उसे 'कामकन्या' कहकर पुकारता हूँ। ठीक है न?

(बारह) आपके अख़बार के दाम चौगुने हो गये। विज्ञापनों की दरें बढ़ गयीं। लेखकों के लिए भी काग़ज़, रोशनाई, पिन, लिफ़ाफ़े और गोंद वगैरह बेहद महँगे हो गये। मगर मेरा पारिश्रमिक वहीं है जहाँ वह पन्द्रह वर्ष पहले था। आपका वेतन तो आकाश छूने लगा मगर लेखकों का जो शोषण है वह उसी तरह जारी रहा। क्या हमारी इस स्थिति पर सोचने के लिए आपको कभी समय नहीं मिलता?

(तेरह) आपने मेरी यह रचना पाँचवीं बार लौटाई है। मैं आपको एक मौक़ा और देता हूँ। यदि इस बार भी तुमने अपनी पुरानी हरकत नहीं छोड़ी तो तुम्हारी लाश यमुना के कछारों में मिलेगी। तेरी भाँति यह लेखक भी 'खेद और अभिवादन सहित' आगे बढ़ना चाहता है। साहित्य तेरे बाप की जायदाद नहीं है। तू जितना 'मौलिक व अप्रकाशित' है वह माबदौलत को मालूम है। होशियारी से काम ले, थोड़े कहे को बहुत समझ और खुद भी जी और दूसरों को भी जीने दे। आमीन।

अन्धा युग

सबसे पहले मैं यह स्पष्ट करना चाहता हूँ कि मेरी इस रचना का कवि धर्मवीर भारती की उत्कृष्ट कृति 'अन्धा युग' से कोई नैतिक या अनैतिक सम्बन्ध नहीं है। भारतीजी ने अन्धों के माध्यम से ज्योति की कथा कही है जबकि मैं जो हूँ वह ज्योति के माध्यम से अन्धों की कथा कहने जा रहा हूँ। पिछले दिनों मेरी आँखों का ऑपरेशन हुआ और गलत हुआ। ऑपरेशन दुबारा किया गया जो बहुत ही तकलीफदेह था। ख़ैर, मेरे पाठकों का दुर्भाग्य कि मैं फिर देखने लगा और धीरे-धीरे इस स्थिति में आ गया कि इस रचना को लिख सकूँ। इस रचना की रूपरेखा मैंने अस्पताल में ही अपने मन में उन दिनों बना ली थी जबकि मेरी दोनों आँखों पर पट्टी बँधी थी और विशेषज्ञों का यही कहना था कि आँखों की रोशनी अब मुझे शायद ही दुबारा मिले।

अन्धे इस देश में हमेशा से होते आये। उपनिषदों के समय में तो ऐसे भी प्रतिभावान् अन्धे होते थे कि वे बाकी अन्धों को रास्ता दिखाया करते थे। अन्धैरेव-नीयमानाः यथान्धाः। महाभारत में धृतराष्ट्र अन्धे थे और उनकी सगी पत्नी उस दुःख में अपनी आँखों पर भी पट्टी बाँधा करती थी। वह आजकल की युवतियों की भाँति नहीं थी जो कि हृदय से चाहती हैं कि कितना अच्छा हो यदि उनका पति अन्धा हो ताकि वे अपने 'बॉय फ्रेण्ड' के साथ अपने घर में ही रँगरेलियाँ मना सकें। बाद के इतिहास में कुणाल का नाम याद आता है जिसे रानी तिष्यरक्षिता ने इस कारण अन्धा करवाया था क्योंकि उसने रानी को (जो उसकी सौतेली माँ थी) शय्यालाभ देने से मना कर दिया था। सूरदास अन्धे थे। मुग़लकाल में तो राजाओं को अन्धा करवाने का विशेष प्रबन्ध रखा जाता था। शहंशाह शाह आलम को गुलाम कादिर ने अन्धा किया और उसके बाद तख्ते-ताऊस पर बैठकर शाही हुक्का पिया। महादजी सिन्धिया ने बादशाह की तरफ़ से बदला लिया और गुलाम कादिर को कत्ल करने से पहले अन्धा करवाया। सैयद भाइयों ने सम्राट् फर्रूखसियर के नेत्र जलवाये और उस पीड़ा के चार दिन बाद उसकी तड़पती हुई आत्मा को उसके भूतपूर्व शाही शरीर से मुक्ति दिलवायी। जहाँगीर जैसे दयालु सम्राट् ने भी अपने प्रिय पुत्र खुसरों को अन्धा करवाया था क्योंकि उसने हुकूमत के ख़िलाफ़ बगावत की थी।

अन्धा होने की परम्परा पुरानी है—इस बात की पुष्टि इस बात से भी हो जाती है कि हमारी भाषा में कितनी ही कहावतें अन्धों को लेकर बनी हैं और करोड़ों लोग उन कहावतों का प्रयोग सैकड़ों वर्षों से करते चले आ रहे हैं। कुछ ज़्यादा शक्तिशाली कहावतों का ज़िक्र करता हूँ ताकि आपका मेरे प्रति विश्वास बना रहे और वक़्त ज़रूरत हम दोनों के काम आये। एक कहावत है जिसके अनुसार यदि कोई स्त्री या पुरुष सावन के सुहावने महीने में अन्धा होता है तो उसे चारों तरफ़ हमेशा हरियाली ही हरियाली नज़र आती है। इस कहावत का निहित अर्थ यह है कि जो लोग अन्धा होना चाहते हैं वे इस बात की चेष्टा करें कि यह पवित्र क्रिया यथासम्भव सावन के महीने में ही सम्पन्न हो। एक दूसरी कहावत है जिसके अनुसार यदि कोई अन्धा आदमी रेवड़ी बाँटता है तो वह उन्हें केवल अपने ही लोगों को देता है। अन्धा होने के बावजूद वह अपने लोगों को कैसे पहचानता है—यह एक दीगर बात है जिस पर शोध होना अभी बाकी है। एक तीसरी कहावत है कि कानून जो होता है वह अन्धे की लाठी होता है। इसी सत्य को प्रकट करने के लिए भारतेन्दु हरिश्चन्द्र ने 'अन्धेर नगरी' नाम का प्रहसन लिखा जो हिन्दी हास्य-व्यंग्य का प्रथम क्लासिक है। हिन्दी की एक हसीन कवयित्री के अनुसार भारतेन्दु के बाद हिन्दी में हास्य-व्यंग्य लिखा ही नहीं गया। मैं इस कवयित्री को वर्षों पहले एक बार अपनी कार में लेकर कहीं जा रहा था। रात का वक़्त था और सड़क सुनसान थी। मगर मेरी कायरता देखिए कि चाहते हुए भी मैं उसको चूम नहीं सका (ठीक वही बात जो कभी अशोककुमार ने मण्टो से बतलायी थी)। उस कवयित्री को जो निराशा हुई, वह मेरी निराशा से कहीं ज़्यादा थी।

देश में लाखों लोग अन्धे हैं। कुछ लोग भिक्षा माँगते हैं और कुछ ऐसे भी हैं जो नितान्त अन्धे होते हुए भी पुलिस की डर से अदालत में 'चश्मदीद' गवाही तक देते हैं। मगर मुझे जो दुःख है वह इन अन्धों से नहीं है। मैं तो उन अन्धों को लेकर दुःखी हूँ जो कि स्वस्थ आँखें होते हुए भी कुछ नहीं देखते। भागलपुर में न जाने कितने लोग अन्धे किये गये पर पुलिस के ख़िलाफ़ कोई एक्शन नहीं लिया गया। मोरारजी देसाई के पुत्र ने अपनी हस्ती लाखों से करोड़ों की कर ली पर हमारे प्रधानमन्त्री श्री देसाई को कुछ भी दिखाई नहीं पड़ा। 'ताज़ीराते हिन्द' व 'क्रिमिनल प्रोसीजर कोड' के बावजूद सैकड़ों आदमी सालों से जेलों में बिना बात पड़े हैं और किसी को कुछ नहीं दीखता। दिल्ली में सरकारी बसों में चलने वाली स्त्रियों से कोई छेड़छाड़ न करे—यह निश्चित करने के लिए कभी-कभी पुलिस के कर्मचारियों को वेश बदलकर बसों में भेजा जाता है। कितने सुख और सन्तोष की बात है कि ऐसे कुछ तत्पर पुलिस कर्मचारियों ने स्वयं एक लड़की से छेड़खानी की। एक दुर्घटना-ग्रस्त व्यक्ति को कुछ दयावान् पुरुष एक अस्पताल में भरती कराने ले गये पर इलाज का पैसा तुरन्त न जमा करने के कारण वहाँ के डॉक्टरों ने इलाज करने से साफ़

इनकार कर दिया। एक नारी निकेतन की जाँच की गयी और पता चला कि प्रत्येक नारी को यहाँ पचास पैसे का नाश्ता दिया जाता था, प्रतिदिन चालीस पैसे की सब्जी खाने को दी जाती थी और उनके भोजन के लिए पाँच सौ ग्राम चावल व दो सौ ग्राम गेहूँ प्रति सप्ताह के हिसाब से दिये जाते थे। उनके कपड़े इतने जलील थे कि कुछ कहा नहीं जा सकता। जेलों तक में भ्रष्टाचार फैला है। कैदियों के खाने में से पैसा बचाया जाता है और कभी-कभी तो जेल के कैदियों को डकैती डालने के लिए रात को छोड़ा भी जाता है जिसके लिए जेलर को कमीशन मिलता है। बैंकों में गोलमाल बुरी तरह बढ़ते जा रहे हैं। बैंकों के राष्ट्रीयकरण के बाद ऐसे पवित्र कार्यों को प्रोत्साहन कैसे मिला—यह खोज करने की बात है। एक राज्य की जेलों में बच्चों के प्रति जो क्रूर व्यवहार किया जाता है, उसका पता बहुत कम लोगों को है। कहते हैं कि रेलवे में लाखों रुपयों के झूठे क्लेम पास किये जाते हैं और बाकी सरकार में भी ऐसा अपव्यय होता है जो आसानी से रोका जा सकता है। मगर प्रश्न तो यह है कि यह सब करे कौन? दीखती किसे हैं ये चीज़ें?

गाँव के पंच, ज़िले के छोटे अधिकारी और खण्ड विकास अधिकारी—इन तीनों ने मिलकर करोड़ों रुपया खा लिया जिसके लिए सरकार ने जनता से कर वसूल किया था। मैं सरकार को यकीन दिलाता हूँ कि यदि रुपया सही ढंग से इस्तेमाल किया जाए, तो जनता को टैक्स देना बुरा नहीं लगेगा। मगर स्थिति तो यह है कि योजना कमीशन का सफेद हाथी और ज़िले के भ्रष्ट अधिकारी एक-दूसरे को जानते ही नहीं। वित्तमन्त्री प्रगति की जो रिपोर्ट पढ़ते हैं, उससे घाव पर नमक ही छिड़का जाता है, और कुछ नहीं। नेता लोग हैं और अफ़सर हैं कि खुलेआम रिश्वत लेते हैं, पाँच सितारों वाले होटलों में हसीन लड़कियों का उद्‌घाटन करते हैं, वातानुकूलित दर्जे में बिना किसी कारण यात्राएँ की जाती हैं, और ज़रा-ज़रा-सी बात पर विदेश का दौरा किया जाता है। ऊँची जगहों पर से भ्रष्टाचार हटाने के लिए प्रधानमन्त्री जी काफ़ी कुछ कर रहे हैं पर मैं उनसे कहना चाहता हूँ कि आम आदमी का सम्पर्क निचले सरकारी कर्मचारियों से होता है। उनका मन जीतना है तो तहसीलदार, चकबन्दी अधिकारी, खण्ड विकास अधिकारी, सरपंच, बिक्रीकर अधिकारी, सहकारी विभाग के निचले अफ़सर, ओवरसियर, सब रजिस्ट्रार और पुलिस के दरोगा को कड़ी सजा देना एक ऐसी ज़रूरत है कि जिसे टाला नहीं जा सकता। मगर मैं आप सबसे पूछता हूँ कि सारे भले काम क्या प्रधानमन्त्री ही करेंगे? राज्यों की सरकारें क्या सचमुच ही पराजित हो गयी हैं? हम और आप क्या सचमुच इस दिशा में कुछ भी नहीं कर सकते? आख़िर रिश्वत जो देते हैं, वह हमी लोग तो देते हैं।

अब तो सिर्फ़ दो बातें और कहनी हैं और बस। पहली बात तो यह है कि हमें अन्याय और अत्याचार को देखना ही नहीं चाहिए। जो कुछ होता है वह मात्र पूर्वजन्म के कर्मों का फल है। हमारे चर्मचक्षु बन्द होने चाहिए और ज्ञानचक्षु खुलने

चाहिए। जो कुछ भी होता है वह भगवान की इच्छानुसार ही होता है। हमें वह सब खुशी-खुशी स्वीकार करना चाहिए। दूसरी बात यह है कि यदि आप में से किसी को अन्धी लड़की में दिलचस्पी हो तो उसे बंकिम बाबू का 'रजनी' नाम का उपन्यास ज़रूर पढ़ना चाहिए। उसमें एक अन्धी लड़की की ऐसी मार्मिक कथा है जो मुझे अन्यत्र पढ़ने को कहीं नहीं मिली। वैसे भी पराजित पीढ़ी का लेखक होने के नाते, एक लड़की की चर्चा किये बिना मैं रचना समाप्त करने की हिम्मत कैसे कर सकता हूँ? और हाँ, आप लोग यह बात भी कभी नहीं भूलिएगा कि होमर, मिल्टन और सूरदास—विश्व के ये तीनों महान् कवि अन्धे ही थे, समाके नहीं।

मैं रचना समाप्त करने जा ही रहा था कि ताज़ा अख़बार आ गया। इक्कीस नवम्बर 1986 के टाइम्स ऑफ़ इण्डिया (दिल्ली संस्करण) के प्रथम पृष्ठ पर ऐसा हृदयविदारक समाचार छपा है कि कुछ कहा ही नहीं जा सकता। एक राज्य में कुछ बीभत्स लोग सीधे-सादे लोगों की आँखें निकाल रहे हैं ताकि उन्हें आँखों के बैंकों को बेचा जा सके। उच्चतम न्यायालय ने इस बात को लेकर अत्यन्त चिन्ता प्रकट की है। कभी राजा दधीचि ने भी वज्र बनाने के लिए अपनी अस्थियाँ इन्द्र को दी थीं मगर उसका सन्दर्भ एकदम अलग था। आजकल अख़बारों में जो कुछ छप रहा है, उसे देखकर तो ऐसा लगता है कि मैं यदि अन्धा हो जाता तो शायद ज़्यादा अच्छा रहता। कम से कम उस स्थिति में मैं अख़बार तो नहीं पढ़ सकता था। देखिए, इस वक़्त यदि आपने ज्ञान-चक्षुओं की बात छेड़ी तो मैं आपको बिना कोई मूल्य लिये एक तगड़ा झापड़ दूँगा।

मेरे बड़े अफ़सर

मैं इण्डियन डिफेंस एकाउण्ट्स सर्विस का एक वरिष्ठ अधिकारी हूँ। सारे देश के विभिन्न विभागों का प्रशासन चलाने के लिए केन्द्रीय सरकार की सबसे बड़ी लगभग दस सेवाएँ हैं जिनकी परीक्षा व प्राथमिक प्रशिक्षण साथ-साथ होता है। मेरी सर्विस उन्हीं में से एक है। इण्डियन एडमिनिस्ट्रेटिव सर्विस इन सब में सर्वोच्च स्थान रखती है। मुझे इस बात की बड़ी खुशी है कि मैं इण्डियन एडमिनिस्ट्रेटिव सर्विस में नहीं गया क्योंकि यदि मैं उसमें चला जाता तो फिर साहित्यकार कभी नहीं बन सकता था। शेष सेवाओं के अधिकारी भारतीय प्रशासन सेवा से ईर्ष्या तो ज़रूर करते हैं (जो काफ़ी हद तक न्यायसंगत भी है) मगर वे यह नहीं जानते कि आज के राजनीतिक वातावरण में ज़िलाधीश या कमिश्नर बनना कितनी बड़ी चुनौती है। न कोई आराम का वक़्त है और न कोई अपना जीवन है। स्थानीय सांसद व भ्रष्ट विधायक बात-बात पर जो दखलन्दाज़ी करते हैं वह ईमानदार अफ़सर की कमर तोड़ देती है। एक मेरी जैसी सेवा है—दस से पाँच तक का दफ़्तर, पढ़े-लिखे लोगों से सम्बन्ध, सारे देश का दौरा और बाकी आराम ही आराम। रिश्वत लेनी हो, लड़कियों का शौक हो या और बाकी कोई काम करना हो, तो उसकी भी पूरी सुविधा है हालाँकि यह दीगर बात है कि लगभग पाँच प्रतिशत अधिकारियों को छोड़कर बाकी जो हैं वे अभी भी ईमानदार और चरित्रवान् ही हैं। मुझे यह कहते हुए हार्दिक दुःख होता है कि मैं स्वयं भी इन्हीं ईमानदार, कार्य-तत्पर व चरित्रवान् अधिकारियों में से एक हूँ। नौकरी करते-करते तीस वर्ष हो गये और अब मैं इस स्थिति में आ गया हूँ कि अपने सीनियर अफ़सरों की चर्चा कर सकूँ। वे प्रायः सब सेवानिवृत्त हो चुके हैं या मर चुके हैं और इस कारण वे मेरा अब कुछ नहीं बिगाड़ सकते।

मेरे कई सीनियर ऐसे थे जो काम करने की दिशा में अपना सानी नहीं रखते थे। मैं मात्र तीन की ही चर्चा करूँगा। चितरंजन कोनार, श्रीनिवासन और सुन्दरम् साहब (जो वैसे नितान्त सज्जन व्यक्ति थे) जिस फ़ाइल को ले लेते थे, उसे कम-से-कम एक वर्ष तो अपने पास रखते ही थे। फ़ाइल को ठीक वही स्थान दिया जाता था जो कि रसिक लोग अपनी प्रेमिकाओं को देते हैं। काफ़ी फ़ाइलें खो जाती थीं और

बाकी जो थीं वे समय गुज़रने के कारण बेकार हो जाती थीं। श्री कोनार को मैंने खुद देखा है कि उनकी मेज़ पर फ़ाइलों का इतना ऊँचा ढेर रहता था कि किसी आने वाले व्यक्ति को वे खुद कभी दिखाई नहीं पड़ते थे। जब वे उत्तर प्रदेश के एकाउण्टेण्ट जनरल थे तब मैं उनसे एक बार मिलने गया। वे अपने एक अधिकारी के साथ कलकत्ता जाने का प्रोग्राम बना रहे थे और स्थिति यह थी कि दुर्भाग्यवश इलाहाबाद से कलकत्ता को कई गाड़ियाँ जाती थीं। मैं कोई दो घण्टा उनके पास बैठा रहा मगर वे यह तय नहीं कर पाये कि कलकत्ता किस गाड़ी से जाएँ। मैं लगभग एक घण्टा उनके पास और बैठा और फिर विदा माँगकर चला आया। बाद में पता चला कि वे बेचारे कलकत्ता गये ही नहीं। इसी प्रकार एक और बड़े साहब थे जो हर ड्राफ़्ट को लगभग पचीस बार रिवाइज कराते थे। जो चतुर अधिकारी होते थे वे दो-चार ड्राफ़्ट के बाद उन्हें वही पुराना ड्राफ़्ट फिर से सबमिट कर देते थे जो उन्होंने पहले किया था। मार्टिन साहब जब देखते थे कि ऊपर 'बीसवाँ ड्राफ़्ट' लिखा है तो उसे बिना किसी आपत्ति के स्वीकृत कर लेते थे। मगर कन्दुलचन्द्र पूर्णचन्द्र राव जैसे भावुक व परिश्रमी अफ़सर उनके नीचे काम करते-करते रो पड़ते थे। श्री राव इन दिनों भारत सरकार के अतिरिक्त सचिव हैं जिसके लिए वे हर प्रकार से उपयुक्त हैं। यह बात दीगर है कि कभी मैं उनसे सीनियर होता था मगर मैं उतनी ऊँचाई तक नहीं पहुँच सका। इस सन्दर्भ में यह बात भी अर्ज़ कर दूँ कि मार्टिन, सुन्दरम् और कोनार, अपनी गाड़ी खुद नहीं चला सकते थे। उन्हें सड़क पर मोटर निकालते भयंकर भय लगता था। जो लोग अपनी मोटर तक नहीं चला सकते थे, उन्हें सरकार ने ऐसे विभागों को चलाने की ज़िम्मेदारी दे रखी थी जिनमें हज़ारों बाबू और अफ़सर काम करते थे। इत्तफ़ाक से इन तीनों में से किसी ने भी विवाह नहीं किया था।

काम न करने वाले अफ़सरों की भी संख्या कम नहीं थी। लार्ड सिन्हा के लड़के ऑनरेबुल सिन्हा हाफ शर्ट और हाफ पैण्ट में दफ़्तर आते थे और गुलेल से चिड़िया मारा करते थे। एक और सज्जन भी थे जिन्होंने किसी फ़ाइल को कभी नहीं निबटाया। मामला या तो ऊपर गया या नीचे तय हुआ। उन्होंने कभी किसी काम की ज़िम्मेदारी अपने ऊपर नहीं ली। वे काफ़ी बदसूरत होते हुए भी कला के बड़े प्रेमी थे और उनके एक जूनियर कहा करते थे यदि वह व्यक्ति वास्तव में कला और सौन्दर्य का पारखी है तो यह खुद अपने चेहरे को कैसे बर्दाश्त करता है? यह आत्महत्या क्यों नहीं कर लेता? उनके बरख़िलाफ़ एक और सीनियर अफ़सर थे जो हर फ़ाइल पर बिना कुछ पढ़े दस्तख़त कर देते थे, बीयर पीते थे, वुडहाउस पढ़ते थे और क्रिकेट की कमेण्टरी सुनते थे। वे बाद में चलकर 'इण्डियन आडिट एण्ड एकाउण्ट्स सर्विस' में चले गये। उन दिनों लोग उस सर्विस को—जो अंग्रेज़ी में 'आई.ए. एण्ड ए.एस.' कहलाती थी—'इण्डियन अय्यर एण्ड अयंगर सर्विस' कहकर

पुकारा करते थे। आज से तीस-चालीस वर्ष पूर्व दक्षिण के लोग ऊँची नौकरियों में ज़्यादा आते थे जिसका प्रमुख कारण यह था कि उत्तर भारत के लोग या तो खेती व ज़मींदारी करते थे या फिर फ़ौजदारी करते थे और ठाठ से जेल जाते थे।

जहाँ तक रौबदाब का प्रश्न है, मैं दो अफ़सरों को कभी नहीं भूल सकता। एक थे श्री हरिवंशलाल वढेरा और दूसरे थे श्री अभयंकर। दोनों दिल के बड़े नेक और दयालु थे मगर अफ़सर और मातहत में जो अन्तर रहता है, उसे वे पूरी तरह निभाते थे। ऑक्सफोर्ड में पढ़े वढेरा साहब के साथ मैंने लगभग पाँच वर्ष काम किया और उस अवधि में मेरी-उनकी बातचीत कोई चार या पाँच दफ़ा ज़रूर हुई होगी। एक बार एक जनरल से समय निश्चित करके मिलने गये मगर जनरल के ए. डी. सी. ने दस मिनट प्रतीक्षा करने को कहा। वढेरा साहब ने हैट उठाया और वापस चले आये। अगले दिन बेचारा जनरल उनसे मिलने खुद आया। जहाँ तक 'अभयंकर' साहब का प्रश्न है, स्थिति यह थी कि लोग उन्हें 'भयंकर' कहकर ही पुकारा करते थे। मेजर जनरल से नीचे तबके का अधिकारी सचिवालय में—जहाँ वे संयुक्त सचिव थे—उनके कक्ष के भीतर घुस नहीं सकता था। मैं उनके नीचे लगभग तीन वर्ष रहा और उन्होंने मेरी तरक्की भी करायी मगर इस सबके बावजूद उन्होंने कभी मुझसे कोई बात नहीं की। वे शायद ही कभी किसी से खुलते थे। मैं जब भी उनको याद करता हूँ, मुझे उर्दू शायर का एक कलाम फिर याद आ जाता है—पिन खुली, टाई खुली, कॉलर खुला, बकलस खुला; खुलते-खुलते डेढ़ घण्टे में कहीं अफ़सर खुला।

मैंने ऐसे अनेक अधिकारियों के साथ काम किया जो वास्तव में 'एब्नॉर्मल' थे। लाला फूलचन्द थे जो बेहद अमीर होने के बावजूद एक ऐसी पुरानी मोटर रखते थे जो कि सरकस के लिए कहीं ज़्यादा उपयुक्त थी। बेहद दबंग और सीनियर होने के बावजूद वे भीतर ही भीतर काफ़ी मज़ाक़-पसन्द थे। मुझे ठीक याद है कि कोई पचीस वर्ष पहले एक वर्षा के दिन वे पैदल ही दफ़्तर आये। पाँच बजे के लगभग मैं घर जाने के लिए बाहर निकला तो देखा कि भयंकर वर्षा हो रही है और लाला फूलचन्द काफ़ी भीगे कपड़ों में पोर्टिको में खड़े हैं। मैं भी सलाम करके उनके साथ खड़ा हो गया। वे सिगार पीते रहे और वर्षा को देखते रहे। हम दोनों के अतिरिक्त वहाँ कोई और नहीं था। इत्तफ़ाक की बात, वर्षा का मारा एक निरीह गधा भी पोर्टिको में शरण लेने आ गया। जब मैंने उसे बाहर निकालने की कोशिश की तो लाला फूलचन्द ने मुझे रोकते हुए कहा कि सरकार में इतने बड़े-बड़े गधे काम करते हैं कि अगर एक और गधा भी आ जाएगा तो कोई फ़र्क़ नहीं पड़ेगा। गधा अन्दर आ गया और हम तीनों वर्षा रुकने तक साथ-साथ खड़े रहे। कहते हैं कि एक बार किसी मातहत अफ़सर ने लड़के की शादी का जो कार्ड उन्हें भेजा, उसमें गलती से 'फूलचन्द' के बजाय 'फ़ूलचन्द' लिख दिया। अंग्रेज़ी में 'फ़ूल' का मतलब बेवकूफ़ से होता है। उन्होंने गलती देखी, हँसे और शादी में शरीक हुए। इसी प्रकार एक

अफ़सर ऐसे मिले जिन्हें दूसरों को दुःख पहुँचाने में हार्दिक आनन्द आता था। एक चपरासी तरक्की पाकर रिकार्ड क्लर्क हुआ तो उन्होंने उसका तबादला शिलाँग से जम्मू किया। उन्हीं की कृपा से मेरी सरकारी तरक्की रुकी और मुझसे जूनियर बीस अफ़सरों की तरक्की कर दी गयी। बात सिर्फ़ इतनी थी कि उनकी पत्नी और मेरी पत्नी के बीच खासी दुश्मनी थी और वे अपनी पत्नी की कोई आज्ञा टाल नहीं सकते थे। एक बार जब वे पत्नी के साथ कहीं दौरे पर गये तो पत्नी ने नाराज होकर चाय का प्याला काफ़ी अफ़सरों के सामने अपने पति के मुँह पर फेंक दिया। गृहयुद्ध का ऐसा मार्मिक दृश्य लोगों ने शायद पहले कभी नहीं देखा था। एक बार उनकी पत्नी ने नाराज़ होकर उन्हें कोठी से बाहर निकाल दिया और दरवाज़ा अन्दर से बन्द कर लिया। साहब जो थे वे लुंगी पहने चपरासी के क्वार्टर में बैठे रहे क्योंकि बाहर वर्षा हो रही थी। मेरे विचार में अब्राहम लिंकन की पत्नी भी ऐसी ही थी।

अब कुछ खुशामद के सन्दर्भ में भी कहना उचित होगा। जब मैं केन्द्रीय सरकार का उपसचिव था तो एक वैष्णव संयुक्त सचिव ऐसे थे जो सबसे पहले रक्षा मन्त्री बाबू जगजीवनराम के कमरे में जाते थे और उनके चरण छूते थे जबकि एक और संयुक्त सचिव थे जिनकी किसी बात पर उन्हीं मन्त्रीजी से कहा-सुनी हो गयी और उन्होंने उसी दिन सेवा से अवकाश ग्रहण कर लिया और इस बात को लेकर वे इतने खुश हुए कि उन्होंने अपने नीचे काम करने वाले तीनों उपसचिवों को (जिनमें मैं भी शामिल था) ओबराय होटल में शानदार डिनर दिया। इसी तरह मेरे एक सीनियर प्रबोधचन्द्र भट्टाचार्य थे जो एक बिस्तरबन्द और एक अटैची हमेशा तैयार रखते थे क्योंकि पता नहीं किस वक़्त मन्त्रीजी से झगड़ा हो जाए और तबादले पर जाना पड़े। एक बार तो यह स्थिति मेरी आँखों के सामने ही आयी थी। श्री कृष्णामाचारी—जो वित्तमन्त्री थे—उनसे बिगड़ गये और उन्हें चौबीस घण्टों के भीतर सचिवालय छोड़ने को कहा। वे तुरन्त इलाहाबाद चले गये और थोड़े ही दिनों बाद और भी ऊँचे पद पर सचिवालय वापस बुला लिये गये। मगर इस सबका उन पर कोई विशेष प्रभाव नहीं पड़ता था। एक बार एक मीटिंग में उन्होंने एक राज्य के सचिव को इतना डाँटा कि उसे वहीं दिल का दौरा पड़ गया। उस मीटिंग में मैं भी मौजूद था। श्री भट्टाचार्य कोई अस्सी सिगरेट रोज़ पीते थे। मन्त्रीजी के कक्ष में या लोकसभा की पब्लिक एकाउण्ट्स कमेटी के सामने भी उनका सिगरेट पीना बन्द नहीं होता था।

भ्रष्ट अधिकारियों की चर्चा करना भी सन्दर्भहीन नहीं होगा। एक अधिकारी थे जो प्रतिदिन दो घण्टे पूजा करते थे, साधु-सन्तों का समागम करते थे और जब दौरे पर जाते थे तो हज़ारों रुपयों का सामान बटोरकर लाते थे। एक जगह और कुछ नहीं मिला तो दो दर्जन लिहाफ़ ही ले आये। सारा खर्चा नीचे के लोग ही उठाते थे। कुछ अफ़सर ऐसे भी थे जो सौन्दर्य पर प्राण देते थे। कैम्ब्रिज में पढ़े एक बेहद सीनियर अफ़सर ने डाकबँगले पर एक निचले अधिकारी की पुत्री के साथ छेड़खानी

करने की कोशिश की। बात खुल गयी और उन्हें सज़ा मिली पर उतनी नहीं जितनी कि मिलनी चाहिए थी। इसी प्रकार एक और अधिकारी थे जो बड़े ही रसिक थे। वे हर लड़की से बाकायदा शादी करने का वादा करते थे। इसके बाद वे भी खुश रहते थे और लड़की भी खुश रहती थी। पता नहीं यह क्रम कब तक चलता। मगर एक लड़की ऐसी भी मिली जिसने उनके वचन को गम्भीरता के साथ लिया। उसने उस उच्च अधिकारी से शादी करने को कहा और जब उसे बताया गया कि वह तो सिर्फ़ मज़ाक़ ही थी, तो उसने आत्महत्या कर ली। उस अधिकारी को दिल का दौरा पड़ा और वह भी मर गया। इसी प्रकार एक और अधिकारी थे जो अपनी पुत्रवधू के सन्दर्भ में काफ़ी बदनाम थे। वैसे भी वे भ्रष्ट ही थे। मगर जब उनसे कुछ पूछताछ की गयी तो वे इतने कायर निकले कि दिल के दौरे से उसी दिन मर गये। भ्रष्ट होने के लिए भी हिम्मत चाहिए। मेरे जैसा कायर क्या भ्रष्ट होगा?

ऐसे भी अधिकारी मिले जो साहित्य से प्रेम रखते थे। माधव मेनन ने मलयालम में अपना छोटा-मोटा स्थान बनाया और हरि मेहता ने अपनी उर्दू कविताओं पर बिहार की उर्दू अकादेमी से पुरस्कार भी पाया। दर्शनसिंह नकरा भी बड़े साहित्य-प्रेमी थे। वे संयुक्त सचिव थे और मैं एक बहुत नया अफ़सर था और उन्हें जानता तक नहीं था। मगर फिर भी मैंने अपने प्रथम कविता संग्रह (सूखे और हरे पत्ते) की एक प्रति उन्हें भेजी। एक दिन उनका पत्र आया जिसके साथ उन्होंने मेरी कविताओं का अंग्रेज़ी अनुवाद भेजा था। मुझे इस बात का बड़ा दुःख है कि सच्चा साहित्यकार और बड़ा अफ़सर होते हुए भी मैं कभी ऐसे विभाग में नहीं जा पाया, जहाँ मैं हिन्दी की सेवा कर सकता। मेरे से कहीं घटिया लेखक हिन्दी के नाम पर दुनिया का चक्कर लगा आये और कहाँ के कहाँ पहुँच गये। काश, मैं भी उनकी भाँति 'रिसोर्सफुल' और किसी राजनीतिक नेता का पिट्ठू होता! अपनी असफलता को ईमानदारी बनाकर ही क्यों न पेश करूँ?

कथा-कहानी सदा से उन लोगों को लेकर लिखी जाती है जो 'सामान्य' से अलग होते हैं। ऊपर दिये गये विवरणों का यह अर्थ कदापि नहीं है कि मेरी सेवा में बढ़िया अफ़सर नहीं रहे। उदाहरण के तौर पर मैं सिर्फ़ तीन नाम लूँगा। सबसे पहले श्री जयशंकर की याद आती हैं जो रक्षा मन्त्रालय के वित्तीय सलाहकार थे। यह पद एक विशिष्ट सचिव का पद होता है। जनरल कौल की 'अनकही कहानी' के अनुसार वे एक जेब में रक्षामन्त्री (यानी कि कृष्ण मेनन) को रखते थे और दूसरी जेब में वित्तमन्त्री (यानी कि मुरारजी देसाई) को रखते थे। इसी प्रकार श्री सुधीर कुमार मुखर्जी ने हमारी सीमाओं पर सड़कें बनायीं और भारत-पाक युद्ध के सन्दर्भ में रक्षा मन्त्रालय के अतिरिक्त सचिव के पद पर रहकर इतना सराहनीय काम किया कि राष्ट्रपति ने उन्हें 'पद्मभूषण' से अलंकृत किया। तीसरा नाम ठाकुर वटुकसिंह का है जिनके पूर्वजों को कुँवरसिंह की सहायता करने के कारण कम्पनी सरकार ने कभी

फाँसी दी थी। वे 'यूनियन पब्लिक सर्विस कमीशन' के चेयरमैन भी रहे। उनके जैसा विलक्षण व्यक्ति अपने सीनियर अधिकारियों में मैंने कभी नहीं देखा। उनके नीचे काम करने वाले आई. सी. एस. अफ़सर तक उनकी प्रतिभा का लोहा मानते थे। कोई भी मन्त्री उनकी सलाह को या उनके फ़ैसले को आसानी से नहीं बदलता था।

हालाँकि मैंने यहाँ केवल अपनी ही सेवा के अधिकारियों की चर्चा की है पर स्थिति प्रत्येक सेवा में लगभग ऐसी ही पायी जाती है। बुरे-भले का साथ सदा से होता आया।

अब इस प्रसंग को यहीं समाप्त करता हूँ। जब मैंने नौकरी ज्वाइन की थी तब मेरी सगी पत्नी के सगे मामा भारत सरकार के संयुक्त सचिव थे। उन्हें उन दिनों तीन हज़ार रुपया प्रतिमाह वेतन मिलता था और उनकी आलीशान कोठी 'अशोका रोड' पर स्थित थी। उन दिनों सारी भारत सरकार में पन्द्रह या बीस सचिव थे। इन दिनों स्थिति यह है कि एक-एक मन्त्रालय में चार-चार सचिव हैं और हैसियत यह रह गयी है कि कितने ही अतिरिक्त-सचिव चार्टर्ड बस से दफ़्तर आते हैं। पिछले सप्ताह सचिवालय गया तो देखा कि हर दिशा में मुख्य सचिव, सचिव, अतिरिक्त सचिव, विशिष्ट सचिव, संयुक्त सचिव, उपसचिव या अवर सचिव की तख्तियाँ लगी थीं। मुझे उर्दू का एक शेर याद आ गया जो जनाब की खिदमत में अर्ज़ करता हूँ :

बन्दे न होंगे, जितने खुदा हैं खुदाई में
किस-किस खुदा के सामने सिजदा करे कोई?

मेरी अपनी आत्मकथा

अपने बारे में खुद ही लिखने की इच्छा का जो सुखद परिणाम निकलता है, उसे आत्मकथा कहकर पुकारा जाता है। बाबर जैसे समझदार व्यक्ति ने भी अपनी आत्मकथा लिखी हालाँकि अपना ज़्यादातर वक़्त वह अपनी बगल में दो आदमी दबाकर पुराने क़िले की दीवारों पर दौड़ने में बिताया करता था। बाबर की आत्मकथा का नाम 'बाबरनामा' था। मुग़लवंश में आत्मकथा लिखने वाले दूसरे सम्राट् का नाम था जहाँगीर। जहाँगीर ने 'तुज़ुके जहाँगीरी' लिखी जो एक काफ़ी दिलचस्प किताब रही। हिटलर ने 'मीन कैम्फ़' नाम की अपनी आत्मकथा लिखी जो बाद में इण्डियन प्रेस ने 'मेरा संघर्ष' नाम से सरस्वती सिरीज में छापी। कहा जाता है कि अपने ज़माने में वह किताब बाइबिल के बाद सबसे ज़्यादा बिकने वाली किताब थी। फ्रांस की राज्य-क्रान्ति को जन्म देने वाले महान् विचारक रूसो ने अपनी आत्मकथा 'कनफ़ेशन्स' के नाम से लिखी जो कहीं-कहीं कुछ अश्लील भी थी और उस पुस्तक की सफलता का एक प्रमुख कारण यह भी था। महात्मा गाँधी ने 'सत्य के प्रयोग' नाम से अपनी आत्मकथा लिखी। पण्डित नेहरू की आत्मकथा का नाम 'मेरी कहानी' था। चर्चिल ने 'मेरा प्रारम्भिक जीवन' नाम से एक बेहद दिलचस्प किताब लिखी और उसके छपते ही वह एक प्रसिद्ध व्यक्ति हो गया। डॉक्टर राजेन्द्रप्रसाद ने भी अपनी आत्मकथा लिखी और वह भी मोरारजी देसाई की आत्मकथा की भाँति केवल मित्रों व परिवार के लोगों ने ही पढ़ी।

राजनीतिज्ञों के अतिरिक्त और लोग भी अपनी आत्मकथा लिखते रहे जिनमें से कुछ आत्मकथाएँ ऐसी हैं कि जो क्या कथ्य और क्या शिल्प–दोनों ही दृष्टि से महान् हैं। प्रसिद्ध नीग्रो नेता बुकर-टी-वाशिंगटन की आत्मकथा 'अप फ्रॉम स्लेवरी' अपने समय की एक नितान्त लोकप्रिय पुस्तक रही। जहाँ तक लेखकों और कवियों का प्रश्न है, उसके बारे में तो यही कहा जा सकता है कि उन्होंने आत्मकथा को साहित्य की एक स्वतन्त्र विधा ही बना डाला। मार्क ट्वेन की प्रख्यात पुस्तक 'यादों की घाटियाँ' नितान्त श्रेष्ठ हास्य और व्यंग्य की एक अनुपम कृति रही। बीसवीं सदी के महान् हास्य लेखक पी.जी. वुडहाउस ने अपनी आत्मकथा 'ओवर सेवेण्टी'

नाम से लिखी जो कि अपने आप में एक नितान्त सफल हास्यकृति साबित हुई। हमारे देश में भी लेखक और कवि अपने बारे में लिखते रहे। मीर तकी मीर की आत्मकथा 'ज़िक्रे मीर' नाम से छपी जिसमें नादिरशाह के हमले और कत्लेआम का आँखों-देखा हाल लिखा गया। रवीन्द्रनाथ ठाकुर ने 'मेरे बचपन के दिन' नाम की एक बड़ी रोचक पुस्तक लिखी जो कि अपने में एक लाजवाब किताब थी। पद्माकर ने कुछ कवित्त अपने जीवन को लेकर लिखे और बाद में चलकर और भी अनेक लोगों ने आत्मकथाएँ लिखीं। बाबू श्यामसुन्दर दास, पदुमलाल पुन्नालाल बख़्शी और कालिदास कपूर ने अपनी-अपनी आत्मकथाएँ लिखीं जो इण्डियन प्रेस से यथासमय प्रकाशित हुईं। निशीथकुमार राय की प्रसिद्ध पुस्तक 'एक डिप्टी की डायरी' भी इसी दिशा में एक लोकप्रिय क़दम है। सुमित्रानन्दन पन्त ने 'साठ वर्ष और अन्य निबन्ध' नाम के ग्रन्थ में अपने व्यक्तिगत जीवन के बारे में कुछ लिखा। अमृता प्रीतम ने अपनी आत्मकथा लिखी जिसका नाम है–'रसीदी टिकट'। और अन्त में चलकर बच्चन ने आत्मकथाएँ लिखीं जो कि उनके अपने काव्य लेखन के सामने ही एक चुनौती बन गयीं। और मेरी तरह जो लोग अश्लील साहित्य से प्रेम करते हैं वे जोश मलीहाबादी की 'यादों की बारात' नाम की उनकी सम्पूर्ण आत्मकथा पढ़ें। मैं यकीन दिलाता हूँ कि ऐसे पाठक इस किताब को पढ़कर कभी निराश नहीं होंगे। साहित्य के सच्चे मर्मज्ञ पाठक सामरसेट माम की आत्मकथा 'दी समिंग अप' पढ़ें। बलराज साहनी ने अपनी साहित्यिक आत्मकथा नहीं लिखी, हालाँकि वे एक ऊँचे दर्जे के लेखक थे। हाँ, अलबत्ता उन्होंने अपनी 'फ़िल्मी आत्मकथा' ज़रूर लिखी। इन महान् साहित्यकारों की सूची में आप चाहें तो मुझे भी शामिल कर सकते हैं क्योंकि मैंने भी अपनी जीवनगाथा को अपने एक उपन्यास में काफ़ी कुशलता के साथ प्रस्तुत करने की कोशिश की। हिन्दी की सबसे पहली आत्मकथा बनारसीदास जैन ने लिखी थी। 'अर्ध कथानक' नामक यह पुस्तक कोई साढ़े तीन सौ वर्ष पहले लिखी गयी थी। आदमी जो कुछ भी लिखता है वह उसकी आत्मकथा ही होती है; यकीन न हो तो आप किशनचन्दर की 'एक गधे की आत्मकथा' पढ़ लें।

हमारे देश में सेना के अधिकारियों ने भी अपनी आत्मकथाएँ लिखी हैं। कर्नल जान मास्टर्स की 'दी व्यू गिल्स एण्ड दी टाइगर', जनरल कौल की 'अनकही कहानी' और जनरल थिमैया व जनरल चौधरी की आत्मकथाएँ इस सन्दर्भ में मुझे एकदम याद आती हैं। कुछ 'गैर फ़ौजी' बड़े अफ़सरों ने भी आत्मकथाएँ लिखी हैं जिनमें अयंगर निनूहा व राव के नाम एकदम याद आते हैं। ये तीनों सज्जन इण्डियन सिविल सर्विस के सदस्य थे।

अब्राहम काउली का कहना है कि अपने बारे में खुद लिखना बहुत मुश्किल काम है क्योंकि यदि आप अपनी बुराई करते हैं तो उससे आपको दुख होता है और अगर आप अपनी प्रशंसा करते हैं तो लोग आप पर यकीन नहीं करते। यह

बात एकदम सच्ची है और इसी कारण कालिदास, भवभूति और जयदेव ने अपने बारे में कुछ नहीं लिखा। अगर अपना चरित्र लिखना सरल होता तो दण्डी ने जहाँ 'दशकुमारचरित' लिखा, वहाँ लगे हाथों वे एक चरित अपना भी लिख सकते थे। सारे पुराने साहित्य में केवल बाणभट्ट ऐसे एकमात्र कवि हैं जिनकी आत्मकथा प्राप्त है मगर उसमें भी यह इल्लत है कि वह आत्मकथा बाण ने खुद नहीं बल्कि हज़ारीप्रसाद द्विवेदी ने लिखी!

ढेर सारी सामग्री देने के बाद (जिसके कारण आप मेरा साहित्य-ज्ञान स्वीकार कर चुके होंगे) मैं असली मुद्दे पर आता हूँ और वह मुद्दा यह है कि जहाँगीर बादशाह अफ़ीम और नूरजहाँ जैसी हसीन बेग़म के बावजूद अपनी आत्मकथा लिख सकता था तो वैसा मैं क्यों नहीं कर सकता? यदि एक गैर सरकारी दाढ़ी के सहारे देवेन्द्र सत्यार्थी एक लाख से ऊपर (यह बात कहाँ तक ठीक है, यह मैं नहीं कह सकता) लोकगीतों का संग्रह कर सकते हैं तो क्या सम्भव नहीं है कि मैं अपना जीवन-चरित लिख सकूँ? मगर इसी क्षण मुझे एक बात का एहसास एकदम होता है कि मैंने ऐसा किया ही क्या है जिसके बल पर मैं आत्मकथा लिखने की सोचूँ? मैं तो सारी उम्र सामान्य व्यक्ति ही रहा। सुबह उठा, चाय पी, हजामत बनायी, बाथरूम गया, कपड़े पहने और दफ़्तर गया। दफ़्तर में काम किया, हसीन स्टेनोग्राफ़र से गप्पें मारीं, चाय पी, कुछ फ़ाइलों पर दस्तख़त किये और फिर शाम को घर वापस आ गया। आने के बाद टैलीविज़न देखा, कपड़े बदले और फिर लिखने बैठ गया। जब थक गया तो खाना खाया और सो गया। सोने के लिए बिस्तर पर लेटने से रीतिकाल होगा या वीरगाथा काल—यह बात मेरी पत्नी के मूड पर निर्भर करती है। सोता हूँ और सपनों में देखता हूँ कि मुझे मानद डॉक्टरेट प्राप्त हो गयी है, साहित्य अकादेमी का एवार्ड मिल गया है, राष्ट्रपति ने मुझे पद्मश्री से अलंकृत कर दिया है और अन्त में चलकर मुझे राज्यसभा की सदस्यता भी प्राप्त हो गयी है। सपना देखकर उठता हूँ और बच्चन को याद करता हूँ—विश्व सपना सच नहीं करता किसी का। मगर फिर सोचता हूँ कि यदि बच्चनजी के अपने सारे सपने सच हो गये तो मेरे क्यों नहीं होंगे?

मेरा यह मूड ज़्यादा देर नहीं ठहरता। मैं चाय पीते-पीते सोचने लगता हूँ कि वाकई मेरे जीवन में ऐसा कुछ नहीं है जिसे लेकर आत्मकथा लिखी जा सके। मैंने न कभी किसी की मुसम्मात को भगाया और न मैंने किसी के साथ फ़ौजदारी ही की। मैं तो दफा एक सौ चवालीस तक में सिर्फ़ एक घण्टा परेशान रहा था और वह भी तब जबकि मैं प्रयाग विश्वविद्यालय में पढ़ता था। मैं न तो नेता बना, न अभिनेता। दफ़्तर, परिवार, यात्राएँ, अध्ययन और लेखन—बस सारा जीवन इन्हीं में बीत गया। साहित्य के अलावा कहीं और चोरी तक नहीं की। पत्नी के अलावा न तो कहीं किसी और युवती से 'घनिष्ठ' सम्बन्ध ही रखे और न किसी और की पत्नी को माता के अलावा कुछ और समझा। दूसरों की पत्नी क्या, मैं तो अपनी

इकलौती और सगी पत्नी तक को माता के तुल्य मानता हूँ। बच्चे हैं मगर वे अभी से 'चाइल्ड इज़ दी फादर ऑफ़ मैन' का नारा बुलन्द करते हैं और अख़बार वाले हैं कि अभी भी रचनाओं को 'सधन्यवाद' और 'सखेद' वापस करते हैं। वाकई मैं हीनभावना से ग्रस्त नहीं रहा, मैं तो वास्तव में ही हीन रहा। कवि के शब्दों में स्थिति यही रही कि :

हम क्या कहें अहबाब जो कारे नुमायाँ कर गये
बी.ए. हुए, नौकर हुए, पिंशन मिली, फिर मर गये

अज्ञेयजी की हीरक जयन्ती

(एक) यह बहुत हर्ष की बात है कि श्री सच्चिदानन्द हीरानन्द वात्स्यायन उर्फ़ 'अज्ञेय' ने अपने जीवन के पचहत्तर वर्ष पूरे कर लिये। उन्हीं के शब्दों में 'एक दिन/और दिनों-सा/आयु का एक बरस ले चला गया'। मैं भगवान से प्रार्थना करता हूँ कि वे सौ वर्ष जिएँ। जीवेम शरदः शतम्। अब यह सही समय है कि उनके व्यक्तित्व और कृतित्व का पूरा-पूरा मूल्यांकन किया जाए। यह हिन्दी का दुर्भाग्य है कि फ़िलहाल कोई भी नामवर लेखक ऐसा नहीं है जो किसी लेखक का निःसंकोच विश्लेषण कर सके। कुछ हैं जो खुशामदी हैं और कुछ हैं जो अज्ञेय से किसी कारण चिढ़ते हैं। सारी बातें पूरी ईमानदारी से सामने लायी जा सकें—इसी कारण यह लेख मैं लिख रहा हूँ। आशा है, मैं अपने पाठकों का विश्वास प्राप्त कर सकूँगा।

(दो) अज्ञेयजी के सन्दर्भ में कुछ लिखने के लिए काफ़ी समय और स्थान चाहिए। बहरहाल मोटी-मोटी बातें इस प्रकार हैं :

(क) हिन्दी के वे कदाचित् ऐसे अकेले साहित्यकार हैं जिन्हें जीवन के विभिन्न क्षेत्रों का अनुभव है। ज्ञान तो उन्हें विरासत में मिला मगर ज्ञानी होकर वे निष्क्रिय नहीं हुए। वे क्रान्तिकारी और सैनिक बने, पत्रकार और सम्पादक बने और बाद में चलकर वे एक महान् साहित्यकार बने। इस सन्दर्भ में कुछ प्रबुद्ध पाठक शायद यह भी कहना चाहेंगे कि उन्हें जब किसी भी क्षेत्र में सफलता नहीं मिली, तब हारकर वे साहित्य में आये मगर मेरे विचार में यह धारणा रखना सौ फीसदी तो ठीक नहीं है। थोड़ा-बहुत सच हो, वह दूसरी बात ठहरी।

(ख) उनके बराबर यात्रा करने वाला व्यक्ति शायद हिन्दी में और कोई नहीं हुआ। राहुल सांकृत्यायन व नागार्जुन भी शायद उनसे पीछे पड़ते हैं। उन्होंने स्वयं ही लिखा है कि 'मैं हारिल हूँ, बैठे रहना मेरे कुल का धर्म नहीं है'। इस सन्दर्भ में विद्यानिवास मिश्र ने लिखा है कि अज्ञेय जी बार-बार विदेश जाते हैं, क्योंकि विदेशी रहन-सहन का प्रभाव उन्हें अधिकाधिक भारतीय बनाने में सहायता देता है। शायद विद्यानिवासजी भी इसी कारण विदेश गये। हिन्दी के बाकी लेखक जो धन या चतुरता की कमी से विदेश नहीं जा सके, वे पूरी तरह भारतीय नहीं कहे जा सकते।

(ग) जहाँ तक क्रान्तिकारी होने का प्रश्न है, स्थिति यह है कि अज्ञेय जी की पुरानी आदतें अभी तक पूरी तरह नहीं छूटी हैं और देश की पुलिस का कर्तव्य है कि उन पर निगाह रखे। वे खुद कहते हैं :

(1) *प्रश्न यही रहता है*
दोनों जो अपने बीच
एक दीवार बनाये रहते हैं
मैं कब कैसे, उनके अनदेखे
उसमें सेंध लगा दूँ
या भरकर विस्फोटक
उसे उड़ा दूँ

कवि जो होंगे हों
जो कुछ करते हों करें
प्रयोजन मेरा बस इतना है
(2) *तब तक मैं उसका*
एक अकिंचन अग्रदूत
अपनी अखण्ड आस्था के साक्ष्य रूप
मशाल जला दूँ :
न सही क्षयग्रस्त नगर में
इस वनखण्डी में ही आग लगा दूँ

(घ) इसमें कोई संशय नहीं होना चाहिए कि अज्ञेयजी मूलतः गीतकार हैं। गीतकार कहने से यह अर्थ नहीं है कि वे नीरज के समकक्ष हो जाते हैं। गीत तो काव्य की उत्कृष्टतम विधा है और इतने पर भी आपको संशय हो तो उसका अर्थ यह है कि जयदेव, विद्यापति, गोविन्ददास और चण्डीदास वगैरह जो थे, वे भी घटिया साहित्यकार थे। मैंने अज्ञेय की काफ़ी कविताएँ पढ़ी हैं मगर फिर भी जिस रचना ने मुझे सबसे ज़्यादा छुआ वह थी 'काँगड़े की छोरियाँ'। इस गीत से कवि की सुरुचि का पता लगता है। गीत इस प्रकार है :

कुछ गोरियाँ, कुछ भोरियाँ
लाला जी ज़ेवर बनवा दो
खाली करो तिजोरियाँ :
काँगड़े की छोरियाँ

ज्वार मक्का की क्यारियाँ
हरियाँ भरियाँ प्यारियाँ

धन खेतों में लहर हवा की
सुना रही हैं लोरियाँ :
काँगड़े की छोरियाँ

पुतलियाँ चंचल कालियाँ
कानों झुमके बालियाँ
हम चौड़े में खड़े लुट गये
बनी न हमसे चोरियाँ
काँगड़े की छोरियाँ

(च) इसमें भी किसी को सन्देह नहीं होना चाहिए कि अज्ञेयजी प्रयोगवाद व 'नयी कविता' के प्रवर्त्तक हैं। उन्होंने स्वयं कहा है : 'अथक प्रयोगों ही में बसता जीवन। साहस को करती है हार प्रमाणित'। मगर जब वे नयी कविता के पिता कहे जाएँगे तो उनके इस 'आत्म-स्वीकार' को भी कोई नहीं भूलेगा :

किसी की पौध थी
मैंने सींची
बढ़ने पर अपना ली
किसी की लगाई लता थी
मैंने दो बल्ली गाड़
उसी पर छवा ली

किसी की कली थी
मैंने अनदेखे बीन ली
किसी की बात थी
मैंने उसके मुँह से छीन ली

(छ) विद्यानिवास मिश्र के अनुसार 'अज्ञेय पहले मनुष्य होने का दावा रखते हैं, फिर कवि होने का। उनकी विनम्रता और सुरुचि उनकी सब से बड़ी कमजोरी है।' मैं इस बात से सहमत नहीं हूँ। मैंने अज्ञेय को उन्नीस सौ पचपन में भी देखा था, और सन् पिचासी में भी देखा। कुछ लोगों के अनुसार डॉक्टर अमरनाथ झा की भाँति अज्ञेय भी स्नॉब हैं, हीन भावना से ग्रस्त हैं और परसाईजी के शब्दों में दयनीय हैं। ऐसी विनम्रता से क्या लाभ कि जिसमें प्रत्येक नये कवि को 'गतानुगामी' कहा जाए और यह कहा जाए कि 'जा, तू तो मेरी पीठ ही देखेगा।' लाखों रुपयों की वत्सल निधि है जिसके शिविरों में पिछलग्गू जो हैं वे हलवा-पूरी खाते हैं। अपना अलग गुट है। अभी-अभी जम्मू के पास ही अज्ञेयजी का शिविर लगा और मुझ जैसे लेखकों को बताया तक नहीं गया क्योंकि हम लोग उनके गुट में नहीं थे। हालाँकि खुदा गवाह है कि यदि भारतीजी जैसे आत्मीय

ने भी कोई ऐसा काम किया जो मुझे पसन्द नहीं आया तो मैंने उनकी भी उतनी ही तीखी निन्दा की और इसी कॉलम से की। मगर इन सबका अज्ञेयजी के कृतित्व पर कोई प्रभाव नहीं पड़ता, और इसी कारण मैंने अपना पिछला कविता-संग्रह उन्हें समर्पित किया। बच्चनजी ने मुझे लिखा कि 'यदि अज्ञेय के 'कितनी नावों पर कितनी बार' को ज्ञानपीठ एवार्ड दिया जा सकता है तो त्यागी जी, आपकी इस किताब पर वही एवार्ड आपको दो बार मिलना चाहिए। मगर मिलेगा नहीं।' ऐसी नम्रता से क्या फ़ायदा कि लाखों रुपये तो बैंक में जमा हों और इधर अज्ञेयजी कहें कि 'अच्छा अपना ठाठ फकीरी/मँगनी के सुख साज से?' अपने इस अहंकार से उन्हें कोई खुशी नहीं पहुँचती मगर उनके लिए इतना ही काफ़ी है कि कोई दूसरा घायल हो गया। उन्हीं के शब्दों में 'मेरे हाथ कुछ नहीं आता। दूर कहीं पर कोई मर्म में बिंध जाता है।'

(ज) अज्ञेयजी व्याकरण की ज़्यादा परवाह नहीं करते। 'हम सागर को देखा किये' या 'ऊगा तारा' जैसी पंक्तियों की भाषा व्याकरण-सम्मत नहीं है। भगवान की कितनी कृपा है कि महावीरप्रसाद द्विवेदी अब नहीं हैं वर्ना वे अज्ञेयजी की ख़ूब ख़बर लेते। द्विवेदीजी ने तो कालिदास तक को नहीं बख्शा था और 'कालिदास की निरंकुशता' नाम की एक पोथी छपायी थी। दुर्भाग्यवश उन दिनों कालिदास प्रयाग में नहीं थे वर्ना फ़ौजदारी हो जाती।

(झ) अज्ञेयजी को खेती-बाड़ी, प्रकृति और पशुओं से काफ़ी प्रेम है। अपनी किसी प्रेमिका की तुलना उन्होंने 'बाजरे की छरहरी कलगी' से की है। साहित्य में उन्होंने गधों को काफ़ी स्थान दिया—ठीक उसी तरह जैसे किशनचन्दर ने दिया था। चाँदनी रात में यदि गधा याद आ जाए तो मन उखड़ जाता है पर अज्ञेयजी ठीक दूसरी मुद्रा में लिखते हैं—

वंचना है चाँदनी सित
झूठ यह आकाश का निरवधि गहन विस्तार
शिशिर की राका निशा की शान्ति है निस्सार
निकटतर धँसती हुई छत, आड़ में निर्वेद
मूत्र सिंचित मृत्तिका के वृत्त में
तीन टाँगों पर खड़ा, नतग्रीव
धैर्य-धन गदहा

(ट) अज्ञेयजी अपने मौन के लिए प्रसिद्ध हैं। एक बार प्रयाग गये तो पन्तजी से मिले। कोई घण्टा भर बैठक जमी। सारी बातचीत पन्तजी ही करते रहे, अज्ञेयजी ने अपनी सरस्वती को कष्ट नहीं पहुँचाया। उन्होंने कई बार अपने मौन की चर्चा भी की है जैसे, : 'अपने को मौन नदी के खड़े किनारा पाता हूँ/मौन का सूत्र/एक चिकना मौन' इत्यादि। एक स्थान पर तो साफ़ लिखा है कि 'मौन भी अभिव्यंजना है।'

(ठ) अज्ञेयजी ने कविता के अतिरिक्त उपन्यास, निबन्ध और कहानियाँ भी लिखी हैं। उनके लिए यह सब कुछ करना इस कारण ज़्यादा सम्भव हो सका क्योंकि वैसे भी उनका

नाम (सच्चिदानन्द हीरानन्द वात्स्यायन अज्ञेय) चार आदमियों के बराबर है। ठीक है न?

(ड) अज्ञेयजी बड़े चमत्कारी पुरुष हैं। उनकी एक कविता में बताया गया है कि वे मिट्टी गोड़ने वाले, कोदई खाकर गेहूँ खिलाने वाले, खानों में उतरने वाले, समुद्र में डुबकी लगाकर मोती निकालने वाले, कलम घिसने वाले, चाकरी चलाने वाले, कचरा ढोने वाले, झल्ली लिये फिरने वाले, गदहे हाँकने वाले, तन्दूर झोंकने वाले, कीचड़ उलीचने वाले, मनियार सजाने वाले, दूसरों के उतारन को फींचने वाले, रद्दी बटोरने वाले, पापड़ बेलने वाले, बीड़ी लपेटने और वर्क़ कूटने वाले, धौंकनी फूँकने वाले, कलई गलाने वाले, रेढ़ी ठेलने वाले, चौक लीपने वाले, बासन माँजने वाले, ईंट उछालने वाले, रुई धुनने वाले, खटिया बुनने वाले, मशक से सड़क सींचने वाले, रिक्शा चलाने वाले—इन सभी लोगों के साथ एक ही समय में रहते हैं जो एक अलौकिक शक्ति का प्रतीक है।

(ढ) उदारमना होने के कारण साहित्य पढ़ते और रचते समय अज्ञेयजी इतने खो जाते हैं कि अपना-पराया सब पीछे छूट जाता है। ठीक है न?

इस सन्दर्भ में मैं यह भी बता दूँ कि जब अज्ञेयजी जम्मू आये तो उन्होंने अपने एक भाषण में कहा कि एक बार उत्तरी बिहार में उन्हें कुछ डाकुओं ने उठा लिया और वे उन्हें अपनी गुफाओं में ले गये। वहाँ अज्ञेयजी का सारा साहित्य पहले से ही रखा था। डाकुओं ने अज्ञेयजी को कुछ नहीं कहा, मात्र उनसे इतनी विनती ज़रूर की कि वे अपनी कविता स्वयं पढ़कर सुनाएँ। अज्ञेयजी ने यहीं तक बताया मगर मैं कथा पूरी करता हूँ। उनकी कविता सुनकर डाकू लोग पास वाले थाने में चले गये और दरोगाजी से कहा कि "माई-बाप, हमें इस कवि से बचा लीजिए जो पिछले दस घण्टे से हमें अपनी रचनाएँ सुना रहा है। हम आत्मसमर्पण करने को तैयार हैं।"

(तीन) भगवान ने अज्ञेयजी को सारे सुख दिये। बस उन्हें सन्तान नहीं मिली, नोबिल प्राइज़ नहीं मिला और राज्यसभा की सदस्यता नहीं मिली। मेरी प्रार्थना है कि ये कमियाँ भी भगवान पूरी करे। अरे, सुमित्रानन्दन पन्त को तो सन्तान क्या, पत्नी-सुख भी कभी प्राप्त नहीं हुआ। अज्ञेय जी मेरी बात पर ध्यान दें और खुश रहें।

(चार) सब कुछ कह गया। मेरी वाणी भी अब बन्द होनी चाहिए। मैं कवि भर्तृहरि का एक श्लोक लिखता हूँ जो अज्ञेयजी पर शत-प्रतिशत लागू होता है। कमियाँ किसमें नहीं होतीं और कौन ऐसा बड़ा आदमी है जिससे मेरे-जैसे छोटे लोग ईर्ष्या नहीं करते? (भर्तृहरि राजा थे पर अपनी पत्नी के चरित्रहीन होने के कारण वे विरक्त और कवि हो गये थे। बात भी ठीक है। साहित्यकार को तो दूसरों की पत्नियाँ ही चरित्रहीन मिलनी चाहिए, जहाँ तक अपनी पत्नी का प्रश्न है वह तो पार्वती की तरह पवित्र होनी चाहिए) श्लोक इस प्रकार है :

जयन्ति ते सुकृतिनो रससिद्धाः कवीश्वराः
नास्ति येसां यशःकाये, ज़रा मरणजं भयम्।

वर्ण-परिचय

और कुछ कहने से पूर्व मैं यह मूल बात स्पष्ट कर दूँ कि मेरे इस निबन्ध का उस 'वर्ण-परिचय' से कोई सम्बन्ध नहीं है जो बंगाली बच्चों के लिए ईश्वरचन्द्र विद्यासागर ने कभी लिखा था। वर्ण शब्द से मेरा अभिप्राय उस वर्ण-व्यवस्था से है जो कि हमारे समाज और धर्म में सदा से चलती आयी। चार वर्ण, चार आश्रम और सोलह संस्कारों को यदि हम भूल जाएँ तो मैं आपसे पूछता हूँ कि हिन्दू धर्म में मेरे अतिरिक्त और बचता ही क्या है?

हमारे तमाम प्राचीन ग्रन्थों में साफ़-साफ़ लिखा है कि ब्राह्मण जो होता है वह बाकी जातियों से ऊपर होता है। बच्चा जब पैदा होता है, तब भी ब्राह्मण को बुलाया जाता है और बड़ा होने पर जब उसकी मृत्यु होती है तब भी सारा काम ब्राह्मण ही करता है। स्थिति यह है कि यदि ब्राह्मणों को देश से निर्वासित कर दिया जाए तो न कोई बच्चा होगा और न कोई मरेगा मगर ऐसा कभी नहीं होगा क्योंकि चाहे सारा देश का देश धरातल में चला जाए, ब्राह्मण जो है वह फिर भी रहेगा और ठाठ से रहेगा। ब्राह्मण शब्द ब्रह्मा से बना है। जो ब्रह्म को जाने, वही ब्राह्मण। वह ब्रह्मा के मुख से पैदा हुआ है जब कि शूद्र जो है वह ब्रह्मा के चरणों में से निकला है। ब्रह्मवाक्यं जनार्दनः। तुलसीदास ने कहा है कि ब्राह्मण के कोप से राजा तक भी अरक्षित रहता है। "हे राजन्, यदि तुम ब्राह्मण को वश में रख सको तो समझो कि तीनों भगवान तुम्हारे वश में हैं। हे राजन्, यदि तेरा कभी नाश होगा तो वह किसी ब्राह्मण के शाप से ही होगा।" कवि दोनों हाथ ऊपर उठाकर आगे कहता है कि "ब्राह्मणों से कोई पार नहीं पा सकता।" आगे चलकर तुलसीदास फिर कहते हैं कि "संसार में एक ही पुण्य है और वह है मन, वचन और कर्म से ब्राह्मणों के चरणों की सेवा करना। जो कोई ऐसा नहीं करता है वह अगले जन्म में कौवे की योनि को प्राप्त करता है।" महाभारत के उद्योग पर्व में लिखा है कि विश्वामित्र की गुरु-दक्षिणा जुटाने के लिए राजा ययाति ने अपनी सगी पुत्री को गालब के हवाले कर दिया था ताकि वह उसे बेच सके और अपने ब्राह्मण गुरु को दक्षिणा दे सके। मनु-स्मृति के अनुसार जैसे तेजस्वी अग्नि मरघट में भी जलकर अपवित्र नहीं होती, वैसे ही ब्राह्मण यदि कोई बुरा काम भी करे, तब भी वह पूजनीय ही रहता है क्योंकि वह देवता है।

शास्त्रों में लिखा है कि यदि कोई भी व्यक्ति ब्राह्मण से कोई फ़ौजदारी करेगा तो वह दुख को प्राप्त होगा। गरुड़पुराण के अनुसार जो व्यक्ति ब्राह्मण की हत्या करेगा वह क्षयरोग से पीड़ित होगा, जो कोई व्यक्ति ब्राह्मण को लात मारेगा, वह पंगु हो जाएगा। यदि कोई ब्राह्मण के घर में आग लगाएगा, वह गंजा हो जाएगा। जो कोई उसके पान, फल व फूल चुराएगा वह बन्दर बनेगा और जो नीच व्यक्ति ब्राह्मण के जूते चुराएगा वह मेंढा बनेगा।

पता नहीं कैसे हमारा जो बंगाल देश है वह प्रगति और परम्परा—इन दोनों विपरीत दिशाओं में बाकी भारत की अपेक्षा कहीं ज़्यादा होनहार रहा है। यूँ तो ब्राह्मणों ने वेश्यावृत्ति और न जाने कितनी और आपत्तिजनक बातों पर (उदाहरण के लिए देवदासी रखना, श्राद्ध करना, सती होना और छुआछूत मानना) सारे देश में बल दिया पर बंगाल में तो उन्होंने कमाल ही कर दिखाया। पिछली शताब्दी तक बंगाल में लोग सत्तर-सत्तर पत्नियाँ रखा करते थे। ये सारी पत्नियाँ अपने पिता के घर पर रहती थीं, दामाद बाबू तो कभी साल में एक या दो बार पधारते थे। उस एक-दो दिन में जो सुख उनकी पत्नी को मिलता था, उसके लिए जामाता को दक्षिण ा दी जाती थी। इस पद्धति की सबसे ज़्यादा उदारमना बात यह थी कि यदि पति अपनी ससुराल खुद नहीं जा सकता था, तो वह अपने किसी मित्र को वहाँ भेज सकता था। 'आवारा' शरत्चन्द्र बंगाल की स्त्रियों के लिए वास्तव में 'मसीहा' था।

सारे संस्कार ब्राह्मणों द्वारा ही सम्पन्न होते थे। यज्ञोपवीत संस्कार (जिसे महर्षि दयानन्द ने भी 'संस्कार विधि' नाम की अपनी पुस्तक में शामिल किया) तक ब्राह्मण के बिना नहीं किया जा सकता था। शेष सारे यज्ञ भी ब्राह्मण ही कराता था। गो-यज्ञ करने पर उसे गैया मिलती थी पर नागयज्ञ करने पर उसे नाग क्यों नहीं दिया जाता था—इसका पता मुझे कभी नहीं लगा। खुशी की बात है कि यज्ञों की परम्परा अभी भी काफ़ी ठाठ से चल रही है। मध्यप्रदेश में घातक गैस के कारण हज़ारों लोग मारे गये या अपंग हो गये। उन सबकी आत्माओं को शान्ति देने के लिए वहाँ एक महायज्ञ किया गया। शंकराचार्य ने खुद आकर यज्ञ को सम्पन्न किया। इस महायज्ञ में मात्र पचीस हज़ार आहुतियाँ दी गयीं। पूर्णाहुति के दिन सरकारी दफ़्तर भी आधे दिन के लिए बन्द किये गये। कुल मिलाकर लाखों रुपये खर्च किये गये।

मैंने ऊपर यज्ञोपवीत की चर्चा की थी मगर बाकी बातों में फँस जाने के कारण मैं यज्ञोपवीत से आगे निकल गया। बात यह है कि यज्ञोपवीत संस्कार खाकसार का भी हुआ था पर मैंने अपना जनेऊ बाद में उतार दिया था। जब भी मैं अपनी लघुशंका का समाधान करने बैठता था, वैसे ही मेरा जो यज्ञोपवीत था वह अपवित्र हो जाता था। यह तो मैंने बाद में चलकर देखा कि जो स्थिति मेरी थी वह बाकी साथियों की भी थी, मगर वे अपना धागा इस कारण नहीं उतारते थे क्योंकि उसमें वे दूकान की चाबियाँ बाँधे रहते थे। इतनी दूर की बात तो शायद दयानन्द सरस्वती ने भी नहीं सोची

होगी। (ऋषि दयानन्द की लिखी 'सत्यार्थप्रकाश' नाम की जो कृति है वह खड़ी बोली में लिखी गयी गद्य की पहली किताब है। वह साहित्यिक कृति नहीं है, यह दीगर बात है।)

ब्राह्मण लोगों की सलाह से प्रशासन निचली जातियों पर जो ज़ुल्म ढहाता था उसका वर्णन करना कठिन है। निचली जातियों का बुरी तरह शोषण किया गया। गीता में 'यदा यदा ही धर्मस्य' वाली जो पंक्ति है उसका ब्राह्मणीय अर्थ यह है कि धर्म को ग्लानि तभी पहुँचती है जब कि अछूत लोग ब्राह्मणों का निरादर करते हैं। शम्बूक नाम के एक हरिजन ने वेद पढ़ लिये और पण्डित हो गया तो मर्यादा-पुरुषोत्तम राम ने उसका वध किया। यह सारा कार्य मात्र ब्राह्मणों की सलाह से किया गया था। 'हरि-वंश पुराण' में बताया गया है कि 'ऐतरीय' एक शूद्र थे और उनके पिता ने उन्हें शास्त्रों का मनन करने से रोका था। वे पण्डित बने और बाद में उन्होंने 'ऐतरीय पुराण' लिखा। मगर एक बात है जो हमें नहीं भूलनी चाहिए। शूद्रों की सब चीज़ें ख़राब थीं पर यदि उनकी पत्नी या लड़की सुन्दर होती थी तो बाकी जातियाँ उन्हें अछूत नहीं समझती थीं। चाणक्य ने लिखा है कि यदि स्त्री 'दुष्कुल' की भी हो तो भी उसे स्वीकार करना चाहिए। धन्य है हमारा देश और धन्य है हमारा हिन्दू धर्म!

तीन पेज लिखने के बाद मैं असली मुद्दे पर आता हूँ। वे दिन गये जब कि अम्बेदकर क्लास के बाहर दरवाज़े के पास खड़े होकर पढ़ा करते थे। अब तो हरिजनों और अनुसूचित जातियों की चाँदी ही चाँदी है। लायक कोई और है पर तरक्की जो है वह अनुसूचित जाति वाले को ही मिलती है। तबादला है वह भी तभी होगा और वहाँ होगा, जब और जहाँ हरिजन कर्मचारी चाहेंगे। उनके बच्चों को हर कॉलेज में, हर नौकरी में और हर बाकी जगह में प्राथमिकता दी जाएगी। मैं निवेदन करता हूँ कि यदि 'यौन परिवर्तन' और 'नाम परिवर्तन' हो सकते हैं तो 'वर्ण परिवर्तन' क्यों नहीं हो सकता? सच्चाई की बात तो यह है कि कुछ त्यागी लोग तो वैसे ही हरिजनों की अपेक्षा कहीं ज़्यादा पिछड़े हुए हैं और जीवन का आधा भाग ज़िला जेल में खुशी-खुशी गुज़ारते हैं। कुछ लोग कहते हैं कि त्यागी लोग ब्राह्मण हैं पर क्योंकि किसी मूर्ख पूर्वज ने दान लेना त्याग दिया तो त्यागी जाति का वर्तमान नाम पड़ा। मेरी सगी पत्नी के सगे मामा (जो अंग्रेज़ी ज़माने में केन्द्रीय सरकार के संयुक्त सचिव थे) अपने नाम के साथ 'दान त्यागी' लिखा करते थे। कुछ लोग हैं जो कहते हैं कि कभी किसी राजा ने एक वेश्या रख ली थी और बाद में उसे 'त्याग' दिया था। उसी के वंश से 'त्यागी' लोग पैदा होते आये। सच्ची बात तो यह है कि मुझे तो इस वेश्या वाली कथा पर ही ज़्यादा विश्वास होता है। अगर इतनी सारी गवाही पेश करने के बाद सरकार मुझे शूद्र नहीं स्वीकार करती तो मैं विवश होकर पन्त जी की 'दन्तकथा' नाम की अमर कविता का अन्तिम पद आपको सुनाऊँगा—"पुरानी ही दुनिया अच्छी थी, सच, पुरानी ही दुनिया।" वाकई इससे तो पहली दुनिया ही अच्छी थी जिसमें दिल्ली प्रशासन की परिधि में रहने वाले त्यागी लोग 'अनुसूचित जातियों में शामिल किये जाते थे।

जहाज़ का पंछी

पहली अगस्त उन्तीस सौ छियासी के 'जनसत्ता' के प्रथम पृष्ठ पर एक नितान्त हृदयविदारक समाचार छपा जिसके अनुसार सारे संसार से निराश होकर भगवान रजनीश को फिर इसी अभागे भारतवर्ष को लौटना पड़ा। ठीक वही बात जो कभी सूरदास ने कही थी कि जहाज़ का जो पंछी होता है वह बार-बार उड़ता है .र सब दिशाओं से निराश होकर फिर जहाज़ की ही दिशा में लौटता है ताकि कम से कम अपने पंख समेटकर विश्राम तो कर सके (क्षेपक : सूरदास के इस पद विशेष से हमें पता लगता है कि उनके समय में भी हमारे पास जहाज़ होते थे। इस दिशा में शोध-कार्य सम्पन्न किया जा सकता है। मेरे विचार में शोध यदि मन लगाकर की जाए तो सूरदास द्वारा वर्णित जहाज़ मिले या न मिले, पर डॉक्टरेट ज़रूर मिल सकती है। लड़कियों के केस में मन की जगह तन लगाने से भी सिद्धि प्राप्त हो सकती है। जो लोग मुझ पर विश्वास न करते हों, उन्हें मैं सलाह दूँगा कि वे उन मनीषियों के बारे में पढ़ें जिन्होंने 'भानुसिंह' नाम के एक अत्यन्त प्राचीन बंगाली कवि के बारे में न जाने कितनी गहरी खोज की थी और डॉक्टरेट प्राप्त की थी, जब कि वस्तुस्थिति यह थी कि भानुसिंह नाम का कोई बंगाली कवि कभी हुआ ही नहीं था और सारी वारदात इस कारण हुई थी कि रवीन्द्रनाथ ठाकुर ने मज़ाक़ के मूड में अपनी ही कुछ कविताएँ भानुसिंह के नाम से कुछ पत्र-पत्रिकाओं में यदा-कदा छपवा दी थीं)।

अख़बार में दी गयी सूचना के अनुसार भगवान रजनीश ने जैसे ही इस देश की शस्य श्यामला धरती पर अपना चरण (क्रम संख्या एक) रखा, वैसे ही उन्होंने घोषणा कर दी कि वे इस दुनिया से नाराज़ हैं और इस कारण अब वे इसी पिछड़े देश हिन्दुस्तान उर्फ़ भारत में रहना पसन्द करेंगे। पुर्तगाल से लौटे (या वापस किये गये) भगवान रजनीश फ़िलहाल बम्बई में जुहू तट पर स्थित एक शिष्य के बँगले में विश्राम करेंगे। संवाददाताओं से बातचीत करते हुए उन्होंने बताया कि वे दुनिया की यात्रा पर इसलिए थोड़े ही गये थे कि वे विदेशों में स्थित दर्शनीय स्थलों को देखना चाहते थे; वे तो संसार की यात्रा पर मात्र यह जानने के लिए निकले थे कि और जगहों पर इंसान जो है वह अपनी ज़िन्दगी कैसे जी रहा है और इस सत्य की

खोज में उन्होंने दर-दर की खाक छानी। (क्षेपक : यह बात दीगर है कि यह सारी खाक हवाई जहाज़ में रूपवती शिष्याओं के साथ बैठकर ही छानी गयी। धर्म एक बहुत बड़ी चीज़ है पर जब उसके साथ सुन्दर युवतियाँ जुड़ जाती हैं तो वह और भी प्रभावशाली हो जाता है। मुग़लकाल में शहंशाह जहाँगीर के अशक्त हो जाने पर जो सिक्के मलिका नूरजहाँ के नाम से ढाले गये थे उन पर लिखा गया था कि "जहाँगीर के आदेश के अनुसार सोने पर जब मलिका नूरजहाँ का नाम डाला गया तो स्वर्ण भी सौ गुना सुन्दर हो गया") भगवान रजनीश ने बताया कि विदेशों में आदमी जो है वह हर चीज़ से महरूम है, उसे कुछ भी मयस्सर नहीं है। उन्होंने बड़े दुःख के साथ कहा कि यूरोप तो इतना गिर गया है कि उसने उनके जहाज़ को तेल भरने तक के लिए रास्ते में कहीं नहीं उतरने दिया और वायुयान के चालकों को विश्राम भी नहीं लेने दिया जिसके लिए मात्र दो घण्टे का समय अपेक्षित था। उन्होंने कहा कि मैं विदेश से मात्र टूटे सपने लेकर लौटा हूँ। मेरी उम्मीदें टूट चुकी हैं, मेरे अरमान जो हैं वे सिर्फ़ अफ़साना बनकर रह गये हैं। (अफ़साना लिख रही हूँ, दिले बेकरार का) मैंने जो कुछ देखा है वह एक हक़ीक़त है जिसे मात्र कड़वी होने के कारण झुठलाया नहीं जा सकता। पश्चिम के तमाम लोग खोखले हैं। भारत के लोग ग़रीब भले ही हों, वे आध्यात्मिक रूप से कहीं ज़्यादा समृद्ध हैं। (क्षेपक : यह दीगर बात है कि अध्यात्म जो है वह न खाया जा सकता है और न उसे पहना ही जा सकता है।) भगवान रजनीश की वाणी सुनकर अज्ञेय के 'लौटे हुए यात्री के वक्तव्य' की याद सहसा आ गयी, मगर यह मानना पड़ेगा कि भगवान रजनीश के वक्तव्य में कहीं ज़्यादा दुःख और करुणा थी।

भगवान रजनीश ने आगे बताया कि मैं तो मात्र एक चिन्तक हूँ और वह मैं अन्त तक रहूँगा। (क्षेपक : इस देश की प्रथा ही कुछ ऐसी है कि राष्ट्रपति से लेकर भिक्षुक तक चिन्तक ही पाया जाता है।) विदेश के लोग तो इतने पतित हैं कि वे रजनीशजी के प्राणों के पीछे पड़े हैं। अमेरिका में तो उनकी हत्या तक की योजना बनायी गयी थी और हत्यारे को पाँच लाख डालर तक का इनाम देना निश्चित किया गया था। (क्षेपकः इतनी बड़ी राशि के बावजूद हत्यारों ने उन्हें नहीं मारा क्योंकि वे जानते थे कि भगवान की क़ीमत कहीं ज़्याादा है और यदि वे थोड़े दिन और रुक गये तो इनाम की रकम शायद और भी बढ़ा दी जाएगी।) रजनीशजी ने मुसकराकर यह भी कहा कि यदि इतनी रकम उन्हें दे दी जाए, तो वे स्वयं ही आत्महत्या कर लेंगे। (क्षेपक : यह दीगर बात है कि आत्महत्या सदा स्वयं ही की जाती है।) प्रेसवालों ने जब पूछा कि अपनी रक्षा के लिए आप क्या क़दम उठा रहे हैं तो भगवान रजनीश एकदम इंसान हो गये और कहने लगे कि भाई, मैं तो एक अदना इंसान हूँ जिसमें सब कमज़ोरियाँ हैं। अगर लोग फिर भी उन्हें शहीद करके फ़रिश्ता बनाना चाहते हैं तो उससे बड़ी बेवकूफ़ी और क्या हो सकती है? उन्होंने बताया कि जीवन में

उन्होंने कभी पीछे मुड़कर नहीं देखा, उनकी निगाह हमेशा भविष्य पर ही रही। वे बोले कि मैं पश्चिम पर आध्यात्मिक विजय पाना चाहता था क्योंकि उन्होंने हम पर राजनीतिक विजय प्राप्त की थी। रजनीशजी की बातें सुनकर मेरा हृदय द्रवित हो गया। बेचारे विवेकानन्द बनने गये थे और नटवरलाल बनाकर लौटाये गये।

भगवान रजनीश ने प्रेसवालों को यह भी बताया कि मनुष्य 'काम-शक्ति' को उन्नत करते हुए ध्यान की प्रक्रिया द्वारा परम आनन्द की प्राप्ति कर सकता है (क्षेपक: रघुपति सहाय 'फ़िराक़' भी यही कहा करते थे और ज्ञानपीठ पुरस्कार प्राप्त हो जाने के बाद उन्होंने 'इलस्ट्रेटेड वीकली' में 'सब्लिमेशन ऑफ़ सेक्स' नाम से एक लेख भी छपवाया था) इस प्रेस कान्फ्रेंस में भी भगवान रजनीश हीरे और मोतियों से जड़ा नीला चोग़ा पहने हुए थे। उन तरह-तरह के मुक़दमों की उन्हें कोई चिन्ता नहीं थी जो उनके दुश्मनों ने उनके ख़िलाफ़ चला रखे हैं। एक महान् आत्मा को इन पार्थिव चीज़ों का क्या भय?

बहुत दिन हुए, मैंने भी प्रयाग में रजनीशजी के दर्शन किये थे और उनका प्रवचन सुना था। उन दिनों वे भगवान नहीं हुए थे, मात्र आचार्य ही चल रहे थे। पता नहीं क्यों, इतने वर्ष पूर्व भी उन्हें देखकर मुझे गणेशजी की याद आ गयी थी। गणेश बड़े गहरे देवता हैं। यदि आप 'गणपति' बनना चाहते हैं तो गणेशजी की भाँति छोटी-छोटी आँखें रखें ताकि दूसरों के अवगुण आपको कम-से-कम दिखाई दें। कान आप इतने बड़े रखें कि सब कुछ सुन सकें। पेट इतना बड़ा हो कि करोड़ों की रकम भी वहाँ पच जाए। सूँड़ की सहायता से फूँक-फूँककर पाँव रखें और उस पर भी चूहे की चाल चलें ताकि गिरने की कोई गुंजाइश ही न रहे। ये सारे गुण हों तो आपके दोनों हाथों में हमेशा लड्डू ही लड्डू रहेंगे। मोदकप्रिय मुद मंगल दाता। अगर ये सारे गुण रजनीशजी में होते, तो वे परेशानियों में न पड़ते। उनकी पराजय सारे देश की पराजय है क्योंकि चारमीनार सिगरेट और अध्यात्म—इन दो चीज़ों को छोड़कर विदेशों को निर्यात करने के लिए हमारे पास बचता ही क्या है?

सुनते हैं कि भगवान रजनीश की संसद के साथ भी कुछ अदावत हो गयी। उन्होंने माननीय सांसदों के ऊपर कुछ टिप्पणी की और राज्यसभा के अध्यक्ष को कहना पड़ा कि "मैं तो ऐसे भगवानों से मात्र यही प्रार्थना करता हूँ कि वे भले आदमियों को बख़्श दें।" इसके बाद भगवान रजनीश ने संसद को शाप दे दिया जिसका परिणाम भयंकर हुआ। संसद में पेश होने वाले कुछ काग़ज़ कुछ निचले कर्मचारियों ने एक कबाड़ी को बेच दिये और उस पैसे से शराब खरीदी गयी जो संसद सौध में बैठकर पी गयी। जो लोग ज़्यादा ब्योरा जानना चाहते हों, वे तेरह जुलाई उन्नीस सौ छियासी का 'सैनिक समाचार' (हिन्दी) पढ़ें। इस समाचार को पढ़कर मुझे मोरारजी देसाई की याद सताने लगी। मदिरा पीने से तो मूत्र ही पीना कहीं अच्छा। और मूत्र यदि अपना हो तो उसके पीने में संकोच ही क्या?

भरतवाक्य

'सारिका' में 'पराजित पीढ़ी के नाम' लिखते हुए मुझे लगभग नौ महीने से ऊपर हो गये। इतनी अवधि में यदि मेरी जगह कोई कन्या होती तो स्तम्भ के साथ-साथ एक बच्चा भी दे सकती थी। अगर इस बीच कहीं मेरा यौन-परिवर्तन हो जाता तो मैं स्वयं भी वैसा कर सकता था। ख़ैर, भगवान की कृपा से कुछ नहीं हुआ। कन्या अपनी जगह खुश रही, मैं बिना यौन-परिवर्तन के भी रचनाओं को जन्म देता रहा और मेरी रचनाओं के बावजूद 'सारिका' लगातार छपती रही।

'राग दरबारी' के अमर गायक श्रीलाल शुक्ल को छोड़कर, मैं हिन्दी के शीर्षस्थ तीन व्यंग्यकारों में से एक माना जाता हूँ। यह मेरी नम्रता व शराफ़त है कि मैं हरिशंकर परसाई और शरद जोशी को अपने साथ गिने जाने का बुरा नहीं मानता क्योंकि जहाँ तक असलियत का सवाल है वह यह है कि परसाईजी ने जो कुछ लिखा वह तात्कालिक समस्याओं को लेकर ही लिखा और शरद जोशी में हास्य ज़्यादा रहा, व्यंग्य कम। डॉ. धनंजय वर्मा ने एक स्थान पर (बड़ी शरारत के साथ) लिखा है कि शरद जोशी के हास्य में व्यंग्य हो या न हो, उनके व्यंग्य में हास्य ज़रूर है। दूसरे शब्दों में जैसे ही तात्कालिक समस्याएँ ख़त्म हो जाएँगी वैसे ही परसाईजी से पद्मश्री व अकादेमी एवार्ड वापस ले लिये जाएँगे और जहाँ तक शरद जोशी का प्रश्न है, स्थिति यह रहेगी कि वे बेचारे तो अपने ही शब्दों में 'टायर' थे और 'टायर' ही रहेंगे। वे कभी भी 'रिटायर' नहीं होंगे। साहित्यिक हास्य-व्यंग्य लिखने वाला सिर्फ़ मैं बाकी रहूँगा। लोग पहले मुझे पढ़ेंगे और मेरे हास्य लेखों को पढ़-पढ़कर जब उन्हें रोना आने लगेगा, तो वे शरद जोशी को पढ़ेंगे। मैं शायद पहला ऐसा साहित्यकार हूँ जिसने हास्यरस व करुणरस के बीच का फ़ासला ख़त्म कर दिया। इस हास्य-व्यंग्य के स्वर्ण-मृग के शिकार में अपनी कविता-रूपी सीता तक को मैं भूल गया। तेरे लिए मैंने लाखों के बोल सहे।

पच्चीस वर्ष पहले मैं 'युवा व्यंग्यकार' माना जाता था। कुछ वर्षों बाद मैं 'व्यंग्यकार' कहलाने लगा। इसके बाद मैं 'वरिष्ठ व्यंग्यकार' माना जाने लगा। आज से दस वर्ष बाद मैं 'वयोवृद्ध व्यंग्यकार' माना जाऊँगा और बीस वर्ष बाद मैं

'स्वर्गीय व्यंग्यकार' कहलाऊँगा। मगर मुझे इस सबसे कोई फ़र्क़ नहीं पड़ता। मरने के बाद भी मैं नियमित रूप से लिखता रहूँगा और लोग मुझे पढ़ते रहेंगे। और यदि वाकई मर भी गया तो क्या? हिन्दी में तो कोई भी कलाकार हो, वह मरने के बाद ही यश प्राप्त करता है। मुक्तिबोध की मृत्यु के पहले उसका बोध कितनों को था? सर्वेश्वरदयाल सक्सेना को भी मरने के बाद ही साहित्य अकादेमी एवार्ड मिला, पहले नहीं। मुझे पूरा विश्वास है कि मैं भी मरने के बाद ही राज्यसभा का सदस्य मनोनीत किया जाऊँगा, उससे पहले नहीं। सुबह की ख़बरों में मेरे दिवंगत होने की चर्चा की जाएगी और शाम की ख़बरों में मेरे राज्यसभा के लिए मनोनीत होने की ख़बर प्रसारित की जाएगी। मैं सोचता हूँ कि यदि सलमा सुलतान जैसी रूपसि मेरे मरने की ख़बर दे तो मेरा मरना सफल हो जाए। इस बारे में आपका क्या ख़याल है?

मेरे लिए यह सही अवसर है जबकि नयी पीढ़ी के व्यंग्यकारों को मैं कोई सलाह दे सकूँ। हँसी-मज़ाक़ की बात छोड़ दें तो शायद आप भी मुझसे सहमत होंगे कि ऊपर बताये तथाकथित तीन दिग्गजों के बाद कोई भी नया व्यंग्यकार ऐसा नहीं आ रहा जो कि हम तीनों के मरने के बाद हमारा स्थान ले सके। मूल्यों का हर दिशा में अवमूल्यन हो रहा है; सन्दर्भ चाहे साहित्य का हो या कि शराब का। सबसे पहली सलाह मेरी यही है कि नयी पीढ़ी के लेखक हास्य-व्यंग्य की दिशा में ज़्यादा ध्यान दें और शराब व दीगर चीज़ों को कवियों, कथाकारों और समीक्षकों के लिए छोड़ दें। इस दीगर चीज़ों में शराब पुरानी होगी और बाकी सामान जवान होगा। इस स्थिति में खाकसार को भी काफ़ी लाभ रहेगा क्योंकि मैं कवि पहले हूँ और बाकी चीज़ बाद में। ठीक है न?

मेरी दूसरी सलाह यह है कि नये व्यंग्यकार इस क्षेत्र में आने से पहले अपनी प्रतिभा और सम्भावनाओं को अच्छी तरह आँक लें। मैं देख रहा हूँ कि कुछ लोग हास्य-व्यंग्य को लेकर डॉक्टरेट प्राप्त करने के बाद इस गलतफ़हमी के शिकार होते जा रहे हैं कि वे स्वयं भी व्यंग्यकार बन सकते हैं। इस गलतफ़हमी से कोई फ़ायदा नहीं। पुल के ऊपर से गुज़रने से आप इंजीनियर नहीं हो जाते। अपनी 'प्रतिभाहीनता' को सही वक़्त पर पहचानने की प्रतिभा कुछ ही लोगों में होती है, सबमें नहीं। मैं सही वक़्त पर ही यह पहचान लिया था कि मैं व्यंग्यकार नहीं बन सकता। इसके बावजूद मैं व्यंग्य के क्षेत्र में आया और इस दुर्घटना का परिणाम आपके सामने है। कुछ लोग दबी ज़ुबान में कहते हैं कि परसाई और जोशी शायद मुझसे ज़्यादा अच्छा लिखते हैं। अब आप ही बताइए कि यदि मैं इस क्षेत्र में न आया होता तो ये दोनों लोग कौन-से लेखक की अपेक्षा ज़्यादा अच्छा लिखते? मापदण्ड किसे बनाया जाता?

व्यंग्य का विकास तभी होता है जबकि भ्रष्टाचार फैला हो, तनाव हो, विसंगतियाँ हों, आक्रोश हो और व्यंग्य को एक कॉलम देने वाला कोई अख़बार हो। इस स्थिति को मद्‌देनज़र रखते हुए व्यंग्यकारों की यह नैतिक ज़िम्मेदारी हो जाती है कि वे

स्वयं भी समाज को और व्यवस्था को गन्दगी से भरें और उसे तोड़ दें। जैसे-जैसे धर्म की ग्लानि होती जाएगी वैसे-वैसे भगवान हरिशंकर (परसाई) प्रकट होते रहेंगे। यह मेरी सलाह क्रम संख्या तीन है। जो लोग इस सलाह को नहीं मानेंगे वे मेरी तरह दुःखी होंगे। जब आदमी और कुछ नहीं कर सकता, तब वह आलोचक या व्यंग्यकार बनता है; वैसे नहीं।

व्यंग्यकार बनने के लिए लेखक को अध्ययनशील होना शायद ज़रूरी है। कुछ लोगों को गलतफ़हमी है कि मेरा अध्ययन गहरा है। मेरा अध्ययन उतना गहरा नहीं है जितना कि वह विस्तृत है। स्थिति यह है कि मैंने 'कठोपनिषद्' से लेकर 'काँजी हाउस के नियमों' तक यथासम्भव सब कुछ पढ़ने की कोशिश की है। हिन्दी के भी लगभग सारे क्लासिक मैंने पढ़े हैं। संस्कृत का मुझे कभी बहुत ज्ञान था। सरकारी नौकरी में जीवन के तीस वर्ष बिताने के बाद मैं संस्कृत क्या, अंग्रेज़ी तक भूल गया। सरकार का सारा कामकाज लगभग डेढ़ सौ शब्दों से चलता है। जिन लोगों का ज्ञान डेढ़ सौ शब्दों से ज़्यादा हो जाता है, उन्हें नौकरी से निकाल दिया जाता है। इधर कुछ लोग मुझे ऐसे भी मिले जो व्यंग्य लिख रहे हैं मगर बाकी साहित्य क्या, उन्होंने वह भी ध्यानपूर्वक नहीं पढ़ा है जो कि उन्होंने खुद लिखा है। ज्ञान के बिना आप पद्माकर तो बन सकते हैं मगर पार्किंज़न नहीं। (अपने आलोचकों को मैं बता दूँ कि पार्किंज़न एक अंग्रेज़ी के लेखक का नाम है और वे ऐसे अकेले लेखक हैं जिन्होंने नितान्त मज़ेदार मूड में व्यवस्था की टाँग खींची है) व्यंग्यकार को अध्ययनशील होना इसलिए भी ज़रूरी है कि यदि वे पढ़ेंगे नहीं तो चोरी कहाँ से करेंगे? इसी सन्दर्भ में मैं आपको एक घटना सुनाता हूँ। मैं वेश्याओं पर एक लेख लिखने के लिए सामग्री इकट्ठी कर रहा था और उस सन्दर्भ में भगवतीचरण वर्मा के प्रसिद्ध उपन्यास 'तीन वर्ष' की नायिका का नाम जानना चाहता था। जब मुझे वह पुस्तक नहीं मिली तो मैंने एक ऐसे नवयुवक से बातचीत की जो भगवतीचरण वर्मा पर रिसर्च कर रहे थे। मेरा प्रश्न सुनकर उन्होंने बड़ी उत्सुकता के साथ पूछा कि क्या भगवती बाबू ने वाकई 'तीन वर्ष' नाम का कोई उपन्यास लिखा है? मैं चुप हो गया। मैंने उस लड़के के विभागाध्यक्ष से बात करने की सोची मगर वैसा किया नहीं। कारण यह था कि मेरे पूछने पर वे शायद यह पूछते कि भगवतीचरण वर्मा नाम का कोई उपन्यासकार क्या हिन्दी में वाकई हुआ है?

आख़िरी बात नये व्यंग्यकारों से मैं यह कहना चाहूँगा कि वे जल्दी-जल्दी छपने की कोशिश न करें। हिन्दी के कई युवा व्यंग्यकार ऐसे हैं जिनकी सिर्फ़ पहली किताब ही अच्छी है, बाकी जो हैं वे कमज़ोर हैं। इस जल्दबाज़ी से क्या फ़ायदा? पतरस बुख़ारी ने सौ पेज की मात्र एक किताब लिखी है मगर उस पतली और अकेली किताब के बल पर ही वे उर्दू साहित्य में अमर हैं। पद्माकर के कोई दस कवित्त हैं जिनके कारण वे महाकवि तक कहलाते हैं। बिहारी ने सिर्फ़ सात सौ दोहे लिखे और

हिन्दी में अमर हो गये। मगर इल्लत तो यह है कि नये व्यंग्यकार और भाषाओं के तो क्या, अपनी भाषा के ही रत्नों को नहीं देखते। और तुर्रा यह है कि यदि कोई समीक्षक उनकी कमियाँ बताता है तो वे गुस्सा होते हैं, उसको पक्षपाती कहते हैं और उसकी बीवी को भगाने की कोशिश करते हैं। हास्य में और हास्यास्पद में जो अन्तर है, वे उसको भी महसूस नहीं करते।

मैं अब आपसे विदा लेता हूँ और आदरणीय परसाईजी व प्रिय भाई जोशीजी से हार्दिक (और शारीरिक) क्षमा माँगता हूँ। पराजित पीढ़ी में लोग एक-दूसरे की ही टाँग खींचते हैं। मैंने जो कुछ भी किया वह शास्त्रसम्मत था। अब मेरे पाठक मेरे विरुद्ध सारिका-सम्पादक को पत्र लिख सकते हैं। मैं जानता हूँ कि आप लोग चाहते हैं कि यह स्तम्भ इसी तरह चलता रहे मगर इस कठोर संसार में ऐसी कोई चीज़ नहीं है जिसका कि अन्त न होता हो। कुछ पाठक चाहते हैं कि इस विदा के अवसर पर मैं उन्हें एक अदद शेर सुनाऊँ जैसी कि मेरी आदत है। बन्दापरवर, मैं आपका हुक्म बजा लाता हूँ और तोड़-मोड़कर एक अदद शेर क्या, एक बबर शेर आपके सामने पेश करता हूँ :

बड़े शौक से सुन रहा था ज़माना
हमीं सो गये दास्ताँ कहते-कहते

❑

प्रसंगवश
(1988)

कौनर रे मासे...

वसन्त फिर आ गया। राजा-रानी से वसन्त के दिन फिर लौट आये। कालिदास, पद्माकर, पन्त और निराला की कविताएँ आँखों के सामने फिर झूमने लगीं। कवियों की बात क्या चली कि मुझे मुग़ल वंश के सम्राट शाहआलम की याद भी सहसा सताने लगी। जूलियस सीज़र, हर्षवर्धन, बहादुरशाह ज़फ़र, भर्तृहरि, जेम्स प्रथम, प्रिंस क्रोपोटकिन और बाबर की भाँति शहंशाह शाहआलम भी एक साहित्यकार थे। इस दिशा में वे इतने कुशल थे कि बाथरूम में ही एकाध ग़ज़ल कह लिया करते थे और एक दिन जब उन्होंने अपनी इस प्रतिभा की सूचना अपने उस्ताद को दी तो महाकवि 'सौदा' ने बड़े सम्मान के साथ बादशाह को बताया कि उनकी कविता में जो गन्ध आती थी वह भी बाथरूम की ही होती थी। सत्य है कवि की वाणी।

वसन्त के अवसर पर जो लोकगीत गाये जाते हैं उनमें 'होली' और 'फाग' विशेष माधुर्य रखते हैं। बुन्देलखण्ड के लोककवि ईसुरी इस दिशा में अमर हैं। ईसुरी ने जिस मस्ती और श्रृंगार का संसार पैदा किया वह और कहीं मिलना कठिन है। 'भटीपुरवासी घासीराम' और 'दबथुवावासी कालीचरन' को भी ईसुरी ने पीछे छोड़ दिया हालाँकि उन्होंने राजा कारक की और कुँवर निहालदे की दुखान्त कथा बड़ी पीड़ा के साथ गायी थी।

मेरे बचपन में गाँवों से होली गाने वालों की टोलियाँ आया करती थीं और ज़मींदार को बीच में खड़ा करके उसके चारों ओर नाचा करती थीं। ज़मींदारी जो ख़त्म हुई वह तो ठीक रहा मगर उसके साथ-साथ जो लोक-कलाएँ और लोक-साहित्य ख़त्म हुआ, वह बुरा रहा। उदाहरण के तौर पर वसन्त में होली का नृत्य और वर्षा की ऋतु में लाला मटरूमल अत्तार के आल्हे का ख़त्म हो जाना बड़ा दुःखदायी रहा।

अब मैं आपको कुछ लोकगीत सुनाता हूँ। जो ज़्यादा अश्लील गीत होते हैं वे कबीर कहलाते हैं। ईसुरी की जो नायिका है उसके नेत्र बड़े तीखे हैं। कवि कहता है कि "वे सिर्फ़ उसके ही प्राण नहीं हरते जो कि सामने है वरन् वे नेत्र उनको भी घायल करते हैं जो दायें या बायें खड़े हैं। नायिका के ये नेत्र उड़ते हुए पक्षी तक को नहीं छोड़ते।" और यह सारी स्थिति तो तब है जबकि उस नायिका ने अपने मुख

पर घूँघट डाल रखा है। अगर उस लड़की का चन्द्रमा के समान मुख खुला होता तो क्या होता, यह तो ईसुरी भी नहीं जानते। कवि एक और स्थान पर कहता है कि "देखो, देखो, वह बाला तिरछी भौंहें मरोरकर जो नयन-बाण चला रही है, वे कलेजा छेदे बिना न रहेंगे। कैसे गज़ब के नयन हैं, जिनके मारे करोड़ों मुसाफ़िर गलियों में घायल पड़े हैं। कितने पैने हैं ये नयन!" एक और लोककवि हैं जो होली के अवसर पर नव-विवाहिता वधू को सलाह देते हैं कि "सबसे पहले होली ससुरजी से खेलना और उस समय घूँघट की ओट रखना। इसके बाद अपने जेठजी से होली खेलना और बरोंठे की ओट रखना। इसके बाद अगली होली देवर से खेलना और यह शुभ काम सम्पन्न करते समय अपने नेत्रों की ओट रखना और इन सबसे निबटकर जब अपने प्रियतम से होली खेलना तो अपने यौवन की ओट रखना।" सादा जीवन, उच्च विचार। होली खेलते समय यौवन की ओट कैसे रखी जा सकती है इसका पता यदि किसी माता या बहन को हो तो वह खाकसार को ज़रूर सूचना दे।

मैं पश्चिमी उत्तर प्रदेश के तराई भाग का निवासी हूँ। मेरे ज़िले के एक ओर हिमालय है और दो तरफ़ गंगा नदी है। महात्मा विदुर, कालिदास की शकुन्तला और सुल्ताना डाकू जो हुए थे वे मेरे ही ज़िले में हुए थे। गन्ना और धान के साथ-साथ मेरे ज़िले में पण्डित पद्मसिंह शर्मा, दुष्यन्त कुमार और खाकसार जैसे साहित्यकार भी पैदा किये गये। अकबर के नौरत्न फ़ैज़ी भी मेरे ही ज़िले के थे क्योंकि उनका मकबरा मेरे ज़िले में अभी तक खड़ा है। उधर के क्षेत्र में मैंने एक बार एक होली सुनी थी जो काफ़ी दिलचस्प थी। उस होली में कवि ने कहा था कि यदि सुन्दर पत्नी चाहते हो तो पूर्व दिशा में शादी करो। पूर्व दिशा की लड़की यदि वधू बनकर आएगी तो वह उड़द की धुली दाल बनाएगी, रेशम जैसे फुल्के सेंकेगी और घूँघट निकालकर पति को थाली देगी। यदि वह बोलेगी तो उसकी वाणी अमृत-जैसी मधुर होगी। पूर्व के स्थान पर यदि वधू पश्चिम देश की होगी तो वह फूहड़ और कर्कशा होगी जिसके कारण पति को घर छोड़ना पड़ेगा। शादी यदि दक्षिण दिशा में होगी तो कवि की सूचनानुसार लड़की पूरी तरह युवा होगी और ससुराल आते ही घर और खेत—इन दोनों को सम्हालेगी और कम-से-कम ग्यारह बच्चे ज़रूर देगी। होली के अन्तिम छन्द में कवि कहता है कि यदि वधू उत्तर से आएगी तो वह किसी बड़े कुल की होगी और 'बड़े घर की बेटी' होने के कारण घर के सारे माल-सामान पर कब्ज़ा कर लेगी। मैंने यह गीत बहुत बार सुना है और कवि की मूर्खता को सराहा है। इस ग़रीब कवि को कभी इतना नहीं सूझा कि जो लड़की मेरे लिए पूर्व दिशा की हो सकती है, ठीक वही युवती किसी दूसरे के लिए पश्चिम दिशा की हो सकती है। आपको जानकर हर्ष होगा कि इस प्रकार की तकनीकी गलतियाँ शेक्सपीयर तक ने की हैं। उसके प्रसिद्ध नाटक 'जूलियस सीज़र' में षड्यन्त्रकारी कास्का अपने साथियों से कहता है कि आओ चलें क्योंकि घड़ी में चार बज गये। शेक्सपीयर को यह ध्यान ही नहीं रहा कि जहाँ उनके ज़माने में घड़ी मौजूद

थी वहाँ जूलियस सीज़र के समय में घड़ी जैसी कोई चीज़ नहीं थी।

अपने बचपन में होली जलाने के लिए हम बच्चा लोग हर घर से पाँच-पाँच गोबर के कण्डे माँगा करते थे। ग़रीब से ग़रीब घर भी हमें निराश नहीं करता था मगर एक जागीरदार थे जो पाँच उपलों के बजाय पचास गन्दी गालियाँ दिया करते थे। नतीजा यह रहा कि एक बार हम लोगों ने उनकी टमटम को ही होली में जला दिया। जागीरदार साहब को नहीं जला पाये और इसके लिए मैं लज्जित हूँ। जागीरदार साहब ने हम लोगों को बाद में चलकर इतनी फ़ोश गालियाँ दीं कि उर्दू के मशहूर शायर चिरकीन भी न जानते होंगे। चिरकीन मेरे प्रिय कवि हैं। जब भी मैं सूरदास, जयदेव, विद्यापति और कालिदास जैसे कालजयी कवियों को पढ़ता-पढ़ता थक जाता हूँ तो आप लोग यकीन मानिए कि मैं दीवाने-चिरकीन पढ़ता हूँ और अपूर्व ताज़गी, सुगन्ध और स्वाद का अनुभव करता हूँ। जो सुगन्ध चिरकीन में है, वह और कहीं नहीं। चिरकीन का वह शेर मुझे बराबर याद आता है कि जब उन्हें अपनी प्रियतमा के सहवास का अवसर मिला, ठीक उसी वक़्त उन्हें बाथरूम जाने की ज़रूरत आ पड़ी। मगर इस सन्दर्भ में अकेले चिरकीन को ही बदनाम करना ठीक नहीं है। मिर्ज़ा ग़ालिब तक ने लिखा है कि "कौन है जो नहीं है हाजतमन्द; किसकी हाजत रफ़ा करे कोई।"

वसन्त आ गया और अब सरकार का बजट आएगा। बीड़ी, पोस्टकार्ड और रेल के तीसरे दर्जे तक का किराया बढ़ेगा। वनों में पलाश खिलेंगे और गाँवों में हरिजन जलाये जाते रहेंगे। सरकारी कर्मचारी का भत्ता फिर बढ़ेगा मगर गाँव, कस्बों और शहरों में रहने वाले ग़रीब मज़दूर, विधवाएँ और कुली और भी ग़रीब हो जाएँगे। मेरे विचार में अगर बढ़ती हुई महँगाई, जनसंख्या और भ्रष्टाचार को समय रहते न रोका गया तो इस धरती पर वसन्त फिर नहीं आएगा। मगर वह कौन-सा दिन होगा जब कि मेरे जैसे आदमी का सपना सच होगा? पराजित पीढ़ी का लेखक होने के कारण मैं आपको पूर्वी उत्तर प्रदेश का वह लोकगीत सुनाता हूँ जिसमें एक सखी मेरी तरह अपनी दूसरी सखी से पूछती है कि गुलाब और बेला के फूल आख़िरकार कब खिलेंगे? वह ग्रामगीत (जिसका नाम चैती है) इस प्रकार है:

कौना मास फूलेला गुलबवा हो रामा,
कि कौना रे मासे?
बेला फूले, चमेली फूले
अवरू फूलेला कचनरवा हो रामा;
गेंदवा जो फूले रामा माघ रे फगुनवाँ
चैत मासे फूलेला गुलबवा हो रामा
कौना मास फूलेला गुलबवा हो रामा,
कि कौना रे मासे...

नशाबन्दी

पिछली सरकार ने नसबन्दी पर काफ़ी ध्यान दिया था। इस शस्य-श्यामला धरती की स्त्रियों की उर्वरता को देखते हुए यह क़दम ज़रूरी भी था। हमारी स्त्रियों की यह उर्वरता पिछले युगों में तो और भी ज़्यादा थी। द्वापर युग में गान्धारी के सौ पुत्र थे और सतयुग में तो स्थिति यह थी कि राजा सगर की कर्तव्यपरायणा धर्मपत्नी ने मात्र साठ हज़ार बच्चों को जन्म दिया था। अब इस कलियुग में तो कोई भी देवी आठ या दस से ज़्यादा बच्चे नहीं देती। मगर देश के सीमित साधनों को देखते हुए यह ज़रूरी हो गया था कि परिवार नियोजन के क्षेत्र में कुछ ठोस काम किया जाए। नसबन्दी का अभियान चला और ख़ूब चला। सिर्फ़ युवकों की ही नहीं वरन् कहीं-कहीं तो किशोरों और वृद्धों की भी नसबन्दी कर दी गयी। एक स्थान पर तो इस दिशा में इतना उत्साह दिखाया गया कि एक पूरी-की-पूरी बारात ही ज़बरदस्ती अस्पताल ले जायी गयी और हालत यह रही कि वर तक की नसबन्दी सम्पन्न कर दी गयी। एक ग्रामीण नेता चकबन्दी कराने तहसील गये और नसबन्दी कराके लौटे। इस अतिरिक्त उत्साह के कारण 'परिवार नियोजन अभियान' को धक्का लगा। बहरहाल, अगर पिछली सरकार नसबन्दी के पीछे पागल थी तो नयी सरकार नशाबन्दी के पीछे पागल है। देश के एक वरिष्ठ नेता हैं, जिनके अनुसार मूत्रपान तो उचित है पर मदिरापान जो है वह देश के लिए घातक है। मेरे विचार में तो यह 'नशाबन्दी अभियान' भी उसी तरह असफल रहेगा जैसे कि 'नसबन्दी अभियान' रहा था।

मेरे विचार में नशाबन्दी पर ज़रूरत से ज़्यादा वक़्त बर्बाद करना बेकार है। पूरी नशाबन्दी का हमारी आर्थिक व्यवस्था पर बड़ा बुरा प्रभाव पड़ेगा। मदिरा पर जो कर लगता है वह करोड़ों रुपयों के बराबर बैठता है। यदि पूर्ण मद्यनिषेध हो जाएगा तो आबकारी की यह सारी आय बन्द हो जाएगी और स्थिति यह होगी कि एक तरफ़ तो यह आय बन्द होगी और दूसरी तरफ़ नशाबन्दी के लिए सरकारी अमला बढ़ाना पड़ेगा, जिस पर करोड़ों रुपयों का खर्च आएगा। देश में पुलिस की वैसे ही इतनी कमी है कि कुछ लोग यदि अपना निःस्वार्थ योगदान न दें तो पता नहीं देश की हालत क्या हो जाए। इस सन्दर्भ में पुरानी दिल्ली के स्टेशन पर पकड़े गये

एक व्यक्ति के बारे में बताना उचित होगा क्योंकि वे झूठी पुलिस की वर्दी पहनकर यात्रियों की मदद किया करते थे। उन्होंने पुलिस की यूनिफ़ार्म तीन सौ रुपयों में खरीदी थी और उसकी मदद से हज़ारों रुपये कमाये थे। इस सबके अलावा सच्चाई की बात तो यह है कि जिस तरह नसबन्दी करवा लेने वाले नव-युवकों की पत्नियों के भी नियमित रूप से बच्चे होते रहते हैं, उसी प्रकार पूर्ण मद्यनिषेध हो जाने पर भी, जिसे पीना है वह तो पियेगा और खुलेआम पिएगा। हाँ अलबत्ता, भट्ठियाँ चोरी से लगेंगी, शराब ज़हरीली बनेगी और लोग जो हैं वे बिना मौत मरेंगे। जो काम 'नसबन्दी' नहीं कर पायी उसे 'नशाबन्दी' शायद पूरा कर सकेगी।

मेरे विचार में मदिरापान पर पाबन्दी लगाना हमारी सभ्यता व संस्कृति के ख़िलाफ़ है। ऋग्वेद के प्रथम मण्डल (सूक्त चार) में कहा गया है कि "हे सोमरस पीने वाले इन्द्र, तुम सोमरस पीने के लिए हमारे यज्ञ के पास आओ। हे इन्द्र, हम सोमपान करने के पश्चात् तुम्हारे अत्यन्त समीपवर्ती एवं शोभन बुद्धि वाले लोगों के बीच रहकर तुम्हें जानें। यह सोमरस तुरन्त नशा करने वाला एवं यज्ञ की शोभा है। यह मनुष्यों को मस्त करने वाला, कार्य-साधक और आनन्ददाता इन्द्र का मित्र है। यज्ञ में व्याप्त इन्द्र को यह सोमरस दो। इन्द्र की निन्दा करने वाले सज्जन इस देश के अतिरिक्त अन्य देशों से भी निकल जाएँ।" वैदिक धर्म के अतिरिक्त हमारे वाममार्गियों ने भी मदिरा को ही अपना चुनावचिह्न स्वीकार किया। उन्होंने खुलासा कहा कि पियो और इतना पियो कि धरती पर गिर पड़ो। गिरने के बाद फिर उठो और फिर पियो। यदि ऐसा करोगे तो पुनर्जन्म के बन्धन से मुक्त हो जाओगे। पीत्वा पीत्वा पुनर्पीत्वा यावत् पतति भूतले, उत्थाय च पुनर्पीत्वा पुनर्जन्म न विद्यते। जिन लोगों को कभी वाममार्गी कहा जाता था वे कालान्तर में चलकर वामपन्थी कहलाये। वेदों की आर्षवाणी को ध्यान में रखते हुए कौन ऐसा सच्चा भारतीय होगा, जो मदिरा के विरुद्ध अपना एक अदद मुँह खोलेगा? खाक तासीर हो मुल्लाओं के समझाने में; दिन को मस्जिद में हैं, रात को मयखाने में।

नशाबन्दी करने से साहित्य को जो क्षति पहुँचेगी, उसकी तो कल्पना करना भी कठिन है। मदिरा न होती तो 'उमर खैयाम की रुबाइयाँ' और बच्चन की 'मधुशाला' कहाँ से आतीं? उर्दू साहित्य में तो इश्क के बाद जिस पदार्थ पर ज़्यादा ध्यान दिया गया, यह शराब ही रही। अगर ग़ालिब ने कहा कि "ग़ालिब शराब पीने दे मस्जिद में बैठकर, वर्ना जगह बता दे जहाँ पर खुदा नहीं" तो दाग़ देहलवी ने फ़रमाया कि "लुत्फ़े मय तुझसे क्या कहूँ ज़ाहिद, हाय कमबख़्त तूने पी ही नहीं।" बकौल 'ज़िगर' मुरादाबादी के स्थिति यह रही कि "किधर से वर्क चमकती है देख ले वाइज़, इधर मैं जाम उठाता हूँ तू किताब उठा।" बकौल 'दाग़' के "पिंदे वाइज़ सुनते-सुनते कान अपने भर गये, क्या इबादत को हमीं हैं सब फ़रिश्ते मर गये? आदमी ऐसा कहाँ कोई फ़रिश्ता हो तो हो, शेख साहब यह नहीं मालूम तुम किस पर गये।" "हुआ है

चार सजदों पर ये दावा ज़ाहिदो तुमको, ख़ुदा ने क्या तुम्हारे हाथ जन्नत बेच डाली है?" "यह फ़स्ल अगर होगी तो हर रोज़ पिएँगे, हम मय से करें तौबा कि बरसात से तौबा; वह आयी घटा झूमके ललचाने लगा दिल, वाइज़ को बुलाओ कि चली हाथ से तौबा।" जलील फ़रमाते हैं कि "बात साकी की न टाली जाएगी, करके तौबा तोड़ डाली जाएगी" और बकौल अली अख़्तर के "करवटें लेती है फूलों में शराब, हम से इस वक़्त तौबा होगी?" मोरारजी देसाई जैसे किसी सज्जन को ध्यान में रखते हुए कवि रियाज़ को कहना पड़ा कि "कमबख़्त ने शराब का ज़िक्र इस कदर किया, वाइज़ के मुँह से आने लगी बू शराब की।" इसी शायर रियाज़ ने शराब के सिलसिले में एक और शेर कहा है, जो कि अपने में अजेय है। कवि कहता है कि "आएगा जब फ़रिश्ता तो मुँह खुलेगा उसका, बोतल कोई छिपाकर रख दे मेरे कफ़न में।" बकौल अकबर के—"शेख की दावत में मय का क्या काम, एहतियातन कुछ मँगा ली जाएगी।" "जब मय हुआ चढ़ा लीं दो बोतलें इकट्ठी, मुल्ला की दौड़ मस्जिद, अकबर की दौड़ भट्ठी।" शराब के ख़िलाफ़ प्रचार करने वालों की प्रशंसा अकबर ने भी की है: "कुछ शक नहीं कि हज़रते वाइज़ हैं ख़ूब शख़्स, यह और बात है कि ज़रा बेवकूफ़ हैं।" शायर रियाज ने शराब के विरोधियों को नेक सलाह भी दी: "शेखजी मयकदा वह जन्नत है, तुम भी जाकर जवान हो जाते।"

एक साहित्य-प्रेमी होने के नाते मेरा तो यह निश्चित मत है कि मदिरा-पान को सरकार व सार्वजनिक संस्थाओं द्वारा प्रोत्साहन मिलना चाहिए ताकि कलाकार जो हैं, उनकी प्रतिभा का और विकास हो सके। हालाँकि मैं खुद शराब नहीं पीता मगर यह भी असलियत है कि मेरे जैसे प्रतिभावान् कितने लोग हैं जो बगैर पिये ही इतना अच्छा लिखते हैं? श्रीलाल शुक्ल और हरिशंकर परसाई—दोनों ही पीने वाले हैं और इसी कारण कभी-कभी कुछ अच्छा लिख लेते हैं। प्रसाद जी को यदि भंग का शौक न होता तो 'कामायनी' जैसी महान् कृति कभी नहीं लिखी जा सकती थी, जिससे हिन्दी के छात्रों को काफ़ी राहत मिलती। मेरा तो निश्चित मत है कि शराब की दूकान हर महल्ले में खुलनी चाहिए ताकि ज़्यादा-से-ज़्यादा लोग अपना ग़म ग़लत कर सकें। इसे कुटीर व्यवसाय के रूप में भी प्रोत्साहन मिलना चाहिए ताकि गाँवों का सच्चा विकास हो सके और चौधरी चरणसिंह का प्रिय किसान वास्तविक रूप में सुखी हो सके। अभी-अभी एक होनहार इंसान ने अपनी सगी बहन को बेचा और एक अदद भैंस खरीदी। बहन अपनी जगह ठीक है, मगर वह दूध तो नहीं देती? ठीक इसी तर्ज़ पर शराब पीने के लिए पत्नी तक को बेचने का कानूनी प्रावधान होना चाहिए ताकि समाज जो है यह आगे बढ़ सके। शराब की दूकान का उद्घाटन हमेशा किसी खादीधारी नेता से करवाना चाहिए क्योंकि इनमें से आधे जो हैं वे वैसे भी मदिरापान करते हैं। विदेश की मदिरा के बिना देश की कोई समस्या हल नहीं हो सकती।

कुछ लोग हैं, जो समझते हैं कि पूरी नशाबन्दी हो सकती है। मैं इनको गलत नहीं कहता। भगवान की जो लीला है, वह अपरम्पार है। पिछले दिनों जामनगर में एक मुर्दा जो था वह उठ बैठा और ज़िन्दा इंसान की तरह हरकतें करने लगा। इसी प्रकार पाण्डुरंग नामक एक व्यक्ति की शादी एक ऐसी कन्या से हो गयी जो कि असलियत में लड़की न होकर लड़का थी। मामला अदालत तक गया। दुर्भाग्य से मुक़दमे का फ़ैसला होने से पहले ही बेचारा पाण्डुरंग मृत्यु को प्राप्त हो गया। अदालत की ईमानदारी देखिए कि तलाक न मिल पाने के कारण अदालत ने उस लड़के को पाण्डुरंग की विधवा घोषित किया और उसे उसकी सम्पत्ति का उत्तराधिकारी स्वीकृत किया। भगवान की ऐसी लीला रोज़-रोज़ नहीं होती। फ़िलहाल तो शराबबन्दी के कोई आसार नज़र नहीं आते, जो कि खुशी की बात है। मैं दाग़ देहलवी का एक बबर शेर आपके सामने पेश करता हूँ और इस चर्चा को यहीं समाप्त करता हूँः

ए दाग़ जो बताये मये-इश्क को हराम
ऐसे के दो लगाये भिगोकर शराब में

इश्क पर ज़ोर नहीं...

आज मैं आपसे उस शायरी के बारे में चर्चा करूँगा जो आम बोलचाल में 'इश्किया' कहलाती है। प्रेम जो है वह संसार की सबसे बड़ी चीज़ है। संसार का तीन चौथाई साहित्य प्रेम के खम्भों पर ही टिका है। तालस्ताय कहा करते थे कि भगवान जो निवास करता है वह प्रेम में ही करता है। सन्त कबीर ने भी 'साधो' नाम के एक व्यक्ति को सम्बोधित करते हुए कहा था कि यद्यपि प्रेम में मात्र ढाई अक्षर होते हैं पर फिर भी स्थिति यह है कि जो भी उन ढाई अक्षरों को समझ लेता है वह पण्डित हो जाता है। कबीर की वाणी के अनुसार ज़्यादा शिक्षा प्राप्त करने से क्या लाभ?

प्रेम का मार्ग बड़ा कठिन है। ज़िगर मुरादाबादी कहा करते थे कि इश्क जो है वह आग का दरिया है और प्रेमी को आग के उसी दरिया में से गुज़रकर जाना पड़ता है। इतनी प्रगति कर लेने पर भी उस दरिया पर अभी तक कोई पुल वगैरह नहीं बना है और स्थिति वही है जो कभी कबीर के ज़माने में थी। इस सन्दर्भ में आपकी सेवा में कुछ शेर अर्ज़ करता हूँ जो कि समस्या पर पूरा-पूरा प्रकाश डालते हैं और विभिन्न प्रेमियों की दर्द-भरी कथा कहते हैं:

लगा न दिल को कहीं, क्या सुना नहीं तुमने
जो कुछ कि 'मीर' का इस आशिकी ने हाल किया

(मीर)

कोई ठुमरी, कोई धुरपत, कोई टोडी का ख़याल
बात जब है उन्हें खिड़की में बिन आये न बने,
इश्क वो ताजमहल, लालक़िला है प्यारे
जो मिटाए न मिटे और बनाये न बने

(अज्ञात)

इश्क ने ग़ालिब निकम्मा कर दिया
वर्ना हम भी आदमी थे काम के

(ग़ालिब)

इक रोज़ एक ख़त जो किसी दिलचली का था

क्या जाने कैसे अब्बा के वह हाथ लग गया
ये बात मारपीट की मंज़िल पहुँच गयी
इस आशिकी में इज़्ज़ते सादात भी गयी

(फ़ुरकत)

यह इश्क वो है जो पत्थर को दम में आब करे
लगाये दिल वही जिसको ख़ुदा ख़राब करे

(अज्ञात)

'अमीर' इस रास्ते से जो गुज़रते हैं, वो लुटते हैं
महल्ला है हसीनों का कि कज़्ज़ाकों की बस्ती है?

(अमीर)

बारहा बैठ गये हार के चुंगी वाले
रास्ता इश्क का हमवार न होने पाया

(बेढब)

इश्क पर ज़ोर नहीं यह वो आतिश 'ग़ालिब'
कि लगाये न लगे और बुझाये न बने

(ग़ालिब)

कल मियाँ हज्जाम सबका मूँडते फिरते थे सिर
आज उस कूचे में उनकी भी हजामत हो गयी

(इनायतुल्लाह)

मेरे रोने का जिसमें क़िस्सा है
उम्र का बेहतरीन हिस्सा है

(अज्ञात)

मकतबे-इश्क का 'मोमिन' है निराला दस्तूर
उसको छुट्टी न मिली, जिसने सबक याद किया

(मोमिन)

सख़्त काफ़िर था, जिसने पहिले 'मीर'
मज़हबे-इश्क अख़्तियार किया

(मीर)

काबा भी हम गये, न गया पर बुतों का इश्क
इस दर्द की ख़ुदा के भी घर में दवा नहीं

(यकीन)

जिन-जिन को था यह इश्क का आज़ार
अक्सर हमारे साथ के बीमार मर गये

(मीर)

जब तबीयत किसी पै आती है
मौत के दिन करीब होते हैं

(नूह नारवी)

मेरे ग़म ने उनके भी होश खो दिये
वे समझाते-समझाते खुद रो दिये

(आरज़ू)

प्रेम के मार्ग में इतनी कठिनाइयाँ जो हैं, उसके कई कारण हैं। सबसे पहला कारण तो यह है कि भगवान ने रूपवती युवतियाँ बनायीं तो इतनी क्यों बनायीं? और अगर बनायीं भी तो उन्हें यह शरारत क्यों सिखाई कि वे अपने प्रियतमों पर डोरे डालें? नीचे लिखे शेर इस स्थिति को काबू में ला सकेंगे:

इलाही कैसी-कैसी सूरतें तूने बनायी हैं
कि हर सूरत कलेजे से लगा लेने के क़ाबिल है

(अकबर)

जो चेहरा सामने आया, परीति मसाल है गोया
ये दुनिया ख़ूबसूरत लड़कियों की टाल है गोया

(ज़मीर जाफ़र)

बुनती है एक स्वेटर, सिलती है एक रज़ाई
ये डालती है फन्दे, वो डालती है डोरे

(शहबाज़)

प्रेम के मार्ग में दूसरी बड़ी कठिनाई यह है कि प्रेयसि जो होती है वह प्रायः संगदिल होती है। वह अपने प्रेमी को तड़पता देखना चाहती है जो कि ठीक नहीं है। शिकायतें हाज़िर हैं:

क्या करूँ अल्लाह कुदरत दे तो क्या पैदा करूँ
पेशतर सबसे तेरे दिल में वफ़ा पैदा करूँ

(दाग़)

उश्शाक़ कहीं खींच न ले टाँग पकड़कर
इस खौफ़ से माशूक लबे-बाम न आया

(जरीफ़)

उनकी मुट्ठी में, कभी सीने के पिंजरे में रहा
दिल मेरा आधा बटेर, आधा तीतर हो गया

(जरीफ़)

समझ कर रहमदिल तुमको दिया था हमने अपना दिल
मगर तुम तो बला निकले, गज़ब निकले, सितम निकले

(दाग़)

ले के ओढ़ूँ या बिछाऊँ या लपेटूँ, क्या करूँ
रूखी फीकी सूखी साखी मेहरबानी आपकी

(इंशा)

है मेरे दिल की तबाही पर तअज्जुब क्या ख़ूब
आप बरबाद करें जिसको वो बरबाद न हो?

(दाग़)

चार दिन के हुस्न पर इतना ग़रूर
चाँदनी होती है कै दिन के लिए?

(कवी)

नहीं शिकवा मुझे कुछ बेवफ़ाई का तेरी हरगिज़
गिला तब हो, अगर तूने किसी से भी निभायी हो

(मीर दर्द)

ख़ुदा की कसम उसने खायी जो आज
कसम है ख़ुदा की मज़ा आ गया

(दाग़)

लोग कहते हैं, मुहब्बत में असर होता है
किस शहर में होता है? कहाँ होता है?

(जुरअत)

ऐ बुतो इस चार दिन के हुस्न पर इतना मिज़ाज़
ये मिज़ाज़, इतना मिज़ाज़, ऐसा मिज़ाज़?

(दाग़)

इस 'नहीं' का कोई इलाज नहीं
रोज़ कहते हैं आप "आज नहीं"

(दाग़)

जूते तो बहुत मिलते हैं, ऐ हज़रते वाइज़
बाटा की दुकान पर आटा नहीं मिलता

(आसी)

प्रेम के मार्ग में तीसरी प्रमुख कठिनाई यह है कि प्रतिद्वन्द्वी लोग और लड़की के घर-बार के लोग बराबर यही कोशिश करते हैं कि प्रेमियों का मिलन न हो। ये जो रकीब (प्रतिद्वन्द्वी) होते हैं, ये तो कभी-कभी ऐसी स्थिति बना देने हैं कि मामला सँभालना मुश्किल हो जाता है। कुछ चित्र प्रस्तुत करता हूँ:

जो न हो शौकीन, ऐसा नहीं दिलवर कोई
पालता है कोई बुलबुल तो कबूतर कोई

बीसियों चाहने वालों की ज़रूरत क्या है
नाज़ उठवाओगे तुम उनसे कि छप्पर कोई?

(बेढब)

जमा करते हो क्यों रकीबों को
इक तमाशा हुआ, इक गिला न हुआ

(ग़ालिब)

हुजूमे आशिकाँ देखा जो दरवाज़े पै, वे बोले
हमें तो टीम आल इण्डिया मालूम पड़ती है

(जरीफ़)

पहिले सौ बार इधर-उधर देखा
तब तुझे डर से एक नज़र देखा

(मीर असर)

मैंने इस शान से उस शोख को अक्सर देखा
डुगडुगी हाथ में और साथ में बन्दर देखा;
किसी तरह यार को अब ढूँढ़ने जाऊँ सरपर
बम पुलिस में भी कई रोज़ बराबर देखा

(सरपर)

कब खुले दरवाज़ा तेरे घर का बस ये इन्तज़ार
तेरा आँचल ही नज़र आ जाए तो आये करार
जो बड़े-बूढ़े थे तेरे वो न थे बिलकुल ग़बीं
खासकर वालिद तेरे सुलझे हुए थे आदमी

(शौकत थानवी)

कहा मजनूँ से ये लैला की माँ ने
कि बेटा तू अगर कर ले एम.ए. पास,
फ़ौरन ब्याह दूँ लैला को तुझसे
बिना दिक्कत के बन जाऊँ तेरी सास,
कहा मजनूँ ने यह अच्छी सुनाई
कहाँ आशिक और कहाँ कालिज की बकवास,
बड़ी बी आपको हो गया क्या है
हिरन पर लादी जाती है कहीं घास?
यह अच्छी क़द्रदानी आपने की
मुझे समझा है कोई हरचरन दास?

(अकबर)

अन्त में चलकर मैं अब उन कठिनाइयों की चर्चा करूँगा जो कि प्रायः प्रत्येक प्रेमी और प्रेमिका के मार्ग में आती हैं और उनसे डरना ठीक नहीं है। वैसे कभी-कभी ये कठिनाइयाँ भी इतना भयंकर रूप धारण लेती हैं कि कुछ कहा नहीं जा सकता। नीचे दिये शेर ऐसी ही कठिनाइयों को प्रकट करते हैं। इन शेरों से आपको यह भी महसूस होगा कि उर्दू शायरी हलकी-फुल्की होने के साथ-साथ सीरियस भी हो सकती है। शेर हाज़िर हैं:

बंगलए जानां सवा दो कोस है
चल नहीं सकते, बहुत अफ़सोस है

(अकबर)

वस्ल हो या फ़िराक़ हो अकबर
जागना सारी रात मुश्किल है

(अकबर)

कुत्तों ने बाज़ के हमें रपटाया बारहा
लेकिन न फ़र्क़ इश्क में इससे कोई पड़ा

(फ़ुरकत)

खुदाया मुश्किलें आशिक को कैसी-कैसी आती हैं
उधर है वस्ल का मौक़ा इधर.....की हाज़त है

(चिरकीन)

इस कदर था खटमलों का चारपाई में हुजूम
वस्ल का अरमान दिल से मेरे रुखसत हो गया

(अकबर)

दुनिया ने तेरी याद से बेगाना कर दिया
तुझसे भी दिलफ़रेब हैं ग़म रोज़ागार के

(फ़ैज़)

लिपटा मैं बोसा लेके तो बोले कि देखिए
ये दूसरी ख़ता है, पहला कसूर था

(अमीर)

सूफ़सी दाढ़ी लगाकर बन गये लंगूर-से
इसको कटवाओ, मैं बाज़ आयी ख़ुदा के नूर से

(अकबर)

इज़्ज़त भी गयी, दौलत भी गयी
ज़ेवर भी गया, बीवी भी गयी

(अकबर)

बलाए ताक वस्ल की उम्मीद हो गयी

छाती से लगकर बोली सनम 'हाय बाप रे'

(जगत)

सच है मग़रिब और मशरिक एक हो सकते नहीं
उस तरफ़ बीवी खुली और इस तरफ़ शौहर खुला

(ज़मीर)

बुरके ने भी हाय कैसी की ठिठोली—
जिसको समझा था माशूक, वह उसकी अम्माँ निकली

(अज्ञात)

ग़र जुल्फ़ ता कमर हो तो बालों प टैक्स दो
हों सुर्ख-सुर्ख गाल तो गालों प टैक्स दो,
हो कातिलाना चाल तो पैसे अदा करो
वर्ना जहाँ पड़े हो वहीं पर पड़े रहो,
दूल्हा-दुलहिन के पास जो जाए तो दे रकम
कितने हसीन टैक्स हैं, अल्लाह की कसम

(फ़ुरकत)

यार था लेकिन ज़रिया रस्म का हासिल न था
साइकिल अल्लाह ने दी थी मगर पैडल न था

(बेढब)

ठन गयी आज यही कि पहुँचूँ उन तक
या मेरी ख़ैर नहीं, या नहीं दरबान की ख़ैर

(अकबर)

कल जो घोड़े पर सवार थे प्यारे
उन पर घोड़ा सवार है प्यारे
उनको जब से बुख़ार है प्यारे
दिल बहुत बेकरार है प्यारे

(झंझट)

दो सेर बाजरे का मलीदा उड़ा गया
मेरी जाँ, पेट तो तेरा गोदाम हो गया

(बेढब)

किस्मत की बेरुखी की बात फ़ील हो गयी
आये थे किसी काम से तातील हो गयी
जिससे चलाई जा रही थीं ब्याह की बातें
उस छोकरी की सेक्स ही तबदील हो गयी

(अज्ञात)

वे आगे-आगे वस्ल का वादा किये हुए
हम पीछे-पीछे हाथ में खटिया लिये हुए
(चिरकीन)

दोनों रुखसार करें इनायत इक-इक बोसा
आज मेरे वास्ते सरकार से चन्दा हो जाए
(जगत)

हसीनों की नज़र मुझसे लड़ी है
लड़ी है या मेरी किस्मत लड़ी है
ख़बर देती है हुचकी उन बुतों की
नये फ़ैशन की यह जेबी घड़ी है
(जगत)

दी मुअज़्ज़न ने अज़ाँ वस्ल की शब पिछले पहर
हाय, कमबख़्त को किस वक़्त ख़ुदा याद आया
(दाग़)

अब तक हम लोग सिर्फ़ इश्क का ही भूगोल पढ़े जा रहे थे, शादी का इतिहास हम भूल गये थे। शादी के सन्दर्भ में पहले मैं एक कन्या की कोमल भावनाओं को व्यक्त करूँगा और उसके बाद उस बदनसीब इंसान पर आऊँगा जिसे शौहर कहते हैं। लड़की अपने होने वाले पतियों के सन्दर्भ में इस प्रकार बोलती है:

ममी, इससे नहीं तौबा, करूँगी क़द्र खाक इसकी
मुझे तो लगता है डर इससे, बहुत लम्बी है नाक इसकी
हुई शादी तो पहिला काम? मैं डाईवोर्स माँगूँगी
मैं इसकी नाक पर क्या अपना ओवरकोट टाँगूँगी?

नहीं इतना बुरा लेकिन कुछ ओवर-एज लगता है
किताबे-आशिकी का आख़िरी यह पेज लगता है
नहीं मम्मी नहीं, लगता है यह तो हूबहू डैडी
इसे मैं अपना दिल देने को होऊँगी भला रेडी?

निगाहें नीची-नीची नाम है एम.ए. लतीफ़ इसका
खुदाया, तौबा-तौबा जिस्म है कितना नहीफ़ इसका
मेरी नज़रों का पहिला तीर भी यह सह नहीं सकता
कि मर जाएगा बेचारा, ये ज़िन्दा रह नहीं सकता
लड़का बुरा नहीं मगर हज्जाम लगता है
यह दूसरा जो है वह लँगड़ा आम लगता है

इसे शौहर बनाऊँगी या चाकू से काटूँगी
ममी, शादी की रातों में क्या 'कत्ले-आम' होता है?

ये शायर है, ये हर लड़की को आहें भर के तकता है
जब उकता जाएगा कह देगा मैडम तुझमें सकता है
करेगा शायरी दिनभर नहीं पैसा कमाएगा
मैं जब माँगूँगी खाना, ये मुझे ग़ज़लें सुनाएगा

मम्मी अब बस करो, बस-बस, ग़लत हैं सारी तदबीरें
मुहब्बत में न काम आती हैं तस्वीरें न तकदीरें
जो सच पूछो 'शराबे-इश्क' सिप करती रही हूँ मैं
वही अच्छा है जिससे 'कोर्टशिप' करती रही हूँ मैं

लड़की की बातें आपने सुन लीं। अब देखें कि साहबज़ादे क्या फ़रमाते हैं:

पुलिस कप्तान की पोती है यह, इससे नहीं अम्मी
जहाँ डाँटा पुलिस आ जाएगी फ़ौरन वहीं अम्मी
ज़रा-सा कुछ किया तो अपने डैडी से बता देगी
ये खुद बाहर रहेगी और मुझे अन्दर करा देगी

भवें तनती हैं, कुत्ता साथ में है, तन के बैठी है
कलामे-दाग़ शायद पढ़के ये बन-ठन के बैठी है
कहेगी मेरे कुत्ते के लिए भी पार्टनर लाओ
किसी अलसेशियन कुतिया से आँखें इसकी लड़वाओ

सुना है फ़िल्म में ये हसीना काम करती है
न जाने एक दिन में कितने दिल नीलाम करती है
जो हीरो मिल गया कोई, मुझे विलियन बना देगी
ये दो ही चार सीनों में मुझे घर से भगा देगी

ग़ज़ाली आँखें, चेहरा फूल, शरमीली नज़र इसकी
हसीं गालों प दो तिल और गायब है कमर इसकी
मम्मी ये सरदकद लड़की नहीं मेरे नसीबों में
यह बँट जाएगी फ़ौरन शायरों में और अदीबों में

कहा जाता है कि शादी के बाद इश्क ख़त्म हो जाता है। बकौल अकबर इलाहाबादी के—तआल्लुक आशिको माशूक का जो लुत्फ़ रखता था: मज़े वे अब

कहाँ बाकी रहे बीवी मियाँ होकर! राजा मेहँदी अली खान ने इस सन्दर्भ में काफ़ी मार्मिक काव्य लिखा है। शादी होने से पहले वे अपनी प्रियतमा से कहते हैं:

जमीं के चाँद तिरा हुस्न आसमानी है
हर एक जल्वा तिरा इक नयी कहानी है
है उजड़े हुए मेरे घर को इन्तज़ार तिरा
तू ऐ बहार, इसे आके रश्के खुल्द बना
घर आऊँगा जो सरे शाम बना मैं बेहाल
निहाल दिल को करेंगे ये तेरे फूल से गाल
गले में होंगे तिरे हार मेरी बाँहों के
चमक उठेंगे सितारे तिरी निगाहों के
करेगी ज़िन्दा मुझे तिरी दिलनशीं गुफ़्तार
मिरे चमन में हमेशा रहेगा हुस्ने-बहार
खिलेगी दिल की कली रूह शादमाँ होगी
बहिश्त होगी उसी घर में तू जहाँ होगी

शादी होने के बाद वही प्रेमी अपनी भूतपूर्व प्रेमिका और वर्तमान पत्नी को इस प्रकार कहता है:

खुदा के वास्ते खोलो भी आके दरवाज़ा
मैं कितनी देर से बाहर खड़ा हूँ चीख रहा
अगर अलील न हो आपका मिज़ाजे शरीफ़
तो पंखा झलिए ज़रा उठके, कीजिए तकलीफ़
यह चारपाई मेरी क्यों टेढ़ी बिछाई है?
भला यह इकन्नी क्यों फ़र्श पर गिराई है?
इलाही कौन ये देगा पानी का इतना बिल?
खुदा के वास्ते कर नल को बन्द ओ काहिल
चपातियाँ मेरे अल्लाह सब की सब कच्ची
तमाम उम्र ही शायद रहोगी तुम बच्ची
बस उठ भी अब कोई ऐसा तो बुरा हाल नहीं
यह घर है मुझ ग़रीब का, कोई अस्पताल नहीं

मैंने यह मज़मून मीर तकी मीर की शायरी से शुरू किया था। लीजिए, अब मैं आपको कवि बर्टनी की कविता का कुछ अंश सुनाता हूँ और आपसे विदा लेता हूँ:

अजनबी शहर में घिसते हुए जूतों की कसम
मैं कई बार तेरे गाँव से हो आया हूँ:
मैं वह मजनूं हूँ जो सहारा तो जा नहीं सकता
मैं फ़कत ढूँढ़ता हूँ तुझको गली-कूचों में

और गाता हूँ फ़िल्मों के पुराने गाने:
कोट, हाँ कोट तो पहिना है कि सर्दी न लगे:
मेरी महबूब कहीं मिलता नहीं तेरा सुराग़
तेरी फुरकत में धड़कता है मेरी याद का दिल
चाँदनी चौक के टूटे हुए घण्टे की तरह:
फैलते जाते हैं हर स्मत भयानक साये
तू अगर आये तो फिर चाँद निकल सकता है
सोचता हूँ किसी रात तेरे आने पर
बैठ के कार में पिकनिक को कहीं जाएँगे
और फिर बैठ के जमना के किनारे दोनों
चाँदनी रात में मूँगफली खाएँगे

मेरा अन्तिम घोषणा-पत्र

मैं केन्द्रीय सरकार का एक आला अफ़सर हूँ और उसके साथ ही हिन्दी का एक छोटा-सा साहित्यकार भी हूँ। यह ठीक वही स्थिति है जिसे देखकर 'अकबर' इलाहाबादी ने कभी कहा था: उन्हें शौके इबादत भी है और गाने की आदत भी, दुआएँ हैं निकलतीं उनके मुँह से ठुमरियाँ बनकर। जब भी मुझे अपनी अफ़सरी का दौरा पड़ता है, तभी मैं जो हूँ वह दिल्ली का दौरा निकाल लेता हूँ और वहाँ जाकर जैसे ही मुझे अपने साहित्यकार होने का एहसास होता है, वैसे ही मैं वापस आने का कार्यक्रम निश्चित कर डालता हूँ। दिल्ली में अपने साहित्यकार होने का अहसास मुझे तब होता है जब कि मैं अपने प्रकाशकों से मिलता हूँ। प्रकाशक ही तो वह शक्ति है जो लेखक को प्रकाश में लाती है। यह प्रकाशकों की ही तो कृपा है जिसके कारण मेरी किताबें विदेशों तक में पढ़ी जाती हैं और जिनकी कृपा से मुझे अपनी अब तक छपी चौबीस पुस्तकों के बदले रायल्टी की इतनी महान् राशि मिलती है कि उसको आपके सामने बताने में भी लज्जा आती है। हमारे देश के प्रकाशकों ने तो सरकार के जादू को भी खलास कर दिया।

पिछले दिनों जो मैं दिल्ली गया तो उसका प्रमुख कारण यह था कि भारत सरकार के एक वरिष्ठ सचिव ने मुझे मिलने बुलाया था। मेरा क्या था, जैसे ही निमन्त्रण आया वैसे ही मैं भी जाम्बवन्त की शैली में हवाई जहाज़ पकड़कर राजधानी पहुँच गया। सचिव से मुलाकात हुई और ज़रूरत से ज़्यादा हुई। सचिव महोदय मेरे ही सोफ़े पर बैठे, बड़ी शालीनता और पदगरिमा के साथ चाय पिलाई और यह भी कहा कि यह तो मात्र संयोग है कि वे भारत सरकार के सचिव हैं, जब कि ठीक उन्हीं जैसा जो दूसरा इंसान बाहर स्टूल पर बैठा है वह उनका चपरासी है। मैं सकते में आ गया और बड़ी हैरत के साथ उनकी तरफ़ देखने लगा। जीवन में इससे पहले मैंने किसी बड़े अफ़सर को इस तरह की वाणी बोलते नहीं देखा था। यह बात दीगर रही कि 'दो फूल साथ फूले किस्मत जुदा जुदा है' के नारे को बुलन्द करने के बावजूद उन्होंने मुझसे हाथ नहीं मिलाया। अगर वे मेरे साथ पाणिग्रहण कर लेते (यानी के मुझसे हाथ मिला लेते) तो मुझे यह कैसे महसूस होता कि सचिव जो है वह मुझसे

बड़ा है? वह जो इंसान के सीने में एक छोटी-सी किन्दील जलती है, उसके सामने और कुछ नहीं जलता। मैंने सचिव महोदय से विदा माँगी, उनकी फ़ाइलों से लदी मेज़ को देखा और बाहर निकल आया। मेज़ उनकी भारी थी पैर मेरा भारी हो गया।

साउथ ब्लॉक के बरामदे में सिगरेट पीता हुआ मैं यह सोचता रहा कि सरकार में जितनी वर्ण-व्यवस्था है, उतनी तो शायद और किसी धर्म या जाति में भी नहीं है। थोड़ी देर बाद मुझे इन बड़े लोगों पर दया आने लगी कि ये बेचारे कितने भाग्यहीन हैं कि यह भी नहीं जानते कि इन कमरों में न जाने कितने बड़े-बड़े आदमी बैठे और फिर रसातल को चले गये। ठीक वही बात जो उमर खैयाम ने फ़िट्ज़राल्ड से बताई थी कि एक के बाद एक सुलतान आया और चला गया। दारा रहा न रहा सिकन्दर-सा बादशाह, तख़्ते ज़मीं पै सैकड़ों आये चले गये। भर्तृहरि ने भी एक स्थान पर कहा है कि जिसके कारण वह रमणीक नगरी, वह प्रतापी राजा, उसके वे शानदार सामन्त, चन्द्रमा के समान सुन्दर वे युवतियाँ, वे विरुदावलियाँ और उनके कहने वाले वे कवि—ये सब-के-सब समाप्त हो गये, उस काल को नमस्कार है। कालाय तस्मै नमः। और तो जो है वह ठीक है मगर मुझे चन्द्रमा के समान मुख वाली उन युवतियों के जाने पर बड़ा खेद है। उसी खेद को दूर करने के लिए मैं सचिवालय से बाहर निकला और दिल्ली घूमने निकल पड़ा।

दिल्ली एक ऐसी जगह है जहाँ कि चारों तरफ़ इतिहास ही इतिहास बिखरा पड़ा है। चाहे जितना उठा लो और बाकी दूसरों के लिए छोड़ दो। महाभारत के इन्द्रप्रस्थ से शुरू करके आज की नयी दिल्ली तक—न जाने कितनी शताब्दियों की लाश आपके सामने पड़ी है और बदबू छोड़ रही है। कम-से-कम ग्यारह अदद दिल्लियों की हड्डियाँ तो खण्डहरों की शक्ल में आज भी दिखाई पड़ती हैं। दिल्ली के ही पास महीरथ (मेरठ) है और इसी के पास पाणिप्रस्थ (पानीपत), शोणप्रस्थ (सोनीपत) व भागप्रस्थ (बग़पत) हैं जो न जाने कितनी शताब्दियों से ठीक वहीं स्थित हैं जहाँ कि वे कभी पहले स्थित थे। पानीपत का तो कहना ही क्या—न यह अभागा नगर होता, न पानीपत के तीन युद्ध लड़े जाते और न हमारा देश कभी गुलाम बनता। तोमरवंशी राजा अनंगपाल ने दिल्ली का बहुत उद्धार किया और उसके अतिरिक्त और भी न जाने कितने शहंशाहों ने इस शहर को बार-बार बर्बाद किया और फिर से इसे बसाया। मगर जो बात राजा दिल्लू के साथ हुई वह और किसी के साथ नहीं हुई। ईसा से पचास वर्ष पहले राजा दिल्लू ने ही इसे बसाया और इतनी तबीयत के साथ बसाया कि दिल्ली तभी से उसी के नाम पर चलती चली आ रही है। कहते हैं कि राजा दिल्लू का दिल बहुत बड़ा था और जहाँ-जहाँ वह चलता गया, वहीं-वहीं दिल्ली बसती गयी (इक दिल के टुकड़े हज़ार हुए, कोई यहाँ गिरा कोई वहाँ गिरा)। मैं आपको दिल्ली का इतिहास नहीं बताना चाहता मगर फिर भी इतना ज़रूर बताना चाहता हूँ जितना कि सन् उन्नीस सौ नौ में रेलवे बोर्ड के लायब्रेरियन अबदुर रशीद

ने रेलवे के गज़ेटियर में बताया है। इन सज्जन के शब्दों में उन दिनों दिल्ली की स्थिति इस प्रकार थी:

"जमुना जी के पश्चिमी किनारे पर कलकत्ता से नौ सौ मील, बम्बई से जी. आई.पी. रेलवे से नौ सौ सत्तावन मील और आगरा से एक सौ बाईस मील के फ़ासले पर दिल्ली शहर वाके है। तीनों जगह से तीसरे दर्जे का किराया आठ रुपये एक आना, नौ रुपये पन्द्रह आना और एक रुपया नौ आना है। यह शहर कभी हिन्दुस्तान की राजधानी था और अब सूबा पंजाब में ज़िला और कमिश्नरी दिल्ली का सिविल सदर मुकाम है। इस शहर में रूई कातने, आटा पीसने, बिस्कुटों वगैरह बनाने के बहुत से कारखाने हैं और यह शहर ज़रदोज़ी और सोने-चाँदी के काम के लिए मशहूर है। इस जगह देसियों के लिए कई अच्छे होटल और स्टेशन के पास कई सरायें हैं। स्टेशन से चौथाई मील के फ़ासले पर लाला छुन्नामल की धर्मशाला है और उसमें रहनेवालों से किराया नहीं लिया जाता। खाना भी मामूली दाम पर मिल जाता है। दिल्ली में सवारी हर वक़्त मिलती है। यहाँ देखने लायक जगह काफ़ी हैं और उसमें जनरल निकलसन और उसके साथियों की मीनार, सफ़दरजंग का मकबरा, शाही हमाम, काली मसजिद, अमीर खुसरो का मकबरा और अंग्रेज़ों का क़ब्रिस्तान खासतौर पर देखने लायक हैं।"

ऊपर बतायी गयी दिल्ली के स्थान पर आज जो दिल्ली की हालत है उसे हम सब जानते ही हैं। दूर-दूर तक फैला हुआ यह तथाकथित महानगर ऐसा है कि यहाँ एक स्थान से दूसरे स्थान पर जाने को भी महाप्रयाण कहा जा सकता है। दिल्ली की बसों के कण्डक्टर मुल्कराज आनन्द से कहीं ज़्यादा गन्दी गालियाँ जानते हैं जिनमें से ज़्यादातर मौलिक व अप्रकाशित होती हैं। एक ज़माना था कि बम्बई से दिल्ली तक का रेल का भाड़ा सिर्फ़ आठ रुपया एक आना था और आज का दिन है कि उतना पैसा तो कुली महोदय जो हैं वे अन्दर से आपकी अटैची बाहर लाने के लिए ही वसूल कर लेते हैं। इतनी भाग-दौड़, इतनी आपाधापी, इतने अपराध और दौलत, शायद दिल्ली में पहले कभी नहीं थी। भारतभूषण अग्रवाल ने ठीक ही कहा था कि आज की दिल्ली में सिर्फ़ तीन चीज़ें बची हैं: गाड़ियों की गड़गड़ाहट, साड़ियों की सरसराहट और नाड़ियों की हरहराहट। दिल्ली के प्रशासकों ने ठीक ही किया जो दिल्ली में इतना विशाल मानसिक रोगों का चिकित्सालय बनवाया। मैं दिल्ली देखता हूँ और पन्त जी की वाणी याद करता हूँ: पुरानी ही दुनिया अच्छी थी, सच पुरानी ही दुनिया।

पुरानी दिल्ली की चर्चा करते समय मैं एक बात ज़रूर कहना चाहूँगा और वह यह कि साहित्य जो होता है वह कभी-कभी समाज का दर्पण हरगिज़ नहीं होता। जैसे-जैसे मुग़ल साम्राज्य नीचे गिरता गया वैसे-वैसे ही उर्दू शायरी में एक के बाद दूसरा निखार आता चला गया। जिन दिनों नादिरशाह ने दिल्ली पर हमला किया था

ठीक उन्हीं दिनों मीर तकी मीर एक के बाद एक बढ़िया ग़ज़लें लिख रहे थे। जिस समय बहादुरशाह 'ज़फ़र' तीस रुपये प्रति माह के जेब-खर्च के साथ बर्मा में कैदी हुए, वैसे ही मिर्ज़ा ग़ालिब ने अपना कलाम और भी बेहतर लिखा।

मैं कॉफ़ी हाउस में बैठा हूँ और दिल्ली के बारे में सोच रहा हूँ। सोचता हूँ कि कुछ बुनियादी बातों में दोनों दिल्लियाँ अभी भी एक-सी ही हैं। अगर कभी दिल्ली को हासिल करने के लिए अलाउद्दीन खिलज़ी ने अपने प्यारे चाचा का गला काटा था, मुहम्मद तुगलक ने अपने इकलौते बाप को मरवाया था और औरंगज़ेब ने अपने भाइयों को फाँसी दी थी, तो आज भी जो देश के वरिष्ठ नेता हैं वे सत्ता प्राप्त करने के लिए एक-दूसरे का गला काटने के लिए हर समय तैयार हैं। अगर पहले अशोक की लाट थी तो अब पाँच सितारों वाला अशोक होटल है। अगर पृथ्वीराज चौहान के दरबार में चन्द बरदाई थे तो आज भी न जाने कितने प्रतिष्ठित साहित्यकार नेताओं के जूते पालिश कर रहे हैं ताकि वे भी राज्यसभा के सदस्य मनोनीत किये जा सकें। अगर 'चन्द्रबिम्बाननाः' किस्म की युवतियों की ज़रूरत है तो मैं कहूँगा कि वे आज भी हैं और आसानी से उपलब्ध हैं। और अन्त में चलकर यदि पुराने ज़माने में सामन्त और अमीर होते थे, ठीक वैसे ही आजकल के भारत सरकार के सचिव हैं जिनमें से एक के साथ बातें करने मैं दिल्ली गया था। असलियत यह है कि दुनिया कभी नहीं बदलती, सिर्फ़ हम बदलते हैं। कालो न यातः वयमेव यातः।

सचिवालय और दिल्ली के पागलपन को दूर करने के लिए मैं भागा-भागा अपने मित्र कवि जगदीश चतुर्वेदी के पास गया और कोई दो घण्टे तक पद्माकर के कवित्त सुनाता रहा और गीत गोविन्द के पद पढ़ता रहा। तबीयत जो थी वह एक ही किश्त में खुश हो गयी। मेरे लिए यह शीशे की तरह साफ़ हो गया कि मैं जो हूँ वह सरकारी नौकरी के लिए नहीं बना हूँ। श्रीलाल शुक्ल के शब्दों में 'यह घर मेरा नहीं'। मुझे मनसबदार, अकबर के नौ रत्नों में से एक, सामन्त अब्दुर्रहीम खानखाना बनने की कोई तमन्ना नहीं, मैं तो सिर्फ़ वह 'रहीम' बनना चाहता हूँ जिसके दोहे, गाँवों के लाखों लोग अभी तक याद रखते हैं। सन्तन कहा सीकरी सो काम? मेरा चातुर्मास पूरा हो गया। अब मुझे यह नौकरी छोड़ देनी चाहिए ताकि मैं सारा का सारा वक़्त साहित्य को दे सकूँ। मैंने रॉबर्ट फ्रास्ट की भाँति कोई ऐसा वादा नहीं किया है कि मैं मध्य प्रदेश की वन मेखला में प्रवेश न कर सकूँ। मेरी इस अमीरी से तो वह ग़रीबी अच्छी जिसमें जीकर पदुमलाल पन्नालाल बख़्शी ने 'रामलाल पण्डित' जैस अद्वितीय और शाश्वत किस्म का निबन्ध लिखा। ठीक है, नौकरी छोड़ने पर कुछ असुविधाएँ होंगी, रोबदाब कम हो जाएगा, कुछ अमीरी भी कम होगी पर उससे क्या? कम-से-कम मैं वह जीवन तो जी सकूँगा जो मैं जीना चाहता हूँ। परसाईजी ने एक बार मुझसे कहा था कि तुम अच्छे हो, बँधी-बँधाई पगार है और लिखना अपनी मर्ज़ी पर है। शरद जोशी ने भी बम्बई में कहा था

कि पार्टनर, जब इतनी नौकरी की है तो चार साल और भी निकाल लो। मगर मैं इन लोगों की बात नहीं मानता। मैं तो मुक्त होना चाहता हूँ, गैर-ज़िम्मेदार बनना चाहता हूँ और खुशी से सच्चे साहित्यकार का जीवन व्यतीत करना चाहता हूँ। मेरे प्रिय कवि विनोदचन्द्र पाण्डेय ने लिखा है:

चन्द्रा, तुम्हारे हों ढेर से बच्चे
एक-दो नहीं—कम-से-कम
छः तो हों लड़के ही लड़के
उन्हें पढ़ाना-लिखाना
डॉक्टर-इंजीनियर बनाना;
और यदि कोई निकम्मा
लिखने लगे कविताएँ
तो चन्द्रा, उसे भी निभाना

कुछ रोचक प्रसंग

एक

आग़ा हश्र कश्मीरी पारसी थियेटर के बादशाह थे। सिद्धहस्त नाटककार होने के अतिरिक्त वे अपने व्यक्तिगत जीवन में बड़े रंगीन, बा-मज़ाक़, मेहमाँनवाज़ और यारबाश किस्म के इंसान थे। दोस्तों को छेड़-छेड़ कर गालियाँ सुनते थे और खुश होते थे। मण्टो ने उनको लेकर जो संस्मरण लिखा है, वह अविस्मरणीय है।

एक बार आमों के मौसम में उन्होंने लाहौर में अपने दोस्तों को आम खाने के लिए अपने घर पर बुलाया। किस्म-किस्म के आम चुने हुए थे। आग़ा साहब लतीफे पर लतीफे सुना रहे थे और सब लोग हँसते-बोलते आम खाने में तल्लीन थे। प्रोफ़ेसर 'तैश' बगैर कुछ बोले आम खा रहे थे। आग़ा साहब ने उन्हें कई बार छेड़ा भी कि "बैल की तरह जुगाली किये जा रहा है, फूटे मुँह बोलता क्यों नहीं? क्या ज़िन्दगी में आम कभी पहले नहीं खाये?" वगैरह-वगैरह। मगर 'तैश' साहब फिर भी कुछ नहीं बोले और चुपचाप आम खाते रहे। आग़ा साहब 'तैश' की इस चुप्पी से हैरान और परेशान थे और चाहते थे कि वह भी मज़ाक़ में शामिल हों, एक सुनें और दो सुनाएँ। आख़िर 'तैश' की चुप्पी से तंग आकर बोले कि "इसी को हरामखोरी कहते हैं जो तारीफ़ का एक लफ़्ज़ भी ज़बान से निकाले बगैर आम खाये चला जा रहा है।" इस फ़िकरे ने 'तैश' को उकसाने में इंजेक्शन का काम किया और उन्होंने फरमाया कि, 'आग़ा साहब, यह आम जो मैंने अभी खाया है, इसकी तारीफ़ नहीं की जा सकती। इसने तो बनारस के लँगड़े को भी मात कर दिया।" आग़ा साहब ने यह चुस्त फ़िकरा सुना तो खुशी से बेताब हो गये और 'तैश' को सीने से चिपटाकर बोले कि "मेरी जान, यही सुनने को दिल बेचैन था। जाओ, आम खाओ और सौ साल ज़िन्दा रहो।"

बहुत लोगों ने यह नहीं समझा कि तैश साहब ने आग़ा साहब पर कितनी सख़्त चोट की थी। बात यह थी कि आग़ा साहब बनारस के रहने वाले थे और लँगड़े भी थे।

(इशरत रहमानी)

दो

वित्त मन्त्रालय और ऑडिट का महकमा अपनी मूर्खताओं के लिए प्रसिद्ध रहा है। प्रसिद्ध पुस्तक 'भवानी जंक्शन' के लेखक जॉन मास्टर्स ने अपनी आत्मकथा में इन मूर्खताओं के बड़े दिलचस्प उदाहरण दिये हैं। उनका सर्वश्रेष्ठ उदाहरण मैं नीचे देता हूँ:

अमृतसर के पास सेना की एक टुकड़ी स्थित थी। एक दिन अचानक ऐसा हुआ कि एक अँगरेज़ लेफ्टिनेण्ट यूनिट के खज़ाने में से काफ़ी रुपया चुराकर एक हिन्दुस्तानी लड़की के साथ अमृतसर से लाहौर को रेल से भाग गया। जॉन मास्टर्स (जो उन दिनों मेजर थे) अपने कमाण्डर की आज्ञा पाकर अगली गाड़ी से लाहौर गये और एक शानदार होटल में उन्होंने उस लड़की और उस लेफ्टिनेण्ट—दोनों को गिरफ़्तार कर लिया।

सारा काम हो जाने के बाद जॉन मास्टर्स ने अपनी यात्रा और भत्ते का बिल बनाया और उसे मिलिटरी एकाउण्टेण्ट जनरल के दफ़्तर को भेज दिया। मिलिटरी एकाउण्ट्स जनरल (जिसे अब कण्ट्रोलर डिफेंस एकाउण्ट्स कहा जाता है) के दफ़्तर ने बिल वापस कर दिया और लिखा कि "मेजर जॉन मास्टर्स एक ब्रिटिश अधिकारी हैं और 'क्वीन्स रेगुलेशन्स' के अनुसार वे एक घोड़ा रखते हैं जिसके खर्चे का भत्ता एकाउण्टेण्ट जनरल के दफ़्तर अनुसार बराबर अदा किया जाता है। ऐसी स्थिति में क्या वे यह बता सकेंगे कि घोड़े के होते हुए भी वे उस लेफ्टिनेण्ट को पकड़ने रेल से क्यों गये?" एकाउण्टेण्ट जनरल के दफ़्तर से ऊपर बताया पत्र पाकर मेजर जॉन मास्टर्स काफ़ी परेशान हुए। उन्होंने तुरन्त एकाउण्टेण्ट जनरल के दफ़्तर को पत्र लिखा कि जिस स्थिति में वे लाहौर गये थे, उस स्थिति में घोड़े पर जाने से कोई फ़ायदा नहीं था। उन्होंने यह भी लिखा कि यदि एकाउण्टेण्ट जनरल यह जानना चाहता है कि उन्होंने घोड़े को रेल में क्यों नहीं चढ़ाया तो उसका उत्तर यह है कि रेल के कानून द्वारा घोड़ा रेल के यात्रियों वाले डिब्बे में नहीं चढ़ाया जा सकता था और वैसा करने के लिए डिब्बे में जगह नहीं थी। उन्होंने यह बात फिर दुहरायी कि क्योंकि वह लेफ्टिनेण्ट लाहौर की दिशा में रेलगाड़ी द्वारा भागा था, यह नितान्त आवश्यक था कि उसका पीछा रेल द्वारा ही किया जाए।

जॉन मास्टर्स का उत्तर पाकर एकाउण्टेण्ट जनरल के दफ़्तर ने पूरे मामले को पढ़ा, उसपर विचार किया और उत्तर में लिखा कि "वह लेफ्टीनेण्ट जो लड़की और सरकारी ख़ज़ाना लेकर भागा था वह भी एक ब्रिटिश अफ़सर था और उसे भी घोड़ा दिया गया था। क्या यह बताया जाएगा कि वह लेफ्टीनेण्ट लड़की और रुपये को लेकर लाहौर को रेल से क्यों भागा और घोड़े से क्यों नहीं गया?"

ऊपर लिखा उत्तर पाकर जॉन मास्टर्स सिर पकड़कर बैठ गया। वह अपने कर्नल के पास गया और उन्होंने हँसते हुए एकाउण्टेण्ट जनरल के नाम एक 'डैमी-आफ़िशल'

पत्र लिखा जिसके फलस्वरूप जॉन मास्टर्स का यात्रा-भत्ता बिल पास हो गया और एक सप्ताह के भीतर ही चैक भी आ गया।

(कर्नल जॉन मास्टर्स)

तीन

हिन्दी के प्रख्यात सम्पादक पण्डित बनारसीदास चतुर्वेदी बराबर यह कहते रहे कि जयशंकर प्रसाद को भाषा लिखना नहीं आता था। एक बार इसी सन्दर्भ में उन्होंने पूरब के सारे लेखकों को घसीट लिया। उन्होंने आचार्य हज़ारीप्रसाद द्विवेदी से कहा कि बनारस वालों को तो भाषा लिखना आता ही नहीं। जिस समय उन्होंने यह बात कही, उस समय जयशंकर प्रसाद व प्रेमचन्द भी वहाँ उपस्थित थे।

आचार्य हज़ारीप्रसाद द्विवेदी ने चतुर्वेदी जी की बात सुनी और गम्भीरता से उत्तर दिया कि "पण्डित जी, आप जो कहते हैं वह शायद ठीक है। मगर आपको यह मानना होगा कि बनारस की यह स्थिति हमेशा नहीं थी। पचास वर्ष पहले तक लोगों की बनारस के प्रति इतनी श्रद्धा थी कि वे अपने लड़कों का नाम बनारसीदास रखने में गौरव महसूस करते थे।"

(शिवनाथ सिंह शाण्डिल्य)

चार

'जिग़र' मुरादाबादी एक बार लाहौर गये। लाहौर के साहित्यकारों ने और साहित्य-प्रेमियों ने उन्हें अपने कन्धों पर उठा लिया। जो लोग जिग़र साहब के स्वागत समारोह के लिए इकट्ठे हुए उनमें सआदत हसन मण्टो भी थे। 'जिग़र' साहब का सब लोगों से परिचय कराया गया। जब 'जिग़र' साहब का परिचय मण्टो साहब से कराया गया तो मण्टो ने अपना परिचय खुद ही देते हुए जिग़र साहब से कहा कि जनाब, अगर आप मुरादाबाद का जिग़र हैं तो मैं लाहौर का गुर्दा हूँ।

मण्टो का जवाब सुनकर जिग़र साहब ने उन्हें अपने सीने से लगा लिया और जितने भी लोग वहाँ उपस्थित थे, वे कहकहों में डूब गये।

(प्रकाश पण्डित)

पाँच

मलिका नूरजहाँ को कसीदाकारी का भी बहुत शौक था। सल्तनत के झगड़ों से दिल उचाट होने पर वे कभी-कभी तफ़रीहन दस्तकारी का शुगल कर लिया करती थीं। एक दफा फुर्सत के दिनों में उन्होंने कुछ दस्तरख्वान निकाले तो उसकी क़ीमत आँकने के लिए एक बाँदी को बाज़ार भेज दिया। बाँदी काफ़ी शोख, हसीन और हाज़िरजवाब

थी। चुहल की नीयत से एक रंगीन मिज़ाज ने दरियाफ़्त किया:

"क्या बेच रही हैं सरकार?"

"दस्तरख्वान हैं हुजूर!"

"क्या लेंगी?"

"यह आठ और यह दस रुपये का है, हुजूर!"

"मामूली-सी चीज़ की क़ीमत कुछ ज़्यादा फ़रमायी सरकार ने।"

"यह मलका-ए-आलम नूरजहाँ के दस्ते-मुबारक ने निकाले हैं बन्दा नवाज़।"

"ओह तो यह बात है। अच्छा तो बी, वे पाजामे की निकलवाई क्या तलब फर्माएँगे?"

"ग़रीबपरवर, अम्मा का पाजामा निकलवाएँगे या कि बहन का?" चुहलबाज़ ने सुना तो नौ दो ग्यारह हो गया।

(अयोध्याप्रसाद गोयलीय)

छः

देवगढ़ एक ऐसा स्थान है जहाँ जैन धर्म के अनेक प्राचीन मन्दिर हैं। इसी कारण जब ब्रिटिश सरकार देवगढ़ को अपनी देख-रेख में लेना चाहती थी तो जैन सम्प्रदाय ने उनका विरोध किया। जैन समिति के वकील थे वृन्दावनलाल वर्मा, जो एक वकील होने के साथ-साथ एक साहसी शिकारी व एक महान् उपन्यासकार भी थे। मन्दिरों की व्यवस्था देखने के लिए उन्हें देवगढ़ जाना पड़ा। देवगढ़ पहुँचने के लिए झाँसी-बम्बई लाइन पर जाखलौन नाम के एक छोटे से स्टेशन पर उतरना पड़ता है। वहाँ से देवगढ़ सात मील दूर है और यह दूरी पैदल या बैलगाड़ी से तय की जाती है। जंगली और पहाड़ी मार्ग है।

वृन्दावनलाल वर्मा जब पहली बार देवगढ़ गये तो उन्होंने जैन-समिति के मुनीम से कहा कि "मैं दूध पियूँगा। जाओ और जल्दी ले आओ।"

मुनीमजी ने पूछा, "कितना दूध लाऊँ?"

उत्तर में वर्मा जी ने कहा, "जितना मिल जाए उतना ले आओ।"

मुनीमजी ने पूछा, "सेर भर?"

वर्मा जी बोले, "ज़्यादा न मिले तो सेर भर ही सही।"

"दो सेर ले आऊँ?"

"कहा न, जितना मिल जाए।"

"यानी तीन-चार सेर?"

"क्या कहूँ भाई; पाँच-छः सेर भी मिल जाए तो चलेगा।"

"पाँच-छः सेर!" मुनीम जी ने आश्चर्य के साथ कहा। इसके बाद व्यंग्य करते

हुए मुनीमजी ने कहा कि "दूध के साथ और भी कुछ ले आऊँ?"

वर्मा जी को हँसी आ गयी और वे बोले, "यह तुम्हारी श्रद्धा पर निर्भर है।"

मुनीम बेचारा सिर नीचा किये हुए चला गया। थोड़ी देर में पाँच सेर दूध और जलेबियाँ आ गयीं। नाश्ता पूरा हो गया।

थोड़ी देर बाद जब वर्माजी देवगढ़ से झाँसी के लिए वापस चलने लगे तो मुनीम सिकुड़ता-सिकुड़ता उनके पास आया और बोला, "वर्मा जी, यदि बुरा न मानें तो एक अर्ज़ करूँ?"

"बोलो, क्या बात है?"

"सरकार एक रसीद दे दीजिए।"

"किस बात की रसीद? अभी तक तो मैंने कोई फ़ीस नहीं ली है?"

मुनीम नीचा सिर करके बोला, "पाँच सेर दूध और दो सेर जलेबियों की रसीद दे दीजिए। समिति वाले विश्वास नहीं करेंगे कि आपने नाश्ते में इतना खाया है। वे कहेंगे कि मुनीम पचा गया।"

वर्माजी को हँसी आ गयी और उन्होंने रसीद फ़ौरन दे दी।

(वृन्दावनलाल वर्मा)

सात

डॉक्टर कपूर बम्बई के शायद ऐसे एकमात्र डॉक्टर हैं जो बड़े-बड़े फ़िल्म प्रोड्यूसरों, निर्देशकों, संगीत निर्देशकों, अभिनेताओं के चिकित्सक होने के बावजूद ऐसे लोगों का भी इलाज करते रहते हैं जो फ़िल्मी दुनिया में नवागन्तुक होते हैं और जिनके पास इलाज के लिए पैसे नहीं होते। उनके इसी सद्गुण की चर्चा सुनकर एक सज्जन उनके पास पहुँचे जिन्हें कब्ज़ की शिकायत थी।

डॉक्टर कपूर ने उन्हें कब्ज़ दूर करने की गोली दी और उनसे अगले दिन आने को कहा। दूसरे दिन रोगी ने आकर बताया कि उस पर गोली का कोई असर नहीं हुआ। डॉक्टर साहब ने दवा बदलकर उन्हें दो गोलियाँ दीं और अगले दिन हाल बताने को कहा। रोगी ने दूसरी बार भी यही बताया कि उस पर गोलियों का कोई प्रभाव नहीं हुआ। इस बार डॉक्टर ने तीन गोलियाँ दीं और कहा कि इन तीन गोलियों से आदमी तो क्या, घोड़े तक का कब्ज़ दूर हो जाएगा।

अगले दिन जब रोगी ने आकर डॉक्टर कपूर से बताया कि उस पर तीन गोलियों का भी कोई असर नहीं हुआ तो वे कुछ परेशान हो गये। उन्होंने इस बार रोगी को बिठाया और पूछा कि उसका पेशा क्या है? क्या उसका पेशा ऐसा तो नहीं है जिसमें वे सारे दिन एक ही जगह काम करते हों?

"जी नहीं," रोगी ने बताया, "मैं तो दिन-भर काम की तलाश में मारा-मारा फिरता हूँ और मैं उर्दू का एक शायर हूँ।"

"तो यह लो"—डॉक्टर कपूर ने अपने पर्स में से पाँच रुपये का नोट निकालकर रोगी को देते हुए कहा, "जाकर किसी होटल में भरपेट खाना खाओ, कब्ज़ की शिकायत अपने आप दूर हो जाएगी।"

(प्रकाश पण्डित)

आठ

"सुल्तान महमूद गज़नवी अपने खानदान का सबसे बड़ा बादशाह था। उसने हिन्दुस्तान पर सतरह हमले किये। शुरू के कुछ हमलों में तो वह कुछ निजी कारणों से वापस जाता रहा पर अन्त में चलकर उसने हिन्दुस्तान को जीत लीया। उसने सोमनाथ का बुत तोड़ा जिसमें से हीरे-जवाहरातों का बहुत बड़ा ख़ज़ाना निकला। उसने सोमनाथ को सिर्फ़ अपना फ़र्ज समझकर तोड़ा था। सोने या बाकी ख़जाने से उसे कोई लगाव नहीं था। फिर भी मन्दिर की इस पवित्र दौलत की उसने इज्ज़त की। उसने उसे फेंका नहीं, वह उसे ऊँटों पर लदवाकर गज़नी ले गया।

"अयाज़ उसका गुलाम था। महाकवि इक़बाल का कहना है कि जब ऐन लड़ाई में भी नमाज़ का वक़्त आता था तो वे दोनों (यानी महमूद और अयाज़) एक कतार में खड़े हो जाते थे। बाकी फ़ौज जो थी वह लड़ती रहती थी।

"सुल्तान महमूद पर इलज़ाम लगाया जाता है कि उसने फ़िरदौसी को धोखा दिया। उसने पहले तो फ़िरदौसी से 'शाहनामा' लिखवाया और फिर उसे साठ हज़ार अशर्फ़ियों के स्थान पर मात्र साठ हज़ार रुपये देकर टालना चाहा। यह इलज़ाम ग़लत है। बेशक, वादा एक अशर्फ़ी प्रति शेर का ही किया गया था लेकिन उस वक़्त सुल्तान को यह कतई पता नहीं था कि फ़िरदौसी इतनी बड़ी किताब लिखेगा। यह किताब हफ़ीज़ जालन्धरी के शहनामा-ए-इस्लाम की तर्ज़ पर लिखी गयी है। फ़िरदौसी चाहता तो बहुत थोड़े में ईरान का पूरा इतिहास लिख सकता था (कि फ़लाँ बादशाह ने फ़लाँ बादशाह को मारा इत्यादि) मगर उसने पहलवानों और अजगरों वगैरह की कथाएँ डालकर किताब को बिना ज़रूरत लम्बा कर दिया। भला कहीं एक किताब की क़ीमत साठ हज़ार अशर्फ़ियाँ हो सकती है? बजट भी तो देखना पड़ता है। हम तो महमूद की तारीफ़ करेंगे कि उसने फिर भी साठ हज़ार रुपयों की रकम फ़िरदौसी के घर भिजवायी, चाहे वह उसके मरने के बाद ही पहुँचायी। आजकल के प्रकाशक तो लेखक के मरने के बाद भी कुछ नहीं देते। साठ हज़ार रुपये तो बड़ी चीज़ है, उनसे साठ रुपये ही वसूल हो जाएँ तो बड़ी बात है। इस प्रकार यह साबित होता है कि सुल्तान बेहद दयालु और ईमानदार था।

"गज़नवी खानदान के बाद किसी न किसी को तो आना ही था, इसलिए ग़ौरी खानदान आया। इस खानदान का शासनकाल बहुत कम रहा। ये लोग इसी बात

पर ग़ौर करते रहते थे कि देश की तरक्की कैसे की जाए। मगर सारा वक़्त ग़ौर करने में ही गुज़र गया और काम कुछ नहीं किया गया। सुलतान मुहम्मद ग़ौरी इस खानदान का मशहूर व योग्य बादशाह था। एक बार वह गरवड़ों का विद्रोह दबाने उनके इलाके रावलपिण्डी के करीब आया और एक गरवड़ के हाथों मारा गया। हफ़ीज़ जालन्धरी और रईस अमरहवी ने श्रद्धांजलि अर्पित की। अगर वह गरवड़ों के क्षेत्र में जाने के बजाय उनको अपने यहाँ बुलवा लेता और घर बैठकर उनकी बग़ावत दबा देता तो कहीं ज़्यादा अच्छा होता।"

(इब्ने इंशा)

नौ

माल रोड लाहौर के एक शराबघर में एक भारी-भरकम आदमी रोज़ शाम को आता था और हर शाम एक ही ऑर्डर देता था—"सस्ती से सस्ती शराब के दो पेग ले आओ।" शराब के पेग आ जाने पर वह व्यक्ति एक पेग में सोडा और एक पेग में पानी मिलाता था और फिर दोनों गिलासों को आपस में इस तरह टकराता था जैसे कि दो मित्र अपने-अपने जाम टकरा रहे हों। इसके बाद वह एक के बाद दूसरा पेग अपने कण्ठ में उड़ेलकर बैरे को वैसे ही दो जाम और लाने का ऑर्डर देता था। और इस तरह दो-दो पेग करके वह बारह-चौदह पेग पी जाता था और उसके बाद बिल चुकाकर लड़खड़ाता हुआ दूसरी शाम तक के लिए बाहर निकल जाता था।

उसकी हालत देखकर बैरे परेशान रहते थे और शराबखाने का मालिक भी हैरान रहता था कि यह पियक्कड़ कौन है जो बारह-चौदह पेग यानी कि पूरी की पूरी बोतल डकार जाता है लेकिन कभी भी पूरी बोतल का ऑर्डर एक साथ नहीं देता हालाँकि पूरी बोतल एक साथ लेना सस्ता पड़ता था। वे यह भी नहीं जानते थे कि वह दो पेग एक साथ क्यों मँगवाता है और फिर एक गिलास में पानी और एक गिलास में सोडा क्यों मिलाता है?

आख़िरकार एक दिन बैरे ने हिम्मत की और उस भारी-भरकम आदमी से पूछ ही लिया कि वे अलग-अलग दो पेग क्यों मँगवाते हैं और एक पेग में पानी और दूसरे में सोडा क्यों मिलाते हैं?

उस भारी-भरकम व्यक्ति ने बैरे को बताया, "मैं एक पेग अपने लिए मँगवाता हूँ और एक पेग अपने अज़ीज़ दोस्त अख़्तर शीरानी के लिए। हम दोनों दोस्त हमेशा साथ-साथ पिया करते थे। कभी नागा नहीं होता था। और नागा नहीं होना चाहिए इसीलिए आजकल मुझे मजबूरन उसके हिस्से की शराब भी खुद ही पीनी पड़ती है।"

"ऐसी भी क्या मजबूरी है?" बैरे ने बड़ी मासूमियत के साथ पूछा और यह भी कहा, "हमने तो आपके दोस्त को आपके साथ पीते कभी नहीं देखा।"

"उनका इन्तकाल हो गया है।"

"ओफ़! कब और कैसे?"

"हाल ही में मरे हैं और वह भी बेतहाशा पीने की वजह से।"

अगले दिन बैरे ने फिर हिम्मत की और उनसे कहा, "साहब हालाँकि यह मेरी रोज़ी का सवाल है लेकिन मैं आपसे दरख़्वास्त करूँगा कि आप भी इतनी ज़्यादा शराब न पिया करें और अगर बिल्कुल छोड़ दें तो और भी अच्छा हो।"

"अच्छी बात है," वे साहब बोले, "जाओ, और आज सिर्फ़ एक पेग लाओ।" बैरा पेग लाया तो साहब ने बताया कि उन्होंने उसके कहने पर शराब पीना हमेशा के लिए एकदम छोड़ दिया है।

बैरे ने पूछा, "फिर यह पेग आपने किसके लिए मँगवाया है?"

"अपने दोस्त अख़्तर शीरानी के लिए"—साहब ने जवाब दिया और कहा, "वह हमेशा सोडा डालकर पीता था और मैं पानी डालकर। जाओ एक पेग और ले आओ क्योंकि अख़्तर शीरानी बेतहाशा पीता था।"

उस भारी-भरकम साहब का नाम था अब्दुल हमीद 'अदम'। वे उर्दू के ऊँचे दर्जे के मशहूर शायर थे।

(प्रकाश पण्डित)

दस

बिहार में एक अंग्रेज़ कलक्टर था जो सरकारी काम करने के अतिरिक्त बाकी सब कुछ करता था। उसकी इस बात से कमिश्नर, चीफ़ सेक्रेटरी और गवर्नर—सब परेशान थे। तंग आकर गवर्नर ने एक दिन हुक्म भेजा कि वह अपना रोज़नामचा लिखे और उसे हर हफ़्ते गवर्नर के पास भेजे। कलक्टर ने गवर्नर के आदेश के अनुसार प्रत्येक सप्ताह अपनी डायरी गवर्नर को भेजनी शुरू कर दी। डायरी प्रायः इस प्रकार होती थी:

"तारीख, दिन...। सोकर उठा—सुबह साढ़े सात बजे। नाश्ता किया—साढ़े नौ बजे। शिकार को गया—दस बजे। शिकार में मारा—तीन फ़ाख्ते, चार हारिल, एक बगुला। वापस आया—बारह बजकर पैंतालीस मिनट पर। लंच शुरू किया—सवा बजे। लंच समाप्त हुआ—सवा दो बजे। सोया—ढाई से लेकर चार बजे तक। टेनिस खेलने क्लब गया—पाँच बजे। क्लब से लौटा—छः बजे। इसके बाद थोड़ी शराब पी। अख़बार और उपन्यास पढ़ा—आठ बजकर चालीस मिनट तक। डिनर लिया—नौ बजे। सोने चला गया—दस बजे।"

गवर्नर ने डायरी पढ़ी तो वह क्रोध से आग-बबूला हो गया। वह खुद दौरे पर आया। डिविज़न के हैडक्वार्टर्स में उसका कैम्प लगा। कमिश्नर वगैरह बड़े अफ़सरों के कैम्प भी वहीं लगे। हर ज़िले के कलक्टर भी खेमों में ठहराये गये।

सुबह नाश्ते के बाद गर्वनर ने कमिश्नर को बुलाया और विभिन्न ज़िलों की स्थिति पर विचार-विनिमय किया। इसी सन्दर्भ में उस कलक्टर का भी ध्यान आया जिसकी चर्चा ऊपर की जा चुकी है। गवर्नर ने हुक्म दिया कि वह कलक्टर उनके सामने पेश हो। कमिश्नर ने कलक्टर के नाम एक पुर्ज़ा लिखा कि "लाट साहब की बुलाहट है और तुम तुरन्त चले आओ।" कलक्टर ने उसी पुर्ज़े की पीठ पर लिखा कि "मुझे खेद है कि मैं अभी पूरी तरह तैयार नहीं हूँ, अतएव आने से मजबूर हूँ।" कमिश्नर ने एक पुर्ज़ा और लिखा कि "जैसे भी हो, वैसे ही चले आओ। लाट साहब फ़ौरन बुला रहे हैं।"

इसके कुछ समय बाद बाहर कुछ शोर-गुल सुनाई पड़ा। कमिश्नर ने कैम्प से बाहर निकलकर देखा कि बाथ-टब में वह कलक्टर एकदम नंगधड़ंग लेटा है और चार आदमी उसे कन्धे पर उठाकर आये हैं। कमिश्नर ने गुस्से में पूछा कि यह क्या बदतमीजी है? कलक्टर ने बड़ी गम्भीरता से जवाब दिया कि "मैंने तो मात्र आपकी आज्ञा का पालन किया है। आपने लिखा था कि जैसे भी हो, उसी तरह चले आओ और मैं जैसा था वैसा ही चला आया।"

गवर्नर ने वायसराय को लिखा और वायसराय ने लन्दन को। उस अंग्रेज़ कलक्टर को इण्डियन सिविल सर्विस से अवकाश ग्रहण करना पड़ा।

(राजेश्वरप्रसाद नारायणसिंह)

ग्यारह

मुल्ला नासिरुद्दीन फ़ारस के महान् हास्यकार थे। उनके लतीफ़े लाखों लोगों को हँसा चुके हैं और संसार की अनेक भाषाओं में उनका अनुवाद भी हो चुका है। अपनी मौलिकता में मुल्ला साहब के लतीफ़े अपना सानी नहीं रखते।

मुल्ला साहब अपने बादशाह के दरबारी थे और उनके साहित्यिक सलाहकार भी थे। बादशाह को कविता लिखने का शौक था और कविता लिखने के बाद सबसे पहले वे उन्हें मुल्ला नासिरुद्दीन को दिखाते थे। मुल्ला साहब वैसे तो बादशाह के नौकर थे पर साहित्य और उसकी आलोचना के सन्दर्भ में वे एकदम निर्भीक और ईमानदार थे। दुर्भाग्य से उन्हें बादशाह का काव्य कभी भी पसन्द न आता था। एक दिन ऐसा हुआ कि बादशाह ने बड़ी लगन और परिश्रम से कुछ कविताएँ लिखीं और भरे दरबार में उन्हें मुल्ला साहब को सुनाया और उनकी प्रतिक्रिया माँगी। कविताएँ सुनकर मुल्ला साहब ने बड़ी इज़्ज़त और अदब के साथ बादशाह सलामत की खिदमत में अर्ज़ किया कि उनकी कविताएँ एकदम कचरा हैं और उन्हें अगर नष्ट कर दिया जाए तो वह ज़्यादा सही क़दम होगा। इत्तफ़ाक की बात कि उस दिन बादशाह अपनी वह आलोचना बर्दाश्त नहीं कर सके और वे गुस्से से तिलमिला

गये। उन्होंने भरे दरबार में मुल्ला को पूरे एक घण्टे तक लगातार गालियाँ दीं और उसे नमकहराम, दम्भी, घमण्डी और न जाने क्या-क्या कहा। बादशाह गालियाँ बकते रहे और मुल्ला साहब शान्त और विरक्त मुद्रा में उन्हें सुनते रहे।

जब बादशाह का गुस्सा कुछ शान्त हुआ तो मुल्ला साहब ने बादशाह की इजाज़त से उनकी खिदमत में अर्ज़ किया कि "बन्दापरवर, गुलाम पिछले पन्द्रह साल से आपका पद्य सुनता आ रहा है—मगर उसने उनका गद्य आज पहली बार ही सुना है। इतना धाराप्रवाह, पुरजोश और स्वतः प्रेरित गद्य कहाँ सुनने को मिलता है? मेरी हुजूर से यह प्रार्थना है कि भविष्य में वे गद्य ही लिखा करें। जब हुजूर की नसर उनकी नज़म से इतनी बेहतर है तो वे नसर ही क्यों नहीं लिखते?"

('हैरत' रतनगढ़ी)

बारह

वह घटना तब हुई थी, जब भारत के वायसराय जो थे वे लार्ड चैम्सफ़ोर्ड थे। पण्डित जवाहरलाल नेहरू को एक अत्यन्त आवश्यक कार्य से ऐसी जगह जाना पड़ा, जहाँ इलाहाबाद से रेल द्वारा तीन-चार घण्टों में पहुँचा जा सकता था। उसी दिन रात के समय पण्डितजी का इलाहाबाद वापस पहुँचना अत्यन्त आवश्यक था। शायद वे किसी सार्वजनिक-सभा में सभापतित्व करने वाले थे। उस जगह का कार्य समाप्त करके इलाहाबाद वापस जाने के लिए जब पण्डितजी स्टेशन पर पहुँचे तो मालूम हुआ कि जिस गाड़ी से इलाहाबाद जाना चाहिए था, वह निकल चुकी थी। यूँ पण्डितजी के सुदीर्घ जीवन में यह घटना अपवाद ही समझनी चाहिए, क्योंकि स्टेशन पर देर से पहुँचने पर भी गाड़ी उन्हें मिल ही जाती थी। उस दिन मानो अनहोनी हो गयी, वह लेट हो गये, गाड़ी लेट नहीं हुई। परन्तु पण्डितजी आशा का सूत्र छोड़ने वाले नहीं थे। उन्होंने स्टेशन-मास्टर से दरयाफ़्त किया कि क्या और कोई गाड़ी, फिर चाहे वह मालगाड़ी ही हो, इलाहाबाद के लिए मिल सकती है या नहीं। स्टेशन मास्टर ने उत्तर दिया कि हाँ, मालगाड़ी आने वाली थी परन्तु वह दूसरे स्टेशन पर रुक गयी है क्योंकि वाइसराय की स्पेशल यहाँ से गुज़रने वाली है। इससे भी निराश न होकर पण्डितजी ने पूछा कि क्या वाइसराय की स्पेशल यहाँ नहीं ठहर सकती? स्टेशन मास्टर ने बतलाया कि स्पेशल ट्रेन यहाँ नहीं ठहरेगी और यदि अकस्मात् लाइन क्लीयर ही देने में कोई भूल न हो जाए तो उसे किसी भी प्रकार ठहराया नहीं जा सकता।

इस पर पण्डितजी ने उसे सुझाया कि क्या यह सम्भव नहीं कि लाइन क्लीयर देने में कोई चूक कर दी जाए जिससे ट्रेन यहाँ ठहर जाए। जब स्टेशन मास्टर ने यह शंका प्रकट की कि ऐसा करने से लाइन क्लीयर देने वालों पर आपत्ति आ सकती है तो पण्डितजी ने उसे आश्वासन दिया कि मैं ऐसा नहीं होने दूँगा।

बात तय हो गयी। लाइन क्लीयर देने वाले ने अपना हाथ इतना दूर रखा कि ट्रेन को लाइन क्लीयर न मिल सकी। गाड़ी स्टेशन पर खड़ी हो गयी। पण्डितजी प्लेटफ़ार्म पर ही खड़े थे। झट उस डिब्बे के सामने जा पहुँचे जिसमें वाइसराय बैठा हुआ था। वाइसराय ने पण्डितजी को देखकर बाहर मुँह निकालते हुए पूछा, "हलो पण्डित...आप यहाँ कहाँ?" पण्डितजी ने उत्तर दिया कि "मैं यहाँ इलाहाबाद वापस जाने के लिए खड़ा था। आपकी स्पेशल ट्रेन के कारण गाड़ियाँ रुक गयीं, जिससे मैं लटकता रह गया।" वाइसराय ने सज्जनता निभाते हुए कहा, "आइए, मेरी गाड़ी में आ जाइए, मैं आपको इलाहाबाद पहुँचा दूँगा।" पण्डितजी बिना तकल्लुफ़ के वाइसराय के डिब्बे में बैठ गये। साथ ही बातचीत के सिलसिले में गाड़ी रोकने की पूरी कहानी सुनाकर बेचारे सिगनलर की सफ़ाई भी कर दी। इस तरह स्टेशन पर देर में पहुँचने पर भी पण्डितजी इलाहाबाद समय पर पहुँच गये और उन्होंने किसी को भी नुक़सान नहीं होने दिया।

(इन्द्र विद्यावाचस्पति)

तेरह

बात उन दिनों की है जब कि डॉक्टर अमरनाथ झा बिहार पब्लिक सर्विस कमीशन के अध्यक्ष थे। एक हज़रत इण्टरव्यू में आये तो पता चला कि वे बलिया क्षेत्र के रहने वाले थे। मज़ाक़ के मूड में डॉक्टर अमरनाथ झा ने पूछा, "क्या यह सच है कि बलिया के लोग बेवकूफ़ होते हैं? और अगर होते हैं तो उसका कारण क्या है?"

प्रार्थी ने बिना किसी संकोच के उत्तर दिया, "यह बात एकदम सच है कि बलिया के लोग बेवकूफ़ होते हैं मगर इस हादसे का एकमात्र कारण यह है कि यह क्षेत्र मिथिला से एकदम लगा है और इस भौगोलिक स्थिति का कोई इलाज किसी को भी नज़र नहीं आता।"

डॉक्टर अमरनाथ झा चुप हो गये क्योंकि वे खुद मिथिला के ही रहने वाले थे। प्रार्थी जो था वह नौकरी में ले लिया गया।

(पं. वाचस्पति पाठक)

चौदह

एक बार नागार्जुनजी रेणु के घर पधारे। उनके भतीजे ने जाकर सूचना दी। रेणुजी बाहर निकले। तुरन्त उसी क्षण नागार्जुन ने कहा, "चार बार आ चुका हूँ; तुम मिलते ही नहीं।" रेणुजी मुसकराये। तभी उनकी निगाह नागार्जुनजी के वस्त्रों पर पड़ी जो काफ़ी अस्त-व्यस्त और मैले दिख रहे थे। रेणु ने जब नागार्जुन का ध्यान इस ओर दिलाया तो नागार्जुन कहने लगे, "ठीक है, साहित्यकार ऐसे ही रहता है।"

"अभी बताता हूँ कि साहित्यकार कैसे रहता है," कहकर रेणुजी घर के भीतर

चले गये और एक घण्टे बाद निकले। घुँघराले सजे-सँवरे बाल, सफ़ेद कुर्ता-पाजामा एकदम झक करता हुआ, पाँवों में क़ीमती चप्पल और खुशबू बिख़ेरता सेण्ट...रेणुजी ने नागार्जुन से कहा, “नागार्जुन, ऐसा होता है साहित्यकार।”

(जयशंकर)

पन्द्रह

बहुत साल पहले की बात है। केशवप्रसाद मिश्र, गंगाप्रसाद पाण्डेय और इलाचन्द्र जोशी को प्रयाग के किसी ऐसे स्थान पर हो रहे कवि-सम्मेलन में जाना पड़ा जो कि इन लोगों के निवासस्थान से काफ़ी दूर पड़ता था। पाण्डेयजी के पास मोटर थी। कवि-सम्मेलन रात को कोई बारह बजे तक चला। भूख तो सभी को लगी थी पर केशवप्रसाद मिश्र कुछ ज़्यादा चिन्तित थे क्योंकि वह जहाँ खाना खाते थे, वह होटल (या मेस) तब तक बन्द हो चुका था। उनकी इस स्थिति को देखकर इलाचन्द्र जोशी का चिन्तित हो जाना स्वाभाविक था क्योंकि वे ही शायद उन्हें खींचकर उस कवि-सम्मेलन में ले गये थे।

इत्तफ़ाक से रास्ते में कोई बारात मिली। किसी सेठ के यहाँ शादी थी और बारात में न जाने कितनी मोटरें थीं। इलाचन्द्र जोशी ने गंगाप्रसाद पाण्डेय से कहा, “बन्धु, तुम भी अपनी मोटर इन मोटरों में मिला लो।” पाण्डेयजी ने मुसकराते हुए आज्ञा का पालन किया।

कन्या के घर पहुँचकर इन लोगों का बड़ा स्वागत हुआ। फूलमालाएँ पहनायी गयीं, इत्र-फुलेल लगाया गया, बढ़िया खाना मिला और बाद में चलकर नाना प्रकार की मिठाइयाँ और पान खाने को मिले। भरपेट खाना खाकर तीनों साहित्यकार अपने-अपने निवास-स्थान पर सकुशल पहुँच गये। किसी को पता नहीं चला कि ये महानुभाव कौन थे। बाराती समझते रहे कि वे कन्या-पक्ष से हैं और कन्या-पक्ष यह समझता रहा कि वे वरयात्री हैं। जोशीजी साहित्य में तो मनोवैज्ञानिक उपन्यास लिखते ही थे, उन्होंने वास्तविक जीवन में भी अपनी उस प्रतिभा का फ़ायदा उठाया और केशवप्रसाद मिश्र को भरपेट और उम्दा खाना खिलवाया।

(केशवप्रसाद मिश्र)

सोलह

बात उन दिनों की है जब नैपोलियन बोनापार्ट फ्रांस का सम्राट् था और वह एक पड़ोसी देश से युद्ध लड़ने लाम पर गया हुआ था। रात का वक़्त था कि एक नितान्त रूपवती युवती उससे तुरन्त मिले के लिए छह घोड़ों की बग्घी पर बैठकर वहीं पहुँच गयी। वह एक बड़े सामन्त की पत्नी थी जो सम्राट् को भलीभाँति जानती

थी। न जाने कितनी बार वह नैपोलियन के साथ शाही महलों में नाची थी। लाम पर तैनात न जाने कितनी सुरक्षा-चौकियों को पार कर किसी तरह वह उस कच्चे मकान तक पहुँच ही गयी जहाँ नैपोलियन ठहरा हुआ था और जहाँ वह अगली सुबह शुरू होने वाली लड़ाई के बारे में अपने सेनापतियों से विचार-विमर्श कर रहा था। बहरहाल, जब उसके अंगरक्षकों ने उसे उस महिला के आने की सूचना दी तो वह खुद बाहर आया और उस युवती को वहीं ले गया जहाँ उसके सेना-अधिकारी बैठे हुए थे। शराब मँगवाई गयी और नैपोलियन ने उस युवती से लाम पर आने का कारण पूछा। उस महिला ने बताया कि उसका भतीजा कत्ल के इलज़ाम में फ़ँसा है और कल सुबह उसे फाँसी दी जाएगी। सर्वोच्च अदालत ने भी उसकी सज़ा को माफ़ नहीं किया। वह चाहती थी कि उसकी क्षमा-याचना पर सम्राट् स्वीकृति दे दें (और फाँसी की जगह आजन्म कारावास का दण्ड दे दें) ताकि वह रातोंरात घोड़े दौड़ाकर वापस पेरिस पहुँच सके।

नैपोलियन चुप रहा। थोड़ी देर बाद वह उस महिला को उस कच्चे मकान की छत पर ले गया। रात की चाँदनी में दोनों तरफ़ की सेनाएँ मोर्चा सँभाले दिन निकलने की प्रतीक्षा में पड़ी थीं। नैपोलियन ने उन पलटनों की तरफ़ इशारा करते हुए उस स्त्री से कहा, "देखो, एक तरफ़ तुम हो कि एक कातिल को बचाने आयी हो और एक तरफ़ ये सेनाएँ हैं जिन्होंने कभी कोई कसूर नहीं किया पर फिर भी इनमें से हज़ारों नौजवान कल शाम तक मर जाएँगे। लड़ाई छेड़ते वक़्त मेरा हाथ कोई क्यों नहीं रोकता? अगर तुममें से मेरे किसी भी मित्र ने मुझे रोका होता तो शायद यह खून-खराबा रोका जा सकता था। बताओ, तब कहाँ गयी थी तुम्हारी दया, तुम्हारी करुणा और तुम्हारी ममता? तुम्हें शर्म आनी चाहिए कि तुम एक गुनहगार को बचाने के लिए इतनी दूर यहाँ आयी हो।"

युवती रोने लगी और वापस उतरकर नीचे खड़ी बग्घी में बैठने लगी। वह सचमुच अपनी गलती समझ गयी थी। मगर सम्राट् नैपोलियन ने उस स्त्री के हाथ से क्षमा-याचना छीनी और उसके भतीजे की सज़ा को बदल दिया।

(बालज़क)

मेरी पहाड़ी यात्राएँ

मुझे यात्रा करने का इतना शौक है कि यदि मैं पाँच या छह शताब्दी पहले पैदा हुआ होता तो मेरी गिनती इब्नबतूता, फाह्यान, इत्सिंग व हुएनसांग जैसे यात्रियों के साथ हुई होती। दुर्भाग्य देखिए कि मेरे माता-पिता ने अपनी शादी ही बीसवीं शताब्दी में की जिसके कारण मैं पहले पैदा नहीं हो सका। इस कटु सत्य पर शोक प्रस्ताव पारित करने के बाद मैं अपनी उन यात्राओं की चर्चा करना चाहूँगा जो कि मैंने पहाड़ी क्षेत्रों में कीं। मैदानी यात्राओं की चर्चा कभी अलग से होगी। विदेशों की यात्रा का वृत्तान्त मैं तब करूँगा जबकि मैं विदेश हो आऊँगा। हिन्दी के घटिया से घटिया लेखक व पत्रकार विदेश की यात्रा करने और फिर वहाँ के संस्मरण लिखने में इतने व्यस्त हैं कि मेरे जैसे प्रथम श्रेणी के कलाकार के विदेशों को निर्यात होने की सम्भावनाएँ बहुत कम हैं। बहरहाल हिम्मते मरदाँ मददे खुदा।

राहुल सांकृत्यायन के बाद मैं शायद दूसरा हिन्दी-लेखक हूँ जो कि लद्दाख गया। यह बात दीगर है कि राहुल जी वहाँ पैदल गये थे जबकि मैं लेह तक वायुयान से गया। लेह एक छोटा-सा कस्बा है और वहाँ का हवाई अड्डा किसी काँजी हाउस की याद दिलाता है। लेह में वर्षा पूरे साल में मात्र एक इंच होती है जिसका नतीजा यह है कि वहाँ का माहौल एक रेगिस्तान जैसा है। पहाड़ भी सुनसान रेत के ढेर की भाँति खड़े हैं। कस्बे के दुकानदार विदेशी यात्रियों को तबीयत के साथ लूटते हैं। लद्दाख के कलाकार मृत व्यक्तियों की खोपड़ियों पर नाना प्रकार के चिह्न बनाते हैं और उसके बाद उन्हें विदेशियों को बेचते हैं। सर्दी की ऋतु में लेह में बेहद ठण्ड पड़ती है और चारों ओर बर्फ ही बर्फ दिखाई पड़ती है। लेह में रेडियो का केन्द्र भी है और मुझे यह बताते हुए अपार हर्ष होता है कि वहाँ के रेडियो ने मेरा साक्षात्कार लिया और बदले में मुझे सवा सौ रुपये की राशि दी। मुझे यह जानकर बड़ा गर्व हुआ कि भले ही बाकी हिन्दुस्तान में मेरी कोई विशेष साख न हो पर कम-से-कम लद्दाख के रेडियो स्टेशन ने मेरी प्रतिभा को हृदय से स्वीकार किया। रेडियो द्वारा मुझे बुलाने का एक कारण यह भी रहा कि वहाँ कोई साहित्यकार कभी जाता ही नहीं। मैं कुल मिलाकर कोई चार दिन लेह में रुका और फिर वापस चला आया।

बौद्ध मठों का भी दर्शन किया और वहाँ की युवतियों पर भी दृष्टिपात किया। यह तय करना मुश्किल रहा कि कौन-सी लड़की सबसे ज़्यादा रूपवती थी।

लद्दाख के बाद मैं कश्मीर में उतरता हूँ। कश्मीर नदियों, झीलों और वनों का देश है। डल झील तो वाकई इतनी सुन्दर है कि उसमें डूबकर आत्महत्या करने की इच्छा होती है। डल झील पर हाउसबोट रहती हैं जिनमें समृद्ध टूरिस्ट निवास करते हैं। नंगे पर्वतों की पृष्ठभूमि में शानदार शाही बागबान हैं जिन्हें कभी जहाँगीर और नूरजहाँ ने लगवाया था। यह सब सामान श्रीनगर में है जो कि प्रदेश की राजधानी है। श्रीनगर नाम का यह नगर झेलम नदी के दोनों तटों पर बसा है। झेलम पर सात पुल हैं जो नगर के एक भाग को दूसरे भाग से जोड़ते हैं। पुराना शहर काफ़ी गन्दा है। शहर में शहंशाह अकबर का बनवाया हुआ शानदार क़िला है और शंकराचार्य का एक मन्दिर है जो काफ़ी ऊँचाई पर स्थित है। सीढ़ियाँ चढ़ते-चढ़ते यात्री जो है वह आत्मा और परमात्मा का भेद सचमुच भूल जाता है। श्रीनगर को केन्द्र बनाकर यात्री लोग, गुलमर्ग, खिलेनमर्ग़, पहलगाम व सोनमर्ग जाते हैं। कश्मीर क्योंकि शेष भारतवर्ष से ज़्यादा सुन्दर है, इसी कारण भारत के संविधान में उसको एक अलग अनुच्छेद के द्वारा सुरक्षित रखा गया है। वहाँ का रेडियो भी 'ऑल इण्डिया रेडियो' नहीं कहलाता! वह 'जम्मू-कश्मीर रेडियो' के नाम से पुकारा जाता है। कश्मीर में मैंने पहली बार केसर के खेत देखे।

कश्मीर के प्राकृतिक सौन्दर्य से प्रेरणा पाकर यहाँ के निवासियों में कला और सौन्दर्य के प्रति विशिष्ट आकर्षण है। यहाँ की रेशमी या ऊनी शाल, यहाँ के शानदार कालीन और अखरोट की लकड़ी के निहायत ख़ूबसूरत सामान, वे चीज़ें हैं जो कि यात्री लोग खरीदते हैं और बतौर यादगार अपने साथ ले जाते हैं। कला को ताज़ा रखने के लिए सौदागर लोग इस बात का पूरा-पूरा ख़याल रखते हैं कि वे खुद चाहे कितना ही नफ़ा क्यों न कमाएँ, असली काम करनेवाला जो कलाकार होता है, उसे हमेशा ग़रीब ही रखा जाए। महाकवि सुमित्रानन्दन पन्त जब आर्थिक कठिनाइयों से घिरे थे, तब उन्होंने उत्कृष्ट काव्य लिखे। जैसे ही उन्हें 'ज्ञानपीठ पुरस्कार' (व रहने के लिए बँगला) मिला, उन्होंने 'लोकनायक' लिखकर अपनी मिट्टी पलीद कर डाली।

मैंने ऊपर लिखा है कि डल झील इतनी सुन्दर है कि उसे देखकर यह इच्छा होती है कि उसमें डूबकर आत्महत्या की जाए। मैं किसी हद तक गलती पर था। फ़िलहाल डल झील में इतनी सेवार उग आयी है कि आप चाहते हुए भी आत्महत्या नहीं कर सकते। डल झील की गन्दगी दूर करने के लिए कई करोड़ रुपयों की योजना बनायी जा रही है। अगर यह योजना सफल हो गयी तो डल झील साफ़ हो जाएगी और उसकी सारी गन्दगी मन्त्रियों और अफ़सरों के घरों में चली जाएगी।

कुलू व काँगड़ा की घाटियाँ कश्मीर से भी शायद ज़्यादा ख़ूबसूरत हैं। कालिदास ने 'अस्त्युत्तरस्यां दिशि देवतात्मा हिमालयो नाम नगाधिराजः' कहकर 'कुमारसम्भव' में

जिस महान् पर्वत की प्रशंसा की है, उसका सच्चा सौन्दर्य शायद कुलू व काँगड़ा में ही दिखाई पड़ता है। मैं कुलू तो नहीं जा पाया मगर काँगड़ा की मैंने कई बार सैर की। एक बार डलहौज़ी गया और दूसरी बार योल। डलहौज़ी समुद्र तट से लगभग सात हज़ार फ़ीट की ऊँचाई पर है। भारत के गवर्नर जनरल लार्ड डलहौजी इस स्थान पर तपेदिक के रोगियों के लिए एक सैनेटोरियम खोलना चाहते थे। मुझे पता नहीं कि वे वैसा किन कारणों से नहीं कर पाये क्योंकि व्यक्तिगत रूप से मैं उनसे कभी नहीं मिला। डलहौज़ी के पास ही एक सुन्दर स्थान है—खजिहार। इसे काँगड़ा का गुलमर्ग कहा जाता है। योल में एक नया आश्रम बना है जहाँ पर हनुमानजी की इतनी विशाल प्रतिमा है कि हमारी और आपकी तो बात ही क्या, यदि हनुमान जी भी स्वयं उसे देख लेते तो मूर्च्छित हो जाते। मैं हनुमान जी का बड़ा भक्त हूँ और मेरी पत्नी के विचार में मेरी शक्ल-सूरत भी उनसे काफ़ी मेल खाती है। मुझे इस विशाल प्रतिमा को देखकर हार्दिक व शारीरिक हर्ष हुआ। हर्ष की चर्चा क्या चली कि मुझे हर्षवर्धन की याद आने लगी जिसने 'नागानन्द' नाटक लिखा था। जीमूतवाहन और कुमारी मलयवती की प्रणयकथा आपको योल और डलहौज़ी से भी ज़्यादा सुन्दर लगेगी।

शिमला मैं तब गया था जबकि जनरल कैण्डेथ पश्चिमी कमान के सेनापति थे और मैं पश्चिमी कमान का संयुक्त रक्षा लेखा नियन्त्रक था। सात हज़ार फ़ीट की ऊँचाई पर बसा हुआ शिमला नगर वास्तव में सुन्दर है। कालका से छोटी लाइन वाली रेल चलती है और सौ से ऊपर सुरंगें पार करके शिमला पहुँचती है। अँगरेज़ी ज़माने में गर्मी के दिनों में केन्द्रीय सरकार दिल्ली से शिमला आती थी। मगर आज़ादी के बाद वे मज़े ख़त्म हो गये। शिमला में एक स्थान ऐसा है जिसे अभी भी 'स्कैण डल पाइण्ट' के दिलचस्प नाम से पुकारा जाता है। उन्नीस सौ आठ में छपे रेलवे के गज़ेटियर के अनुसार शिमला कलकत्ता से ग्यारह सौ पैंतीस मील दूर था और तीसरे दर्जे का किराया चौदह रुपये था। दूरी अभी भी शायद उतनी ही है, किराया बदल गया है—यह दीगर बात है। शिमला के पास ही कसौली है, जो एक देखने लायक जगह है। वहाँ जिस डाकबँगले में मैं ठहरा, वहाँ ड्राइंगरूम में कालीन नहीं था। बैरे ने बताया कि एक शालीन महिला उस कालीन को उठाकर अपने साथ ले गयी थीं। क्योंकि वे एक बड़े अफ़सर की बीवी थीं, किसी ने भी उन्हें वैसा करने से नहीं रोका। दिल चुरानेवाली मेम साहब तो सुनी थीं मगर कालीन चुरानेवाली मेम साहब के बारे में यह जानकारी पहली बार ही मिली।

मसूरी को 'पर्वतों की रानी' कहकर पुकरा जाता है और इसका असली कारण यह है कि यह देहरादून से एकदम पास है और देहरादून में खाकसार की कोठी है। मुहम्मद अली जिन्ना और डॉ. तारकनाथ झा अपनी गर्मियाँ मसूरी में ही गुज़ारते थे। पण्डित नेहरू ने काफ़ी वक़्त देहरादून की जेल में गुज़ारा था। बच्चन ने अपनी

आत्मकथा में लिखा है कि वे भी एक बार अपनी पत्नी के साथ मसूरी में डॉ. अमरनाथ झा की कॉटेज में ठहरे थे मगर झा साहब के कड़े अनुशासन के कारण उन्होंने मसूरी छोड़ना ही बेहतर समझा था। देहरादून के पास टिहरी की राजधानी नरेन्द्रनगर है जो काफ़ी सुन्दर और सुनसान है। देहरादून से रात को दिल्ली के लिए एक गाड़ी चलती है जो 'मसूरी एक्सप्रेस' कहलाती है। यह गाड़ी सुबह छः बजे के करीब दिल्ली पहुँचती है। गाज़ियाबाद से शाहदरा के बीच सैकड़ों आदमी और औरतें नित्यकर्म से निबटने के लिए बैठे दिखाई पड़ते हैं। श्रीलाल शुक्ल के शब्दों में सारे देश में शिवपालगंज ही तो फैला हुआ है। शानदार मसूरी देखने के बाद इन ग़रीब लोगों को इस पोज में देखना विदेशी यात्रियों को काफ़ी अच्छा लगता है। एक विदेशी पत्रकार ने तो इस स्थिति का फ़ायदा उठाने के लिए अपने कैमरे का भी प्रयोग किया। मैंने उसे रोकने की कोशिश भी की मगर वह बेकार गयी।

लैंसडाउन एक ऐसा उपेक्षित कस्बा है जो कि अपनी शान्ति व सुन्दरता में एक श्रेष्ठ हिल-स्टेशन है। भारत के वायसराय लार्ड लैंसडाउन यहाँ शिकार खेलने आया करते थे। पानी की भयंकर कमी के कारण इस स्थान का विकास नहीं हो पाया। कोटद्वार तक रेल जाती है और उसके बाद बस की यात्रा शुरू होती है। लैंसडाउन इतना छोटा कस्बा है कि यदि कोई नया आदमी पहुँचता है तो सारे कस्बे को उसकी ख़बर मिल जाती है। 'गढ़वाल राइफ़ल्स' का केन्द्र यहीं है। 'आफ़िसर्स मेस' में बहादुर जवानों को मिले अनेक विक्टोरिया क्रॉस वहाँ टँगे हैं। माल रोड पर घूमना और हिमालय की अनन्त श्रेणियों को एक साथ देखना अपने आप में एक अपूर्व अनुभव है। सड़क के दोनों ओर बाँझ के वृक्ष हैं और काफल की झाड़ियाँ हैं। काफल खाने में स्वादिष्ट है पर ज़्यादा खा लेने पर 'चिरकनी' के दीवान की याद दिलाने लगता है। लैंसडाउन से जो सड़क आगे पौढ़ी और उत्तरकाशी वगैरह को जाती है, उसी जगह पर थोड़ी ही दूर झेरिखाल नाम का स्थान है, जहाँ एक डिग्री कॉलेज है। मैं सपरिवार कॉलेज के लॉन पर बैठा था कि एक शालीन सज्जन आये और मेरा परिचय पूछने लगे। मेरा नाम सुनकर वे बड़े प्रसन्न हुए क्योंकि उन्होंने मेरी रचनाओं को पहले पढ़ा था। डॉक्टर पार्थसारथि डबराल व श्री योगेश पान्थरी ने मेरे सम्मान में लैंसडाउन में एक साहित्यिक गोष्ठी का आयोजन किया। मैं गद्गद हो गया। उस दिन के बाद मेरी निजी पत्नी भी मुझे एक लेखक स्वीकार करने लगी। यशः प्रार्थी कविः। उस दुर्घटना के बाद मैं लैंसडाउन कई बार गया।

कुमायूँ की पहाड़ियों में वे स्थान हैं, जहाँ सुल्ताना डाकू (उर्फ़ शेरे बिजनौर) और जिम कार्बेट ने इतना यश कमाया! जिम कार्बेट चीते का शिकार करता था और सुलताना डाकू सेठों की जान लेता था। जिम कार्बेट की यादगार में सरकार ने रामनगर की दिशा में एक विशाल पार्क बनवाया है जिसका नाम 'जिम कार्बेट पार्क' है। रात को मचान पर बैठकर आप पार्क में घूमते शेरों और बघेरों को उतनी ही

सरलता से देख सकते हैं जैसे कि महानगरों में आप नटवरलाल किस्म के इंसानों को दिन में देखते हैं। सच्ची बात तो यह है कि बहुत-सी बातों में ये खूँख्वार जानवर आदमी से बेहतर हैं। सुलताना अपने ज़माने का इतना चालाक डाकू था कि उसको पकड़ने के लिए स्कॉटलैण्ड यार्ड से मिस्टर यंग नामक पुलिस अधिकारी को भारत बुलवाया गया था। जिम कार्बेट की लिखी 'माई इण्डिया' नामक पुस्तक में सुलताना को भारत का 'राबिनहुड' बताया गया है जो कि शायद ग़लत है। सुलताना के बाद बिजनौर में जो दूसरा बड़ा डाकू हुआ वह कृपालसिंह त्यागी था। सुलताना की तरह उसे भी अन्त में चलकर फ़ासी दी गयी। मेरा दृढ़ विचार है कि यदि मैं लेखक न बनता तो एक शानदार डाकू ज़रूर बन सकता था। चोरी तो मैं साहित्य में भी करता हूँ पर वह एक दीगर बात है। वैदिकी हिंसा हिंसा न भवति।

कुमायूँ की पहाड़ियाँ सौन्दर्य से भरी पड़ी हैं। पहले आप नैनीताल जाते हैं, फिर भुवाली जाते हैं और फिर रानीखेत, अल्मोड़ा और कौसानी जाते हैं, जहाँ कि स्वर्ण कवि सुमित्रानन्दन पन्त का जन्म हुआ था। कितने सन्तोष की बात है कि पन्तजी के पैतृक घर में आजकल एक बूचड़खाना बना हुआ है। इतना सौभाग्य हिन्दी के कितने कवियों को मिला।

मैं नैनीताल और रानीखेत से आगे कभी नहीं गया। रानीखेत मैं कई बार गया हूँ और मेरे विचार में उससे ज़्यादा सुन्दर हिल स्टेशन कोई नहीं है। चीड़ के अनन्त वन, बर्फ़ की चोटियों वाले पहाड़ और चारों दिशाओं में बिखरा हुआ सदाबहार वसन्त। रानीखेत के बरख़िलाफ़ नैनीताल एक पहाड़ी नगर है जहाँ पहाड़ों पर कनॉट प्लेस या चौरंगी का जेबी संस्करण देखने को मिलता है। नैनीताल की सुन्दर झील, पाल उड़ाती नावें, झील के साथ-साथ चलती माल रोड और शानदार बाज़ार आपको एक दूसरी ही दुनिया में ले जाते हैं। जहाँ तक मेरा प्रश्न है, मैं नैनीताल की यात्रा को नैनीताल से भी ज़्यादा सुन्दर समझता हूँ। स्टीवेंसन के शब्दों में चलते जाना पहुँच जाने की अपेक्षा ज़्यादा सुन्दर होता है। अँगरेज़ी ज़माने में संयुक्त प्रान्त की सरकार गर्मियों में नैनीताल चली जाती थी। आज़ादी के बाद ये मज़े ख़त्म हो गये। अब तो स्थिति यह है कि नैनीताल से चलकर लोग लखनऊ देखने आते हैं। देश वाकई गाँधीजी से आगे निकल गया।

कुमायूँ के हिल स्टेशनों के बाद मैं दार्जिलिंग की चर्चा करूँगा। बीच में नेपाल के आ जाने के कारण कोई पर्वतीय नगर हमारे देश में नहीं है। दार्जिलिंग मैं लगभग बीस वर्ष पहले अपनी पत्नी के साथ गया था। बच्चों को साथ नहीं ले गया था जिसका एक कारण यह भी था, उन दिनों मेरे बच्चे थे ही नहीं। दार्जिलिंग भी समुद्रतट से सात हज़ार फ़ीट की ऊँचाई पर स्थित है और यहाँ का प्रमुख आकर्षण कंचनजंघा की बर्फ़ लदी चोटियाँ हैं जो अट्ठाईस हज़ार फ़ीट से भी ज़्यादा ऊँची हैं। नगर में हर स्थान से कंचनजंघा चमकती है। जितना चाहो उतना देख लो और

बाकी दूसरों के लिए छोड़ दो। सिलीगुड़ी से छोटी लाइन वाली रेलगाड़ी दो किश्तों में चलती है और कुछ घण्टों के भीतर आपको दार्जिलिंग पहुँचा देती है। दार्जिलिंग में मैं 'जलपहाड़' नामक एक स्थान पर ठहरा था और वहाँ से एक दिन रात के चार या पाँच बजे 'टाइगर हिल' गया था जहाँ से सूर्योदय के समय माउण्ट एवरेस्ट एकदम साफ़ दिखाई देता है। सिलीगुड़ी से दार्जिलिंग जाते हुए आप चाय के सुन्दर बागान देखते हैं और कुर्स्यांग व तिनधरिया जैसे सुन्दर स्टेशनों पर चाय पीते हैं। रास्ते में 'घूम' नाम का एक स्टेशन पड़ता है जो कि संसार का सबसे ऊँचा रेलवे स्टेशन माना जाता रहा।

जिन दिनों मैं शिलांग गया था, उन दिनों वह आसाम की राजधानी होता था। पटना से 'रेल-कम-रोड-कम-स्टीमर' टिकट मिलता था। पहले स्टीमर से पटना में गंगा पार की और फिर सोनपुर से रेल पकड़ी। उन दिनों रेल आमिनगाँव तक ही जाती थी जहाँ ब्रह्मपुत्र पार करने के लिए आपको फिर स्टीमर पर सवार होना पड़ता था। ब्रह्मपुत्र पार करने के बाद आपको रेलवे की तरफ़ से मोटर मिलती थी जो आपको शिलांग तक पहुँचाती थी।

शिलांग एक नितान्त सुन्दर स्थान है। यह खासी और जयन्तिया की पहाड़ियों पर बसा है। शिलांग से थोड़ी ही दूर चेरापूँजी है जहाँ संसार में सबसे ज़्यादा वर्षा होती है। सन् अठारह सौ इकसठ में यहाँ लगभग एक हज़ार इंच पानी पड़ा था। शिलांग की यात्रा मुझे अपने अन्तिम समय तक याद रहेगी क्योंकि वहीं मेरी ग़ैरहाज़िरी में एक चोर ने डाकबँगले में चोरी की थी। चोर भी विचित्र किस्म का आदमी था। मेरे सारे ऊनी सूट और पत्नी की साड़ियों को उसने बिल्कुल नहीं छुआ। वह सौ रुपये, एक बॉक्स कैमरा, एक कंघा और एक ब्रिलक्रीम की शीशी ही लेकर चला गया। एक एंग्लो इण्डियन ब्रिगेडियर थे जिनके कहने पर मैं उनके साथ पुलिस स्टेशन गया और सारी वारदात की रिपोर्ट लिखवाई। पुलिस ने बड़ी तत्परता से काम किया और चोर को पकड़ लिया। रुपयों को छोड़कर, बाकी सारा सामान भी बरामद हो गया। इसके बाद जब मुक़दमा चलने को हुआ तो पता चला कि मेरा कैमरा जो पुलिस ने चोर के घर से बरामद किया था, वह अदालत में मालखाने से किसी ने गायब कर दिया था। न्यायपालिका की स्वतन्त्रता में आप दखल नहीं डाल सकते।

मैंने यह विवरण लेह से प्रारम्भ किया था जहाँ कि वर्ष भर में मात्र एक इंच वर्षा होती है और इस विवरण को मैं खासी और जयन्तिया हिल्स तक ले आया जहाँ कि वर्ष में एक हज़ार इंच वर्षा होती है। रचना को यहीं समाप्त करता हूँ। मगर रचना को समाप्त करने से पहले मैं वह करूँगा जो कि डॉ. रामविलास शर्मा करते हैं। वे अच्छी-खासी रोमाण्टिक कविता लिखेंगे मगर रचना के अन्त में शोषण, ग़रीबी और भुखमरी आदि की चर्चा ज़रूर करेंगे ताकि रचना 'प्रगतिशील' कही जा सके। उन्हीं की भाँति मैं भी कहना चाहूँगा कि सारे पर्वतीय स्थान ऐसे हैं कि जहाँ

बाहर से लोग बढ़िया कपड़ों में और क़ीमती साड़ियों में आते हैं, क़ीमती शराब पीते हैं और मालरोड पर सिगार जलाकर घूमते हैं जबकि पहाड़ों के जो सच्चे और असली निवासी हैं वे बेचारे फटे कपड़े पहनते हैं, कुलीगीरी करते हैं और मोटी मेमसाहब को रिक्शा में बिठाकर जानवर की तरह भागते हैं। क्या वह दिन कभी नहीं आएगा जबकि पहाड़ी लोगों की हालत बदलेगी? क्या वह दिन भी कभी नहीं आएगा जबकि वहाँ के बूढ़े करीगरों व युवा लड़कियों का शोषण ख़त्म होगा?

सम्पादक के नाम एक पत्र

प्रिय सम्पादकजी,

मैंने अपने इस क्षणभंगुर जीवन में किसी सम्पादक के नाम कभी कोई पत्र नहीं लिखा। मगर जब से 'धर्मयुग' में बच्चनजी द्वारा लिखित 'पन्तजी का मुक़दमा' वाला संस्मरण पढ़ा है, मैं तभी से बेहद बेचैन हूँ। कवि के शब्दों में स्थिति ठीक वही हो गयी कि "डालें पलाश की फूट पड़ीं, प्रिय छूट गया धीरज मेरा।"

बच्चन के इस संस्मरण से मुझे गहरा दुःख पहुँचा है, जिसके कारण इस प्रकार हैं:

(अ) पन्तजी की मृत्यु के बाद ऐसे संस्मरण का लिखना और छपना बहुत ग़लत है क्योंकि अपना पक्ष पाठकों के सामने रखने के लिए पन्तजी हमारे बीच नहीं हैं। कानून का एक सर्वमान्य सिद्धान्त है, जो 'नेचुरल जस्टिस' कहलाता है। इस सिद्धान्त की पहली शर्त यह है कि अपनी स्थिति स्पष्ट करने के लिए प्रत्येक पक्ष को पूरा-पूरा अवसर दिया जाए। बच्चनजी ने शायद इस पहलू पर ग़ौर नहीं किया। यहाँ मैं स्पष्ट कर दूँ, बच्चनजी ने अपनी आत्मकथा का एक खण्ड मुझे भिजवाया था, जिसमें उन्होंने पण्डित वाचस्पति पाठक को काफ़ी बेइज़्ज़त किया था। हालाँकि पाठक जी मेरे नितान्त आत्मीय थे (और उन्होंने मेरा सर्वप्रथम कविता संग्रह 'भारती भण्डार' से छापा था जबकि मैं प्रसाद, निराला या पन्त—इन तीनों में से कोई भी नहीं था) पर फिर भी सारे प्रसंग को पढ़ने से मुझे कोई दुःख नहीं हुआ क्योंकि पाठकजी जीवित थे, स्वस्थ थे और चाहते तो वह अपना बचाव कर सकते थे। यह स्थिति पन्तजी के साथ नहीं है:

(ब) सारी गलती पन्तजी की ही हो, ऐसी बात नहीं है। बच्चनजी ने भी तो ज़िद की कि सारे पत्र बिना किसी काट-छाँट के छपवाये जाएँ। बच्चनजी पत्रों पर सेंसर लगाने के पक्ष में नहीं हैं। इस सन्दर्भ में मैं केवल इतना कहना चाहूँगा कि बच्चनजी के खाकसार को लिखे कम-से-कम एक या दो ऐसे पत्र मेरे पास अभी भी हैं जिन्हें 'धर्मयुग' कभी नहीं छाप सकता। अगर छापेगा तो बच्चनजी और आप पर मानहानि का मुक़दमा चलेगा। मैं (शायद) बच जाऊँ पर वह एक दीगर बात है:

(स) बच्चनजी पन्तजी का बड़ा आदर करते थे। अपनी आत्मकथा में पन्तजी

के साथ एक ही मकान में रहने के सन्दर्भ में बच्चनजी ने खुद लिखा है कि पन्तजी जैसे बड़े कवि के साथ रहने का सौभाग्य दुनिया में कितनों को मिलता है? बच्चनजी यह जानते थे कि तमाम यश और उपलब्धियों के बाद भी पन्तजी अपने जीवन में कितने अकेले थे। (एकाकीपन का अन्धकार: दुःसह है इसका मूक भार) ओंकारनाथ श्रीवास्तव के सामने पन्तजी द्वारा अपना गहन दुःख और पश्चात्ताप प्रकट किये जाने के बाद तो कुछ ऐसा बचता ही नहीं था जिसको लेकर बच्चनजी दुखी रहते या पन्तजी के प्रति कोई क्रोध रखते। अगर उनकी जगह मैं होता तो अगली गाड़ी से प्रयाग जाता और पन्तजी के कन्धे पर सिर रखकर कहता कि 'बिसरा दो, माना थी मेरी नादानी।' (वैसे नादानी चाहे पूरी तरह पन्तजी की ही होती) और भी कुछ नहीं तो कम-से-कम आयु में ही पन्तजी बच्चनजी से बड़े थे।

ऊपर लिखी सारी बातें ध्यान में रखते हुए मैं बच्चनजी से करबद्ध प्रार्थना करूँगा कि वे इस संस्मरण को अपनी पुस्तक में कोई स्थान न दें। यदि जल्दी में यह प्रसंग किताब में शामिल हो भी गया हो तो उसे पुस्तक के दूसरे संस्करण के समय निकाल दें। यह मात्र मेरी ही नहीं वरन् हज़ारों-लाखों हिन्दी-प्रेमियों की इच्छा होगी कि भावी पीढ़ियों को कभी भी इस बात का पता न लगे कि हिन्दी की इन दो महान् विभूतियों के बीच कभी कोई दरार पड़ी थी।

पत्र समाप्त करने से पहले एक छोटी-सी घटना का ज़िक्र और करूँगा, अख़बारों में पन्त और बच्चन के मुक़दमे का समाचार पढ़कर मैंने भी मौके का फ़ायदा उठाया और हास्य-व्यंग्य की एक रचना लिखी, जिसकी शीर्षक था 'पन्त के दो सौ पत्र बच्चन के नाम'। यह रचना पहले 'नयी कहानियाँ' में छपी और फिर मेरी 'देवदार के पेड़' नामक पुस्तक में संकलित की गयी। पुस्तक की एक प्रति पन्तजी को देने जब मैं उनके निवास पर गया तो वे बड़े प्रसन्न हुए। वे मेरी हास्य-व्यंग्य की रचनाओं के 'फ़ैन' थे और बराबर मुझे शाबाशी देते रहते थे। पुस्तक को खोलकर उन्होंने रचनाओं की सूची पढ़नी शुरू की और जैसे ही उन्होंने उपर्युक्त रचना का नाम पढ़ा, वे सहसा उदास हो गये। उनका चेहरा उतर गया। मैं कुछ भी नहीं समझ सका और वापस चला आया।

डॉ. धर्मवीर भारती	भवदीय
सम्पादक—'धर्मयुग'	रवीन्द्रनाथ त्यागी
टाइम्स ऑफ़ इण्डिया प्रेस	10-7-1985
बम्बई	

प्रसंगवश
(कुछ संस्मरण)

एक

मैं पश्चिमी उत्तर-प्रदेश के बिजनौर ज़िले का निवासी हूँ। इस ज़िले की एक दिशा में हिमालय की पहाड़ियाँ हैं और गढ़वाल तथा नैनीताल के ज़िले हैं और बाकी दिशाओं में गंगा बहती है। न जाने कितनी 'क्षुद्र' नदियाँ हैं जो वर्षा होते ही 'भरि चलि उतराई' की मुद्रा में आ जाती हैं और फिर भी एक तहसील ऐसी है जहाँ रेत-ही-रेत है। रेत वाले इस प्रदेश में कभी इतने भेड़िये थे कि मेरी बहन के गाँव से लगा दूसरा गाँव अभी तक 'भेड़िया खेड़ा' नाम धारण करता है। ख़ैर, उतने भेड़िये तो अब नहीं रहे जितने कि पहले थे पर फिर भी मेरा ज़िला भेड़ियों से पूरी तरह मुक्त अभी भी नहीं हुआ है। बहरहाल!

जब मैं कोई पन्द्रह वर्ष का लड़का था तो अपने गाँव जा रहा था। इत्तफ़ाक से उस दिन पगडण्डी खाली थी और मैं जो था वह फ़ाह्यान या इत्सिंग की भाँति अकेला यात्री था। कुछ दूर चलने पर मुझे लगा कि मेरे पीछे कोई आ रहा है। घूमकर देखा तो एक बड़ा कुत्ता था जो मेरी ही पगडण्डी का प्रयोग कर रहा था। थोड़ी दूरी तय करने के बाद हम दोनों एक ऐसे स्थान पर आ गये कि पगडण्डी के दोनों तरफ़ गन्ने के ऊँचे-ऊँचे पेड़ खड़े थे और सारा माहौल बड़ा डरावना था। कोई आधा मील मैं और वह कुत्ता साथ-साथ पगडण्डी पर चलते रहे। थोड़ी दूर बाद सामने की दिशा से कुछ जुलाहे आ रहे थे। मेरे पास पहुँचते ही उन्होंने समवेत स्वर में चिल्लाना शुरू कर दिया कि भैया, तुम्हारे पीछे तो भेड़िया लगा है। मैं रुक गया और उस कुत्ते को देखने लगा। मैंने देखा कि वह बहुत बड़े कुत्ते के साइज़ का था। उसका जबड़ा ख़ूब चौड़ा था और उसकी पूँछ ऊपर को मुड़ी हुई नहीं थी। वह सचमुच भेड़िया ही था। हम लोगों को देखकर भेड़िया गन्ने के एक खेत में घुस गया। जुलाहों ने मुझे बताया कि भेड़िये ने मुझ पर हमला शायद इस कारण नहीं किया कि उसका पेट भरा था। बाकी रास्ता मैंने बड़े डरते-डरते काटा।

वह दिन है और आज का दिन है, मैं सारे जानवरों को (जिनमें इंसान भी शामिल है) बड़े संशय की भावना से देखता हूँ। पता नहीं इनमें से कौन भेड़िया कब निकल आये।

दो

जब मैं बच्चा था तो मेरे पिताजी मुझे एक किस्सा सुनाया करते थे जो कि शत-प्रतिशत सच्चा था। हमारे इलाके में एक बहुत बड़े रईस थे जो लम्बी-लम्बी ऐंठी हुई मूँछें रखते थे और ऊपर से पगड़ी बाँधते थे। वे एक बार गवर्नर से मिलने लखनऊ गये। इन्होंने उस दिन ख़ूब शृंगार किया और मूँछों पर मोम लगाकर उन्हें तीखा बनाकर ऊपर की दिशा में ऐंठ लिया। गवर्नर कुछ व्यस्त था और इन्हें कोई आधा घण्टा उनके 'वेटिंग रूम' में बैठना पड़ा। गर्मी के दिन थे और कमरे में हवा आने का कोई और साधन भी नहीं था। रईस साहब को पसीना आने लगा और मूँछों की मोम भी पिघलने लगी। बहरहाल, स्थिति यह रही कि जब वे गवर्नर से मिले तो उनकी एक मूँछ काफ़ी नुकीले ढंग से ऊपर की दिशा में तनी थी, जबकि दूसरी मूँछ मोम पिघल जाने के कारण नीचे गिरी हुई थी। गवर्नर ने उनका हुलिया देखा तो उसे ख़ूब हँसी आयी।

रईस जो थे वे सरल स्वभाव के व्यक्ति थे; उन्होंने यह घटना बाकी दोस्तों को खुद ही सुनाई थी।

तीन

मेरे ज़िले में एक डिपुटी कलक्टर रहते थे, जिनका नाम था ठाकुर हरपाल सिंह। बहुत सख़्त, ईमानदार, कुशल और कुलीन व्यक्ति थे। उनमें बस एक कमी थी और वह कमी यह थी कि जब तक कोई उन्हें 'हुजूर' कहकर नहीं पुकारता था, तब तक वे क्रोध में ही रहते थे।

एक बार वे हमारे इलाके में आये और कस्बे के बाद नदी के तट पर बने डाकबँगले में ठहरे। हमारे कस्बे के एक बड़े जागीरदार उनके पास गये और अपनी परेशानियाँ बतायीं। डिपुटी साहब ने सब कुछ सुना मगर उनकी बात नहीं मानी।

बातें करने के बाद जब वे मोटर में बैठने वाले थे तभी पता नहीं कैसे, जागीरदार ने उन्हें अनायास ही 'हुजूर' कहकर पुकारा। डिपुटी साहब मोटर से नीचे उतरे और बोले कि क्या आपने मुझे 'हुजूर' कहा? जागीरदार ने इस बात की पुष्टि की। डिपुटी साहब ने कहा कि अगर यह सच है तो इसका क्या कारण था कि आपने अब तक मुझे 'हुजूर' नहीं कहा; बिना बात दो घण्टे क्यों बर्बाद किये?

इसके बाद डिपुटी साहब ने उनकी सारी परेशानियाँ सुनीं और जो कुछ भी करना

सम्भव था, वह सब कुछ किया। 'हुजूर' शब्द के प्रताप से सारी बात ही बदल गयी।

चार

मेरी पत्नी के परिवार में एक सज्जन हैं जिन्हें सब मुन्नू कहकर पुकारते हैं। वे सम्भल नाम के एक कस्बे में स्थित स्टेट बैंक के कर्मचारी थे। उन्हें किसी कारण छुट्टी लेकर घर आना पड़ा और काम समाप्त होने पर सम्भल को वापस चले। मुरादाबाद से रेल रात को चलती थी। उन्होंने भरपेट खाना खाया, बिस्तरा बिछाया और सो गये। ख़ूब सोये। इतना सोये कि सम्भल भी गुज़र गया, और न जाने कितने और स्टेशन भी निकल गये पर इनकी नींद नहीं टूटी। गाड़ी उस स्टेशन तक गयी जो उसका आख़िरी स्टेशन था। वहाँ गाड़ी की सफ़ाई हुई, इंजन दूसरी तरफ़ लगा और गाड़ी वापस लौटती हुई सुबह तक फिर मुरादाबाद आ गयी, जहाँ से वह पिछली शाम को चली थी।

सुबह हो चुकी थी। मुन्नू साहब ने बिस्तर बाँधा और कुली को बुलाया। पूछने पर पता लगा कि गाड़ी जो रुकी है वह मुरादाबाद स्टेशन पर ही रुकी है। इन्हें यह समझ में ही नहीं आया कि रात तो मुराबाबाद से चले थे और सुबह को मुरादाबाद पहुँचे तो कैसे पहुँचे। बड़े सोचने-विचारने के बाद उन्हें पता चला कि इस रहस्यवाद का रहस्य क्या था।

मुन्नू भैया के साथ यह पहला हादसा नहीं था। एक बार पहले भी वह अपनी कुम्भकर्णी निद्रा के शिकार हो चुके थे। बात यह थी कि प्रयाग स्टेशन से शाम चार बजे के करीब दो गाड़ियाँ गुज़रती हैं, एक होती है सहारनपुर पैसेंजर और दूसरी होती है जौनपुर पैसेंजर। इन्हें सहारनपुर पहुँचना था मगर ग़लत गाड़ी में बैठ जाने के कारण वे जौनपुर ही पहुँचे। रात भर यूँ पता नहीं लगा क्योंकि हमेशा की तरह ये रेल में लेटते ही सो गये थे।

पाँच

बात उन दिनों की है जब हम लोग प्रयाग विश्वविद्यालय में पढ़ते थे। बम्बई में जनसंख्या की समस्या को लेकर कुछ कार्यक्रम होने वाला था, जिसका उपराष्ट्रपति डॉ. राधाकृष्णन द्वारा उद्घाटन होना था। हम चार-पाँच मित्र थे जिन्हें विश्वविद्यालय की ओर से उस कॉन्फ्रेंस में भाग लेने के लिए बम्बई भेजा गया था। मैंने इससे पहले कभी बम्बई नहीं देखी थी। हम लोगों में से एक सज्जन ऐसे थे जिनको उर्दू शायरी का शौक था। वे शेर भी सुनाया करते थे और दाद देने में तो उनका जवाब ही नहीं था।

बम्बई में हम लोगों ने फ़िल्मी दुनिया की भी सैर की। जैसे ही अवसर प्राप्त

हुआ, हम लोगों ने स्टूडियो के चक्कर लगाने शुरू किये। एक दिन हम आर.के. स्टूडियो गये जहाँ हमने देखा कि राजकपूर और नरगिस ज़मीन पर पड़ी हुई टीन की चादर पर बैठे हुए थे। अगला शॉट लेने में कुछ देर थी और इस कारण उन लोगों ने हमें आटोग्राफ़ भी दिये और हमारे बारे में पूछताछ भी की। राजकपूर तो बहुत ही शिष्ट व्यक्ति थे। हम लोग इन चोटी के सितारों से बात कर रहे थे और इस बीच कुछ और लोग (एक्स्ट्रा वगैरह) भी वहाँ इकट्ठे हो गये। महफ़िल का-सा माहौल हो गया। पता नहीं कि सन्दर्भ क्या था कि एक व्यक्ति ने किसी उर्दू शायर का एक शेर कहा। हमारे जो शायरी के ज्ञाता साथ गये थे, उन्होंने दाद देते हुए बिना किसी संकोच के उस शेर पढ़ने वाले व्यक्ति से कहा कि वल्लाह, क्या बात है! आपने तो...के मुँह में भी...दिया। उनकी यह वाणी सुनकर सब लोग सकते में आ गये और शर्म के मारे हमारी गरदनें झुक गयीं। इसी बीच डाइरेक्टर ने अगला शॉट लेने के लिए उन लोगों को पुकारा और हम राम-राम करके स्टूडयो से बाहर निकले।

हमने अपने उस उर्दू ज्ञाता मित्र को बहुत डाँटा, बहुत डाँटा, मगर उस ग़रीब की समझ में यह कभी नहीं आया कि उसकी गलती क्या थी।

छह

केन्द्रीय सेवाओं में आने के पहले मैं कुछ दिनों योजना कमीशन में नौकर रहा। सब कुछ मिलाकर दो सौ बासठ रुपये मिलते थे। योजना कमीशन उन दिनों अकबर रोड पर शायद अलवर हाउस में था। जिस विभाग में मैं सहायक नियुक्त हुआ उसका काम योजना कमीशन के सलाहकार ई.पी. मून नाम के अंग्रेज़ देखा करते थे

मून साहिब बड़े दिलचस्प आदमी थे। आज़ादी मिलने से पहले जब वे पंजाब में कमिश्नर थे तो उन्होंने कुछ बड़े राष्ट्रीय नेताओं पर लाठीचार्ज न करने के लिए पुलिस को कड़े आदेश दिये थे। उनके इस कार्य को उनके ऊपर के अधिकारियों ने (खासकर गवर्नर व वायसराय ने) ठीक नहीं समझा और नतीजा यह रहा कि मून साहब ने इण्डियन सिविल सर्विस से त्याग-पत्र दे दिया। आज़ादी के बाद पण्डितजी व सरदार पटेल ने उनकी खोज की और उनको स्वतन्त्र भारत को सही रास्तों पर विकास करने के लिए आमन्त्रित किया। वे वापस आये, योजना कमीशन के सलाहकार रहे और बाद में उन्हें ब्रिटेन की सरकार ने 'सर' का खिताब भी दिया। मून साहिब ख़ूब काम करते थे, सही काम करते थे, और ग़रीबों के लिए उनके दिल में खास जगह थी। वे या तो अविवाहित थे या विधुर थे। जिमखाना में रहते थे, वुडहाउस पढ़ते थे और बीयर पीते थे।

योजना कमीशन के कुछ और कर्मचारी भी सिविल सर्विस की परीक्षा में बैठे थे मगर उत्तीर्ण हम दो ही हुए: एक मैं और एक मेरे मित्र रामरतन गुप्त, जो अब

वित्त मन्त्रालय में शायद सचिव हैं। हम लोगों के चुने जाने पर हमने देखा कि बाकी सारे लोग रातों-रात हमारे दुश्मन बन गये। एक साहब ने तो अपने अधिकारियों को नोट सबमिट किया कि हम लोग अस्थायी हैं और यदि हमें केन्द्रीय सेवाओं में जाना है तो या तो हम लोग एक महीने का नोटिस दें और यदि यह सम्भव न हो तो एक महीने का वेतन खज़ाने में जमा कराएँ। मैं बड़ा घबराया, उन दिनों मेरी हालत बहुत तंग थी।

मैं विदा लेने के लिए सर ई.पी. मून के पास गया तो वे उठे, मुझसे हाथ मिलाया, बधाई दी और कुर्सी पर बैठने को कहा। जब मैं उठकर चलने लगा तो पता नहीं कैसे उन्हें सहसा ख़याल आया कि मुझे एक माह का नोटिस देना है या एक माह का वेतन जमा कराना है। उन्होंने चपरासी दौड़ाकर मुझे बुलाया और उपर्युक्त स्थिति के बारे में पूछा। मैं बोला कि वे चिन्ता न करें, मैं अपनी कुछ छोटी-मोटी चीज़ें बेचकर रुपया सरकार के खज़ाने में जमा करवा दूँगा। मून साहब ने कहा कि नॉनसेंस, तुम्हारी कमीज़ तक फटी है, तुम कहाँ से पैसा इकट्ठा करोगे? उन्होंने अपने वैयक्तिक सहायक को बुलाया, मेरी ओर से नोटिस पीरियड 'वेव' करने की अर्ज़ी डिक्टेट की और मुझसे दस्तख़त कराने के बाद अपने पार्कर पेन से उस पर लिखा कि "नोटिस देने वाली शर्त को मैं खलास" करता हूँ। खुशी के मारे उस दिन मैंने 'गोल्ड फ्लैक' की एक सिगरेट खरीदी।

सात

लालमोहन बनर्जी प्रयाग के एक परम प्रसिद्ध व्यक्ति थे। बिगड़े हुए रईसज़ादे। शरारत और मज़ाक़ की साक्षात् प्रतिमा। उनको सब लोग मिट्ठू बाबू कहते थे। (उनके बारे में मैं एक स्वतन्त्र लेख भी लिख चुका हूँ, जो मेरी पुस्तक 'पदयात्रा' में संकलित है।) कोई पैंतीस वर्ष की आयु में उन्होंने कानून की परीक्षा पास की, उसके बाद उनके पिता के प्रभाव से गवर्नर ने उन्हें पी.सी.एस. में मनोनीत किया मगर वह डिपुटी मैजिस्ट्रेट ज़्यादा दिनों नहीं रहे। फ़र्स्ट क्लास के डिब्बे में साथ यात्रा करती हुई अंग्रेज़ी महिला से उन्होंने छेड़खानी की और इस अपराध के लिए सरकारी नौकरी से उन्हें त्याग-पत्र देना पड़ा। इसके बाद वे सारी उम्र फ़ौजदारी के वकील रहे। मुझ पर उनकी परम दया रही।

एक दिन शाम को मुझसे कहने लगे कि आज अदालत में मज़ा आ गया। उस दिन उन्होंने दो आपत्तिजनक काम किये थे मगर अदालत की मानहानि से किसी तरह बच निकले थे। पहली घटना तो यह थी कि जब एक जज साहब किसी फ़ौजदारी के मुक़दमे में बिना बात बाल की खाल निकाल रहे थे तो ग़ुस्से में आकर मिट्ठू बाबू ने कहा था कि, मान्यवर, आपको अपराध का सिर्फ़ किताबी ज्ञान है, जबकि मैं

जो हूँ वह खुद न जाने कितने जुर्म कर चुका हूँ। मेरे अनुभव का फ़ायदा उठाइए। उनकी स्पष्ट बात सुनकर जज समेत सारी अदालत हँस पड़ी। इसके बाद वे एक और अदालत में पेश हुए जहाँ कि उनका मुक़दमा था। जज एक दक्षिण-भारतीय व्यक्ति थे और हिन्दी या उर्दू बहुत कम जानते थे। मुकदमे में कहीं 'खाक' शब्द आता था, जिसका अर्थ जज महोदय नहीं समझ पा रहे थे। मिट्ठू बाबू ने बताया कि खाक का अर्थ होता है 'ऐशेज़' यानी कि किसी जली हुई चीज़ की राख। उनके बताने पर जज साहब बात समझ गये और उन्होंने मिट्ठू बाबू को धन्यवाद दिया। धन्यवाद स्वीकार करने के बाद मिट्ठू बाबू ने जज से मुखातिब होकर कहा कि 'हुजूर, आप तो बहुत बुद्धिमान जज हैं, मैंने तो ऐसे-ऐसे जज भी देखे हैं, जो कि 'खाक' भी नहीं समझ सकते।' उनकी इस टिप्पणी पर जज के अतिरिक्त बाकी सब लोग हँस पड़े। जज साहब बेचारे 'खाक भी न समझने' वाले मुहावरे से परिचित नहीं थे।

आठ

केन्द्रीय सेवाओं में लिये जाने पर जब मैं प्रयाग में नियुक्त हुआ, तो फ़िराक़ साहब के पास मिलने गया। उन्होंने कहा कि तुम इण्डियन डिफ़ेंस एकाउण्ट्स सर्विस में आ तो गये, मगर मुझे इससे क्या? अरे भाई, गुरुदक्षिणा दो तो जानें। मैंने पूछा कि आप बताइए कि मैं आपकी क्या खिदमत करूँ? फ़िराक़ साहब बोले कि देखो, फ़ौज की 'रम' (शराब) बहुत बढ़िया होती है, छः बोतलें लाकर दो। मेरी स्थिति यह थी कि मैंने शराब पीना क्या, आज तक उसे छुआ भी नहीं। बहरहाल, मैंने फ़िराक़ साहब को रम की बोतलें लाकर दीं और यह वचन भी लिया कि भविष्य में वे ऐसी गुरुदक्षिणा नहीं माँगेंगे। फ़िराक़ साहब बहुत हँसे और फिर कभी मुझसे शराब के लिए नहीं कहा।

नौकरी में लगभग दस वर्ष रहने के बाद मेरी उनसे फिर भेंट हुई। इस बीच मैं काफ़ी मोटा हो गया था। फ़िराक़ साहब जब मिले तो पहचान न सके। मैंने कहा कि मैं रवीन्द्रनाथ त्यागी हूँ। वे तुरन्त पहचान गये, चाय मँगवायी और यह भी कहा कि देखो भाई, शराफ़त का तकाज़ा यह है कि अब तुम अपना नाम 'त्यागी' की जगह 'गुप्ता' रख लो। जितने भी लोग बैठे थे, सब-के-सब हँस पड़े।

नौ

जब मैं डिपुटी कण्ट्रोलर बनकर प्रयाग में नियुक्त हुआ, तब मैंने अपनी प्रथम पुस्तक (सूखे और हरे पत्ते) जो कविता-संग्रह थी, भारती भण्डार को प्रकाशित होने को दी। (इस सन्दर्भ में मुझे जो परेशानियाँ उठानी पड़ीं, उनका पूरा विवरण मैंने 'अपनी पहली पुस्तक' नामक व्यंग्य लेख में दिया है जो मेरी 'ऋतु वर्णन' नामक पुस्तक में

संगृहीत है।) सरकारी कर्मचारियों की आचार संहिता के अनुसार कोई भी सरकारी सेवक साहित्य, कला या विज्ञान में काम कर सकता है बशर्ते कि वह कुछ ऐसा न करे जो कि आपत्तिजनक हो या जो 'ऑफ़िशल सीक्रेट्स एक्ट' का उल्लंघन करता हो। मैंने जो कुछ किया था वह इन सारी शर्तों के भीतर था। फिर भी मैंने पुस्तक छपने की सूचना अपने सर्वोच्च अधिकारी को दी। उन दिनों जो कण्ट्रोलर जनरल थे वे निहायत दकियानूसी किस्म के नीरस व्यक्ति थे जो वैसे भी दूसरों को दुःखी देखकर खुश होते थे। उन्होंने पाण्डुलिपि माँगी ताकि विधि-मन्त्रालय से परामर्श करके वे अपनी अनुमति दे सकें। मैं समझ गया कि यदि मैं उनके बताये चक्कर में फँस गया तो किताब कम-से-कम दस वर्ष तक तो आउट होगी नहीं। इधर स्थिति यह थी कि पुस्तक छप चुकी थी और भारती भण्डार जैसे गौरवशाली प्रकाशन ने (जहाँ से अपनी पुस्तक छपाने के लिए आपको पन्त, प्रसाद या निराला होना ज़रूरी था और जो शर्त मैं पूरी नहीं करता था) उसका नाम अपने सूचीपत्र में भी दे दिया था। मैं चिन्तित हो गया और एक वकील दोस्त के पास गया।

मैंने अपने उन उच्चतम अधिकारी को उत्तर दिया कि पहले तो मेरी पुस्तक नितान्त साहित्यिक है और उसमें कुछ भी आपत्तिजनक नहीं है और इन तथ्यों को ध्यान में रखते हुए किसी अनुमति की तो कोई ज़रूरत ही नहीं है। दूसरी बात यह है कि पुस्तक छप चुकी है और पाण्डुलिपि भेजने का प्रश्न ही नहीं उठता। अन्तिम बात यह है कि बंकिम बाबू ने मैजिस्ट्रेट होते हुई भी 'आनन्दमठ' जैसा क्रान्तिकारी उपन्यास लिखा जिसमें 'वन्दे मातरम्' राष्ट्रीय गीत शामिल किया। अगर अंग्रेज़ी प्रशासन इतना उदार हो सकता था तो क्या हमारी अपनी सरकार हमारी प्रतिभा को कुचलेगी?

ऊपर लिखे पत्र का कोई उत्तर कभी नहीं आया। मेरी एक के बाद एक किताब छपती गयी। और इस दिशा में मैं अकेला नहीं था। मुझसे पहले जगदीशचन्द्र माथुर व बालकृष्ण राव (जो दोनों इण्डियन सिविल सर्विस के सदस्य थे) और मेरे समकालीनों में श्रीलाल शुक्ल, गोविन्द मिश्र व विनोद चन्द्र पाण्डेय के साथ भी यही स्थिति रही।

दस

स्वर्णकवि सुमित्रानन्दन पन्त (कवियों के सौम्य सन्त होते हुए भी) काफ़ी तीखी मज़ाक़ किया करते थे। विश्वम्भर 'मानव' ने कामायनी की टीका की तो पन्तजी ने उसे 'मानवीय टीका' कहकर सबको हँसा दिया। 'कोणार्क' नामक नाटक के मंचन के सन्दर्भ में जब यह प्रश्न उठा कि जगदीश गुप्त का क्या स्थान होगा तो पन्तजी ने कहा कि अरे भाई, वे तो कोणार्क मन्दिर के स्थान पर भी रखे जा सकते हैं। एक बार जब कुछ लोग 'अश्क' जी की कुछ निन्दा और आलोचना करने लगे तो

पन्तजी ने कहा कि ऐसा करना उचित नहीं है क्योंकि अश्कजी एक बेहद शरीफ़ इंसान हैं। जब लोगों ने बार-बार पूछा कि आपके इस फ़तवे का आधार क्या है तो पन्तजी ने काफ़ी सौजन्य के साथ कहा कि भाई कल अश्कजी मेरे पास आये थे और यह बात वे खुद ही बता रहे थे।

जब मैंने उन्हें अपने काव्यग्रन्थ 'सूखे और हरे पत्ते' के बारे में कुछ लिखने को कहा तो उन्होंने बड़ा शानदार फ्लैप मैटर लिखा। किताब जब पूरी तरह छप गयी और जब मैं उसकी एक प्रति उन्हें देने गया तो वे बड़े प्रसन्न होकर मुझसे कहने लगे कि इस पुस्तक में सूखा पत्ता कहाँ है, भाई? मुझे तो सारे पत्ते हरे ही हरे लगे। इसके बाद हम दोनों हँसे: 'आदिम राग' की कविताओं के बारे में उन्होंने कहा था कि—"बड़ी ताज़गी है आप में। बस लिखते रहिए, लिखते रहिए।"

ग्यारह

अब से लगभग बाईस-तेईस वर्ष पूर्व, जब मैं वित्त-मन्त्रालय में रक्षा-सेवाओं का सहायक वित्तीय सलाहकार था तो किसी काम से विदेश मन्त्रालय की दिशा में गया। मैं दीवार के साथ-साथ चल रहा था जो कि मेरी ग़लती थी। अचानक एक कमरे का द्वार खुला और एक छोटे कद के सफ़ेद बालों वाले, लगभग गंजे और अधेड़ व्यक्ति बाहर निकले और मुझसे टकरा गये। सुनहरी कमानी का उनका चश्मा नीचे गिर गया जो मैंने उन्हें उठाकर दिया। उन्होंने टकरा जाने के लिए खेद प्रकट किया और चश्मा उठाने के लिए मुझे धन्यवाद दिया। उनकी भद्रता के बावजूद मैं इतना अहंकारी निकला कि मैंने उन्हें भविष्य में धीरे-धीरे चलने की सलाह दी और यह भी कहा कि इस आयु में इतनी हबड़-दबड़ नहीं करनी चाहिए।

उनसे छुट्टी पाकर जब मैं आगे बढ़ा तो मैंने अपने एक मित्र (जो भारतीय विदेश सेवा के अधिकारी थे) को खड़ा देखा तो पूछा कि ये कौन हज़रत हैं जो इतनी जल्दी-जल्दी चलते हैं? पहले तो वह चुप रहा, पर फिर उसने बताया कि जिन सज्जन से मैं टकराया था, वे भारत सरकार के कैबिनेट सेक्रेटरी थे। आप लोगों को बता दूँ कि कैबिनेट सेक्रेटरी देश का सबसे बड़ा अधिकारी होता है और 'वरीयता की सूची' के अनुसार सेनाओं के अध्यक्ष भी उसके बाद में ही आते हैं। मैंने बड़े दुःखी स्वर में अपने मित्र से कहा कि यार, इतने बड़े आदमी को तो और भी सँभलकर चलना चाहिए।

बारह

मेरी ही सर्विस के एक रंगीन अधिकारी थे—हरि मेहता। उन्होंने दसों किताबें लिखीं और 'कलियाँ' नाम की किताब पर बिहार उर्दू-अकादेमी एवार्ड भी प्राप्त किया।

नौकरी में आने के बाद उन्होंने डॉक्टरेट प्राप्त की। एकदम खुला हुआ, हँसता हुआ, आपके दर्द के साथ रोता हुआ मस्त इंसान मगर उसने शायद कभी किसी की मदद नहीं की। उसे अपने से ही छुट्टी नहीं मिलती थी। बड़े दुःख की बात है कि उनकी अकाल मृत्यु हो गयी।

जब मैं रक्षा मन्त्रालय में उपसचिव था तो मेरे नीचे चार अवर सचिव काम करते थे। उनमें से एक का नाम था गुलाबानी। बड़े शालीन व कुशल अधिकारी। एक बार वे मेरे पास आये तो बड़े संकोच के साथ कहने लगे कि उनके वेतन का एक मामला है जो मेहता साहब की टेबल पर पड़ा है। आप उचित समझें तो उनसे कुछ कह दें। मैंने उन्हीं के सामने मेहता साहब को फ़ोन किया और उन्होंने अपने उसी हँसते हुए अन्दाज़ में कहा कि "यार राबिन्दर, तैने कह दिया और काम हो गया। बस अब खुश।" मैंने कहा कि याददाश्त के लिए नाम नोट कर लीजिए। नाम है गुलाबानी। मेहता बोले कि "यार, तू समझता है कि तेरे बताये नाम को मैं ज़िन्दगी में कभी भूल सकता हूँ?" मैंने फ़ोन रख दिया। गुलाबानी खुशी-खुशी चले गये।

दो दिन बाद गुलाबानी साहब मिले तो काफ़ी उदास थे। मेरे पूछने पर उन्होंने बताया कि मेहता साहब ने केस में कोई मदद नहीं की। जो कुछ नीचे से लिखा आया, उसी पर दस्तख़त कर दिये।

गुलाबानी की बात सुनकर मुझे बड़ा अजीब लगा। मैंने मेहता का फ़ोन मिलाया और पूछा कि मेरे उस सिफ़ारिशी मित्र का क्या रहा?

मेहता ने अपनी उसी हँसी के साथ कहा कि राबिन्दर, उस नाम की तो कोई फ़ाइल आयी ही नहीं।

मैंने पूछा कि क्या नाम था जो मैंने बताया था?

मेहता बोले कि 'गुलाब जामुन' ही बताया था न?

मैंने फ़ोन रख दिया। 'गुलाबानी' की जगह उन्हें 'गुलाब जामुन' याद रहा था। मैंने कभी कोई सिफ़ारिश उनके पास फिर नहीं भेजी।

तेरह

बात कोई दस वर्ष पहले की है। मैं उन दिनों रक्षा-मन्त्रालय में उपसचिव था। तीसरे वेतन आयोग की सिफ़ारिशों को (जो केवल सिविलियन कर्मचारियों के लिए ही थी) सेनाओं पर कार्यान्वित करने के बारे में हम कुछ लोग दिन-रात लगे थे।

एक दिन रक्षा सचिव के कक्ष में एक मीटिंग हुई जो कोई चार-पाँच घण्टे चली। रक्षा सचिव नितान्त सक्षम, बुद्धिमान, सेनाओं के प्रति स्नेह रखनेवाले दबंग व्यक्ति थे। देश की सारी रक्षा-सेनाओं के वित्तीय सलाहकार थे श्री अभयंकर (जो मेरी ही सर्विस के थे) जो नितान्त तार्किक, भावनाशून्य, अत्यन्त परिश्रमी और शिष्ट पुरुष

थे। उनका पद 'विशेष सचिव' का था। थल सेना के सेनाध्यक्ष बड़े शालीन, जवानों से प्रेम करने वाले, स्पष्टवक्ता और भावुक व्यक्ति थे। मीटिंग में इन महारथियों के अतिरिक्त और भी दस-पन्द्रह वरिष्ठ अधिकारी सहायता के लिए उपस्थित थे। हर आधा घण्टे के बाद चाय-कॉफ़ी और बिस्कुट सर्व किये जाते थे जिनसे थकान उतरती थी और हँसी-मज़ाक़ का अवसर भी मिल जाता था।

सारा काम ठीक चलता रहा। कुछ बातों को छोड़कर रक्षा सचिव व वित्तीय सलाहकार ने लगभग सारे प्रस्ताव स्वीकृत कर लिये और 'कैबिनेट पेपर' की रूपरेखा निश्चित की। कुछ प्रस्तावों को अस्वीकार कर दिया गया और उन पर किसी को कोई आपत्ति नहीं थी। एक प्रस्ताव ज़रूर ऐसा बाकी रहा जिस पर सेनाध्यक्ष, रक्षा सचिव व वित्तीय सलाहकार एकमत नहीं हो पाये। सेनाध्यक्ष ने स्वीकार किया कि प्रस्ताव में कुछ कमियाँ ज़रूर हैं पर कुछ विशिष्ट कारणों को ध्यान में रखते हुए उसका स्वीकार किया जाना सेना के मनोबल को ऊँचा करेगा। लगभग एक घण्टा उस एक प्रस्ताव ने ही ले लिया। वित्तीय सलाहकार की सलाह पर रक्षा सचिव ने उस प्रस्ताव को स्वीकार नहीं किया और कहा कि समय कम है और अब हम लोग बाकी मुद्दों पर विचार करें। सेनाध्यक्ष ने कई बार कहा कि इस प्रस्ताव को फिर से उदारचित्त होकर देखा जाए पर रक्षासचिव नहीं माने। धीरे-धीरे कुछ तनाव की-सी स्थिति हो गयी। स्थिति यह आ गयी कि भावुक सेनाध्यक्ष ने रक्षा सचिव से कहा कि देखिए, यह न भूलिए कि "मेरे पिता भी आई.सी.एस. थे और कभी वे भी रक्षा सचिव थे।" रक्षा सचिव ने तुरन्त हँसते हुए उत्तर दिया कि "जनरल साहब, आपके पिता का और मेरा क्या मुक़ाबला? आपके पिता को यह सौभाग्य प्राप्त था कि उनका पुत्र भारत का सेनाध्यक्ष बनेगा जब कि मेरा लड़का तो आप जैसी ऊँचाई तक कभी नहीं पहुँचेगा।"

रक्षा सचिव की इस उन्मुक्त उक्ति पर सब लोग हँस पड़े। सेनाध्यक्ष तो बहुत ही प्रसन्न हुए। उसके बाद बड़ी मुस्तैदी के साथ सब लोग बाकी प्रस्तावों पर विचार करने में संलग्न हो गये।

चौदह

शेक्सपीयर के बारे में कहा जाता है कि अपनी किशोरावस्था में वह एक जागीरदार के बगीचे से फल चुराया करता था। उसकी यह आदत कभी नहीं गयी। बड़ा होने पर उसने मार्लो के नाटक चुराये और उन्हें अपने नाम से प्रकाशित व अभिनीत किया। शेक्सपीयर की ही भाँति मैं भी पुश्तैनी चोर रहा। अपने बचपन में मैं एक जामुन के पेड़ पर से जामुन चुराया करता था। पेड़ एक ब्राह्मणी का था और जामुनें उन शाखाओं पर लगती थीं जो हमारे आँगन में आती थीं। जामुन के साथ काफ़ी कड़वी गालियाँ भी खानी पड़ती थीं। और बड़ा होने पर मैंने किताबों की चोरी शुरू

की। उसके बाद जब मैं नियमित रूप से लेखक बना तो और लेखकों की कृतियों से चोरी करने लगा। अगर तुलसीदास तक ने ऋतुवर्णन के प्रसंग 'आर्यासप्तशती' से लिये तो मुझे ही आप अपराधी क्यों समझें? कम-से-कम मैं अपने नाम से ऐसी किताबें तो नहीं छापता जो कि दूसरों की लिखी हुई हों। यह बात मैं इस कारण से कह रहा हूँ क्योंकि अलेग्ज़ेण्डर ड्यूमा प्रख्यात हो जाने के बाद अकसर ऐसा ही किया करता था। और जब मैं जवान होने लगा तो कुछ लड़कियों के दिल भी चुराये और बाद में उनसे आँखें भी चुरायीं। मगर चोरी करने की सज़ा जीवन में मुझे सिर्फ़ एक बार ही मिली। मैं पाँचवें दर्जे में पढ़ता था और उस स्कूल में पढ़ने वाले एक बड़े घर के लड़के के जूते किसी ने चुरा लिये थे। चोरी न करने पर भी स्कूल में मैं ही चोर ठहराया गया क्योंकि मैं ही एक ऐसा छात्र था जिसके पास जूते नहीं थे। मैंने स्कूल छोड़ दिया और संस्कृत पाठशाला में पढ़ने लगा। जब चोरी की तब कोई सज़ा नहीं मिली और जब चोरी नहीं की तो सज़ा मिली। ओ' हेनरी की एक कहानी भी लगभग ऐसी ही है।

चोरी के सन्दर्भ में बहुत पढ़ा, बहुत भुगता और बहुत देखा। मगर वह सब पीछे रह गया जब मैंने इटली की एक युवती स्पिनैली की कथा पढ़ी। इस रूपवती और गर्भवती लड़की ने सन् सत्तर में एक मुर्गी चुरायी थी जिसके कारण उसे तीन महीने का कठोर कारावास दिया गया था। मगर वह जेल गयी कभी नहीं। इटली के कानून के अनुसार किसी भी गर्भवती स्त्री को जेल नहीं भेजा जा सकता। अब स्थिति यह है कि सन् उन्नीस सौ सत्तर से यह प्रतिभावान् युवती लगातार गर्भवती ही चल रही है और पन्द्रह बच्चों को जन्म दे चुकी है। अब बताइए कि पुलिस करे तो क्या करे?

पन्द्रह

हिन्दी में जितने भी साहित्यकार हैं उनमें शायद बच्चनजी इतने शिष्ट हैं कि छोटे-से-छोटे व्यक्ति द्वारा लिखे पत्र का उत्तर अपने आप लिखकर देते हैं (अलबत्ता उनका हस्तलेख ऐसा तिलिस्मी है कि उसका मतलब निकालना स्वयं में एक कला है।)। बच्चनजी के कई रूप हैं। एक रूप तो वह है जिसमें वे इंग्लैण्ड से डॉक्टरेट प्राप्त करने वाले सम्भ्रान्त और शालीन विद्वान् या सरकार के कोई बहुत बड़े अधिकारी (जिसमें थोड़ी-सी स्नाबरी भी शामिल है) लगते हैं। दूसरा रूप उनका वह है जिसमें वे कवि, फक्कड़ (और कभी-कभी कुछ 'ग्राम्य' भी) व फ़कीर जैसे मुक्त होते हैं। युनिवर्सिटी में वे बेहद अनुशासन रखते थे पर एक बार जब मैं उनके निवासस्थान पर अपनी प्रारम्भिक रचनाएँ दिखाने गया तो उन्होंने इतना स्नेह दिया कि मैं कभी भूल ही नहीं सकता। दुर्भाग्य से मैंने उनका 'कविसम्मेलनी रूप' कभी नहीं देखा। वे हिन्दी के शायद पहले ऐसे कवि हैं जिनकी रचना सुनकर कई नवयुवकों ने आत्महत्या

की है। ठीक ही रहा कि मैंने उनकी कविता मंच पर से कभी नहीं सुनी।

सन् बासठ-तिरेसठ में मैं अण्डर-सेक्रेटरी था और साउथ ब्लॉक में बैठता था। अनायास याद आया कि बच्चनजी भी यहीं हैं और पास ही बैठते हैं। बस, फिर क्या था, मैंने फ़ोन मिलाया, समय निश्चित किया और उनसे भेंट की। उसके बाद मैं प्रायः उनके दफ़्तर जाया करता और उनके साथ गप्पें मारा करता।

एक दिन मेरे साढू साहब ने (जो एक बड़े इंजीनियर हैं और फ़िलहाल एक सार्वजनिक उद्योग में सर्वेसर्वा हैं) मुझे पूछा कि क्या आप वाकई बच्चनजी के दर्शन करवा सकते हैं? मैंने कहा कि चलो, आज ही चलते हैं। उस दिन बच्चनजी काफ़ी उखड़े हुए थे। उदास भी थे, खुश भी थे, फ़ार्मल भी थे और स्नेही भी थे। ऐसे क्षण सभी कलाकारों के जीवन में आते हैं। बहरहाल, उन्होंने चाय पिलाई, ख़ूब बातें की और चलते समय उन्होंने तटस्थ होकर यह भी कहा कि: "गाना न आया, बजाना न आया; दिलवर को अपने रिझाना न आया।" मेरी समझ में कुछ नहीं आया।

कुछ दिनों बाद एक साहित्यिक गोष्ठी का प्रबन्ध किया गया जो कि उन्हीं की कोठी पर होनी थी। दिल्ली के प्रायः सभी कवि मौजूद थे। अज्ञेय जी तो सारे कार्यक्रम को 'टेप' करने का प्रबन्ध भी करके आये थे। कुल मिलाकर वह गोष्ठी बहुत जमी और घण्टों तक चली।

जब मेरा नम्बर आया तो मैंने अपने ताज़े कविता संग्रह में से एक ग्रामगीत का रूपान्तर सुनाया। (यह रचना 'एक थी हिरनी' नाम से मेरी 'कल्पवृक्ष' नामक कविता पुस्तक में संगृहीत है) बड़ी करुण रचना है। मैंने एक पद पढ़ा होगा कि बच्चनजी ने सोफ़े से उतरकर और नीचे बैठकर वह अवधी का ग्रामगीत अपने मूलरूप में ही सुनाया। उनकी आवाज़ में जो दर्द था उसके कारण कविता और भी करुण हो गयी। सुनने वालों की आँखों में आँसू आ गये।

सोलह

दिल्ली में एक साहित्यिक संस्था थी 'भारती', जिसकी प्रत्येक माह एक गोष्ठी होती थी। कार्यभार चन्द्रगुप्त विद्यालंकार सँभालते थे और जहाँ तक सदस्यों का प्रश्न है, स्थिति यह थी कि मेरे जैसे छोटे लेखक भी शामिल थे और अज्ञेय, जैनेन्द्र कुमार, विष्णु प्रभाकर, लक्ष्मीनारायण लाल, रामदरश मिश्र, मनोहर श्याम जोशी, रणवीर सांग्रा, डॉ. नगेन्द्र, दिनेशनन्दिनी और शमशेर बहादुर सिंह जैसे सीनियर लोग भी थे। गोष्ठी पहले बारहखम्भा रोड पर स्थित कोठी नम्बर बारह में होती थी पर बाद में कनॉट प्लेस में स्थित 'राजपाल एण्ड संस' के दफ़्तर में होने लगी। फ़र्म के मालिक विश्वनाथ भी गोष्ठी में हिस्सा लेते थे।

एक बार जैनेन्द्रजी ने अपने नये उपन्यास का प्रथम परिच्छेद सुनाया। बड़ी

निराशा हुई। मैंने कहा कि इस कृति को तीसरे दर्जे की कृति कहना भी प्रशंसा करना होगा। जैनेन्द्रजी पर कोई असर नहीं पड़ा। सबकी बातें सुनकर उन्होंने यही कहा कि अच्छा, इसे मैं फिर से लिखूँगा।

एक बार रामदरश मिश्र ने अपने उपन्यास का एक अंश सुनाया—निहायत लिजलिजा, अतिभावुक व सस्ते टाइप का। जब सब लोगों की राय माँगी गयी तो सबने यही कहा कि उपन्यास 'अधकचरा' है, इसे आप फिर से लिखें। जब मेरा नम्बर आया तो मैंने निर्भीक मुद्रा में साफ़-साफ़ कहा कि ये लोग सभ्य और शिष्ट हैं जो आपके बारे में ऐसी सलाह दे रहे हैं। असलियत यह है कि उपन्यास 'अधकचरा' नहीं वरन् 'कचरा' है। इसे दुबारा लिखने के बजाय इसे नष्ट करना कहीं ज़्यादा श्रेयस्कर होगा। सब लोग हँस पड़े। रामदरश मिश्र सबसे ज़्यादा हँसे।

ऐसा नहीं था कि हम लोग एक-दूसरे की ही आलोचना करते थे। जब ज़रूरत पड़ती थी तो सब लोग अपनी समीक्षा खुद भी करते थे। इस सन्दर्भ में इला डालमिया ने मुझसे एक बार कहा था कि अपनी ग़लतियों और कमियों को स्वयं बताने की दिशा में मेरे जैसा निःसंकोच व्यक्ति उसने कभी पहले नहीं देखा था। (मेरा ख़याल है कि बाद में भी नहीं देखा होगा।)

दाढ़ी नीलयक्षिणी

मुझे लोकगीतों से बहुत प्रेम है। इसी प्रेम के कारण एक बार मैंने एक लाइब्रेरी से रामनरेश त्रिपाठी की 'कविता कौमुदी' (ग्रामगीत) चोरी की थी। लोकगीतों के कारण मुझे देवेन्द्र सत्यार्थी से प्रेम है क्योंकि उन्होंने अपना सारा जीवन यात्रा करने और लोकगीतों को इकट्ठा करने में लगा दिया। अपने जीवन में उन्होंने हज़ारों मील की यात्रा की, पचासों भाषाएँ और बोलियाँ सीखीं और एक लाख से ऊपर ग्रामगीतों को इकट्ठा किया। उनके कृतित्व को लेकर अभी-अभी एक बहुमूल्य पुस्तक निकली है, जिसका नाम 'नीलयक्षिणी' है। पुस्तक को बहुमूल्य मैंने इस कारण भी कहा है क्योंकि इसकी क़ीमत दो सौ रुपये है। और चूँकि मुझे देवेन्द्र सत्यार्थी प्रिय हैं, इसी कारण मुझे उनकी दाढ़ी से भी प्यार है। इसी दाढ़ी की वजह से सत्यार्थीजी हज़ारों बार बिना टिकट चले और इसी दाढ़ी के कारण उन्हें भिक्षा माँगने में भी कोई असुविधा महसूस नहीं हुई। अब आप सोच सकते हैं कि ग्रामगीतों के सन्दर्भ में दाढ़ी का कितना बड़ा योगदान है। सत्यार्थी जी को दाढ़ी से इतना प्यार है कि जब एक बार अपना चेहरा 'वनस्पति विहीन' कर लिया तो उन्हें लगा जैसे कि वे 'अपूर्ण' हैं। नतीजा यह निकला कि उन्हें अपनी दाढ़ी फिर बढ़ानी पड़ी।

अपने जीवन में सत्यार्थीजी महात्मा गाँधी और रवीन्द्रनाथ ठाकुर के सम्पर्क में भी आये। रवीन्द्रनाथ ठाकुर के साथ उनके जो चित्र हैं उनमें रवीन्द्रनाथ ठाकुर की दाढ़ी सफेद है और सत्यार्थीजी की दाढ़ी काली है। इन चित्रों को देखकर पतरस बुख़ारी ने कहा कि इन चित्रों के नीचे लिखा जाना चाहिए—खिज़ाब लगाने से पहले और खिज़ाब लगाने के बाद। बुख़ारी साहब की इस उक्ति को सुनकर सत्यार्थी जी को बहुत हँसी आयी।

मैं व्यक्तिगत जीवन में भी दाढ़ी की बड़ी इज़्ज़त करता हूँ। मेरे प्रिय उर्दू के अनेक महान् कवि दाढ़ी रखते थे। हिन्दी में भी जीवन के अन्तिम वर्षों में निरालाजी ने दाढ़ी रखनी शुरू कर दी थी जिसके कारण कभी-कभी वह किसी ऋषि की भाँति लगते थे। दाढ़ी के प्रति अपना प्रगाढ़ प्रेम होने के कारण आज मैं दाढ़ी के ही भूगोल और इतिहास की चर्चा करूँगा।

दाढ़ी का भूगोल यह है कि आमतौर पर यह इंसानों के और चन्द जानवरों के चेहरों पर इफ़रायत के साथ पायी जाती है। सिर पर जो बाल होते हैं वे केश कहलाते हैं, ऊपर वाले होंठ के ऊपर जो घासपात होती है उसे मूँछ कहने का रिवाज है और निचले होंठ के नीचे वाले क्षेत्र में जो वनस्पति उगती है उसे दाढ़ी कहकर पुकारा जाता है। मूँछ का मानव जीवन में वही स्थान होता है जो कि पशुजीवन में पूँछ का। जहाँ तक दाढ़ी का प्रश्न है, स्थिति यह है कि आमतौर पर यह आदमी के चेहरों पर ही पायी जाती है, औरतों के नहीं। यहाँ मैं उन चन्द स्त्री-रत्नों की चर्चा नहीं कर रहा हूँ जो इस दिशा में पुरुषों का मुक़ाबला काफ़ी कामयाबी के साथ करती हैं। दाढ़ी की लम्बाई प्रायः चौथाई इंच से लेकर दो फ़िट तक होती है और आदमी की उम्र के साथ-साथ इसका भी रंग बदलता रहता है। कुछ अध्यवसायी लोग दाढ़ी को खेती की तरह उगाते हैं, उसके लिए खाद वगैरह का इन्तज़ाम करते हैं और उसमें इत्र या तेल वगैरह से सिंचाई की व्यवस्था भी करते हैं। चेहरे के साथ-साथ दाढ़ी भी हिलती है जो कि इसका स्वभाव है। उन्नीसवीं शताब्दी तक तो उसकी इस फ़ितरत का हमें ठोस और लिखित सबूत भी प्राप्त होता है क्योंकि भारतेन्दु हरिश्चन्द्र ने साफ़ लिखा है—चने खाते मियाँ जुलाहे, दाढ़ी हिलती गाहे बगाहे। कलाकारों की दाढ़ी एक क़िस्म की होती है जबकि दार्शनिकों और धार्मिक व्यक्तियों की दूसरी क़िस्म की। दाढ़ी कला को प्रकाश में लाती है और धर्म को अपने पीछे छिपा लेती है। हमारे विधान में दाढ़ी को चल व अचल दोनों प्रकार की सम्पत्ति के रूप में स्वीकार किया गया है जो एकदम तर्क-संगत है। दाढ़ी कभी-कभी जल भी जाती है पर ऐसी स्थिति में निराश होने की कोई बात नहीं। दावानल की समाप्ति होने पर वक़्त के साथ-साथ यह फिर प्रकट हो जाती है। आमतौर पर दाढ़ी की पैदावार सोलहवें या सत्रहवें वर्ष में शुरू होती है और उसके बाद फिर यह बढ़ती ही रहती है। कुछ शौकीन लोग हैं जो दाढ़ी और मूँछ दोनों को रखते हैं पर कुछ मितव्ययी प्राणी ऐसे भी हैं जो इसे बिना मूँछों के ही पालते हैं। कुछ मेरे जैसे भाग्यहीन प्राणी भी इस असार संसार में मौजूद हैं, जिनके पास न तो दाढ़ी है और न मूँछ। अकबर इलाहाबादी के शब्दों में स्थिति यह है कि "दाढ़ी खुदा का नूर है बेशक मगर जनाब, फ़ैशन की इन्तज़ामे सफ़ाई का क्या करूँ?" अकबर ने दाढ़ी-मूँछ के अन्तर्धान होने की ज़िम्मेदारी ब्रिटिश सरकार पर डाली थी—कर्ज़न ने ज़न कर दिया मर्दों की सूरत देख लो, इस्तब्दा में दाढ़ी ली और इन्तहाँ में मूँछ ली। लार्ड कर्ज़न वाकई बड़ा ही होनहार वायसराय था; वह पहला दूरदर्शी था जिसने ताजमहल के नीलाम करने की योजना तैयार की थी। देश का दुर्भाग्य देखिए कि उसकी यह शानदार योजना खलास हो गयी और उदासी दूर करने के लिए उसे बंगाल का विभाजन करना पड़ा। इस योजना में उसकी असफलता का मात्र कारण यही था कि जहाँ ताजमहल के बनवाने वाले शहंशाह शाहजहाँ वल्द शहंशाह जहाँगीर, दाढ़ी और मूँछ दोनों रखते

थे, वहाँ कर्ज़न महोदय जो थे उनका मुखारविन्द क्रिकेट के मैदान की भाँति एकदम साफ़ रहता था। वैसे सच यह है कि पहले लार्ड कर्ज़न भी दाढ़ी रखते थे पर जब एक दिन उनकी अर्धांगिनी ने उनसे प्रश्न किया कि हे आर्यपुत्र, आप मुझे चूम रहे हैं या कि मेरे चेहरे पर ब्रश कर रहे हैं, तो उन्होंने उसी दिन लेडी कर्ज़न की भाँति, 'ज़न' होने का निश्चय कर लिया। दाढ़ी से मौसम का पता बड़ी सरलता से लग जाता है। यदि दाढ़ी ज़ोर-ज़ोर से हिलने लगे तो समझ लीजिए कि आँधी आ रही है, दाढ़ी में अगर पसीना आ जाए तो समझ लीजिए कि गर्मी पड़ रही है और यदि कहीं दाढ़ी बिना बात भीगने लगे तो निश्चयपूर्वक जान लीजिए कि जिस क्षेत्र में आप दाढ़ी समेत खड़े हैं, उसमें वर्षा हो रही है। हमारे पूर्वज मौसम का ज्ञान ऐसे ही किया करते थे। सादा जीवन, उच्च विचार।

दाढ़ी का भूगोल भले ही संक्षिप्त हो परन्तु उसका इतिहास बहुत विस्तृत है और वह उतना ही पुराना है जितना कि मनुष्य जाति का इतिहास। हमारे ऋषि और मुनि दाढ़ी रखते थे उनका तप भले ही उर्वशी, मेनका या तिलोत्तमा किस्म की कोई मुसम्मात कभी-कभी भंग करती रहती थी पर उनकी जो दाढ़ी थी वह ईश्वर की भाँति अनादि और अनन्त थी। जो कोई ऋषि ज़रूरत से ज़्यादा लम्बी दाढ़ी पालता था, वह महर्षि कहलाता था। दाढ़ी का प्रताप इतना ज़बर्दस्त था कि राणा प्रताप भी शायद उससे पीछे ही पड़ते थे और उसकी उपयोगिता इतनी ज़्यादा रही कि संसार के सारे महान् दार्शनिक, कलाकार और प्रशासक उसे प्रेमिका की भाँति चाहते रहे और चौबीस घण्टे अपने कलेजे से ही लगाये रहे। राणा रणजीतसिंह, छत्रपति शिवाजी, लेनिन, मोपासाँ, शेक्सपीयर, टालस्टाय, सुकरात, निराला, दादाभाई नौरोजी और लियोनार्डो डॉ. विंशी के नाम इस सन्दर्भ में सहज ही किसी शोध छात्र को याद आ सकते हैं। ऋषि लोग अपनी दाढ़ी से अपना आश्रम साफ़-सुथरा रखते थे। सर्दी में यह उन्हें जाड़े के प्रकोप से बचाती थी और गर्मियों में दाढ़ी के कारण वे वस्त्रविहीन होकर भी नंगे नहीं रहते थे। वीरगाथा काल में शत्रु जो था वह दाढ़ी के कारण जल्दी काबू में आ जाता था; इधर आपने उसकी दाढ़ी कसकर दबोची, उधर उसने 'त्राहि माम्', 'त्राहि माम्' का नारा लगाना प्रारम्भ किया। वक़्त ज़रूरत दाढ़ी मुँडवायी भी जा सकती थी ताकि राज्य के गुप्तचरों से बचा जा सके। रावण नकली दाढ़ी लगाता था क्योंकि दस चेहरों पर असली दाढ़ी की खेती करना कुछ तकनीकी किस्म की परेशानियाँ उत्पन्न करता था। कृष्णजी की एक मूर्ति ऐसी प्राप्य है जिसमें उन्होंने दाढ़ी रखी है और पगड़ी बाँधी है। उर्दू के बड़े-बड़े अदीब अपने दीवान की धूप दाढ़ी से ही साफ़ करते थे। दाढ़ी रखने से मनुष्य छना हुआ पानी पी सकता था। महावीर भगवान ने जल छानने का नियम शायद इसी कारण बनाया था कि तब तक कुछ लोग बिना दाढ़ी और मूँछों के रहने लगे थे। मेरा ख़्याल है कि पुराने ज़माने में हमारे ऋषि और मुनि कभी-कभी अपनी दाढ़ियाँ एक-दूसरे की

दाढ़ियों से बाँधकर सामूहिक नृत्य भी किया करते थे। शेख सादी ने लिखा है कि सच्चा सूफ़ी वह है जिसकी विचारधारा तो ऊँची हो और दाढ़ी नीची। भौतिकशास्त्र के किसी नियम के अनुसार दाढ़ी नीची कर लेने से व्यक्ति के जो विचार हैं वे अपने आप ऊँचे उठ जाते हैं। कुछ इतिहासकारों का मत है कि नैपोलियन, सिकन्दर, सीज़र और हिटलर की हार का प्रमुख कारण यह था कि वे दाढ़ी नहीं रखते थे। हिटलर अलबत्ता छोटी-सी मूँछें रखता था और इसी कारण कुछ दिन खींच गया पर अन्ततोगत्वा मुच्छड़ स्तालिन के सामने उसे भी घुटने टेकने ही पड़े। शेख़ दोज़ख से डरने की ज़रूरत क्या है, हम तो दाढ़ी ही तेरी देखकर डर जाते हैं (रंज़ूर)।

कुछ कायर लोग होते थे जो दाढ़ी इस कारण नहीं रखते थे कि यज्ञ करते समय या तम्बाकू पीते समय वह जल न जाएँ। कुछ लोग दाढ़ी से इस कारण बचते थे क्योंकि इसके कारण वे अपनी प्रेयसि के कपोलों को पूरी तरह स्पर्श नहीं कर पाते थे। ये लोग मानवजाति के नाम पर कलंक हैं जिन्हें कभी भी क्षमा नहीं किया जा सकता। अलबत्ता कुछ लोग ऐसे दयावान् भी होते थे कि वे दाढ़ी रखते ही नहीं थे वरन् उससे दूसरों का उपकार भी किया करते थे। ये लोग अपनी दाढ़ी में अपने पालतू जानवरों की पूँछ बाँध लिया करते थे ताकि उन ग़रीब प्राणियों को पदयात्रा न करनी पड़े। एक साहब ने एक बार अपनी दाढ़ी से गिलहरी बाँधी थी पर वह दुष्ट उनकी दाढ़ी ही कुतर गयी। ये सज्जन ईस्ट इण्डिया कम्पनी के एक बड़े पदाधिकारी थे। इसी प्रकार एक और योगी थे जो कि अपनी दाढ़ी को किसी पराये जामुन के वृक्ष से बाँधकर उसे हिलाया करते थे ताकि पकी-पकी जामुनें नीचे गिर सकें। एक दिन इत्तफ़ाक से ऐसा हुआ कि इस प्रक्रिया में जामुनें भी गिरीं, वह जामुन का पेड़ भी गिरा, दाढ़ी भी उखड़ी और मुनिवर भी धराशायी हो गये। जामुन को लेकर यह जो सामूहिक मोक्ष की घटना हुई उसी के कारण हमारा यह देश 'जम्बूद्वीप' कहलाया। पतंजलि के योगसूत्र से पता लगेगा कि प्राणायाम से जामुन का पेड़ क्या, उसकी मालकिन तक को सिद्ध किया जा सकता है। जो लोग इन्हीं बातों को सरल भाषा में पढ़ना चाहें वे विवेकानन्द का लिखा 'राजयोग' पढ़ें। विवेकानन्द बड़े परोपकारी व्यक्ति थे, उन्होंने अपने पतित देश पर कभी उतना ध्यान नहीं दिया क्योंकि वैसा करना स्वार्थ होता; वे अमेरिका गये और वहाँ के करोड़पतियों की आत्माएँ पवित्र कीं।

दाढ़ी के इतिहास के बारे में आप शायद कुछ आँकड़े जानना चाहें। रूस का पीटर महान् दाढ़ी का सख़्त विरोधी था। उसके राज्य में दाढ़ी रखना एक जुर्म था। जो लोग दाढ़ी रखना चाहते थे वे पहले कर जमा कराते थे, दाढ़ी रखने का लाइसेंस प्राप्त करते थे और फिर लाइसेंस में अंकित की गयी अवधि के भीतर, आज्ञापत्र में बतायी गयी लम्बाई तक दाढ़ी उगाते थे। मेरे विचार में राज्य की ओर से एक अधिकारी कभी-कभी इनकी दाढ़ी की लम्बाई की जाँच भी करता होगा। इंग्लैण्ड का किंग जान अमीरों के दाँतों पर कर लगाता था। कितना अच्छा हो यदि हमारी

सरकार भी सुन्दर युवतियों के वक्ष, ग्रीवा, अधर व नितम्बों पर कर लगाना शुरू कर दे। 'मलेरिया हटाओ आन्दोलन' की तर्ज़ पर पीटर महान् ने बाद में चलकर 'दाढ़ी हटाओ आन्दोलन' भी चलाया था। इसके बरख़िलाफ़ रोमन सम्राट् कभी-कभी दाढ़ियाँ रखते थे और सम्राट् हेड्रियन को तो दाढ़ी से इतना इश्क था जितना कि सुन्दर युवतियों से भी नहीं। लोगों को दाढ़ी के अनुसार पद दिये जाते थे और परिणाम यह होता था कि उसके दरबारी कपड़े चाहे पहनें या न पहनें, अलबत्ता दाढ़ी ज़रूर धारण करते थे। ईसा से पन्द्रह शताब्दी पूर्व मिस्र में एक नितान्त प्रतिभावान् रानी हुई थी जो कि पुरुष बनना चाहती थी। ख़ैर, अपना यौन-परिवर्तन तो वह नहीं कर सकी, हाँ नकली दाढ़ी ज़रूर लगाने लगी। एक बार यमन के राजदूत की किसी राजा ने दाढ़ी साफ़ करवा दी थी और परिणाम यह रहा कि युद्ध छिड़ गया। यमन के उस राजदूत को उतने दिन विदेश ही रहना पड़ा जितने दिनों में उसकी दाढ़ी अपनी पुरानी लम्बाई और रूप को प्राप्त हुई। रानी एलिज़ाबेथ (प्रथम) दाढ़ी से बेहद प्रेम करती थी। शेक्सपीयर के नाटकों में दाढ़ी की बराबर चर्चा की गयी है। राजा तिमन के दरबार में एक मज़ाक़पसन्द व्यक्ति था जिसने उनतालीस व्यक्तियों से दाढ़ी बनवायी थी मगर पैसा एक का भी नहीं दिया था। उसके नाटकों में एक पवित्र विचारों वाली कन्या है जो सिर्फ़ दाढ़ी वाले को ही चुम्बन देना चाहती है जबकि एक और बालिका के विचार इतने सात्त्विक हैं कि वह कहती है कि दाढ़ी वाले युवक को चुम्बन देने की अपेक्षा वह किसी कम्बल में लोटना कहीं ज़्यादा पसन्द करेगी। यह पता नहीं कि उस कन्या ने अन्त में चलकर किया तो क्या किया।

दाढ़ी के प्रेमियों को यह जानकर हर्ष होगा कि 'अधिक अन्न उपजाओ' आन्दोलन की तर्ज़ पर 'अधिक दाढ़ी उपजाओ आन्दोलन' फिर ज़ोर पकड़ रहा है और यह प्रबन्ध भी उसी दिशा में एक छोटा-सा प्रयास है। हिप्पी, बीटनिक और भूतपूर्व बुद्धिजीवी दाढ़ी बढ़ा ही नहीं रहे हैं वरन् यथाशक्ति उसे काफ़ी गन्दा भी रखते हैं। किसी-किसी दाढ़ी में ख़ुदा के नूर के साथ-साथ खटमल और पिस्सू भी काफ़ी आसानी से मिल जाते हैं। मानव जाति के उज्ज्वल भविष्य के लिए इससे बड़ा और क्या सबूत चाहिए?

निबन्ध के शुरू में मैंने सत्यार्थीजी को छोड़ा था और दाढ़ी को पकड़ा था। अब मैं दाढ़ी को छोड़ता हूँ और सत्यार्थीजी को फिर पकड़ता हूँ। सत्यार्थीजी के बारे में उर्दू के कवि साहिर लुधियानवी ने एक लम्बा संस्मरण लिखा है जो पढ़ने लायक है। अपनी रचनाओं को दूसरे लोगों को सुनाने की कमज़ोरी शायद सभी लेखकों में होती है पर इस दिशा में सत्यार्थीजी क्या-क्या गज़ब ढाते थे, इसका शब्दों में वर्णन करना कठिन है। सआदत हसन मण्टो उन्हें एक फ़्राड कहा करते थे। कहते हैं कि एक बार सत्यार्थीजी ने कनाट प्लेस में एक ताँगेवाले से पूछा कि "मियाँ, करौल बाग तक जाने का क्या लोगे?"

"सवा रुपया, महाराज!" ताँगे वाले ने कहा जो कि उनकी लम्बी दाढ़ी के कारण उन्हें कोई साधु या महात्मा समझा था।

"हम तुम्हें डेढ़ रुपया देंगे लेकिन उसके साथ एक शर्त है।"

"कैसी शर्त, महात्माजी?"

"तुम्हें रास्ते में हमारी एक कहानी सुननी पड़ेगी।"

"मुझे तो कोई एतराज़ नहीं, महात्माजी!" ताँगेवाले ने हाथ जोड़ कर कहा—"हाँ, अलबत्ता इस काम के लिए आप मेरे घोड़े को राज़ी कर लें।"

पत्र-मित्र

मुझे ख़त लिखने से इतनी चिढ़ है कि ख़ुदा-न-खास्ता, यदि कभी मैं इस देश के डाक विभाग का मन्त्री या सचिव हो गया तो लिफ़ाफ़ों वगैरह के दाम इतने बढ़ा दूँगा कि लोग-बाग जो हैं वे चिट्ठी लिखना हमेशा के लिए भूल जाएँगे। और यदि कोई बाई फिर भी कुमारी शकुन्तला या कुमारी दमयन्ती के अन्दाज़ में पत्र लिखने की मुद्रा में आएगी तो स्थिति यह होगी कि वह अपना प्रेमपत्र या तो किसी कबूतर, हंस या कुत्ते के सहारे भिजवाएगी या फिर प्रेमी के हाथ में उसे खुद ही सौंपकर आएगी। जितनी देर प्रेमी पत्र बाँचेगा, उतनी देर बालिका जो है वह कहीं आस-पास ही किसी लतागुल्म के सहारे विश्राम करेगी ताकि प्रेमी को यदि कोई शंका वगैरह हो तो उसका तत्काल समाधान किया जा सके या यदि प्रेमी पत्र का लिखित उत्तर देना चाहे तो वह भी लगे हाथों वापस लाया जा सके। जो लोग हंस, कबूतर, कुत्ते या खुद का प्रयोग इस निमित्त नहीं करना चाहते वे कालिदास के यक्ष की भाँति मेघ वगैरह के हाथ अपना सन्देश भेजेंगे। बहरहाल, कुछ भी होगा, मगर यह नहीं होगा कि बिना किसी कसूर के डाकिया नाम का प्राणी आपके बरामदे में आये और चिट्ठियों का एक पुलिन्दा आपको पकड़ा जाए। मैं पूर्वजन्म के तो नहीं, मगर इस जन्म के पापों को याद करता हूँ और न चाहते हुए भी चिट्ठियों के उस बण्डल को खोलता हूँ। कभी-कभी कोई रंगीन लिफ़ाफ़ा होता है तो उसके खोलने के लिए बेचैन भी हो जाता हूँ, क्योंकि हो सकता है कोई हसीन और विधवा युवती अपनी असीम सम्पत्ति के साथ खाकसार की शरण में आना चाहती हो। पर ऐसा कभी नहीं हुआ। रंगीन लिफ़ाफ़ों में भी पुराने बिल ही निकले जिन्हें न जाने कितने वर्षों से मैंने अदा नहीं किया और जिन्हें मैं न जाने कितने वर्षों तक अभी और अदा नहीं करूँगा। बाक़ी सारी चिट्ठियाँ भी वही रुटीन किस्म की होती हैं। किसी के साथ कोई घटिया किस्म का सम्पादक मेरी बढ़िया किस्म की रचना को वापस करता है तो किसी चिट्ठी में कोई बढ़िया किस्म का सम्पादक मेरी एक घटिया किस्म की रचना की माँग करता है। कहीं कोई लेखक मेरी पुस्तकों का पूरा सेट मुफ़्त माँगता है ताकि वह उन पर ठीक उसी तरह खोज कर सके जैसे कि अभी कोलम्बस नाम के इंसान ने भारत नाम के देश की खोज की थी, तो कहीं कोई नया लेखक किसी

परिचर्चा के लिए मेरे विचार और फ़ोटो माँगता है ताकि वह ग़रीब खुद किसी उम्दा अख़बार में छप सके। वैसे अख़बारों में छपने का मुझे इतना मोह है कि उसके सामने मैं क्या भोजन और क्या बाथरूम—दोनों को भूल जाता हूँ पर परिचर्चा में हिस्सा लेना मुझे अच्छा नहीं लगता। एक तो नये लेखकों का प्रकाश में आना वैसे ही ख़तरनाक ठहरा और यह तो बहुत ही बड़ी हिमाकत होगी कि उन्हें यह अवसर दिया जाए कि वे जमे हुए लेखकों के ऊपर उन्हीं की सीढ़ी बनाकर चढ़ें। जहाँ तक फ़ोटो का प्रश्न है, स्थिति यह है कि जब कोई ऐसा सवाल करता है तो मुझे लगता है कि वह मेरी मज़ाक़ उड़ा रहा है। खुदा ने जो सूरत हमें बख़्शी है, वह जब हमें खुद ही पसन्द नहीं तो पता नहीं दूसरों को कैसे पसन्द आएगी? वह तो हम ही हैं कि 'सादा जीवन, उच्च विचार' वाले मोटो में विश्वास रखते हुए इसी सूरत को पता नहीं कब से बर्दाश्त करते चले आ रहे हैं। कोई-कोई पत्र ऐसा आता है कि पढ़कर दया आती है। ये वे पत्र हैं जिनमें कोई लेखक अच्छा लिखने के लिए खाकसार की सलाह माँगता है। जब मुझे खुद ही अच्छा लिखना नहीं आता तो मैं इन्हें क्या सलाह दे सकता हूँ? अरे भाई, सलाह ही लेनी है तो किसी बड़े लेखक से लो और बर्नार्ड शा, मार्क ट्वेन और वुडहाउस वगैरह के साथ पत्र-व्यवहार करो। ये लेखक वे हैं, जो मरकर भी अमर हैं और इस कारण तुम्हारे ख़त का जवाब क़ब्रिस्तान से भेजेंगे।

पत्रों के बाद अगर मुझे किसी दूसरी चीज़ से चिढ़ है तो वह मित्र नाम का पक्षी है। दोस्तों का मैं हमेशा दुश्मन रहा। आप ही बताइए कि इस खुदगर्ज़ दुनिया में सच्चा दोस्त कहाँ मिलेगा? वे दिन गये जब हातिमताई अपने दोस्त के लिए हुस्नबानू के सात सवालों का जवाब पता नहीं कहाँ-कहाँ से हथेली पर जान रखकर लाता था। इन दिनों या तो हातिमताई मिलेगा ही नहीं और अगर मिल भी गया तो इस किस्म का मिलेगा कि हुस्नबानू को ही भगाकर ले जाएगा। जहाँ तक वक़्त काटने का प्रश्न है, स्थिति यह है कि मुझे अपना खुद का ही सत्संग काफ़ी प्यारा लगता है और उसके लिए दोस्तों की मुझे कभी भी कोई ज़रूरत नहीं महसूस हुई। दोस्त आते हैं तो मुझे लगता है जैसे कोई तूफ़ान आ गया है। कोई माई का लाल मेरी किताबों की कतार ख़राब करता है, तो कोई दोस्त मेरी निजी बीवी को मेरे ही सामने इस तरह देखता है, जैसे कभी विश्वामित्र ने मेनका या तिलोत्तमा को देखा होगा। कोई मित्ररत्न काव्यपाठ करता है तो दूसरा सुहृद्वर तलत महमूद की आवाज़ में सूरदास का पद गाता है। यहाँ मैं आपको इतना ज़रूर बता दूँ कि सूरदास के पदों को ग़ज़ल या कव्वाली की तरह गाने के लिए जो प्रतिभा चाहिए वह बहुत ही सीमित लोगों के पास पायी जाती है। मैं जँभाई लेता हूँ और कभी-कभी सो भी जाता हूँ पर कला की जो प्रगति है वह लगातार जारी रहती है। भर्तृहरि के अनुसार इंसान का दोस्त सिर्फ़ एक अदद होना चाहिए (एको मित्रः भूपर्तिवा यतिर्वा) और इधर हम हैं कि 'मुझे मेरे दोस्तों से बचाओ' शीर्षक प्रख्यात व्यंग्य लेख लिखने वाले

उर्दू लेखक के शब्दों में हर वक़्त दोस्तों की भीड़ से घिरे रहते हैं। ख़ुदा करे, इन सबको काला बुख़ार या हैज़ा ले जाए। ख़ुदा मिले तो मिले आशना नहीं मिलता, किसी का कोई नहीं दोस्त सब कहानी है (आतिश)।

एक मैं हूँ जो पत्रों का भी दुश्मन हूँ और मित्रों का भी और एक वे लोग हैं जो पत्र-मित्र नामक आन्दोलन को आगे बढ़ा रहे हैं। दूसरे शब्दों में कुआँ भी आपका और खाई भी आपकी। इच्छानुसार दोनों स्थानों पर विश्राम कीजिए। इस आन्दोलन के समर्थकों की कृपा से पिछले वर्ष कोई पाँच करोड़ पत्र-मित्र इस संसार में थे। कहते हैं कि यह सिलसिला सन् उन्नीस सौ छब्बीस में हंगरी नाम के किसी देश से प्रारम्भ हुआ था और धीरे-धीरे स्थिति यह होने जा रही है कि हम से शायद ही कोई इस विपत्ति से बच पाये। और तुर्रा यह है कि इस आन्दोलन के समर्थकों का कहना है कि पत्र-मैत्री एक साहित्यिक विधा है और ऐसी विधा है कि इसके सिवा रवीन्द्रनाथ ठाकुर के राष्ट्रगीत के अन्तिम भाग में वर्णित सपने के पूरे होने की कोई आशा नहीं। वह अन्तिम पद (पूरब पश्चिम आसे, तव सिंहासन पासे, प्रेमद्वार है गाथा) कवि ने जान-बूझकर अन्तिम रखा था क्योंकि वे जानते थे कि ऐसे सपने कभी सच्चे नहीं निकला करते। बहरहाल, पत्र-मित्रों के बारे में जितनी जानकारी मुझे मिली है उससे तीन बातें ज़ाहिर होती हैं, जो कि इस आन्दोलन के खोखलेपन को उजागर करती हैं। बात क्रम संख्या एक तो यह है कि पत्र-मित्रों की आयु प्रायः पन्द्रह से इक्कीस वर्ष के भीतर होती है जो कि एकदम उचित है। बेवकूफ़ी के काम करने की जो सुविधा इस आयु में होती है, वह बाद में कभी प्राप्त नहीं होती। बात क्रम संख्या दो यह है कि इसमें वे लड़कियाँ ज़्यादा जोश से हिस्सा ले रही हैं जिनकी आयु ज़्यादा है। यह बात भी समझ में आती है क्योंकि प्रेम नहीं मिला तो चलो प्रेम-पत्र से ही गुज़ारा किया जाए। अन्तिम और सबसे ज़्यादा महत्त्वपूर्ण बात यह है कि ज़्यादातर पत्र-मित्र ऐसे हैं जिन्होंने एक-दूसरे को कभी नहीं देखा। मेरे ख़याल में यदि ये लोग एक-दूसरे को देख लेते तो चिट्ठी डालने की गुस्ताख़ी कभी नहीं करते। मेरे एक साथी को पत्रों के माध्यम से एक बार एक कन्या से इतना प्रेम हो गया था कि वे उसके विरह में आत्महत्या करना चाहते थे। इत्तफ़ाक से एक दिन जब इनका उस बालिका से साक्षात्कार हो गया तो स्थिति यह रही कि आत्महत्या के बजाय हत्या की योजना बनाने लगे। कन्या क्या थी, ताड़का और शूर्पणखा दोनों का सजिल्द संस्करण थी। इसी तरह एक और अज़ीज थे जो एक बार ख़तों के सिलसिले में एक लड़की के इश्क में गिरफ़्तार हो गये थे। जब मुलाकात हुई तो वे इनकी मरहूम अम्मा की उम्र की निकलीं। वह तो अच्छा हुआ कि इन साब के वालिद ने उससे शादी कर ली, वर्ना वह बदनामी होती कि इन्हें शहर छोड़ना पड़ता। वह दिन है और आज का दिन है, मेरे उस दोस्त ने सिवा लार्ड चेस्टर फ़ील्ड के किसी और के ख़त नहीं पढ़े।

हाल ही में मुरारजी देसाई ने जिम कार्टर को अपना पत्र-मित्र बताया था। भगवान दोनों की आत्मा को शान्ति दे। बहरहाल कम-से-कम मैं तो इस घुड़दौड़ में कभी शामिल नहीं होऊँगा। यह घुड़दौड़ क्या, घोड़ों की कोई भी दौड़ मुझे कभी पसन्द नहीं आयी। हाँ, अलबत्ता अगर गधों की कोई दौड़ हो तो उसमें हिस्सा लेना मैं अपना जन्मसिद्ध अधिकार मानूँगा। तब तक मैं लड़कियों से और उनकी माताओं से कोई भी व्यवहार करने को तैयार हूँ, पर पत्र-व्यवहार नहीं। स्त्री-जाति के साथ लिखित कार्यवाही तो कभी करनी ही नहीं चाहिए। उनके साथ कुछ भी कर लो, मगर पत्र-व्यवहार हर्गिज़ मत करो।

अन्त में चलकर मैं सारे समझदार साथियों से अपील करता हूँ कि इस पत्र-मित्र आन्दोलन को ख़त्म करने के लिए ठोस क़दम उठाएँ। अरे, लिखना ही है तो कुछ और लिखो, यह चिट्ठी काहे लिखते हो? बनाना ही है तो कुछ और बनाओ, ये दोस्त क्यों बनाते हो? क्या तुम्हारी ज़िन्दगी में करने के लिए बेवकूफ़ी का कोई और काम नहीं बचा?

कुछ साहित्यिक संस्मरण
(संक्षिप्त संस्करण)

राजा भर्तृहरि एक कुशल शासक थे। वे अपने राज्य की इतनी चिन्ता करते थे जितनी कि वे अपनी रानी की भी नहीं करते थे। परिणाम वही हुआ जो होना था। रानी दुश्चरित्र हो गयी। जब राजा को इस बात का पता लगा तो उन्हें बड़ी खुशी हुई। उन्होंने संन्यास ले लिया और कविता लिखने लगे। अपने एक श्लोक में उन्होंने लिखा कि जो व्यक्ति साहित्य से प्रेम नहीं करता वह उस पशु के समान है जिसके न सींग है और न पूँछ। मैंने काफ़ी चिड़ियाघर देखे हैं मगर इंसान को छोड़कर ऐसा और कोई जानवर कभी नहीं देखा जो न पूँछ रखता हो और न सींग। बहरहाल मैंने कवि की यह वाणी पढ़ी तो एकदम साहित्यकार बनने का निश्चय कर लिया। अपने इसी साहित्यिक जीवन के कारण मैंने अनेक बड़े साहित्यकारों के दर्शन किये और आज उन्हीं में से कुछ की चर्चा मैं यहाँ करूँगा।

बहुत दिन पहले की बात है। उन दिनों मैं एक छोटे-से कस्बे में एक इण्टरमीडिएट कॉलेज में पढ़ता था। वहाँ मेरी फीस भी पूरी माफ़ थी और वहाँ के पुस्तकालय से किताबें चुरानी भी बहुत आसान थीं। मैंने इस सुविधा का पूरा-पूरा लाभ उठाया। उन्हीं दिनों ज़िले के सदर मुकाम में एक कवि-सम्मेलन होने का पता चला। मेरा क्या था, जामवन्त की भाँति अपनी कविताएँ समेटकर पहुँच गया। सबसे विशिष्ट जो कवि थे, वे थे श्यामनारायण पाण्डेय। उनकी 'हल्दीघाटी' एक नितान्त लोकप्रिय पुस्तक थी और पाण्डेयजी के पढ़ने का ढंग भी बड़ा असर छोड़ने वाला था। उनकी वाणी सुनकर मुझे हीन भावना का दौरा पड़ गया। मैं घबरा गया और पाण्डेयजी से कहने लगा कि मेरी कविता तो बड़ी साधारण है; इसे पढ़ने में मुझे लज्जा आती है। पाण्डेयजी ने हिम्मत बँधाई और मैंने कविता पढ़ी। लोगों ने काफ़ी तालियाँ बजाईं

हालाँकि यह पता मुझे कभी नहीं चला कि वे प्रशंसा की तालियाँ थीं या वे लोग मुझे 'हूट' कर रहे थे। बहरहाल पाण्डेयजी ने अपनी आत्मीयता के कारण मेरी

लाज रख ली। आज के कवि-सम्मेलन देखता हूँ कि कवि लोग—विशेषकर हास्य कवि लोग—मुझसे कहीं ज़्यादा घटिया कविता मंच पर सुनाते हैं और लाखों रुपया कमाते हैं। बहरहाल मैंने अपने जीवन में दूसरा कवि-सम्मेलन शायद कभी 'अटैण्ड' नहीं किया। हालाँकि पाण्डेयजी द्वारा दिया हुआ आत्मविश्वास मैं कभी नहीं भूला। एक सज्जन ने बहुत बाद में बताया कि ये जो समयसिद्ध कवि-सम्मेलनी कवि होते हैं, वे जान-बूझकर घटिया कवियों को अतिरिक्त प्रोत्साहन देते हैं ताकि उनकी घटिया कविताओं के बाद उनकी कविता और भी ज़्यादा जमे।

आगे पढ़ने के लिए मैं प्रयाग गया जो उन दिनों हिन्दी साहित्य का गढ़ था। वहाँ तो स्थिति यह थी कि जिधर भी पत्थर मारो, वह ज़रूर किसी साहित्यकार के ही लगता था। सर्वप्रथम मैंने पन्त और निराला के दर्शन किये। निरालाजी अपनी पुत्री सरोज की मृत्यु के बाद काफ़ी विक्षिप्त हो गये थे। एक साधारण-से कमरे में 'पिंजरे में बन्द शेर' की भाँति इधर से उधर और उधर से इधर घूमते रहते थे। बातें कभी हिन्दी में करते थे और कभी अँग्रेज़ी में। थककर एक तख्त पर लेट जाते थे और 'कम्प्लीट वर्क्स ऑफ़ शेक्सपीयर' की जिल्द को तकिया बना लेते थे। 'मूड' अच्छा होता था तो बातें भी करते थे, कविता भी लिखते थे और घूमने के लिए भी निकल जाते थे। वे सिर्फ़ लुंगी में ही रहते थे, मैंने उन्हें ऊपर से शायद हमेशा नंगा ही देखा। पन्तजी एक शालीन, सम्भ्रान्त और थोड़े संसारी व्यक्ति थे। वे अँग्रेज़ी पोशाक पहनते थे और बँगले में रहते थे। बहुत बाद में तो उनके पास मोटर भी आ गयी थी। पन्तजी बड़े मधुर व्यक्ति थे; हाँ अलबत्ता अपने आलोचकों को वे कभी नहीं बख्शते थे। उनका सच्चा आत्मीय शायद कोई नहीं था; वे जीवनपर्यन्त एकाकी ही रहे। पन्तजी का कद छोटा था और इसी कारण वे कपड़े ऐसे सिलवाते थे जिसमें वे कुछ लम्बे लगें। 'पीयर्स' साबुन व 'विक्स इनलेहर' उनकी कमजोरियाँ थीं। वे बड़ी चतुरता और शालीनता के साथ कभी-कभी गहरी मज़ाक़ भी कर जाते थे। वे इतने भावुक और सौन्दर्य-प्रेमी थे कि किसी ज़्यादा बदसूरत आदमी को ज़्यादा देर तक शायद बर्दाश्त नहीं कर सकते थे। उनका कविता-पाठ करने का ढंग एकदम ज़नाना था। उनके लम्बे रेशमी बालों के कारण बहुत से लोग कई बार उन्हें लड़की ही समझ लेते थे। प्रसादजी को मैंने कभी नहीं देखा क्योंकि उनकी मृत्यु हो चुकी थी। उनके सुपुत्र रत्नशंकर प्रसाद को मैंने ज़रूर देखा। वे वास्तव में कुलीन सज्जन लगे। निराला जी का दाह-संस्कार मैंने देखा था, पन्तजी की मृत्यु के समय मैं प्रयाग में नहीं था।

प्रयाग में और भी न जाने कितने धुरन्धर लोग साहित्य की साधना में लगे

थे। इलाचन्द्र जोशी दो चोटियाँ रखते थे और इसी कारण विश्वम्भर 'मानव' उन्हें 'चोटी के कलाकार' कहा करते थे। जहाँ तक 'मानव' जी का प्रश्न है, स्थिति यह थी कि उन्होंने जो 'कामायनी' की टीका लिखी थी, उसे पन्तजी 'मानवीय टीका' कहकर पुकारा करते थे। महादेवी वर्मा काफ़ी रौबदाब के साथ रहती थीं। मेरे एक सम्बन्धी अपनी मोटर बेचना चाहते थे और महादेवीजी को एक अच्छी मोटर की तलाश थी। मैंने उन्हें फ़ोन किया तो उनकी किसी दासी ने बताया कि महादेवीजी लिख रही हैं और इस स्थिति में वे किसी से भी बात नहीं कर सकतीं। मैंने उस दासी को अपना फ़ोन नम्बर दिया और कहा कि वे यदि पुरानी गाड़ी लेना चाहती हों तो यथाशीघ्र फ़ोन पर मुझसे बात करें। मोटर की चर्चा चलते ही महादेवीजी टेलीफ़ोन पर आ गयीं और मुझसे बातें करने लगीं। महादेवीजी के एक आत्मीय थे गंगाप्रसाद पाण्डेय। बड़े हँसमुख, ज़िन्दादिल और मौलिक। मेरा सर्वप्रथम काव्यग्रन्थ पढ़कर उन्होंने कहा कि "तुम्हारी कविताएँ तो एकदम क्वाँरी हैं।" उनका यह कहने के पीछे क्या अभिप्राय था, मैं कभी नहीं समझ पाया। अमृतराय सच्चे साहित्य-साधक थे। जब उन्होंने 'नयी कहानियाँ' छापनी शुरू कीं तो मैं उसमें बराबर लिखता रहा। उन्होंने अपना एक व्यंग्य-उपन्यास मुझे समर्पित भी किया। यह दीगर बात है कि हम दोनों ही (यानी कि एक ओर वह उपन्यास और दूसरी ओर मैं) एक-दूसरे के क़ाबिल नहीं थे। अमृतजी के साथ मज़ाक़ करने का अपना अधिकार मैं कभी नहीं छोड़ सकता। जैसे ही उन्होंने 'नयी कहानियाँ' छोड़ीं, वैसे ही वह शानदार पत्रिका बन्द हो गयी।

बच्चनजी भी प्रयाग में ही रहते थे। वे बाहर से ज़रूर 'देसी अँग्रेज़' लगते थे मगर अन्दर से वे एकदम फ़कीर थे—ठीक एक महान् साहित्यकार की भाँति। उनका स्वर बहुत ही मधुर था। पत्रों का उत्तर देने में तो उनके जैसा तत्पर कोई दूसरा बड़ा साहित्यकार मैंने अभी तक देखा ही नहीं। डॉ. रामकुमार वर्मा बड़े सुन्दर, सम्भ्रान्त, रसिक व विनोदप्रिय व्यक्ति थे। उनके पास से आदमी सदा खुश होकर ही लौटता था। डॉ. धर्मवीर भारती हिन्दी विभाग में उन दिनों आये ही आये थे। वे 'परिमल' को चलाते थे जो एक महत्त्वपूर्ण संस्था मानी जाती थी। भारतीजी स्नेही और परिश्रमी व्याख्याता और 'रूमानी' किस्म के साहित्यकार थे। बाद में उन्होंने 'धर्मयुग' में साहित्य व पत्रकारिता का जो गौरवपूर्ण संगम दिखाया, वह आचार्य महावीरप्रसाद द्विवेदी की याद दिलाता है। अपने सम्पादन-काल में उन्होंने कितने ही लोगों को साहित्यकार बना दिया। डॉ. सत्यव्रत सिन्हा 'अंधेर नगरी' में 'चौपट राजा' का रोल अदा किया करते थे। उस रोल में इतना शानदार अभिनय मैंने और कहीं नहीं देखा। उपेन्द्रनाथ 'अश्क' एक 'इनफ़ार्मल' किस्म के कलाकार थे।

उन्होंने न जाने कितने शगूफे छोड़े और चुपचाप तटस्थ रहकर उनका मज़ा लिया। उनका 'जीवट' और 'नटखटपन' अभी भी उसी तरह बरक़रार है हालाँकि अब वे छिहत्तर वर्ष के हो चुके हैं। दुष्यन्तकुमार व कमलेश्वर मेरे सहपाठी थे। दुष्यन्त की अकाल मृत्यु बड़ी दुखदायी थी मगर उसकी काफ़ी ज़िम्मेदारी शायद उस पर ही थी। वह बेहद शराब पीने लगा था और हमेशा 'तनाव' व 'महत्त्वाकांक्षाओं' में लिपटा रहता था। कमलेश्वर की सबसे बड़ी बात यह है कि इतना सफल व्यक्ति होने पर भी वह अपने पुराने दोस्तों को कभी नहीं भूला, चाहे वे कितने ही छोटे रहे हों। प्रकाशचन्द्र गुप्त प्रगतिवादी होते हुए भी मेरे जैसे सौन्दर्यवादी कवि से अनन्त स्नेह करते थे। विमल मित्र को और मुल्कराज आनन्द को भी मैंने प्रयाग ही में देखा। दोनों में ज़मीन-आसमान का अन्तर था। विमल मित्र ने कहा था कि यह उनका दुर्भाग्य है कि वे हिन्दी में नहीं लिख पाते और मुल्कराज आनन्द कहते थे कि हिन्दी का लेखक अँग्रेज़ी लेखक के सामने बिसात ही क्या रखता है? उनकी वाणी सुनकर नयनों के वाणी और वाणी के नयन नहीं रहे। मेरे जैसा अदना लेखक भी जानता है कि आप कितने ही बड़े जीनियस क्यों न हों, आप विदेशी भाषा के साहित्य में कभी कोई ठोस काम नहीं कर सकते मगर मुल्कराज आनन्द का विचार दूसरा था। राजकमल चौधरी से भी पहली और अन्तिम बार मैं प्रयाग के कॉफ़ी हाउस में ही मिला था। वे किसी 'गुप्त' रोग से पीड़ित थे और इस बात को 'प्रकट' करते हुए उन्हें हार्दिक आनन्द आता था। इलाहाबाद की चर्चा समाप्त करने से पहले मैं पं. वाचस्पति पाठक की चर्चा ज़रूर करूँगा। वे प्रयाग के चाणक्य कहलाते थे। नितान्त व्यवहार कुशल और निहायत स्नेही। वे 'भारती भण्डार' के सर्वेसर्वा थे, जहाँ से पन्त, प्रसाद और निराला छपते थे। वे स्वयं में एक 'संस्था' थे। और भारी-भरकम डॉ. जगदीश गुप्त को मैं कैसे भूल सकता हूँ जो मेरे तबादले के अवसर पर मेरा एक रेखाचित्र बना कर दारागंज से साइकिल दौड़ाते-दौड़ाते रेलवे स्टेशन तक आये थे? इतनी मज़बूत साइकिलें अब नहीं बनतीं।

प्रयाग से मैं दिल्ली आ गया। धीरे-धीरे वहाँ के साहित्यिक जगत् में भी गति होने लगी। प्रयाग में डॉ. धर्मवीर भारती ने मुझे 'परिमल' का एक जूनियर सदस्य बनाया तो दिल्ली में मुझे चन्द्रगुप्त विद्यालंकार ने 'भारती' नामक संस्था का सीनियर सदस्य बनाया। इस गोष्ठी में जैनेन्द्र कुमार और अज्ञेय से शुरू करके मेरे जैसे साधारण लेखक भी जाते थे। दिल्ली में ही मैंने जैनेन्द्रकुमार, अज्ञेय, विष्णु प्रभाकर, डॉ. लक्ष्मीनारायण लाल, मैथिलीशरण गुप्त, प्रभाकर माचवे, विनोदचन्द्र पाण्डेय, जगदीश चतुर्वेदी, नागार्जुन, भगवतीचरण वर्मा, उग्र, सर्वेश्वर, रघुवीरसहाय, निर्मल

वर्मा, गोविन्द मिश्र, रांग्रा, मोहन राकेश, नामवर सिंह, कुँवर सुरेश सिंह, भवानीप्रसाद मिश्र, गिरिजाकुमार माथुर, यशपाल और दिनकरजी से भेंट की।

कहते हैं कि जैनेन्द्रकुमार अपनी कृतियों को स्वयं कभी नहीं लिखते; वे बोलते जाते हैं और दूसरा अनुचर उन्हें लिखता जाता है। यदि यह बात सच्ची है तो स्थिति यह निकलती है कि तमाम जैनेन्द्र साहित्य ऐसा है जो उन्होंने खुद नहीं लिखा है। वे बड़े शान्त, विनम्र और सन्तुलित व्यक्ति हैं। एक बार 'भारती' की गोष्ठी में उन्होंने एक नये उपन्यास का अंश पढ़ा, जिसके बारे में मैंने कहा कि खण्ड का स्तर तो इतना गिरा हुआ है कि आप उसे तीसरे दर्जे का साहित्य भी नहीं कह सकते। उन्होंने सारी आलोचनाएँ सुनीं और इसके बाद काफ़ी निस्संग मुद्रा में कहने लगे कि मैं इस अध्याय को फिर से लिखूँगा। अज्ञेय जी से मेरा सम्पर्क ज़्यादा नहीं रहा। उनके व्यक्तिगत जीवन में ऐसी अनेक बातें थीं जो आम आदमी को भली नहीं लगतीं। बहरहाल, इतना तो हम ज़रूर ही स्वीकार करेंगे कि हिन्दी कविता और हिन्दी कथासाहित्य को उन्होंने बड़ा बल दिया। वे नयी कविता के 'पिता' भी थे और 'चाचा' भी। उन्हें देश-विदेश का पूरा ध्यान था और इसी कारण मुझे तो पूरी आशंका थी कि वे नोबुल पुरस्कार ज़रूर हथिया लेंगे। वैसे भी वे एक महान् साहित्यकार थे। विष्णु प्रभाकर ने शरत् का प्रामाणिक जीवन लिखा और ऐसा लिखा कि उसका अनुवाद बँगला तक में किया गया। डॉ. लक्ष्मीनारायण से काफ़ी पुराना परिचय है और जब कभी वे नारियों के सामने कुछ 'ग्राम्य' हो जाते हैं तो कुछ अजीब-सा लगता है। दिल्ली ही में तो पं. वाचस्पति पाठक मुझे राष्ट्रकवि मैथिलीशरण गुप्त के पास ले गये थे। मिर्च के अचार से मठरियाँ खाने को मिलीं। बाहर आकर पाठकजी ने कहा कि यदि सरकार ने इन्हें फिर से राज्यसभा का सदस्य नहीं बनाया, तो ये मर जाएँगे। सत्य है कवि की वाणी। दिल्ली के एक नामवर आलोचक का कहना है कि हिन्दी कविता के 'दद्दा' मैथिलीशरण गुप्त हैं पर 'दादा' जो हैं वे सच्चिदानन्द हीरानन्द वात्स्यायन उर्फ़ अज्ञेय ही हैं। बहरहाल यह मेरा परम सौभाग्य है कि मैं अपने जीवन में पन्त, निराला, अज्ञेय और जैनेन्द्र जैसे महान् कलाकारों को देख पाया। जैनेन्द्र और बच्चन के रहते ज्ञानपीठ पुरस्कार महादेवी को मिल सकता है—इसकी तो किसी को भी आशंका नहीं थी।

नागार्जुनजी से मेरी जान-पहचान प्रयाग से ही थी मगर उनका 'नुक्कड़ नृत्य' मैंने दिल्ली में ही देखा। नागार्जुन सरल व्यक्ति के लिए सज्जन हैं और कपटी के साथ महाकपटी हैं। उन्हें ठगना प्रत्येक प्रकाशक के हाथ में नहीं। कुछेक ने कोशिश की भी, मगर हाथ कुछ नहीं आया। भगवती बाबू से सम्पर्क ज़्यादा तो नहीं रहा पर उनकी तो एक भेंट ही उनके पूरे व्यक्तित्व को आपके सामने रख

देती थी। चुलबुले, खुशमिज़ाज़ और घोर नियतिवादी। मैं उन्हें 'हिन्दी गद्य का बच्चन' कहकर पुकारता हूँ। 'उग्र' जी से एक बार मिला तो नक्शा यह था कि एक बड़े प्रकाशक के चैम्बर में बैठे थे, नशे में चूर थे और प्रकाशक को ही गालियाँ दे रहे थे। उनका कहना था कि "प्रकाशक क्या साला रायल्टी देगा, रायल्टी तो सड़क पर जाता वह आदमी देता है जो मेरी किताबें पढ़ता है।" प्रकाशक चुप बैठा रहा और सुनता रहा।

सर्वेश्वरदयाल सक्सेना अपने सारे गुणों के बावजूद आलसी, ग़ैर ज़िम्मेदार और अहंकारी पुरुष थे। एक बार मैंने उनके ख़िलाफ़ कसकर लिखा (जो सही था) तो वे अशोक होटल के किसी उत्सव में मुझसे बोले कि मैंने आपका वह 'आर्टिकिल' पढ़ लिया है। मैंने अपना लिखा सार्थक समझा पर वे उस चोट को कभी नहीं भूले। रघुवीर सहाय एक शालीन व बुद्धिमान् जीव हैं। एक बार मैंने शर्लाक होम्स की एक बेहद बढ़िया मज़ाक़ उन्हें सुनायी पर वह उनके सिर के ऊपर से निकल गयी। निर्मल वर्मा को मैं कतई नहीं जानता हूँ: मात्र उन्हें गोविन्द मिश्र के यहाँ मदिरापान करते अक्सर देखा है। उन्होंने जो कुछ लिखा है (चाहे वह जितना ही कलात्मक हो) उसका हमारे देश से और हमारे आम आदमी से दूर-दूर तक का कोई वास्ता नहीं है। ऐसे लेखन से हमें क्या फ़ायदा? राजेन्द्र यादव एक मधुर, स्नेही और सज्जन व्यक्ति हैं। एक किताब मैंने उन्हें समर्पित की तो उन्होंने अपने एक पत्र में मुझे 'अपना बड़ा-बूढ़ा' या 'पूर्वज' स्वीकार किया जिसके कारण मैं काफ़ी देर हँसता रहा क्योंकि आयु में वे मुझसे बड़े हैं और बाकी सारी बातों में भी वे मेरे सीनियर ही हैं। शमशेर बहादुर सिंह तो मुझे वैसे ही 'फ़्राड' लगे जैसे कि मण्टो को देवेन्द्र सत्यार्थी लगते थे।

मोहन राकेश से मैं केवल एक बार ही मिला। उन्होंने हाथ मिलाया और किसी अंग्रेज़ की तरह काफ़ी रौब से मिलाया। उसके बाद उस समर्थ कलाकार से मैं फिर कभी नहीं मिल पाया। भवानीप्रसाद मिश्र अपनी कविता की भाँति नितान्त सरल व्यक्ति थे। उन्हें छल-कपट जैसी बातों का पता तक नहीं था। एक बार उनकी एक पुस्तक का कहीं विमोचन हुआ तो हम लोग छः या सात ही थे जो उस अवसर पर वहाँ गये। वे घण्टों तक काव्य पर बोलते रहे और श्रोताओं की कमी ने उन्हें दुःखी नहीं किया। एक तरफ़ वे थे और एक तरफ़ आज के लोग हैं जो अपने अभिनन्दन का पूरा खर्चा खुद उठाते हैं, सैकड़ों श्रेताओं को बुलाते हैं, और उपराष्ट्रपति के साथ फ़ोटो खिंचवाते हैं। अगले दिन वे अपनी जगह, उपराष्ट्रपति अपनी जगह और फ़ोटोग्राफ़र अपनी जगह। यशपाल के दर्शन दिल्ली में डॉ. रणवीर रांग्रा के यहाँ हुए। देखने-भालने में वे एक निहायत मामूली

आदमी लगते थे, साहित्यकार या क्रान्तिकारी नहीं। सिगरेट पीते रहे, श्रोताओं की बातें सुनते रहे और एक नितान्त सरल हँसी हँसते रहे। गिरिजाकुमार माथुर से जब पहली बार मिला तो वे इतने आत्मीय हो गये कि वे उसी पहली भेंट में कोई एक घण्टे तक नितान्त अश्लील उर्दू कविता सुनाते रहे। दिनकरजी से मैं दो बार मिला। जीवन में इतना पाने पर भी वे खुश नहीं थे। उनकी जो महत्त्वाकांक्षाएँ थीं, वे अन्त में चलकर शायद राजनीतिक हो गयी थीं। मैं जितनी देर उनके पास बैठा, उतनी देर वे यही कहते रहे कि अभी पार्लियामेण्ट जाना है और शाम को प्रधानमन्त्री ने बुलाया है। मैं सिर्फ़ उन्हें देखता ही रहा। बस।

लखनऊ से थोड़ा आगे कालाकाँकर राज्य है। वहाँ साहित्य की और साहित्यकारों की प्रतिष्ठा करने की एक शानदार परम्परा रही है। सबसे पहला हिन्दी दैनिक कभी वहीं से निकला था। सुमित्रानन्दन पन्त वर्षों तक कालाकाँकर ही रहे। वहाँ के कुँवर सुरेशसिंह एक अद्भुत व्यक्ति हैं। एक बार मैंने अपने किसी व्यंग्यलेख में उनकी चर्चा कर दी तो उन्होंने तुरन्त पत्र लिखा और मिलने के लिए दिल्ली बुलाया। इतना स्नेह, इतनी आत्मीयता और इतना साहित्य-प्रेम मैंने एक-साथ कभी नहीं देखा। इस स्थिति का एक ही अपवाद है। बिहार के बाबू राजेश्वरप्रसाद नारायण सिंह भी सरस्वती व लक्ष्मी–दोनों के कृपापात्र हैं। वे जागीरदार थे, गाँधी आन्दोलन में जेल गये, राज्यसभा के बीसों वर्ष तक सदस्य रहे पर फिर भी साहित्य को नहीं छोड़ा। कुँवर सुरेशसिंह ने प्रकाश के पक्षियों, पानी के जानवरों और भूमि के वनचरों को लेकर तीन बड़े ग्रन्थ लिखे और राजेश्वर बाबू ने 'भारत के पक्षी' नाम का एक लगभग साहित्यिक ग्रन्थ लिखा जिसकी भूमिका पण्डित जवाहरलाल नेहरू ने लिखी। उन्होंने अनेक पुस्तकें अंग्रेज़ी में लिखीं। लगभग अस्सी वर्ष की आयु में उन्होंने दो उपन्यास लिखे हैं जो अभी-अभी निकले हैं। उनमें से एक उपन्यास (राजमणि) मर्म को छूता है।

प्रयाग व दिल्ली से बाहर मैं साहित्यकारों से मिलता रहा। पटना में रहा तो रामवृक्ष बेनीपुरीजी ने मेरा घर पवित्र किया। चण्डीगढ़ गया तो डॉ. इन्द्रनाथ मदान के साथ खाना खाया जो हमेशा याद रहेगा। मदान साहब अविवाहित थे पर फिर भी उन्होंने मेरे लिए पता नहीं क्या-क्या बनाया था। अनेक किस्मों के अचार थे। खाना खाने से पहले उन्होंने मुझे दो शर्तें पूरी करने को कहा। पहली शर्त तो यह थी कि मैं मैथिलीशरण गुप्त की तमाम कविताओं में से मात्र छः पंक्तियाँ ऐसी निकाल दूँ जो सचमुच 'कविता' हों, पद्य नहीं। मैं मात्र दो पंक्तियाँ ही निकाल पाया। फिर मदान साहब ने कहा कि तुम बड़े संस्कृत-ज्ञानी बनते हो, बताओ कि संस्कृत में 'ईमानदारी' का पर्याय क्या है? मैंने सोचा-विचारा और 'निष्ठा' वगैरह शब्दों को

प्रस्तुत भी किया पर फिर हार मान ली। मदान साहब हँसकर बोले कि संस्कृत में ईमानदार का ठीक पर्याय कोई है ही नहीं और इस बात से साफ़ ज़ाहिर हो जाता है कि उन दिनों कोई व्यक्ति पूरी तरह ईमानदार होता ही नहीं था! इसी प्रकार दौरे पर झाँसी गया तो बाबू वृन्दावन लाल वर्मा के दर्शन किये। अद्‌भुत व्यक्ति थे; एक महान् व्यक्ति थे, एक कुशल वकील थे और एक नितान्त निडर शिकारी थे। और नम्रता और हास्यप्रियता का तो कहना ही क्या! जब मैं मिला तो उसी दिन उनकी 'दबे पाँव' नामक शिकार-कथा छपकर आयी थी। सर्वप्रथम प्रति अपना आशीर्वाद लिखकर मुझे दी। बरेली गया तो एक सज्जन को अदालत भेजा ताकि वकील श्री निरंकार देव 'सेवक' से मेरे मिलने का कोई समय निश्चित कर आएँ। मैं समय निश्चित कर रहा था और सेवकजी उसी व्यक्ति के साथ मुझसे भेंट करने उसी समय चले आये। घण्टों बैठक जमी और रोज़ जमी। 'रंग' का बीस हज़ार का पुरस्कार लेने बम्बई गया तो यह जानकर दुगुनी प्रसन्नता हुई कि नरेन्द्र शर्मा मुझे पुरस्कार देंगे। पहली बार 'प्रवासी के गीत' लिखने वाले कवि से भेंट हुई। नरेन्द्र शर्मा यदि फ़िल्मों में न जाते, तो वह हमारे साहित्य के हित ही में होता। इसी प्रकार शशिप्रभा शास्त्री ने बहन का स्नेह दिया, मित्र की सलाह दी, न जाने कहाँ-कहाँ इज़्ज़त दिलवायी पर अपनी सच्ची उम्र कभी नहीं बताई।

डॉ. नामवर सिंह के भी दर्शन दिल्ली में ही हुए। मेरा एक व्यंग्य-संग्रह ओंप्रकाशजी ने प्रकाशन के लिए स्वीकार किया था मगर उसके छपने से पूर्व ही उन्हें 'राजकमल प्रकाशन' छोड़ना पड़ा। मैं जब स्थिति समझने के लिए वहाँ गया तो पता चला कि डॉ. नामवर सिंह से ही पूछताछ करनी है। मैं उनसे मिला, वे बोले तो नहीं क्योंकि उनके मुख में न जाने कितने पान थे, पर वैसे वे उठे और बड़ी शिष्टता के साथ मुझसे हाथ मिलाया और कुर्सी दी। फिर उन्होंने एक रजिस्टर में मेरा नाम, पता तथा आने और जाने का समय इस प्रकार अंकित किया जैसे कि आवारा जानवरों के बारे में काँजी हाउस में किया जाता है। इसके बाद उन्होंने अगले दिन आने को कहा। जब मैं अगले दिन गया तब भी मेरे साथ वैसा ही व्यवहार किया गया। मैं उन दिनों वित्त मन्त्रालय में अवर सचिव था और मेरे पास मोटर नहीं थी। सचिवालय से दरियागंज जाने में काफ़ी समय लगता था। जब तीसरे दिन भी उन्होंने वही व्यवहार किया तो मुझे गुस्सा आ गया। मुझे गुस्सा सदा नहीं आता पर जब आता है तो बुरी तरह आता है। 'भय' और 'प्रेम' के सन्दर्भ में भी मेरी यही स्थिति है। मेरे क्रोध को देखकर नामवरजी घबरा गये। उनकी नयी-नयी नौकरी थी। मैं श्रीमती शीला सन्धू के पास गया और उन्हें सारी बात बतायी। उन्होंने बड़ी गरिमा के साथ कहा कि जो पाण्डुलिपि ओंप्रकाशजी स्वीकार कर चुके हैं वे ज़रूर छपेंगी और ओंप्रकाशजी के

जाने से उन पर कोई आँच नहीं आएगी। मेरा व्यंग्य-संग्रह थोड़े दिनों बाद ही प्रेस में चला गया। इस दुःखद घटना के बाद नामरवरजी कई बार मिले और बड़े स्नेह और आत्मीयता के साथ मिले।

उर्दू के अनेक साहित्यकारों के सम्पर्क में मैं आया पर उसकी चर्चा फिर कभी करूँगा। हाँ, यह बात ज़रूर कह दूँ कि फ़िराक़ साहब के यहाँ मैं अक्सर अपनी शाम गुज़ारता था। वे बेहद सिगरेट पीते थे, बेतहाशा शराब पीते थे और जब भी मैं किसी सुन्दर मित्र के साथ जाता था तो वे आत्मविभोर हो उठते थे और उसे बार-बार आने को कहते थे। और ज़्यादा कहना उचित नहीं होगा। 'बिस्मिल' इलाहाबादी नगर पालिका के कर्मचारी थे और वे खुसरो बाग़ में स्थित किसी छोटे-से दफ़्तर में शायद 'दफ़्तरी' थे। हम लोग उनसे मिलने गये तो देखा कि एक आदमी लिफ़ाफ़ों पर मुहर लगा रहा है और हमसे कह रहा है कि आप तशरीफ़ रखिए, बिस्मिल साहब अभी व्यस्त हैं, जल्दी ही मिलेंगे। थोड़ी देर बाद जब उनका काम ख़त्म हो गया तो उन्होंने बीड़ी सुलगायी और हम चारों से बोले कि "कहिए क्या खिदमत कर सकता हूँ? मैं ही बिस्मिल हूँ।" इसके बाद हम सब खुलकर हँस पड़े।

अन्त में मैं अपने बिरादरों की चर्चा करूँगा। शरद जोशी जैसा निश्छल व्यक्ति मैंने जीवन में कम ही देखा है। बम्बई गया, उनसे मिला और मेरी लड़की ने (जो श्रीलाल शुक्ल की व शरद जोशी की ज़बर्दस्त फ़ैन है) उनका ओटोग्राफ़ लिया। जबलपुर गया तो हरिशंकर परसाई जी ने बड़ा मान दिया। एक आयोजन एरेंज करवाया, बीमारी के बावजूद वहाँ गये, मुक्त-कण्ठ से मेरी प्रशंसा की और बतौर सनद के (ताकि वक़्त ज़रूरत काम आये) मेरे साथ फ़ोटो भी खिंचवाया। रेडियो वालों से कहकर मेरा इण्टरव्यू भी कराया।

श्रीलाल शुक्ल से पिछली मुलाकात कुछ ही महीने पहले लखनऊ में हुई थी—और वह भी होटल 'क्लार्क अवध' में। बातचीत के दौरान उन्होंने बड़ी बेतकल्लुफ़ी के साथ बीयर पीने के लिए बीस मुद्राओं का सवाल किया। मेरे पास पचास का नोट था सो दे दिया। आधा घण्टा बाद आये तो कहने लगे कि मित्र, पचास रुपये हाथ में हों तो बीयर कौन पियेगा, मैं तो ह्विस्की ही पी आया। दूसरे शब्दों में मेरे बाकी तीस रुपये भी गये। वे खुश हुए और मैं उदास हो गया। मेरी बात पर यदि ज़रा-सा भी अविश्वास हो तो आप के.पी. सक्सेना से पूछ लें। वे चश्मदीद गवाह हैं और वैसे भी कायस्थ होने के कारण वे शराब छूते तक नहीं। खुदा का लाख-लाख शुक्र है कि उस वक़्त मेरे पास ज़्यादा रुपये नहीं थे वर्ना श्रीलाल भाई स्काच ह्विस्की पीने शायद स्कॉटलैण्ड ही चले जाते।

आज कुछ अपने बारे में

पराजित पीढ़ी का सन्दर्भ हो और मेरी चर्चा न चले तो कुछ अजीब-सा लगेगा। इसी कारण आज मैं जो कुछ बोलूँगा, वह मात्र अपने बारे में ही बोलूँगा।

मेरे देखते-देखते न जाने कितने लोग साहित्य के डॉक्टर हो गये और एक मैं हूँ कि इतने वर्षों बाद भी साहित्य का मरीज़ ही चल रहा हूँ। मेरा रोग असाध्य है क्योंकि एक तरफ़ तो मैं प्रथम श्रेणी का कवि हूँ और दूसरी तरफ़ प्रथम श्रेणी का व्यंग्यकार हूँ। (मेरी आत्मप्रशंसा पर आप चौंकिए नहीं; जब कोई और प्रशंसा नहीं करता तो आत्मप्रशंसा के अतिरिक्त चारा ही क्या है? अज्ञेय जी ठीक ही तो कहते हैं कि हिन्दी में आलोचना है कहाँ?) व्यंग्यलेखक के रूप में जो प्रतिष्ठा मुझे मिली, उसने काफ़ी हद तक मेरे कविरूप को धुँधला कर दिया। स्थिति इतनी नाज़ुक हो गयी कि मणि मधुकर ने जब अपना काव्यग्रन्थ मुझे समर्पित किया तो उन्हें लिखना पड़ा कि 'कवि' रवीन्द्रनाथ त्यागी के लिए। कभी-कभी तो स्थिति वाकई इतनी बिगड़ जाती है कि लोग मेरी कविता पढ़कर हँसते हैं और हास्य-व्यंग्य पढ़कर रोते हैं। बहरहाल, ऊपर चर्चित साहित्य के एक डॉक्टर (डॉ. बालेन्दु शेखर तिवारी) ने 'रवीन्द्रनाथ त्यागी का व्यंग्य-कर्म' नाम का एक शुद्ध व शास्त्रीय किस्म का प्रबन्ध लिखा जो रमेश मेहता द्वारा सम्पादित एक स्तरीय साहित्यिक पत्रिका (हिन्दी शीराज़ा) में छपा। लेखक ने मेरे नाम के साथ 'व्यंग्य-कर्म' की जो चर्चा की है, वह ठीक उसी ईमानदारी के साथ की है जिसके साथ वे मेरे 'क्रिया-कर्म' की चर्चा करते या करेंगे।

लगभग पिछले तेईस-चौबीस वर्षों से मैं अपनी प्रतिभा के अनुसार हिन्दी की श्रीवृद्धि करता चला आ रहा हूँ। कितने ही लोगों ने मेरी निन्दा की, मुझसे ईर्ष्या की, मगर कितने ही महान् साहित्यकारों ने खुलेआम मेरी प्रशंसा भी की। मेरी सर्वप्रथम पुस्तक (जो कविता-संग्रह थी) को लेकर सुमित्रानन्दन पन्त ने कहा था कि "इन कविताओं को पढ़कर लगता है जैसे इधर-उधर से चिड़िया उड़कर चहकने लगी हैं और उनके स्वर स्वतः ही गीत बन गये हैं। मुझे विश्वास है कि रवीन्द्रनाथ त्यागी की प्रतिभा और कलाबोध हिन्दी कविता में एक नये ऐश्वर्य

को जन्म देंगे।" रघुपतिसहाय 'फ़िराक़' को कहना पड़ा कि "इन कविताओं में नयी ज़मीन तोड़ी गयी है और नये ढंग से तोड़ी गयी है—ठीक उसी तरह जैसे ह्विटमैन ने 'लीव्स ऑफ़ ग्रास' में किया था।" व्यंग्य के सन्दर्भ में राधाकृष्ण ने कहा कि "रवीन्द्रनाथ त्यागी को पढ़ते हुए मुझे ऐसा लगा जैसे कि मैं किसी हीरे को तराशा जाता देख रहा हूँ। रवीन्द्रनाथ त्यागी धन्य हैं जो लाठी से बाँसुरी बजाते हैं।" किशनचन्दर ने मेरी एक किताब पढ़कर अपने एक दोस्त को लिखा था कि "यह नौजवान आगे जाएगा क्योंकि लिखने के साथ-साथ यह पढ़ता भी है।"

एक ज़माना था कि मैं ऊपर दी गयी या उन जैसी प्रशंसाओं पर विश्वास करता था, अपने को भाग्यशाली मानता था और समझता था कि मैं 'इलियट' और 'वाल्तेयर' का संशोधित व परिवर्धित संस्करण हूँ। खुशी की बात यह रही कि मेरा यह स्वप्न ज़्यादा दिनों नहीं चला। मैंने देखा कि ये जो बड़े लोग हैं ये कितनी भी घटिया सामग्री पर कितनी भी बढ़िया सम्मति लिख सकते हैं। नये लोगों को गुमराह करने में इन्हें मज़ा आता है। इधर जब से मुझे भी फ्लैप मैटर लिख देने के लिए नवोदित साहित्यकारों ने पकड़ना शुरू किया है तब से ठीक वही काम मैं करता हूँ जो कि पन्तजी ने मेरे साथ किया था। कल ही मेरे पास एक ऐसे कवि आये थे जो डोगरी कविता को लेकर साहित्य अकादेमी एवार्ड पहले से ही प्राप्त कर चुके थे। मेरे पास वे मात्र इस कारण आये थे कि मैं उनके प्रथम हिन्दी-काव्यग्रन्थ की छोटी-सी भूमिका लिख दूँ। मैंने ठीक वैसी ही भूमिका लिख दी जैसी कि वे चाहते थे। सच्ची बात तो यह है कि हे तात, यदि सीनियर लेखक ऐसा न करें तो उनकी मिजाज़पुर्सी कौन करेगा? जब इन नये लेखकों का स्वप्नभंग होगा तब ये भी मेरी ही भाँति 'पुंल्लिग' से उतरकर 'नपुंसकलिंग' हो जाएँगे।

सब कुछ हुआ पर मेरे आत्मविश्वास ने मुझे नहीं छोड़ा और मैं धीरे-धीरे, पर लगातार लिखता गया। पाँच कविता-संग्रह छप गये, तेरह व्यंग्य-संग्रह भी प्रकाशित हुए और बाकी सब कुछ मिलाकर अब स्थिति यह है कि चौबीस किताबें छप चुकी हैं, पाँच प्रेस में हैं और तीसवीं किताब पर जुटा हूँ। यह लेख भी उसी तीसवीं किताब में जाएगा मगर उसके पहले यह रेडियो पर पढ़ा जाएगा और बाद में किसी पत्रिका में भी छपेगा। सम्पादकों के जूते साफ़ करने में मुझे कोई संकोच नहीं होता। आलोचक लोग जो चाहें वह कर लें।

मेरी हिम्मत देखकर धीरे-धीरे कुछ भाग्यहीन समीक्षक भी मुझ पर ध्यान देने लगे। मुझे भी पाठ्यक्रमों में शामिल किया गया और मेरे सम्मान में भी गोष्ठियों का

आयोजन किया जाने लगा। मैं तटस्थ भाव से उस सबको सुनता-पढ़ता रहा जो कि आलोचक लोग कहते-लिखते रहे। यह क्रिया स्वयं अपने में काफ़ी आनन्ददायक थी। एक समालोचक ने कहा कि त्यागीजी अपना पर्दाफ़ाश भी खुद ही कर देते हैं और इससे उनकी कला का स्तर बहुत ऊँचा उठ जाता है मगर इन्द्रनाथ मदान मरते दम तक यही कहते रहे कि रवीन्द्रनाथ त्यागी अपनी कमज़ोरियों को सबके सामने क्यों खोलता है? क्या यह काम मीरासियों का नहीं है? ठीक इसी प्रकार कुछ बड़े लोग हैं जो मेरी अध्ययनशीलता की तारीफ़ करते हैं जबकि दूसरी ओर मेरे एक नौजवान मित्र हैं (डॉ. प्रेम जनमेजय) जो कहते हैं कि इस ज़्यादा ज्ञान ने रवीन्द्रनाथ त्यागी को 'उद्धरणनाथ त्यागी' बना दिया।

कुछ समीक्षकों को मैं घर पर डिनर वगैरह पर भी बुलाता रहा ताकि वक़्त ज़रूरत काम आएँ। कुछ के रिश्तेदारों की नौकरियाँ लगवा दीं, कुछ के तबादले करा दिये और कुछ को ऐसे स्थानों पर भिजवा दिया जहाँ कि ऊपर की आमदनी खासी थी। (वैदिकी हिंसा हिंसा न भवति) बहरहाल, इन सब कामों का कुछ असर तो ज़रूर पड़ा। कुछ ऐसे समीक्षक—जो पहले मुझे शूद्र समझते थे—अब मुझे ब्राह्मण मानने लगे।

कुछ मोटी-मोटी बातों का ज़िक्र यहाँ ज़रूर करूँगा। ये वे बातें हैं जो समीक्षकों के अनुसार मेरे व्यंग्य-कृतित्व की विशिष्ट प्रवृत्तियों का पता देती हैं। पहली बात यह है कि "मेरे कृतित्व में संस्कृत के क्लासिक्स की गन्ध आती है।" दूसरी बात यह है कि "विशुद्ध साहित्य की दृष्टि से केवल मेरा ही व्यंग्य-लेखन ऐसा है जो मेरे बाद भी टिकेगा।" तीसरी बात यह है कि "मेरे व्यंग्य में आनन्द को ढाल की तरह आगे रखते हुए, तीखे प्रहार की तलवार को थोड़ा पीछे रखा जाता है जिसके कारण चोट जो लगती है, उसका एहसास थोड़ी देर के बाद ही होता है।" चौथी बात यह है कि "मुझे रूपवती युवतियों से विशेष प्रेम है। (शायद सूर्यबाला ने कहीं लिखा था कि कुत्तों के बाद मेरा दूसरा प्रेम प्रकाश में आता है और यह दूसरा प्रेम वह है जो मैं सुन्दर युवतियों से करता हूँ।)" पाँचवीं बात यह है कि "मेरी भाषा बहुत बढ़िया है और डॉ. कमल किशोर गोयनका के शब्दों में तो मेरी भाषा में जादू है।" छठी बात यह कि "मैं अकेला ऐसा व्यंग्यकार हूँ जो कि एक श्रेष्ठ कवि भी हूँ।" मेरे जैसी संवेदनशीलता और किसी व्यंग्यकार के पास होने का प्रश्न ही नहीं उठता? सातवीं बात यह है कि "मेरे गहन और विस्तृत अध्ययन ने मेरे कृतित्व को कला का रूप दिया।" समीक्षकों की वाणी समाप्त हुई। अपनी रचनाओं पर मैं कितना परिश्रम करता हूँ, यह सिर्फ़ मैं ही जानता हूँ।

ऊपर लिखी बातों को यदि आप ध्यान में रखें तो मेरी पहचान करने में आपको कोई दिक्कत कभी नहीं पड़ेगी। आप सपत्नीक (या अकेले ही) किसी रचना को पकड़ लें और उसके लक्षण गिनना शुरू कर दें। यदि ऊपर बताये गये सात गुण रचना में हैं तो निश्चित रूपेण समझ लीजिए कि रचना रवीन्द्रनाथ त्यागी की है। अगर एक गुण भी कम पड़ गया तो वह रचना मेरी नहीं; परसाई जी की या शरद जोशी जी की होगी।

डॉ. इन्द्रनाथ मदान मुझसे बड़ा स्नेह रखते थे। जब मैं दौरे पर चण्डीगढ़ गया तो उन्होंने शाम के खाने पर बुलाया। वे अकेले ही रहते थे। काफ़ी चीज़ें बनाई थीं मगर एक शर्त थी। खाना खाने के पूर्व वे चाहते थे कि मैथिलीशरण गुप्त के सम्पूर्ण साहित्य में से (जो सामने शेल्फ़ पर लगा था) मैं कविता की मात्र छह पंक्तियाँ निकाल दूँ। मैंने बड़ी कोशिश की पर सब बेकार। भूख हम दोनों को लगी थी। थोड़ी देर बाद वे बोले "सच बताओ कि तुम इस बात को स्वीकार करते हो या नहीं?" मैंने पूछा, "कौन-सी बात?" मदान साहब बोले कि "देखो, तुम सैटायर के मालिक हो, यह मैं स्वीकार करता हूँ। तुम मुझे 'आयरनी' का मालिक मानते हो या नहीं?" मैंने फ़ौरन कहा कि मैं वे जो चाहें सब स्वीकार कर सकता हूँ क्योंकि भूख मुझे जोरों से लगी है। वे हँस पड़े और फिर हम लोगों ने ख़ूब जमकर खाना खाया।

मैंने ऊपर जो कुछ लिखा है, उससे हम लोग—खासकर युवा कलाकार—दो-चार अदद हिदायतें ले सकते हैं। पहली हिदायत तो यह है कि आपकी प्रारम्भिक रचनाओं पर बड़े लोग जो लिखते हैं, उस पर अन्धा विश्वास न करें। दूसरी बात यह है कि समीक्षक लोग प्रायः एक-दूसरे के ख़िलाफ़ कहते रहते हैं और उनकी वाणी पर ज़्यादा ध्यान देना व्यर्थ है। जो कुछ समीक्षक लोग लिखें, उसे पढ़ें ज़रूर मगर उसका प्रभाव अपने कृतित्व पर कभी नहीं पड़ने दें। तीसरी बात यह है कि आलोचकों को, सम्पादकों को और प्रकाशकों को कभी खाने वगैरह पर ज़रूर बुलाते रहना चाहिए। इन्हें सिद्ध किये बिना कुछ नहीं बनेगा। यह भी निश्चित कर लें कि लेखन नियमित रूप से हो, और वह आहार, निद्रा, भय और बाकी चीज़ों की तरह आपके दैनिक जीवन का एक निश्चित अंग हो। यह भी नोट कर लें कि यदि सम्पादक, आलोचक और प्रकाशक प्रतिभावान् हों तो लेखकों के बिना भी साहित्य आगे बढ़ सकता है। अन्त में चलकर यह बात भी ध्यान में रखें कि किसी लेखक के घर पर कोई प्रीतिभोज वगैरह हो तो पहले ही पूछ लीजिए कि खाना खाने के साथ कोई शर्त वगैरह तो नहीं जुड़ी है। सबसे अन्तिम और रहस्य की बात यह है कि जब कोई साहित्यकार

अपने बारे में खुद ही लिखने लगे तो समझ लीजिए कि उसका 'लेखक' वाला भाग समःप्ति को प्राप्त हो गया। आशा है सुधी पाठक मेरा इशारा समझ गये होंगे। आलोचक लोग मेरे चारों तरफ़ अब इस तरह सिमटेंगे जैसे कि गिद्ध नाम के पक्षी मरणासन्न पशु के चारों तरफ़ इकट्ठे होते हैं। मगर मैं उन्हें अभी से बता दूँ कि मेरी मृत्यु कभी नहीं होगी। बच्चन की भाँति मैं भी जाल समेटने के बाद भी मछलियाँ पकड़ता रहूँगा। आमीन।

हिन्दी साहित्य में मुझे क्या ज़्यादा प्रिय है?

यह रचना हास्य-व्यंग्य की रचना नहीं है। यह एक गम्भीर रचना है। हिन्दी के गम्भीर गद्य लिखने वालों का कितना बड़ा सौभाग्य है कि मैंने उनके क्षेत्र में अपना क़दम नहीं रखा।

एक

मेरा बचपन बहुत ग़रीबी में बीता। स्कूल मैं जा नहीं सकता था और इसी कारण मैं पाठशाला में संस्कृत पढ़ने बिठाया गया। मैंने प्राइवेट छात्र के रूप में गवर्नमेण्ट संस्कृत कॉलेज बनारस की प्रथमा परीक्षा पास की और उसके बाद साहित्य को अपना विषय बनाकर मध्यमा के तीन खण्ड पास किये। इस बीच मुझे अपने भविष्य की चिन्ता होने लगी। संस्कृत का पण्डित होने के बाद मैं क्या करता? किसी तरह फिर स्कूल जाने लगा। पाठशाला में पढ़े और ग्रन्थों के नाम याद नहीं हैं। पर इतना ज़रूर याद है कि लघुसिद्धान्त कौमुदी, अमरकोष, अषकहड़ाचक्र, भर्तृहरि के शतक, तर्क संग्रह, पंचतन्त्र, चन्द्रालोक, रघुवंश, कुमारसम्भव, दशकुमारचरित, नागानन्द नाटक, हर्षचरित, उत्तररामचरित और कठोपनिषद् मैंने ज़रूर पढ़े थे। पाठशाला छोड़ते समय मुझे इतना ज्ञान हो गया था कि मैं संस्कृत में कहानियाँ लिखने लगा था। स्कूल में जाने पर भी मैं संस्कृत नियमित रूप से पढ़ता रहा और मैंने पहली बार महसूस किया कि कला की पूर्णता किसे कहते हैं, रस क्या है और साहित्य संसार में कितनी बड़ी चीज़ है। धीरे-धीरे मैंने संस्कृत के बाकी क्लासिक्स भी यथासम्भव समाप्त कर दिये। आज सोचता हूँ कि मेरी वह ग़रीबी एक कितना बड़ा वरदान थी। न मैं संस्कृत पढ़ता और न मैं इतना बड़ा साहित्यकार बनता (!) भर्तृहरि ने कहा है कि साहित्य, संगीत और कला के बिना प्राणी जो है वह जानवर है। एक और नीतिकार ने कहा है कि समझदार लोग अपना समय काव्य, शास्त्र और विनोद में गुज़ारते हैं जबकि मूर्ख लोग या तो व्यसन करते हैं, या झगड़ा करते हैं और या फिर निद्रालाभ करते हैं। जो लोग अनिद्रा के शिकार हैं उन्हें कवि की वाणी से शिक्षा लेनी चाहिए

क्योंकि वे मात्र इस कारण नहीं सोते क्योंकि वे बुद्धिमान हैं। संस्कृत में पण्डितों ने माघकाव्य की बड़ी प्रशंसा की है। कहते हैं कि दण्डी का पद लालित्य, भारवि का अर्थगौरव व कालिदास की उपमा—इन तीनों को एक ही स्थान पर देखना चाहो तो मात्र 'माघकाव्य' ही पढ़ लो। माघे सन्तु त्रयो गुणाः। एक और शास्त्रकार हैं जो कहते हैं कि माघकाव्य और मेघदूत—इन दो ग्रन्थों के पढ़ते-पढ़ते उनकी उम्र निकल गयी। माघे मेघे गतं वयः। अन्त में चलकर एक निष्पक्ष शास्त्रकार ने हमारी 'गुटनिरपेक्ष' नीति की तरह मध्यम मार्ग अपनाया और कहा कि काव्यों में माघकाव्य ही सर्वश्रेष्ठ है पर सबसे बड़ा कवि जो है वह कालिदास ही है। काव्येषु माघः कवि कालिदासः। जब मैंने 'माघकाव्य' पढ़ा तो मुझे शब्दातीत निराशा हुई। प्रयाग विश्वविद्यालय में मैंने स्नातक होने के लिए 'संस्कृत' भी ली क्योंकि वह मुझे वैसे ही इतनी आती थी। न किताब खरीदने की ज़रूरत और न समय का कोई अपव्यय। मैंने संस्कृत में एक सौ पचास में से एक सौ अट्ठाईस नम्बर पाये थे मगर एक कन्या थी जिसके दो नम्बर मुझसे ज़्यादा थे। बाद में पता चला कि वह विभाग के अध्यक्ष की पुत्री थी। मैं चुप हो गया। सर्वप्रथम आने का कानूनी हक उसी का था।

संस्कृत के अतिरिक्त अंग्रेज़ी मैंने काफ़ी पढ़ी। और अब भी बराबर पढ़ता ही रहता हूँ। स्थिति यह है कि हिन्दी, संस्कृत और अंग्रेज़ी तो पढ़ी ही हैं, मैंने अनुवाद की सहायता से संसार की बाकी भाषाओं की प्रमुख रचनाएँ पढ़ने की भी कोशिश की है। बाँग्ला, मैथिली और बाकी क्षेत्रीय भाषाओं के महान् ग्रन्थों को भी अनुवाद के सहारे पढ़ा है। मगर अभी तो इतना पढ़ना बाकी है कि कह नहीं सकता। पंचतन्त्र के अनुसार "शब्दशास्त्र (यानी कि किताबें) अनन्त हैं, जीवन छोटा है और साथ में और बाधाएँ भी हैं। इस कारण समझदार लोग छाँट-छाँटकर ही पुस्तक पढ़ें और हंस के नीर-क्षीर वाली पद्धति अपनाएँ।" लाला हरदयाल के शब्दों में यदि मैं यूनानी-देवता टिथोनस की भाँति अमर होता तो सौ वर्ष इतिहास पढ़ता, सौ वर्ष गणित पढ़ता और इसी प्रकार आगे चलता। मगर मैं इतना अभागा हूँ कि अपने जीवन में यह भी नहीं जान पाऊँगा कि मैं कितना कम जानता हूँ। एक ओर आज के नये साहित्यकार हैं जो अपना लिखा हुआ तक भी नहीं पढ़ते।

आज मैं उन रचनाओं की चर्चा करूँगा जिन्होंने मुझे अनन्त सुख दिया है, मेरे जीवन को उभारा है और जिनके बार-बार पढ़े बिना मैं अपूर्ण ही रहता। समय की कमी के कारण मैं मात्र हिन्दी की रचनाओं की ही चर्चा करूँगा। संस्कृत, फ़ारसी, उर्दू, बंगाली और अंग्रेज़ी इत्यादि का अपना ज्ञान किसी और दिन बघारूँगा। एक स्वतन्त्र निबन्ध लोकगीतों और लोककथाओं पर भी लिखूँगा। आगे भगवान की इच्छा। इनसे मेरी कीर्ति बढ़ेगी या घटेगी—यह आलोचक की इच्छा। और हाँ, आज

मैं केवल तथाकथित पुराने लेखकों की ही चर्चा करूँगा। नयी पीढ़ी की चर्चा करना फ़ौजदारी को दावत देना होगा जो मैं नहीं करना चाहता। इन दिनों मेरा स्वास्थ्य वैसे भी ठीक नहीं चल रहा।

दो

वीरगाथा काल की सबसे विख्यात और लोकप्रिय गाथा 'आल्ह खण्ड' है। इसका अनुवाद सरल भाषा के कई कवियों ने किया। पश्चिमी उत्तरप्रदेश में लाला मटरूमल अत्तार ने बावन युद्धों का वर्णन लिखा जो कि वर्षा की ऋतु में गाँव-गाँव गाया जाता है। आल्हे का सौन्दर्य उसके पढ़ने वाले पर निर्भर करता है। मटरूमल जी की कुछ पुस्तकें मेरे पास हैं। उनकी सर्वाधिक लोकप्रिय पुस्तक 'सिरसे की आख़िरी लड़ाई' भी मेरे पास है और कभी-कभी जब मैं उसे खोलता हूँ तो नसों में रक्त फड़कने लगता है। ("सरजा सिवाजी जंग जीतना चलत है" वाला कवित्त आल्ह खण्ड से बहुत वर्षों बाद लिखा गया।)

बड़े लड़ैया गढ़ मोहबे के, उनसै पार बसावै नाय
इक्क को मारैं दो गिर जावैं, तिसरा गिरै धमाक्का खाय
उप्पर का दम उप्पर रै गया, निच्चै का ले गया राम उठाय
माहिल माहिल को ललकारा, माहिल तेरा बुरा हो जाय

भक्तिकाल के कवि सूरदास और तुलसीदास किसे प्रिय न होंगे? मगर मुझे 'रामचरितमानस' की अपेक्षा 'कवितावली' कहीं ज़्यादा प्रिय है। तुलसीदास ने स्वयं इसे इसी कारण लिखा कि चुनी हुई स्थितियों का वर्णन ज़्यादा मार्मिक रूप से हो सके। बानगी देखिए:

पुरतें निकसी रघुवीरवधू, धरि धीर दये में पग मैग द्वै
झलकीं भरि भाल कनीं जल की, पुटि सूख गये मधुराधर द्वै
फिरि बूझति हैं, चलनो अब केतिक, पर्नकुटी करिहौं कित ह्वै
तिय की लखि आतुरता पिय की अँखियाँ अति चारु चलीं जल च्वै

सीस जटा उर बाहु बिसाल, बिलोचन लाल, तिरीछीं सी भौहें
तून सरासन बान धरें तुलसी बन मारग में सुठि सोहैं
सादर बारहि बार सुभायँ चितै तुम्ह त्यों हमरो मनु मोहैं
पूँछति ग्रामवधू सिय सों, कहौ, साँवरे से सखि रावरे को हैं?

तुलसी तेहि औसर सोहैं सबै अवलोकति लोचन लाहु अली

अनुराग-तड़ाग में भानु-उदैं विगसी मनो मंजुल कंजकली
सुनि सुन्दर बैन सुधारस-साने सयानी हैं जानकी जानी भली
तिरछे करि नैन, दे सैन, तिन्हें समुझाई कछू, मुसकाई चली

राम के वनवास जाते समय को लेकर बहुत कवियों ने लिखा है मगर एक अज्ञात कवि की कविता है जो भावुक मन को रुला देने की शक्ति रखती है। कौशल्या राम को विदा देते हुए कहती हैं:

जनकदुलारी सुकुमारी हैं सकल अंग
मेरी नैनतारी नेक न्यारी मत कीजियो,
वन विकराल, बाघ ब्याल हैं कराल लाल
बाल लछिमन काहू काल न पतीजियो,
सीत, घाम, मेंह सो बचैयो देह कोमल ये
जानि जिय नेह वेगि गेहि सुध लीजियो,
आते-जाते हाथन हमेस हित मान मेरे
ए रे प्रान प्यारे पूत पाती निज भेजियो।।

इस मर्मस्पर्शी कवित्त में कवि ने अपना नाम तक नहीं दिया जैसा कि प्रथा थी। एक आजकल के साहित्यकार हैं जो विदेशी रचनाओं को अपने नाम से छपाते हैं और जब सच्चाई का पता बाकी लोगों को लग जाता है तो दाढ़ी बढ़ा लेते हैं। मैं तो जिस किसी साहित्यकार को दाढ़ी के साथ देखता हूँ, उसी को चोर समझता हूँ। अगर चोर नहीं है तो दाढ़ी बढ़ाकर अपना चेहरा क्यों छिपा रहा है? ऐसे ठाँव नाव बाँधते ही क्यों हो जहाँ कि वैसा करने पर सारा गाँव प्रश्न पूछने की मुद्रा में आ जाए?

सूरदास को मैं भक्तिकाल का कवि नहीं मानता। जो लोग असली माल को जानते हैं, वे मुझसे सहमत होंगे कि सूरदास रीतिकालीन कवि थे। उनके उन पदों को, जो मुझे पसन्द हैं, यहाँ देने लगूँ तो शायद ठीक नहीं होगा। मैं तो बस इतना ही कहूँगा कि आप सूरसागर का वह प्रसंग पढ़ें जहाँ राधा का प्रणय, गोपियों का चीरहरण और इसी किस्म के दीगर काम किये गये। जो परेशानी सूरदास के साथ है, वही विद्यापति व बँगला के वैष्णव कवियों के साथ है। भक्ति भी रहे और राधा और शेष गोपियाँ नंगी भी नाचती रहें। यह लोक भी ठीक और परलोक भी ठीक। बूझत स्याम कौन तू गोरी? अँखिया हरि के हाथ बिकानी, धन्य धन्य अँखिया बड़ाभागिनी। निरखि ब्रजनारि छबि स्याम लाजै। स्यामा स्याम रिझावति भारी। मानो भाई घन घन अन्तर्दामिनी। विहरत रास रंग गोपाल। जल क्रीड़ा सुख अति उपजायो। एक पद जो मुझे बहुत प्रिय है, नीचे दिया जाता है:

नवल किशोर, नवल नागरिया
अपनी भुजा स्याम भुज, ऊपर, स्याम भुजा अपने उर धरिया

क्रीड़ा करत तमाल तरुन तर स्यामा स्याम उमंगि रस भरिया
यों लपटाई रहे उर उर ज्यौं मरकत मनि कंचन में जारिया
उपमा काहि देउँ के लायक मन्मथ कोटि वारनै करिया
सूरदास बलि बलि जोरी पर नन्दकुँवर वृषभानु दुलरिया।

भक्तिकालीन कवियों में सुदामाचरित लिखने वाले कवि नरोत्तमदास मुझे सदा से प्रिय रहे। और भारतेन्दु की कविता का तो कहना ही क्या–सखा प्यारे कृष्ण के गुलाम राधारानी के। उनका कृष्ण-काव्य बहुत मार्मिक है हालाँकि वह बहुत कम लोगों के द्वारा पढ़ा गया।

रीतिकाल के कवि (खास तौर पर आचार्य कवि) मुझे कभी अच्छे नहीं लगे। अब यह भी कोई बात हुई कि साँझ की वेला है, प्रियतम प्रतीक्षा में आँखें फाड़-फाड़कर क्षितिज को देख रहा है और जब सोलह शृंगार किये नायिका आती है तो ये आचार्यप्रवर 'नायिकाभेद' करने लगते हैं। मुझे तो ग्वाल कवि ज़्यादा समझदार लगता है जो कि एकदम काम की बात करता है। बिहारी जैसे दोहा लिखने वाले लोगों से तो मुझे सख़्त नफ़रत है हालाँकि पण्डित पद्मसिंह शर्मा (जो त्यागी जाति के ही थे) सारी उम्र यही सिद्ध करते रहे कि बिहारी जो है वह देव से बड़ा है। सच्ची बात तो यह है कि 'दोहा' छन्द कविता के लिए बना ही नहीं। जब तक छन्द में जान नहीं होगी तब तक मात्र 'अर्थ की लय' से कुछ नहीं होगा। हिन्दी के सारे दोहों में सिर्फ़ मीरा का एक ही दोहा है जो आपके भावुक होने के लिए विवश करता है–कागा सब तन खाइयो, चुन चुन खइयो मांस, दो नैना मत खाइयो, पिया मिलन की आस।

यूँ तो रीतिकाल की काफ़ी वाणी ऐसी है जो कालजयी है पर जहाँ तक कवि का प्रश्न है, मुझे मात्र पद्माकर ही ज़्यादा पसन्द हैं। संसार में कितने कवि ऐसे होंगे जो कि दस-बारह कवित्तों के आधार पर साहित्य में अमर हैं? मैं यह भी मानता हूँ (और मेरा दृढ़ विश्वास है) कि कुछ कवि होते हैं जिनकी वाणी सिद्ध हो जाती है। भर्तृहरि ने ठीक ही कहा है कि 'जयन्ति ते सुकृतिनो रस सिद्धाः कवीश्वराः।' पद्माकर की वाणी सिद्ध थी। कुष्ठ रोग होने पर उन्होंने 'गंगालहरी' लिखी और जैसे-जैसे वे उसे पढ़ते गये, गंगा ऊपर चढ़ती गयी और उन्हें समेटकर ले गयी। वाणी के सिद्ध हुए बिना क्या कोई ऐसा लिख सकता है जैसा कि पद्माकर ने लिखा है?

(वसन्त)

कूलन में, केलिन में, कछारन में, कुंजन में
क्यारिन में कलिन कलीन किलकंत है,
कहै पद्माकर परागन में, पौन हू में
पानन में पिक में, पलासन पगन्त है,

द्वार में, दिसान में, दुनी में, देस देसन में
देखौ दीप दीपन में दीपत दिगन्त है,
बीथिन में, ब्रज में, नवेलिन में, बेलिन में
बनन में, बागन में, बगरो बसंत है

और भाँति कुंजन में गुंजरत भौंर-भीर
और डौर छारन में बौरन के ह्वै गये,
कहै 'पद्माकर' सु और भाँति गलियान
छलिया, छबीले, छैल और छवि छै गये,
और भाँति विहग समाज में अवाज होति
ऐसे ऋतुराज के न आज दिन द्वै गये,
और रस, औरे रीति, औरे राग, औरे रंग
औरे तन, औरे मन, औरे बन ह्वै गये

(वर्षा)

चंचला चमाकै चहुँ औरन तें चाह भरी
चरजि गयी थी फेरि चरजन लागी री,
कहै 'पद्माकर' लवंगन की लोनी लता
लरजि गयी थी फेरि लरजन लागी री,
कैसे धरौं धीर वीर त्रिविध सनैरी तन
तरज गयी थी, फेरि तरजन लागी री,
घन की घमण्ड घटा घेरि कै, घनेरी आवै
गरज गयी थी फेरि गरजन लागी री

तालन पै ताल पै तमालन पै मालन पै
बृन्दावन बीथिन बिहार बंसीवट पै
कहै पद्माकर अखण्ड रसामण्डल पै
मण्डित उमण्डि महा कालिन्दी तट पै
छिति पर छान पर छाजत छजान पर
ललित लतान पर लाड़िली की लट पै
आयी भली छायी यह शरद-जुन्हाई, जिहि
पायी छबि आजु ही कन्हाई के मुकुट पै

रीतिकाल के बाद हिन्दी कविता में अवरोध आया। भारतेन्दु ने कविता के लिए

ब्रजभाषा को ही स्वीकारा था मगर परिस्थितियाँ बदलती गयीं और अन्त में चलकर स्वीकार किया गया कि कविता भी खड़ी बोली में ही लिखी जाए। इस मत के मसीहा थे पं. महावीरप्रसाद द्विवेदी और साधन थी 'सरस्वती' नाम की ऐतिहासिक पत्रिका जिसके कि वे सम्पादक थे। श्रीधर पाठक, हरिऔध, रामनरेश त्रिपाठी और बाद में चलकर मैथिलीशरण गुप्त—इन सबने खड़ी बोली में काव्य लिखा जो 'काव्य' कम और 'पद्य' ज़्यादा था। मैथिलीशरण गुप्त 'राष्ट्रकवि' थे, 'कवि' नहीं। छायावाद के अतिरिक्त सिर्फ़ दो नाम और याद आ रहे हैं जिन्होंने खड़ी बोली में भी काव्य दिया। एक थीं सुभद्राकुमारी चौहान और दूसरे थे दिनकर। सुभद्राकुमारी चौहान की 'झाँसी की रानी' कविता अमर है। दिनकर जी ने भी लिखा: 'कितनी द्रुपदा के बाल खुले, कितनी कलियों का अन्त हुआ: कह हृदय खोल चित्तौड़ यहाँ कितने दिन ज्वाल बसंत हुआ।" दुख की बात है कि दिनकर पथभ्रष्ट हो गये और 'परशुराम की प्रतीक्षा' जैसी कविता लिखने लगे जो कि पद्य भी नहीं है। हारे को हरि नाम।

रीतिकाल के बाद हिन्दी कविता का दूसरा स्वर्ण युग है छायावाद। पन्त, प्रसाद और निराला को इस आन्दोलन का नेता स्वीकार किया गया। मेरे विचार में प्रसाद जी तो कवि थे ही नहीं, वे मात्र पद्यकार थे। 'आँसू' में कुछ अंश हैं जो उनकी कवि-प्रतिभा को उजागर करते हैं मगर उतने से क्या होगा? कामायनी या तो काव्यकृति है ही नहीं और है भी तो तीसरे दर्जे की। मेरी तरह न जाने कितने काव्य-प्रेमी उसे मात्र तुकबन्दी की किताब ही मानते हैं। मात्र 'कथ्य' महान् रखने से ही काव्य उत्कृष्ट नहीं हो जाता। उसमें 'कथ्य' से ज़्यादा उस 'रस' की अपेक्षा होती है, उस कला की अपेक्षा होती है जिसके बिना काव्य श्रेष्ठ नहीं बनता।

पन्त और निराला की ट्रेजैडी यह रही कि ये दोनों महान् कवि एक-दूसरे के समकालीन थे। दोनों कवियों में वर्षों तक छेड़खानी चलती रही। मैंने इन दोनों विभूतियों को बहुत पास से देखा था। मेरे तुच्छ विचार में पन्त जी निराला जी की अपेक्षा 'हीन' थे मगर उनमें 'हीनभावना' जैसी कोई चीज़ नहीं थी। निराला जी जो थे वे 'हीन' नहीं थे पर पन्तजी को लेकर वे 'हीनभावना' से ग्रस्त रहते थे।

निराला का कवि भी उन्हीं की भाँति अनिश्चित, ऊबड़-खाबड़ और स्वच्छन्द रहता था। देशज शब्दों या फ़ारसी के शब्दों का उन्होंने ख़ूब प्रयोग किया। 'तुलसीदास' में देखिए कि सच्चा निराला कौन-सा है:

(69)

लेते सौदा जब खड़े हाट
तुलसी के मन आया उचाट
सोचा, अबके किस घाट उतारें इनको
जब देखो तब द्वार पर खड़े

उधार लाये हम, चले बड़े!
दे दिया दान तो अड़े पड़े अब किसको

(75)

धूसरित बाल-दल पुण्य रेणु
लख चारण वारण चपल धेनु
आ गयी याद उस मधुर रेणुवादन की
वह यमुना तट वह वृन्दावन
चपला नन्दित वह सघन गगन
गोपी-जन-यौवन-मोहन-तन वह वनश्री

दोनों अंश निराला के हैं। उनकी शिल्पहीनता खुद एक बड़ा शिल्प थी। बहुत दिनों बाद खुला आसमान: खुश हुआ जहान। ठाठ जीने का वही जो ढह गया है; मैं अलक्षित हूँ यही कवि कह गया है। स्वर्ण शस्य अंचल धरती का लहराया, सखि बसन्त आया। बँधी नाव हिलती है तट पर, कवि के अग्नि-प्राण उकताए। मुझे निराला के गीत बहुत पसन्द हैं। 'राम की शक्तिपूजा' व 'बादलराग' उनकी प्रतिनिधि रचनाएँ नहीं हैं। प्रत्येक महाकवि की भाँति निराला भी अन्दर से एक महान् गीतकार ही थे। उनके न जाने कितने गीत कभी मेरी याद थे।

श्याम कुंज, वन, यमुना श्यामा
श्याम गगन घन वारिद गाजे

श्याम धरा, तृण-गुल्म श्याम है
श्याम सुरभि-अंचल दल साजे
श्याम बलाका, शालि श्याम है
श्याम-विजय-बाजे नभ बाजे

श्याम मयूर, कोकिला श्यामा
कूजन, नृत्य श्याम मृदु माँजे
श्याम काम, रवि श्याम मध्य दिन
श्याम नयन काजल के आँजे

श्रुति के अक्षर श्याम दीखते
दीपशिखा पर श्याम निवाजे
श्याम तामरस, श्याम सरोवर

श्याम अनिल, छवि श्याम सँवाजे

जिधर देखिए श्याम बिराजे

सुमित्रानन्दन पन्त ने अपना सारा जीवन कविता को उसी समय समर्पित कर दिया था जब कि वे अल्मोड़ा में ही पढ़ते थे। वे रहन-सहन, बातचीत और काव्यपाठ—सभी में नितान्त शालीन, शिष्ट, मितभाषी और समर्पित कलाकार थे। संयोग देखिए कि हिन्दी का इतना बड़ा कवि ब्रजभाषा से अपरिचित था, उर्दू से कोई सम्बन्ध नहीं रखता था और जो असली खड़ी बोली थी उस तक को पूरी तरह नहीं जानता था। 'पल्लव' से लेकर 'ग्राम्या' तक उन्होंने जो लिखा वह हमेशा-हमेशा के लिए अमर है। उसके बाद वे जटिल, अस्पष्ट और कन्फ्यूज्ड हो गये। उनकी अन्तिम कृति 'लोकायतन' इसका प्रमाण है। पन्तजी ने नये छन्दों की सृष्टि की, नये शब्द गढ़े और चारों दिशाओं में सदा से बिखरी प्रकृति से हमें नयी तरह परिचित कराया। 'गुंजन' की सारी कविताएँ सोने की हैं। उन्होंने 'क्ष' व 'ण' जैसे कर्णकटु अक्षरों से भी सौन्दर्य की सृष्टि की—रूपतारा तुम पूर्ण प्रकाम; मृगेक्षणि सार्थक नाम! पन्त जी ने काफ़ी कष्ट उठाये, शादी नहीं की मगर उन्होंने अपनी उस पीड़ा को अपने तक ही रखा और फिर भी कविधर्म निभाया:

मैं सृष्टि एक रच रहा नवल
मानव के हित, उर के भीतर
"सौन्दर्य, स्नेह, उल्लास मुझे
मिल सका नहीं जग में बाहर"

पन्त जी रससिद्ध कवि थे। इतनी सुन्दर, सरल और प्रांजल भाषा उनके कण्ठ से बिना किसी प्रयत्न के फूटकर निकलती थी:

चंचल पग दीपशिखा के घर
गृह, वन, मग में आया वसन्त
सुलगा फाल्गुन का सूनापन
सौन्दर्य शिखाओं में अनन्त:
पल्लव-पल्लव में नवल रुधिर
पत्रों में मांसल रंग खिला
आया नीली-पीली लौ ले
पुष्पों के चित्रित दीप जला

'ग्राम्या' के बाद 'उत्तरपन्त' में जो कन्फ्यूज़न आया था वह काफ़ी हद तक तब दूर हो गया जब उन्होंने 'कला और बूढ़ा चाँद' छपवाई और जिस पर उन्हें साहित्य अकादेमी का एवार्ड मिला। इस पुस्तक में 'देहमान' और 'दन्तकथा' जैसी इतनी

मार्मिक कविताएँ हैं कि कुछ कहा नहीं जा सकता।

छायावाद के बाद हिन्दी में दो बड़े कवि उभरे। एक थे बच्चन और दूसरे अज्ञेय। जहाँ अज्ञेय जी पुरानी काव्य-परम्परा से जुड़े रहकर भी उसे 'नयी' बनाने की कोशिश में लगे (और सफल भी हुए) वहाँ बच्चन ने प्रेम और वासना के दुर्लभ गीतों से एक और दुनिया जीत ली।

अज्ञेय जी का अनुभव बहुत बड़ा है। वे सेना में भी रहे और फिर उन्होंने पता नहीं क्या-क्या काम किया: सम्पादक वे रहे, राजनीतिक बन्दी वे रहे और सारी दुनिया की यात्राएँ उन्होंने कीं। अनुभव के अतिरिक्त उनकी भाषा उनकी सबसे बड़ी शक्ति है। जो शब्द सुन्दर है, वे उसे कहीं से भी उठा लेंगे। वर्षा में मैंने वसन्त को देखा/छाता एक, एक बरसाती/साथ-साथ जाते बतियाते। एक तरफ़ ऐसे पगडण्डी की भाषा और दूसरी ओर ऐसी सांस्कृतिक और प्रांजल वाणी:

अच्छा खण्डित सत्य
सुघर नीरन्ध्र मृषा से
अच्छा
पीड़ित प्यार सहिष्णु
अकम्पित निर्ममता से

अज्ञेय जी एक महान् कवि होते हुए भी मूलतः एक गीतकार ही हैं। गीत को मैं कविता का पंचामृत मानता हूँ और इस क्षेत्र में भी अज्ञेय कितनी ताज़गी से हमारे सामने आते हैं:

ओ पिया, पानी बरसा!
ओ पिया, पानी बरसा!

घास हरी हुलसानी
मानिक के झूमर सी
झूमी मधु-मालती
झर पड़े जीते पीत अमलतास
चातकी की वेदना पुरानी:
बादलों का हाशिया है आसपास
बीच कुंजों की डार कि
लिखी पाँत काली बिजली की

असाढ़ की निशानी

ओ पिया, पानी!
मेरा जिया हरसा
ओ पिया, पानी बरसा

खड़-खड़ कर उठे पात
फड़क उठे गात
देखने को आँखें
घेरने को बाँहें

पुरानी कहानी
ओठ को ओठ
वक्ष को वक्ष
ओ पिया, पानी
मेरा जिया हरसा
ओ पिया, पानी बरसा...

अज्ञेय जी की सौन्दर्यवादी कविताओं में 'कतकी पूनो' कदाचित् सर्वश्रेष्ठ है। कविता इस प्रकार है:

छिटक रही है चाँदनी
मदमाती, उन्मादिनी
कलगी-मौर सजाव ले
कास हुए हैं बावले
पकी ज्वार से निकल शशों की जोड़ी गयी फलाँगती
सन्नाटे में बाँक नदी की जगी चमककर झाँकती
कुहरा झीना और महीन
झर-झर पड़े अकाशनीम
उजली लालिम मालती
गन्ध के डोरे डालती
मन में दुबकी है हुलास ज्यों परछाईं हो चोर की
तेरी बाट अगोरते ये आँखें हुईं चकोर की

अज्ञेय की गम्भीर कविताओं में 'लौटे हुए यात्री का वक्तव्य' कदाचित् सर्वश्रेष्ठ है। 'असाध्य वीणा' एक नितान्त उदात्त कविता है। 'कितनी नावों में कितनी बार' में जो चार लम्बी कविताएँ हैं, वे हिन्दी की श्रेष्ठतम कविताओं में से हैं। 'आँगन के

पार द्वार' में 'झील का किनारा' नाम की जो कविता है वह मुझे सबसे ज़्यादा प्रिय है। अज्ञेय सचमुच महान् थे। शब्द-चित्र खींचने में अज्ञेय अनुपम हैं:

बँधी लीक पर रेलें लादे माल
चिहुँकती और रम्भाती अफराये डाँगर-सी
ठिलती चली जाती हैं:
उद्यम की कड़ी-कड़ी में बँधते जाते मुक्तिकाम
मानव की आशाएँ ही पल-पल
उसको छलती जाती हैं

बच्चन जी अंग्रेज़ी के विद्वान् हैं। उनकी ख्याति 'मधुशाला' नाम की एक ऐसी पुस्तक की वजह से हुई जिसका साहित्यिक मूल्य शून्य है। बच्चन जी ने 'मधुशाला' के कारण पाँच सौ कवि-सम्मेलन अटेण्ड किये तो उससे क्या? हिन्दी में जो बच्चन है वह दूसरा है। यह दूसरा बच्चन प्रेम के, प्रणय के और पिपासा के गीत गाता है और वह भी इस हिम्मत के साथ जिसको कि वर्णित नहीं किया जा सकता। कुछ अँधेरा कुछ उजेला क्या समाँ है; कुछ करो इस चाँदनी में सब क्षमा है। आज रिमझिम है गगन भी, हैं नयन भी। क्या आज तुम्हारे आँगन में भी घन छाये? साथी साँझ लगी अब होने। कोई पार नदी के गाता। जग बदलेगा। किन्तु न जीवन। आओ, हम पथ से हट जाएँ। साथी साथ न देगा दुख भी। बादल घिर आये, गीत की वेला आयी। बिसरा दो, माना, मेरी थी नादानी। ये वे गीत हैं जिनके कारण बच्चन अमर हैं। उन्होंने यथार्थ को पकड़ा, सरल भाषा पकड़ी और छायावाद को समाप्त किया क्योंकि वहाँ न भावना सच्ची रह गयी थी और न भाषा ही आगे बढ़ रही थी। ऐसे समय में बच्चन का विद्रोही स्वर एक ऐतिहासिक घटना समझनी चाहिए। है चिता की राख कर में, माँगती सिन्दूर दुनिया।

बच्चन जी की सर्वश्रेष्ठ रचनाएँ 'मिलन यामिनी' के दूसरे खण्ड में संकलित हैं। बच्चन की वाणी वहाँ सिद्ध हो गयी है। डालें पलाश की फूट पड़ीं, प्रिय छूट गया धीरज मेरा। सहसा बिरवों में पात लगे, सहसा विरही की आग जगी। मेरी कुछ प्रिय कविताएँ इस प्रकार हैं:

(एक)

हम किसी के हाथ में साधन बने हैं
सृष्टि की कुछ माँग पूरी हो रही है
हम नहीं अपराध कोई कर रहे हैं
मत लजाओ और देखो उस तरफ़ भी

प्राण सन्ध्या झुक गयी गिरि, ग्राम, तरु पर
क्षितिज पर निकला रुपहला चाँद
मेरा प्यार पहली बार लो तुम

(दो)

लिखने दो अपनी दुर्बलता का गीत मुझे
मैं जग के तर्ज़ अमल से हूँ अनभिज्ञ नहीं
दुनिया अक्सर मेरे कानों में कहती है
इस कमज़ोरी को मूढ़ छिपाया जाता है
मैं किससे भेद छिपाऊँ, सब तो अपने हैं
अपनी बीती में जगबीती मैं पाता हूँ
मैं गाता हूँ, इसलिए रवानी मेरी है
मैं गाता हूँ, यह खास निशानी मेरी है
मैं गाता हूँ, इसलिए जवानी मेरी है

(तीन)

हो चुका है चार दिन मेरा तुम्हारा
और इतना भी यहाँ पर कम नहीं है

जानता मैं हूँ नहीं, कोई नहीं है
कब तुम्हारे पास फिर आना मुझे है
यह विदा का नाम ही होता बुरा है
डूबने लगती तबीयत, किन्तु सोचो
हो चुका है चार दिन मेरा तुम्हारा
और इतना भी यहाँ पर कम नहीं है

हम अलग होने चले हैं जब हमारा
हर्ष सीमा छू रहा है, ग़म नहीं है
क्या प्रतीक्षा हम करेंगे उस घड़ी की
एक दिल से दूसरा जब ऊब जाए
जिस खुशी के बीच में हम डूबते हैं
वह हमारे बीच में जब डूब जाए
अलविदा का वक़्त है यह जब हमारे
बीच शंका है नहीं, सन्देह, भय या भ्रम नहीं है

हो चुका है चार दिन मेरा तुम्हारा
और इतना भी यहाँ पर कम नहीं है

पंख चाँदी के मिले हों याकि सोने के
मिले हों, एक दिन झड़ते अचानक
औ' सभी को देखनी पड़ती किसी दिन
जड़ प्रकृति की एक सच्चाई भयानक
किन्तु उनके वास्ते रोएँ उन्हें जो
बैठ सहलाते रहे हों, किन्तु उनसे जो बसन्ती
बात बहलाते, बवंडर सात दहलाते
रहे हैं, ज़िन्दगी उनके लिए मातम नहीं है
हो चुका है चार दिन मेरा तुम्हारा
और इतना भी यहाँ पर कम नहीं है

बच्चन जी की पीढ़ी के जो और कवि मुझे बेहद प्रिय हैं उनमें मैं केदारनाथ अग्रवाल, नागार्जुन और 'गीत फ़रोश' के लेखक भवानीप्रसाद मिश्र की चर्चा विशेष रूप से करना चाहूँगा। नागार्जुन ने उपन्यास वगैरह भी लिखे, मैथिली से विद्यापति का हिन्दी अनुवाद प्रस्तुत किया मगर याद वे कवि के ही रूप में रहेंगे। 'प्यासी पथराई आँखें' उनकी बड़ी श्रेष्ठ पुस्तक है। एक कविता जो मुझे बहुत प्रिय है, नीचे दी जाती है। जो फक्कड़पन, किसी भी स्थिति में प्रसन्न रहने की जो शक्ति और समाज के दलितवर्ग के लिए जो सच्ची सहानुभूति नागार्जुन जी के जीवन में है, वही सब कुछ उनकी कविता में दिखाई पड़ती है। सीधे और सरल लगने वाले नागार्जुन काव्य में शिल्प के प्रति पूरी तरह सतर्क हैं। आइए, उनकी एक कविता पढ़ें:

पूरी स्पीड में है ट्राम
खाती है दचके पर दचका
सटता है बदन से बदन
पसीने से लथपथ।
छूती है निगाहों को
कत्थई दाँतों की मोटी मुसकान
बेतरतीब मूँछों की थिरकन
सच-सच बतलाओ
घिन तो नहीं आती है?

जी तो नहीं कुढ़ता है?
कुली मज़दूर हैं
बोझा ढोते हैं, खींचते हैं ठेला
धूल, धुआँ, भाप से पड़ता है साबका
थके-माँदे जहाँ-तहाँ हो जाते हैं ढेर
सपने में भी सुनते हैं धरती की धड़कन
आकर ट्राम के अन्दर पिछले डब्बे में
बैठ गये हैं इधर-उधर तुम से सटकर
आपस की उनकी बतकही
सच, सच बतलाओ
जी तो नहीं कुढ़ता है?
घिन तो नहीं आती है?

दूध-सा धुला सादा लिबास है तुम्हारा
निकले हो शायद चौरंगी की हवा खाने
बैठना था पंखे के नीचे अगले डब्बे में
ये तो बस इसी तरह
लगाएँगे ठहाके, सुरती फाँकेंगे
भरे मुँह बातें करेंगे अपने देस कोस की
सच-सच बतलाओ
अखरती तो नहीं इनकी सोहबत?
जी तो नहीं कुढ़ता है?
घिन तो नहीं आती है?

मुक्तिबोध तो मेरे सिर के ऊपर निकल गये। मैं शब्दों की लय नहीं पकड़ पाता, अर्थ की लय क्या पकड़ूँगा? हाँ, भवानी भाई की कविताएँ बड़ी प्रिय हैं क्योंकि वे कवि की ही भाँति सरल और निश्छल हैं। उनकी 'गीत फ़रोश' व 'सन्नाटा' नाम की कविताएँ बड़ी मार्मिक हैं। नयी कविता के वे अकेले ऐसे कवि थे जो मंच पर जाकर भी हज़ारों-हज़ारों श्रोताओं का हृदय जीत लेते थे। सर्वेश्वर जी की कविताएँ कवि की भाँति ही दीर्घकाय, स्वस्थ व वज़नी हैं। गिरिजाकुमार माथुर की 'ढाकवनी' व 'मध्यान्तर' बड़ी संशिल्ष्ट कविताएँ हैं जो आपको अनुभूति के किसी दूसरे लोक में ले जाती हैं।

धर्मवीर भारती की 'कनुप्रिया' व 'अन्धायुग' एक-दूसरे के पूरक हैं। कनुप्रिया

भाव-प्रधान है, अन्धायुग विचार-प्रधान। 'अन्धायुग' वास्तव में एक सशक्त और प्रौढ़ कृति है। अब मैं अपने प्रिय दो कवियों की वाणी सुनवाता हूँ। इन कवियों के नाम हैं ठाकुरप्रसाद सिंह व विनोदचन्द्र पाण्डेय।

जैसे पाल गॉगिन दलाली छोड़कर सहसा हवाई द्वीप गया था और वहाँ जाकर चित्र बनाने प्रारम्भ किये थे, उसी आदिम वृत्ति के दौरे में ठाकुरप्रसाद सिंह सन्थालों के बीच रहने मध्यप्रदेश चले गये। वहाँ उन्होंने कुछ ऐसे गीत लिखे जैसे कि हिन्दी में पहले कभी नहीं लिखे गये थे। दुःख इसी बात का रहा कि वे वहाँ से वापस क्यों चले आये? वहाँ रहते तो हमें और भी गीत मिलते। इन गीतों का दर्द अलग है, इनकी कला अलग है और इनकी ताज़गी अलग है। कुछ गीत यहाँ देता हूँ:

चलो चलें चम्पागढ़
प्रियतम के देश

उत्तर से आ रही हवाएँ
बूँदों की झालर पहने
दक्षिण में उठ-उठकर छा रहे
पागल बादल गहरे
बिजली के बजते सन्देश
प्रियतम के देश

दस दिन के पाँव और
दस दिन की नाव
दूर देश रे
तब जाकर मिल पाएगा
पिय का गाँव
दूर देश रे
ऐसा विधना का आदेश

चलो चलें चम्पागढ़
प्रियतम के देश

(दो)

दिन वसन्त के

राजा रानी से तुम दिन वसन्त के
आये हो हिम के दिन बीतते
दिन वसन्त के

पात पुराने पीले झरते हैं झर झर कर
नयी कोपलों ने शृंगार किया है जी भर
मेरे माथे पर झुक-झुक आते पीत चन्द्र
अभी-अभी देखा मैंने वन को हर्ष भर

कलियाँ लेते
फलते फूलते
झुक-झुककर लहरों पर झूमते
आये हो हिम के दिन बीतते—
राजा रानी से तुम दिन वसन्त के

(तीन)

आछी के वन अगवारे
आछी के वन पिछवारे
आछी के वन पूरब के
आछी के वन पच्छिम बारे
महँका मह मह से रन वन
आछी के वन

भोर हुई, सपने-सा टूटा
पथ मह मह का पीछे छूटा
अब कचमच धूप
हवाएँ सन सन
आछी के वन

(चार)

फूल से सजाओ
मुझको
फूल से सजाओ
माथे पर फूल धरो मेरे माँ

बलि-बलि जाओ
माँ मुझे सजाओ

शाल के सुहाने फूल
अंग-अंग फूले
मेरी यह देह शाल वन सी
माँ झूमे

फूलों सी मुझे
देवचौरे घर आओ
माँ मुझे सजाओ

विनोदचन्द्र पाण्डेय मुझे बहुत प्रिय हैं। कोई तीस वर्ष पहले दुष्यन्तकुमार ने उनकी 'सफ़ेद चिड़ियाँ' नाम की कविता पुस्तक मुझे दी थी। मैं तो उसे पढ़ते ही चमक गया था। जितनी ताज़गी, नयापन, अपनापन और दुःख मुझे उनकी कविता में मिला, जितनी सुगठित मुझे उनकी रचनाएँ लगीं, जैसा भोलापन, कविता कहने की विवशता, शब्दों का चयन, बच्चों जैसी निश्छलता और मुक्तता मुझे उनकी कविता में मिली, वैसी किसी और समकालीन कवि में नहीं मिली। यह हिन्दी का दुर्भाग्य है कि हमारी भाषा में ऐसा कोई आलोचक, कोई साहित्यकार नहीं है जो अपने गुट के लोगों को छोड़कर किसी और कलाकार को भी मान्यता दिलाने की दिशा में कुछ करे। अज्ञेयजी से आशा थी मगर उनके एक के बाद एक छपे 'तार-सप्तक' से पता लगा कि वे भी 'तार-सप्तक' ही निकाल सकते हैं, और कुछ नहीं। मगर इस सबसे क्या, इतना काफ़ी है कि विनोदचन्द्र पाण्डेय एक नितान्त सच्चे कवि हैं और वे अपना हक लेकर रहेंगे। उनके अनेक काव्य संग्रहों में से एक संग्रह का नाम है 'लाल फूलों की टहनी'। उसमें 'एक था राजा' नाम का जो खण्ड है उसका जवाब नहीं। मैंने उस खण्ड के छन्दों से काफ़ी प्रेरणा ली है (मुराद चोरी करने से है) जो मेरे छठे काव्यग्रन्थ में प्रकट होगी। अब मैं आपको पाण्डेयजी की कुछ कविताएँ सुनाता हूँ जिससे उनकी कविताओं के प्रति आपकी उत्सुकता बढ़े:

(एक)

कानपुर तक हो गयी रात
बढ़ने लगे बिस्तर
आख़िरी बार पानी पी
सोये जम्हाते यात्री

पाँव फैलाकर

तभी कभी निकला चाँद
गोल पूरा
सींकचों के विरुद्ध
कण्ठ अवरुद्ध
एक चुप चेहरा

(दो)

मुझसे पहले ही कहा था
माँ ने, पिता ने
एक सुख में मत झाँकना
भँवर की आँख में
आँख मत डालना

उसके रूप में डूबते
याद थीं सब मुझे
चेतावनियाँ

(तीन)

कुछ भी कह देना
पर न कहना नहीं
बात बदल देना
हँसकर कहीं
इतनी कसम रखना
दूर करते समय
एक गीत-सा भुलाना
मेरा हृदय

(चार)

अपना स्वार्थ न जान सकने के कारण
मैं स्वार्थी हुआ और भटका
यदि तुम थे पास तो क्यों नहीं
मुझे अपने से रोका

बत्तीस वर्ष, बहुत
अब नहीं होड़ में रहना
मैं विमुख हूँ, भाग्य
रूठे ही रहना

मेरी युवावस्था
अँधेरे में अग्नि
अकेले ही जली
जो जो आँचल बचे
उन्हें फूलों से भरना

(पाँच)

क्या मेरी कविताएँ
कभी छपेंगी?
राजरानी बनेंगी?

किसी के हाथ से इनका
छीनना मुश्किल होगा
कोई रातभर बिजली जला
इन्हें पढ़ेगा?
भेजेंगी युवतियाँ इन्हें
बेचैन से प्रेमियों को?

छपेंगी मेरी कविताएँ
मुझे एक नया सा सुख होगा
जब-जब खोलोगी किताब
मेरा मन तुम्हें देखता होगा

(छह)

तुम्हें मालूम नहीं
शराब पीते अपराधी
एक धोखा नहीं जानतीं
दुगुनी, तिगुनी चालाकी
स्वप्न में हो

बेंच पर बैठे
जज साहिब सम्भ्रान्त
यह भी नशे में हैं
सुलझे हुए और शान्त
स्वप्न में हो

गिटपिट सड़क पर चलती
बूफ़ों सजाये गृहिणी
तुम्हारे विचार हैं चटक
छोटा घर और पार्टी
स्वप्न में हो

तुम यथार्थी भाई
क्रूर विश्व में क्रूरता
चोट से पहले सहना
अरे टफ़ मैन
स्वप्न में हो

अति-सत्य आदर्शवादी
मन का वणिक् विज्ञानी
बड़ी कार में
या राह का भिखारी
स्वप्न में हो

मैं जादू की पिटारी हृदय
फेंकता हूँ वापस समुद्र में
स्वप्न-उदासी-आशाएँ
शून्य रह जाने के सारे भय
मैं मुट्ठी खोलता हूँ...

ऊपर मैंने विभिन्न कवियों के जितने भी उद्धरण दिये हैं, प्रायः उन सब में कुछ थोड़ा बहुत संशोधन या सम्पादन किया है। आशा है कवि लोग मेरे इस एहसान को स्वीकार करेंगे। कविता पर मुझे जो कहना था, वह कह दिया, अब गद्य की बात करूँगा।

तीन

हिन्दी में जितने भी उपन्यास हैं उनमें (अपनी सारी कमियों के बावजूद) प्रेमचन्द का 'गोदान', अज्ञेय का 'शेखर:एक जीवनी' व यशपाल का 'झूठा सच' मुझे सबसे ज़्यादा प्रिय हैं। सूरदास व होरी जैसा चरित्र प्रेमचन्द ही निर्माण कर सकते थे, कोई दूसरा नहीं। तुलसीदास के बाद प्रेमचन्द दूसरे सच्चे लोकप्रिय साहित्यकार हैं। जैनेन्द्र कुमार में बहुत बड़ा शिल्प है और वह इतना कलापूर्ण है कि आम पाठक को तो उसका पता भी नहीं लगता। उनकी 'कल्याणी' व 'त्यागपत्र' नाम की उपन्यास कृतियाँ मुझे अत्यन्त प्रिय हैं। इधर तो ऐसा चलन पड़ा है कि उपन्यास का 'स्वस्थ' होना ज़रूरी समझा जाता है। अश्क जी ने चिन्तन तो नहीं पर अलबत्ता 'चेतन' को लेकर शायद दस हज़ार पृष्ठ लिखे होंगे। मेरे विचार में उपन्यास का मोटा होना ज़रूरी नहीं है। (बिमल मित्र ने कितने मोटे-मोटे उपन्यास लिखे मगर उनमें से एक भी उन्हीं के उपन्यास 'मिथुनलग्न' की भाँति मार्मिक नहीं है हालाँकि उसमें सवा सौ पृष्ठ ही होंगे।) प्रेमचन्द जी के उपन्यासों से उनकी कहानियाँ और भी बढ़िया हैं—ठीक वही स्थिति जो रवीन्द्रनाथ ठाकुर के साथ थी। और जहाँ तक ऐतिहासिक कहानी का प्रश्न है, उसमें तो प्रेमचन्द महान् हैं। उनकी 'राजा हरदौल', 'रानी सारन्धा' और 'जुगनू की चमक' पढ़कर लगता है कि अच्छा हुआ कि प्रेमचन्द ने ऐतिहासिक गल्प की दिशा में ध्यान नहीं दिया क्योंकि यदि वे ऐसा करते तो वृन्दावनलाल वर्मा तो बेचारे पिट जाते। प्रेमचन्द को 'किस्सा कहने' की कला आती थी, मगर उन्होंने उस कला का उपयोग 'वर्तमान' को लेकर किया, 'भूत' को लेकर नहीं। वे तो प्रसाद जी से भी कहा करते थे कि क्या तुम इन पुरानी घटनाओं में फँसे रहते हो। अरे, देश मुसीबत में फँसा है, लिखना है तो उसे लेकर लिखो। प्रसाद जी ने क्या उत्तर दिया, मुझे पता नहीं क्योंकि मैं तो वहाँ उपस्थित था नहीं। यही बात यशपाल के साथ भी थी—उनकी कहानियाँ उनके उपन्यासों से बेहतर रहीं। 'साग' या 'हलाल का टुकड़ा' पढ़कर क्या कोई उन्हें भूल सकता है? अश्क जी के दस मन के चेतन-साहित्य में 'काँकड़ा का तेली' और 'कैप्टेन रशीद' जैसी कुछ कहानियाँ ही ऐसी हैं जो उनकी सच्ची प्रतिभा का पता देती हैं और जो उनके बाद भी याद रखी जाएँगी। जहाँ तक ऐतिहासिक उपन्यासों की बात है, वृन्दावनलाल वर्मा से तो चतुरसेन शास्त्री भी ज़्यादा दिलचस्प लिखते थे। उनका उपन्यास आलमगीर मर्म को छूता है। शाहजहाँ के बाद गद्दी पाने के लिए जो कुछ हुआ, उसका सजीव वर्णन इस उपन्यास में है। वृन्दावनलाल वर्मा की 'माधव जी सिन्धिया' पढ़ी तो लगा कि

इससे बेहतर तो 'शाहआलम की आँखें' ही थीं जिसे एक अज्ञात-से ही लेखक ने लिखा था। कहानी की चर्चा में मोहन राकेश की चर्चा करना अनिवार्य-सा है। वे वाकई प्रतिभा-सम्पन्न कलाकार थे। और रेणु जी का तो कहना ही क्या! मैं तो अधिकार के साथ कहता हूँ कि पिछले तीस वर्षों में मात्र दो गद्य लेखक ऐसे हैं जिनका कि ऐतिहासिक महत्त्व है। एक हैं 'रेणु' जिन्होंने हिन्दी को 'पार्श्व संगीत' दिया और दूसरे हैं 'परसाई' जिन्होंने सारी विशिष्टता वगैरह को अलग फेंककर कबीर की भाँति हथौड़े की चोट की। रेणु जी की भी कहानियाँ उनके उपन्यासों से ज़्यादा सशक्त हैं। 'तीसरी कसम' या 'नैना जोगिन' ऐसी ही कहानियाँ हैं। रेणु जी एक समर्थ हास्य लेखक भी थे, 'अतिथि सत्कार' और 'ना जाने किस वेश में' हास्य-व्यंग्य की उत्कृष्ट रचना हैं। उनकी 'परती परिकथा' तो 'भयंकर ऊब का महाग्रन्थ' है। यह विशेषण श्रीपत राय ने 'राग दरबारी' को दिया था जो एकदम गलत नहीं था। भगवतीचरण वर्मा की 'चित्रलेखा' और अमृतलाल नागर का 'सुहाग के नूपुर' हिन्दी के क्लासिक हैं। सब कुछ कहने के बाद यह कटु सत्य स्वीकार करना पड़ता है कि हिन्दी की सर्वश्रेष्ठ कहानी अभी भी 'उसने कहा था' ही है। संसार का सारा कथा साहित्य प्रेम, युद्ध और सस्पेंस—इन तीन खम्भों पर खड़ा है और गुलेरी जी की यह कहानी इन तीनों तत्त्वों का समावेश करती है। शिल्प की दृष्टि से भी यह कहानी उत्कृष्ट है। कहीं मैं गलत तो नहीं कह रहा?

हिन्दी में निबन्ध-साहित्य ज़्यादा समृद्ध नहीं है। महावीरप्रसाद द्विवेदी की 'रसज्ञ रंजन', पदुमलाल पुन्नालाल बख़्शी की 'कुछ' जैसी दो-चार ही पुस्तकें हैं जो हमारी साहित्य-निधि हैं। हज़ारीप्रसाद द्विवेदी व निराला के निबन्ध भी सशक्त हैं। आजकल जो लोग इस विधा में लिख रहे हैं उनमें विद्यानिवास मिश्र मुझे सबसे ज़्यादा प्रिय हैं। उनमें 'ज्ञान' है जो स्वतः आप पर छा जाता है, कविहृदय कुबेरनाथ राय की असाध विद्वत्ता नहीं है जो सोचने-समझने को विवश करती है। जो कम-से-कम अपने बस की बात नहीं है। इसके अतिरिक्त मिश्रजी के पास 'विनोदी वृत्ति' भी ज़्यादा है जो आपको गुदगुदाती चलती है। मगर इन सब कलाकारों में से कोई भी पदुमलाल पुन्नालाल बख़्शी की बराबरी नहीं कर सकता। उन्होंने काफ़ी परेशानी में जीवन गुज़ारा पर अध्यापन और सम्पादन के अतिरिक्त तीसरा कोई पेशा अख्तियार नहीं किया। वे आलसी व्यक्ति थे। कुल मिलाकर तीस-चालीस निबन्ध ही लिखे होंगे। मगर उन्हें अमर करने के लिए तो 'रामलाल पण्डित' नाम का एक ही निबन्ध काफ़ी है। नयी पीढ़ी के आने पर पुरानी पीढ़ी कैसी शक्ति से, कैसे उपहास से उसे दबाना चाहती है और अन्त में

चलकर कैसी उदासी से उसे स्वीकार करती है—साहित्य की यही शाश्वत कथा इस निबन्ध में कही गयी है। बख़्शीजी बड़े अध्ययनशील व्यक्ति थे। विदेशी साहित्य, बँगला साहित्य और संस्कृत साहित्य तो उनकी उँगलियों पर रहता था। वे एक उदास व्यक्ति थे और संकोची होने के कारण उनके मित्र भी अत्यन्त कम थे। वे कभी निराश नहीं होते थे क्योंकि वे कभी किसी चीज़ की आशा ही नहीं करते थे। उन्हें निरादर की कोई चिन्ता नहीं थी क्योंकि वे अपना बड़प्पन पूरी तरह जानते थे और वे दुःखी भी नहीं थे जिसका कारण यह था कि उन्होंने पूर्ण सुख का अनुभव कभी किया ही नहीं था। मुझे सौभाग्य प्राप्त है कि मैंने उन्हें देखा। मैं प्रयाग में पढ़ता था और वे इण्डियन प्रेस में 'सरस्वती' के सम्पादक थे। उन्हें देखकर मुझे सहसा यह पता लगा कि एक 'आदर्श साहित्यकार' कैसा होना चाहिए। एक तरफ़ ये तपस्वी हैं जिन्होंने हमारी भाषा की इतनी श्रीवृद्धि की और बदले में निम्न मध्यवर्गीय जीवन जिया और एक ओर आज के हिन्दी-प्रेमी हैं जो या तो राज्यसभा के सदस्य हैं, या किसी की सिफ़ारिश पर विदेश जा रहे हैं या जो बाकी तरह अपने 'हिन्दी-प्रेम' को मना रहे हैं। बहरहाल इस सबसे बख़्शीजी के महत्त्व पर कोई प्रभाव नहीं पड़ता।

नाटक की दिशा में मेरी बचपन से ही रुचि रही। एक बार तो मैंने एक एकांकी में भाग भी लिया था। वैसे यदि वह नाटक तीन घण्टों का भी होता तो मेरे अभिनय के कारण स्वयं एकांकी हो जाता। नाटक की दिशा में हम बंगाली और मराठी—इन दोनों की अपेक्षा बड़े ग़रीब हैं। मुझे तो तीन ही नाटककार प्रिय हैं—एक हैं प्रसाद, एक हैं भुवनेश्वर, एक हैं मोहन राकेश। वैसे मैंने इन विभूतियों के भी नाटकों का मंचन देखा है और हालत यह आ गयी थी कि राधेश्याम कथावाचक की याद आने लगी थी।

हिन्दी में पिछले बीस-पचीस वर्षों में काफ़ी हास्य-व्यंग्य लिखा गया। अन्नपूर्णानन्द व राधाकृष्ण की रचनाएँ तो पहले ही अमर हो चुकी थीं। जहाँ तक हरिशंकर परसाई का प्रश्न है, स्थिति यह है कि वे व्यंग्यकार होने के साथ-साथ एक चिन्तक भी हैं, एक विचारक भी हैं। उनका कोई भी 'पीस' पढ़ने के बाद आप अपने को एक बेहतर इंसान समझेंगे। आपकी आँखें खुलेंगी और आप वह देखेंगे जो बराबर हो रहा था मगर आप देख नहीं रहे थे, आप उस वक़्त किशनचन्दर पहलवान की बहरे-तवील गा रहे थे। शरद जोशी एक बहुत ही बढ़िया व्यंग्यकार हैं। 'जीप पर सवार इल्लियाँ', 'एक शंख बिन कुतुबनुमा', 'वर्जीनिया वुल्फ़ से सब डरते हैं', 'एक नाज़ुक सवाल पर भूत-प्रेतों से बातचीत', 'अमरता के अहसास की भयावनी रात', 'मेघदूत : एक पुस्तक समीक्षा' इत्यादि रचनाएँ

नितान्त उत्कृष्ट साहित्य पेश करती हैं। अगर यह लेखक विदेश में ऐसा लिखता तो अब तक करोड़पति होता मगर भारत में वह सिर्फ़ 'पति' ही है, 'करोड़पति' नहीं। दिन-रात काम करता है, दूरदर्शन है, मैगज़ीनें हैं, रेडियो है, रामावतार चेतन का मंच है, उनमें लगा रहता है क्योंकि इसके अलावा एक शरीफ़ इंसान के लिए और चारा ही क्या है? कभी ऐसी ही स्थिति चार्ल्स डिकिंस के साथ आयी थी। हमारी सरकार तो जादू की है न? कुम्भ में आये हुए महामूर्ख धर्मान्ध लोग मर गये तो मुख्यमन्त्री ने प्रत्येक के परिवार को बीस हज़ार रुपयों की राशि दी जबकि तिहाड़ जेल से भागे चार्ल्स शोभराज को अपनी जान पर खेलकर पकड़ने वाले पुलिस-इंस्पेक्टर को मात्र पन्द्रह हज़ार रुपये दिये गये। मैं किसी लायक होता तो उसे तुरन्त 'इण्डियन पुलिस सर्विस' में शामिल करता और कम-से-कम पचास हज़ार रुपया इनाम देता। बन्धु, बीस हज़ार का इनाम तो मेरे जैसे कायर को भी दिया जा चुका है। और नहीं तो इसी मुद्दे पर उस पुलिस अधिकारी को पचास हज़ार दिया जा सकता था। हाँ, बात हास्य-व्यंग्य की हो रही थी, बीच में जो आया वह क्षेपक था। पेशेवर व्यंग्यकारों के अतिरिक्त श्रेष्ठ व्यंग्य लिखने वाले हैं श्रीनारायण चतुर्वेदी। 'राष्ट्रकवि की यमलोक-यात्रा' हिन्दी की स्थायी निधि रहेगी। और श्रीलाल शुक्ल के लिखे 'सुकवि सदानन्द के संस्मरण' को भी कौन भुला सकेगा? पिछले बीस-पचीस वर्ष से मैं भी लिखता आ रहा हूँ। कोई चार सौ कविताएँ लिखी हैं और लगभग उतनी ही हास्य-व्यंग्य की रचनाएँ भी लिखी हैं। अपने बारे में तो मैं यही कहूँगा कि मैं अमर हूँ, रससिद्ध हूँ और जो कुछ भी मूर्धन्य साहित्यकार होते हैं, वह हूँ। साहित्य का समीक्षक काल है। जिन पुस्तकों की और जिन पत्र-पत्रिकाओं की जिल्दें बँधवाकर मैं शानदार अलमारी में रख रहा हूँ, उन्हें पचास वर्ष बाद कोई जानेगा भी नहीं। मगर इसका अर्थ यह तो नहीं कि लिखा ही न जाए? एक श्रेष्ठ रचना लिखने पर, किताब छपने पर या किसी पत्रिका में अपनी रचना पढ़कर जो उल्लास होता है, वह भी तो उपेक्षणीय नहीं है। यदि शेक्सपियर पहले ही तय कर लेता कि वह तो मात्र कालजयी नाटक ही लिखेगा तो वह कुछ भी नहीं लिखता। वैसे भी शरत्चन्द्र या प्रेमचन्द बनना हर एक के भाग्य में नहीं होता। जहाँ तक आत्मकथा व जीवनचरित लिखने का प्रश्न है, अमृतराय का 'कलम का सिपाही', विष्णु प्रभाकर का 'आवारा मसीहा' व बच्चनजी की 'आत्मकथा' हमारे साहित्य में मील के पत्थर हैं।

इस निबन्ध में गद्य को कम पृष्ठ दिये गये क्योंकि कविताओं के उद्धरणों ने काफ़ी स्थान ले लिया। अगर मैं कहानी या उपन्यास के अंश यहाँ देने लगता तो यह प्रबन्ध स्वयं में एक पुस्तक बन जाता। यह भी सम्भव है कि कोई प्रिय लेखक

अपने दुर्भाग्य के कारण मुझे याद न आया हो। यह भी सम्भव है कि आप मेरी रुचि से सहमत न हों। यह सब मैं स्वीकार करता हूँ। मैं ईश्वर को इस बात के लिए कभी धन्यवाद नहीं देता कि उसने मुझे प्रथम श्रेणी का कवि और प्रथम श्रेणी का व्यंग्यकार बनाया। मैं तो ईश्वर को मात्र इसलिए धन्यवाद देता हूँ कि उसने मुझे साहित्य में रुचि दी, उसे समझने की क्षमता दी जिसकी बराबरी दूसरा कोई आनन्द नहीं कर सकता।

हालाँकि मैंने वादा किया था कि लेख को गम्भीर ही रखूँगा पर फिर भी मज़ाक़ एकदम नहीं छूटी। यह सारा कसूर उस्ताद 'ज़ौक' का है। 'छुटती नहीं है काफ़िर, मुँह से लगी हुई'। अगर वे ऐसा नहीं कहते तो मुझसे जो गलती हुई, वह हर्गिज़ नहीं होती। लगे हाथों मैं, आपको यह रहस्य भी बता दूँ कि मैं शायर 'चिरकीन' का भी बहुत बड़ा भक्त हूँ और चौबीस घण्टों की दिनचर्या में उस महान् कवि को कम-से-कम दो वक़्त तो याद करता ही हूँ।

चार

प्रत्येक पढ़ा-लिखा इंसान अपने प्रथम प्रेम की भाँति उस किताब को ज़रूर याद रखता है जिसने उसके मर्म को कभी वेधा था। मैंने भी अपने बचपन में दो किताबें ऐसी पढ़ी थीं जिन्हें मैं विश्व साहित्य का दर्ज़ा देता हूँ। इन पुस्तकों ने मुझे साहित्य के प्रति अनुराग दिया और मेरा चरित्र उभारा। इन दो गौरवशाली ग्रन्थों में एक का नाम था 'खूनी वसीयतनामा' और दूसरे का नाम था 'व्रजनाथ का विवाह'। 'खूनी वसीयतनामा' रोशनाई से नहीं वरन् एक रायबहादुर के खून से लिखा गया था और इस वसीयतनामे को लेकर कई खून और भी हुए थे। बड़ी दिलचस्प किताब थी। यदि बंकिम बाबू ने वह उपन्यास पढ़ा होता तो वे 'कृष्णकान्त का वसीयतनामा' नामक उपन्यास कभी नहीं लिखते। हम लोग उस ज्ञानवर्धक पोथी को एक पैसा प्रतिदिन के किराए पर लाला तुलाराम की दूकान से लाया करते थे। पता नहीं वह किताब किसी मेरे जैसे स्वार्थी पाठक ने खो दी या वह उस आग में जल गयी जो कि लाला तुलाराम की दूकान में लगी थी। अगर वह पुस्तक आत्मा होती तो 'नैनं छिन्दन्ति शस्त्राणि, नैनं दहति पावकः' वाली गीता की उक्ति उस पर लागू हो सकती थी। मगर वह बेचारी तो एक पुस्तक थी सो जल गयी। उसके बाद मैंने काफ़ी कोशिश की मगर यह किताब फिर नहीं मिली।

'व्रजनाथ का विवाह' एक पुराने बँगला उपन्यास का अनुवाद था जो 'सरस्वती' में धारावाहिक रूप से छपा करता था। हमारे कस्बे में एक वैद्य थे और वे 'सरस्वती'

मँगाया करते थे। हम अगले अंक की बुरी तरह प्रतीक्षा किया करते थे। जब मैं प्रयाग पढ़ने गया तो अवसर मिलते ही मैं इण्डियन प्रेस गया और पुस्तक की एक प्रति खरीद लाया। वह पुस्तक मेरे पास अभी भी है और मैं उसे किसी को पढ़ने के लिए भी नहीं देता। वीणा, पुस्तिका, नारी, परहस्ते गताः गताः। फ़ारसी में भी एक कहावत है कि जो आदमी अपनी किताब किसी और को देता है, वह मूर्ख है। और उधार लेकर जो व्यक्ति उसे वापस करने जाता है, वह महामूर्ख है। मैं कभी इस कहावत को नहीं भूलता।

'व्रजनाथ का विवाह' उन दिनों की कथा कहता है जबकि बंगाल में ईस्ट इण्डिया कम्पनी का राज्य था। लोग डोंगी से आते-जाते थे और ऐसे कितने बड़े जागीरदार थे जो डकैतों को आश्रय देते थे, उनकी रक्षा करते थे और उन्हीं के द्वारा डकैतियाँ डलवाया करते थे। व्रजनाथ नाव से जा रहा था, शाम का वक़्त था और इतने में अन्धड़ आ गया। नावें जो थीं वे किनारे पर लगा दी गयीं। थोड़ी रात्रि बीतते ही मशाल हाथों में लिये कोई पचास लाठीदार उनके पास आये और गुट के नेता ने (जो कि ब्राह्मण थे) व्रजनाथ से उसकी आयु, जाति और गोत्र वगैरह पूछा। समुचित उत्तर मिलने पर वे पण्डितजी व्रजनाथ को एक ओर ले गये और बोले कि तुम्हारी शादी होनी है और आज ही होनी है। शादी के बाद तुम आज़ादी के साथ अपने साथियों के पास आ जाओगे और उसके बाद उचित अवसर आने पर अपनी वधू को अपने साथ ले जा सकोगे। सारी विपत्ति इस कारण आ गयी है क्योंकि जो वर था वह सहसा किसी विपत्ति में पड़ जाने के कारण उपलब्ध नहीं है और शादी का जो मुहूर्त निकलता है वह आज ही का निकलता है। व्रजनाथ ने बहुत मना किया पर इतने लाठीदारों के सामने उसकी क्या चलती? पता नहीं कौन-कौन से वनों में से होते हुए काफ़ी देर बाद वे एक बहुत बड़ी हवेली तक पहुँचे। थोड़ी ही देर बाद व्रजनाथ का विवाह हो गया। उसके बाद वह और उसकी पत्नी कौतुकागार में चले गये। व्रजनाथ ने देखा कि उसकी वधू अत्यन्त रूपवती और समझदार है। वे लोग बातें कर ही रहे थे कि वे पण्डित—जिनका नाम राधानाथ महाराज था—फिर आये और व्रजनाथ से कहने लगे कि अब तुम तुरन्त अपने साथियों के पास पहुँचा जाओ—स्थिति कुछ ऐसी ही है। व्रजनाथ अपनी पत्नी से विदा लेकर वहाँ सकुशल पहुँच दिया गया जहाँ उसके साथी नाव पर बैठे हुक्का पी रहे थे। व्रजनाथ के पहुँचते ही नाव खोल दी गयी।

व्रजनाथ को न यह पता था कि उसके श्वसुर कौन हैं, यह कौन-सा स्थान है और भविष्य में वह यहाँ आएगा तो कैसे आएगा। अपनी वधू से उसे प्रेम हो ही गया

था। बहरहाल व्रजनाथ ने इस विचित्र विवाह की बात हरेराम सरदार के सिवा और किसी को नहीं बतायी। हरेराम सरदार एक पुराना डाकू था। वर्षों की खोजबीन के बाद उसे पता लगा कि व्रजनाथ के श्वसुर का नाम बाबू वरदाकान्त घोष था और वे काफ़ी अहंकारी, क्रोधी व डाकुओं को आश्रय देने वाले एक बड़े जागीरदार थे। व्रजनाथ किसी प्रकार वधू को लाने के लिए अपनी ससुराल पहुँच ही गया। ससुराल में उसका बहुत स्वागत हुआ।

"द्वादशी का चन्द्रमा था। कुछ सखियाँ उसकी वधू को उसके कमरे में छोड़ गयीं और फिर उन्होंने हँसते-हँसते द्वार बन्द कर दिया। व्रजनाथ अपनी वधू को खिड़की के पास ले आया। उसने उसके मुखड़े को अपने हाथों में लिया और उससे पूछा कि यह कौतुकागार की अवशिष्ट रात्रि है या कि सुहागरात है?

इन्दुलेखा ने कहा, "तुम जो कहो!"

पाँच

साहित्य भी एक तरह का नशा ही होता है। मैं साहित्य को अफ़ीम, भंग या धतूरे से कम महत्त्वपूर्ण नहीं समझता। पुराने शास्त्रकारों ने लिखा है कि 'साहित्य संगीत कला विहीनः, साक्षात्पशु पुच्छविषाण हीनः।' पंचतन्त्र के लेखक विष्णुशर्मा ने बताया है कि बुद्धिमान् पुरुष जो होते हैं वे अपना समय काव्य, शास्त्र या विनोद में बिताते हैं, जबकि मूर्ख लोग जो होते हैं वे या तो व्यसन करते हैं, या झगड़ा करते हैं और यह भी नहीं तो वे अपना समय निद्रा में बिताते हैं। यह बात मैं रचना के आरम्भ में भी कह चुका हूँ। विष्णुशर्मा ने यह नहीं बताया कि ये लोग यदि अपना सारा समय ऊपर लिखे कामों में ही बिताते हैं तो बाकी काम किस समय करते हैं? जीविका कैसे चलाते हैं? विष्णुशर्मा ने यह भी नहीं बताया कि साहित्य ही यदि व्यसन बन जाए तो साहित्य-प्रेमी व्यक्ति बुद्धिमान् समझा जाएगा या कि मूर्ख? बहरहाल कम-से-कम मैं तो उन लोगों में से हूँ जिनका साहित्य-चर्चा से कभी भी मन नहीं भरता। मैं अब मुक्तिबोध की कुछ पंक्तियाँ उद्धृत करता हूँ और आज की चर्चा यहीं समाप्त करता हूँ। लगता है कि मुक्तिबोध भी भीतर से मेरी तरह काफ़ी यारबाश किस्म के आदमी थे। वे कहते हैं:

> बस, तभी तलब लगती है बीड़ी पीने की
> मैं पूर्वाकृति में आ जाता
> बस, चाय एक कप मुझे गरम कोई दे दे
> ऐसी तैसी उस गौरव की

जो छीन चले मेरी सुविधाः
मित्रों से गप करने का मज़ा और ही है
ये गरम चिलचिलाती सड़कें
सौ बरस जिएँ
मैं परिभ्रमण करता जाऊँगा जीवन भर
मैं जिप्सी हूँ

□□

परिशिष्ट

(अ) जीवन-वृत्त : रवीन्द्रनाथ त्यागी

1.	जन्म	:	9 मई, 1930 (क़स्बा : नहटौर, ज़िला-बिजनौर, उत्तर प्रदेश)।
2.	देहावसान	:	4 सितम्बर, 2004 (देहरादून, उत्तराखण्ड)।
3.	शिक्षा	:	एम.ए. (अर्थशास्त्र), प्रयाग विश्वविद्यालय (गोल्ड मेडलिस्ट), 1954।
4.	विवाह	:	सुश्री शारदाजी से, 24 जून, 1955।
5.	आजीविका	:	12 दिसम्बर, 1955 को 'इण्डियन डिफेंस एकाउण्ट्स सर्विस' में नौकरी आरम्भ की और 1 सितम्बर, 1989 को 'कण्ट्रोलर ऑफ़ एकाउण्ट्स' के पद से सेवानिवृत्त हुए।
6.	परिवार	:	पिता : पं. मुरारीदत्त शर्मा, माता : श्रीमती चमेली देवी, पत्नी : श्रीमती शारदा त्यागी, पुत्र : अशोक (जन्म : 17 अगस्त, 1962), पुत्री : इन्दु (जन्म : 9 जुलाई, 1966), पुत्र-वधू : दीपा, पौत्री : पल्लवी, पौत्र : प्रणव, दामाद : राजय, दौहित्री : कोपल राजे।

(आ) पुरस्कार-सम्मान

1. उत्तर प्रदेश हिन्दी संस्थान, लखनऊ : 1977-1978-1979 में प्रति वर्ष तीन अलग-अलग पुस्तकों पर पुरस्कृत।
2. सरस्वती सम्मान, सहारनपुर।
3. नागरिक सम्मान, मेरठ।
4. चकल्लस पुरस्कार, मुम्बई, 1985।

5. टेपा पुरस्कार, उज्जैन, 1988।
6. श्रीनारायण चतुर्वेदी पुरस्कार, उत्तर प्रदेश।
7. पदुमलाल पुन्नालाल बख्शी पुरस्कार, मध्य प्रदेश।
8. अट्टहास शिखर सम्मान, 1997।
9. व्यंग्यश्री पुरस्कार, दिल्ली, 1998।
10. लीलावती स्मृति पुरस्कार, 1999।
11. शरद जोशी सम्मान, 1999।
12. हरिशंकर परसाई पुरस्कार, हरदा, 2001।
13. स्नेहलता गोइन्का व्यंग्य-भूषण पुरस्कार, 2002।

(इ) रवीन्द्रनाथ त्यागी का साहित्य

(क) हास्य-व्यंग्य संग्रह (मौलिक)

	पुस्तक	प्रकाशक	प्रकाशन-वर्ष
1.	खुली धूप में नाव पर	लोकभारती प्रकाशन, इलाहाबाद	1963
2.	भित्ति-चित्र	राजकमल प्रकाशन, नयी दिल्ली	1966
3.	मल्लिनाथ की परम्परा	लोकभारती प्रकाशन, इलाहाबाद	1968
4.	कृष्णवाहन की कथा	नेशनल पब्लि. हाउस, नयी दिल्ली	1971
5.	देवदार के पेड़	नेशनल पब्लि. हाउस, नयी दिल्ली	1973
6.	शोक-सभा	नेशनल पब्लि. हाउस, नयी दिल्ली	1974
7.	अतिथि-कक्ष	राजपाल एण्ड संस, दिल्ली	1977
8.	सुन्दरकली	सम्भावना प्रकाशन, हापुड़	1978
9.	फूलों वाले कैक्टस	पराग प्रकाशन, दिल्ली	1979
10.	ऋतु-वर्णन	नेशनल पब्लि. हाउस, नयी दिल्ली	1988
11.	भद्र-पुरुष	पराग प्रकाशन, दिल्ली	1980
12.	इस देश के लोग	पराग प्रकाशन, दिल्ली	1982
13.	पदयात्रा	नेशनल पब्लि. हाउस, नयी दिल्ली	1985
14.	पराजित पीढ़ी के नाम	पराग प्रकाशन, दिल्ली	1988
15.	प्रसंगवश	पराग प्रकाशन, दिल्ली	1988
16.	आत्मलेख	नेशनल पब्लि. हाउस, नयी दिल्ली	1988
17.	विष-कन्या	भारतीय ज्ञानपीठ, नयी दिल्ली	1990
18.	गणतन्त्र दिवस की शोभा-यात्रा	नेशनल पब्लि. हाउस, नयी दिल्ली	1991

19. चम्पाकली	किताब घर, नयी दिल्ली	1992
20. इतिहास का शव	राजकमल प्रकाशन, नयी दिल्ली	1993
21. देश-विदेश की कथा	किताब घर, नयी दिल्ली	1994
22. भाद्रपद की साँझ	राजकमल प्रकाशन, नयी दिल्ली	1996
23. लाल पीले फूल	किताब घर, नयी दिल्ली	1997
24. बादलों का गाँव	अभिरुचि प्रकाशन, दिल्ली	1999
25. शेष-अवशेष	भारतीय ज्ञानपीठ, नयी दिल्ली	2011

(ख) हास्य-व्यंग्य संकलन (पूर्व प्रकाशित निबन्धों के संकलन)

1. उर्दू-हिन्दी हास्य-व्यंग्य	पराग प्रकाशन, दिल्ली	1978
	दूसरा संस्करण : राजकमल प्रकाशन, नयी दिल्ली	1991
2. फुटकर	सम्भावना प्रकाशन, हापुड़	1979
3. मेरी श्रेष्ठ व्यंग्य रचनाएँ	नेशनल पब्लि. हाउस, नयी दिल्ली	1979
4. प्रतिनिधि रचनाएँ (सम्पादक : कमल किशोर गोयनका)	पराग प्रकाशन, दिल्ली	1988
5. पूरब खिले पलाश	भारतीय ज्ञानपीठ, नयी दिल्ली	1998
6. कबूतर, कौए और तोते	भारतीय ज्ञानपीठ, नयी दिल्ली	2001
7. एक चिरन्तन कथा	मेधा बुक्स, दिल्ली	2004
8. यक्ष-प्रश्न	मेधा बुक्स, दिल्ली	2005
9. वसन्त से पतझर तक	भारतीय ज्ञानपीठ, नयी दिल्ली	2005
10. सिन्दबाद की अन्तिम यात्रा (सम्पादक : कमल किशोर गोयनका)	प्रभात प्रकाशन, नयी दिल्ली	2008
11. ग़रीब होने के फ़ायदे (सम्पादक : कमल किशोर गोयनका)	प्रभात प्रकाशन, नयी दिल्ली	2008
12. 51 व्यंग्य रचनाएँ (सम्पादक : कमल किशोर गोयनका)	डायमण्ड बुक्स, नयी दिल्ली	2011

(ग) कविता-संग्रह

1.	सूखे और हरे पत्ते	भारती भण्डार, प्रयाग	1962
2.	कल्प-वृक्ष	राजकमल प्रकाशन, नयी दिल्ली	1965
3.	आदिम राग	राधाकृष्ण प्रकाशन, नयी दिल्ली	1967
4.	आख़िरकार	नेशनल पब्लि. हाउस, नयी दिल्ली	1978
5.	सलीब से नाव तक	पराग प्रकाशन, दिल्ली	1983
6.	अन्तिम वसन्त	पराग प्रकाशन, दिल्ली	1988
7.	कृष्ण-पक्ष की पूर्णिमा	किताब घर, नयी दिल्ली	1996

(घ) कविता-संकलन (पूर्व प्रकाशित कविताओं का संकलन)

1.	पीले पाल वाली बूढ़ी नाव (श्रेष्ठ कविताएँ)	मेधा बुक्स, दिल्ली	2003

(ङ) उपन्यास-कहानी

1.	अपूर्ण कथा	सम्भावना प्रकाशन, हापुड़	1980
2.	अपूर्ण कथा (पेपरबैक)	राजपाल एण्ड संस, दिल्ली	1985

(च) पत्र-संग्रह

1.	मेघदूत उवाच	गीतांजलि प्रकाशन, देहरादून	2008

(छ) बाल-साहित्य

1.	मास्टर भोलाराम	पराग प्रकाशन, दिल्ली	1979
2.	हमारे मास्टर साहब	जनप्रिय प्रकाशन, दिल्ली	1987
3.	खेल गाँव	अभिरुचि प्रकाशन, दिल्ली	1991
4.	सुन्दर वन	अभिरुचि प्रकाशन, दिल्ली	1995

(ई) अप्रकाशित-असंकलित रचनाएँ

रवीन्द्रनाथ त्यागी के दिवंगत होने के बाद उनकी पत्नी श्रीमती शारदा त्यागी को

निम्नलिखित ऐसी रचनाएँ मिलीं जो अप्रकाशित एवं असंकलित थीं। ये रचनाएँ निम्नलिखित हैं–

1. आठ कविताएँ : झंडे के प्रति, पनघट, कवि से...., शाम हो गयी..., बेला, मेरा देश और साँझ।
   शारदाजी के अनुसार इनका रचना-काल 1948-52 के बीच का है। इनमें कुछ 'सरस्वती' (प्रयाग) पत्रिका में छपी थीं। उनकी एक पाँच पंक्ति की कविता उनकी डायरी में मिली, वह भी प्रस्तुत है। यह सम्भवतः उनकी अन्तिम कविता है।
2. उनके तीन असंकलित लेख भी संकलित हैं। पहला लेख तो उन्होंने मुझ पर लिखा था, दूसरा 'कुछ व्यंग्य संस्मरण' उन्होंने देहावसान के दिन ही 'उमर उजाला' को प्रकाशनार्थ भेजा था, जो उनके देहान्त के तीन दिन बाद श्रद्धांजलि के रूप में 'अमर उजाला' ने प्रकाशित किया। तीसरा लेख 'नयी पीढ़ी' फ़ाइल में दबा रखा था जो 'इण्डिया टुडे' ने उनकी पहली पुण्य-तिथि को प्रकाशित किया था।

आठ कविताएँ

(1) झंडे के प्रति

जय भारत के प्राण तिरंगे,

बिखर रही थी भारत सुषमा
सदियों से था कितना जर्जर
रही नीरसा धरा उर्वरा
रोता सा रहता था पतझर
सूने से उस ही उपवन में
मचवादी पिकतांन तिरंगे!
जय भारत के प्राण तिरंगे।

स्वतन्त्रता की बलिवेदी पर
प्राणों से था खेल निरन्तर
आज सत्य हैं जिनके सपने
अमर हुए जाने वे कितने
भगत सिंह जैसे अनेक उन
वीरों के अभिमान तिरंगे।

जय भारत के प्राण तिरंगे।

जहाँ रही कल सन्ध्या काली
खिली चाँदनी है उजियाली।
वर्षों से अभिशप्त पुनीता,
पुष्प धरा पर है हरियाली
लूटी हुई भारतमाता के
हो सुहाग की शान तिरंगे।
जय भारत के प्राण तिरंगे।

(2) पनघट

ग्राम अलका अप्सराएँ
पनघट पर नीर भरे।

सुन्दर सजीले अंग,—
अचल हिले, खुले पंख,
वस्त्र कसे, कसे व्यंग
अधर रस बूँद झरे!

अंचल हिलाता मरुत्,
धीरे धीरे बजे नूपुर,
उर उर में मधुर मधुर,
अंग में उमंग भरे!

मधुर हास स्नेह सने,
खींच वारि कर थमे,
घूँघट तूणीर, तने—
नयनों के वाण चले!

आर्द्र-द्रुम छाया सघन,
नभ नील - उज्ज्वल घन,
हँसती सी मलयज पवन,
पुष्पों के पंख हिले!

उच्च नील शैल झलक
देता; था घट में छलक
होती फिर हास किलक
काम कल चाप धर!

विहँस उड़ी विहग वधू—
नीड़, चली ग्राम वधू,
प्राणों की वीणा में
जीवन का राग भरे!

(3) कवि से...

ओ शब्दों के चित्रकार तुम,
मृत वर्णों में भर देते हो
अपने प्राणों के जीवित कण!

जीवन की इस मौन डगर पर
तुम काँटों की कुंचित छाया
में भी जाने सुलग रहे हो—
कैसे अपनी कोमल काया!

सोये स्वर में प्राण जगा कर,
शुष्क शब्द से गान बना कर,
तुम जाने कैसे ले आते,
शापों से वरदान बना कर!

तुम जाने कैसे भर देते
स्वप्नों से जीवन का प्याला!
तुम कैसे मूर्च्छित कर देते
जीवित भावों से यह अन्तर!

कैसे जाने देव तुम्हारी
पीड़ा हो जाती है हाला
कैसे जाने सज जाती रे
अनजाने भावों की माला!

तुमने जीवन के क्रन्दन को
मधुर स्वरों के पात्रों में भर
पिला दिया रे अनायास ही
कैसे तुमने अपना अन्तर?

तुमने वर्णों की रेखा में
बाँध दिया सन्ध्या प्रभात को
तुमने पद लय के बन्धन में
बाँध दिया नश्वर जीवन को!

देव, तुम्हारे कल्पित जग की
अजर अमर सुन्दर कुटिया में
मैं भी आकर देख सकूँगा
क्या वे सारे संचित सपने?

(4) शाम हो गयी...

शाम हो गयी,
छिप गये पेड़,
जंगल से लौट आये
बैल, बकरी, भेड़!
पीपल पर लाल लाल
परियाँ रहीं नहीं,
दूर उधर वन में ही
छिप गयीं कहीं!

शब्द एक आता था
किसी के गाने का,
बन्द हो गया; दीप
मन्दिर पर जल गया,
पोखरों से होकर के
घेरों के पास तक
अँधेरा बढ़ आया
चुपके लपक!

डगरों से धूल भरे
बच्चे गये,
क़स्बे के व्यापारी
वापस गये,
पेड़ों के डैनों में
पंछी सोये,
तारों की छाया में
पेड़ सो गये!

सरिता के आसपास
तीर सो गया,
रात की उन बातों में
तम खो गया,
अधरों के बिस्तर पर
गान सो गये।

(5) बेला

आधी रात, जगे तुम बेला,
किसको देख रहे हो पथ पर?
सोया तम भी, सोया नभ भी
और सो गयी वह श्रान्त डगर!
ओ, कवि से तुम भी खिलते हो
गाते शैशव सा मृदु गाना।
सो जाता संसार सभी जब
एकाकी केवल मनमाना।
कौन खिला जाता है जाने
आकर तुमको धीर-धीरे;
नीरव तम में मधुर मौन वह
पंखुरियों पर मृदु स्पर्श दे!
तुम फूलों के राजा, वह भी
होगी रे परियों की रानी।
सबसे छिपकर आ जाती जो
तुम्हें सुनाने प्रेम कहानी।
तुमने यामा के विषाद में
ढूँढ़ा कैसे अमर हास रे?
तुमने कैसे जान लिया प्रिय,
आधी ठीक हुई रात रे?
बोलो, मेरे प्रिय बेला तुम,
मुझे सिखा दी खिलते रहना;
यामा के नीरव विषाद में भी
वृन्तों पर हँसते रहना।
आधी रात हो गयी बेला,
मैं जाता हूँ; तुम हो योगी!

प्रिय-माला-हित लेने कोई
जगी रात भर, आती होगी!

(6) मेरा देश

मेरा देश
मेरा देश
मेरा देश

नदियों का देश
कवियों का देश
छवियों का देश

यह देश—
कि वन-वन गाती-फिरती परियों का

खेतों का देश
गीतों का देश
दीपों का देश

यह देश—
कि शत-शत ऋतुओं का—उन रंगों का

पर्वत का देश
झीलों का देश
सागर का देश

यह देश—
पाल बर्फ़ के : माँझी के सन्देशों का

मेघों का देश
हंसों का देश
कमलों का देश

यह देश—
कि रंग-बिरंगे पंखों उड़ते पाखी का

सोने का देश
चाँदी का देश
मिट्टी का देश

यह देश—
कि लम्बे-लम्बे दिन औ गहरी रातों का

गीता का देश
अयोध्या का देश
मुग़लों का देश
यह देश–
राम, कृष्ण औ गाँधी, बुद्ध, जवाहर का
सन्तों का देश
महन्तों का देश
तीर्थों का देश
यह देश–
मन्दिर, मस्जिद, और शिवाले, गिरजे का
यौवन का देश
जीवन का देश
चिरन्तन देश
यह देश–
आशाओं का, विश्वासों का, आदर्शों का
मेरा देश
मेरा देश
मेरा देश
यह देश–
कि नाम एक बस केवल मेरे प्राणों का

(7) साँझ

धीरे-धीरे साँझ हो गयी!
अब बेला के फूल हिल गये,
नभ में कितने दीप जल गये,
मन में जगा भाव वह नये,
जग भर को मृदु-स्वप्न दे गयी!
ग्राम-डगर पर खिसका अंचल,
स्वर्ण विहग ले सोता पीपल,
उठ जल से यह रेखा चंचल
अभी-अभी नभ में खो गयी।
उधर सो गया धीरे, सविता

नभ में फैला कोमल कविता
जो बिखरे बादल की सन्ध्या
नीरव पग धर मुझे दे गयी!

(8) अन्तिम अप्रकाशित कविता

जो करता हो प्रतीक्षा पावस की
जिसके गीत से उगते हों बादल
जिसके कण्ठ से निकलता हो वसन्त
ऐसा रूपवान शव क्या
आपने कहीं देखा है?

तीन लेख

(1) कमल किशोर गोयनका : एक निश्छल व परिश्रमी प्राण

कुछ लोग ऐसे होते हैं कि आप उन्हें कतई नहीं जानते पर पहिली ही मुलाक़ात में कुछ ऐसा लगता है कि हम दोनों न जाने एक-दूसरे को कितने वर्षों से जानते हैं। डॉ. गोयनका इसी प्रकार के व्यक्ति हैं। मैं उनसे देहरादून में कोई सात वर्ष पहिले पहिली बार मिला था और उस एक भेंट में ही मैं उनका मुरीद हो गया, उनका भक्त हो गया। इतना सरल, निष्कपट, सात्विक और स्नेही बन्धु पाकर मैं वास्तव में भगवान के प्रति हृदय से आभारी हूँ। इस 'दुर्घटना' के बाद वे मेरे यहाँ जम्मू आये और मेरी 'प्रतिनिधि रचनाओं' के सम्पादन के सम्बन्ध में कोई सप्ताह भर रुके। तब मैंने उनका समीक्षक व शोधकर्म वाला व्यक्तित्व देखा, जो मेरे लिए पहला अनुभव था। वे इतने 'सिस्टैमैटिक' हैं, इतने परिश्रमी हैं और इतने पारखी हैं कि बड़े से बड़े प्रोजेक्ट को भी वे कम समय में समाप्त कर सकते हैं। उनके पास बैठ कर लगता है कि रामचन्द्र शुक्ल, हज़ारी प्रसाद द्विवेदी व बाबू श्यामसुन्दर दास किस प्रकार के व्यक्ति रहे होंगे। मैं अतिशयोक्ति कर रहा हूँ पर ज़्यादा नहीं।

डॉ. गोयनका ने मुंशी प्रेमचन्द पर काम किया और बड़ी निष्ठा व लगन के साथ किया। 'प्रेमचन्द विश्वकोश' एक ऐसा विशद ग्रन्थ है कि उसके कारण गोयनका जी की प्रसिद्धि देश में ही नहीं वरन् विदेशों में भी हुई। उन्हें कई पुरस्कार भी मिले। उन्होंने प्रेमचन्द की ऐसी रचनाओं को भी ढूँढ़ा जिनका किसी को पता भी नहीं था। प्रेमचन्द के जीवन के ऐसे प्रसंगों और घटनाओं का विवरण भी तैयार

किया जिन्हें कोई नहीं जानता था। हालाँकि इन प्रसंगों में कुछ ऐसे पहलू भी आये जिन्हें प्रेमचन्द के 'अन्ध-भक्तों' ने पसन्द नहीं किया। बात यह है कि तुलसीदास की भाँति प्रेमचन्द भी करोड़ों पाठकों के लिए मात्र लेखक ही नहीं हैं वरन् उनके परिवार के सदस्य हैं, उनके अपने हैं। ऐसे लोग ऐसी कोई बात नहीं जानना चाहते जो उस चित्र पर नया प्रकाश डाले जिसे वे वर्षों से अपने हृदय पर अंकित किये हुए हैं। मैं ख़ुद इन अन्ध-भक्तों में से एक हूँ। मगर इस सब से गोयनका जी के शोध-कार्य पर कोई अन्तर नहीं पड़ता।

प्रेमचन्द पर किये गये काम से जैसे ही कुछ अवकाश मिला, वैसे ही वे उन चर्चित साहित्यकारों की प्रतिनिधि रचनाओं के संकलन में लग गये, जिन्होंने एक से ज़्यादा विधाओं में काम किया था। यह काम उन्होंने उसी निष्पक्षता, कुशलता और लगन के साथ किया जो उन्होंने प्रेमचन्द के सन्दर्भ में दिखाई थी। वे एक ऐसे समीक्षक हैं जो भावुक तो हैं पर निष्पक्ष भी हैं, स्नेही तो हैं पर स्पष्ट वक्ता भी हैं, प्रशंसक तो हैं पर कमियों पर प्रकाश डाले बिना रह नहीं पाते।

गोयनका जी की निश्छलता कभी-कभी ऐसे कमाल दिखाती है कि आप परेशानी में पड़ सकते हैं। उन्होंने मेरी एक अच्छी-ख़ासी किताब एक ऐसे प्रकाशक को दिलवा दी कि उसने मुझे अभी तक एक पैसा भी रॉयल्टी के रूप में नहीं दिया। यदि मेरा यह नुक़सान न हुआ होता तो मैं उनकी और ज़्यादा प्रशंसा करता।

(11 फ़रवरी, 1989)

(2) कुछ व्यंग्य-संस्मरण

मेरी शादी जून 1955 में हुई। उस समय मेरी आयु 25 वर्ष की थी और पत्नी की आयु 16 वर्ष की थी। उसी वर्ष, मैं केन्द्रीय सरकार की एक बड़ी नौकरी के लिए चुन लिया गया। दफ़्तर जाने पर मैंने साइकिल ख़रीदने के लिए एडवांस की अर्ज़ी दी जो अस्वीकृत कर दी गयी, क्योंकि मैं प्रथम श्रेणी का अधिकारी था और मुझे मोटर ख़रीदने का एडवांस तो मिल सकता था, पर साइकिल का नहीं। एक मित्र अधिकारी ने मुझे दस रुपये प्रति माह के किराये पर एक नयी साइकिल दिलवा दी। कोई डेढ़ वर्ष बाद मैंने अपनी साइकिल ख़रीदी, जिसकी क़ीमत डेढ़ सौ रुपया थी। साइकिल शानदार थी; उसमें घण्टी थी, चेन कवर था, स्टैण्ड था, आगे की तरफ़ बेंत की टोकरी थी और पिछली तरफ़ सामान रखने का क्लिप था। मैंने कोई बारह वर्ष बाद नयी मोटर ख़रीदी, जिसकी सारी क़ीमत साढ़े अठारह हज़ार थी। पत्नी गोरी थी और इसी कारण मोटर मैंने काले रंग की ली। अब तक वही मोटर है और वही पत्नी है। मोटर ख़रीदने के बाद मैंने अपनी साइकिल सौ रुपयों में बेच दी। अब तो हालत यह है कि मेरे निजी परिवार में छह मोटर

हैं जिनमें मेरी मोटर सबसे पुरानी है। मोटर उतनी ही चमकती है जितनी कि वह सैंतीस वर्ष पहले चमकती थी। चार दुर्घटनाएँ हो चुकी हैं, जिनमें एक दुर्घटना भयंकर थी और मेरी जान कैसे बच गयी, यह मैं ख़ुद नहीं जानता। यह दुर्घटना मेरी अपनी लापरवाही के कारण हुई थी।

मुन्नीलाल ने मुझे मोटर चलाना सिखाया। वह मेरे ही दफ़्तर में चतुर्थ श्रेणी का कर्मचारी था। उसके साथ मेरा परिवार सारनाथ, वाराणसी, कौशाम्बी, चित्रकूट, चुनार, मिर्ज़ापुर, विन्ध्याचल, लोअर खज़ूरी डाम, अपर खज़ूरी डाम, चचई फ़ाल, टाँडा फ़ाल, विंढम फ़ाल, रीवाँ, गोविन्द गढ़, कानपुर व लखनऊ गये। मुन्नीलाल शराब बहुत पीता था और इसी कारण वह तीस-पैंतीस वर्ष की आयु में ही मर गया। कौशाम्बी में कभी राजा उदयन राज करते थे और उनकी चर्चा कालिदास ने 'मेघदूत' में की।

1950 में जब मैं इलाहाबाद युनिवर्सिटी गया तो मैंने देखा कि लगभग सारे बड़े प्रोफ़ेसर या तो रिक्शे से चलते थे या फिर साइकिल चलाते थे। कुछ बड़े लोग (जैसे डॉ. ईश्वरीप्रसाद और रघुपतिसहाय 'फ़िराक़') युनिवर्सिटी पैदल ही आते थे, क्योंकि उनके बँगले युनिवर्सिटी के पास ही थे। हिन्दी-विभाग में केवल डॉ. रामकुमार वर्मा ही एक ऐसे अध्यापक थे जो मोटर रखते थे। बाद में चलकर डॉ. धर्मवीर भारती ने एक ऐसी फटीचर मोटर ख़रीदी थी जिसके भोंपू को छोड़कर, सारे पुर्ज़े आवाज़ निकालते थे। भोंपू की ज़रूरत कभी नहीं पड़ती थी, क्योंकि उनकी मोटर की आवाज़ इतनी बुलन्द थी कि वह दूर तक पहुँचती थी। उनकी उस मोटर को स्टार्ट करने के लिए क़रीब छह विद्यार्थी धक्का लगाते थे। कभी-कभी वह मोटर एकदम चल पड़ती थी और पीछे से धक्का लगाने वाले छात्र धराशायी हो जाते थे, जबकि उनकी वह शानदार मोटर प्रायः रोज़ ही काफ़ी धक्के लगाने के बाद ही गतिशील हो पाती थी। कॉमर्स विभाग के प्रोफ़ेसर घोष और अँग्रेज़ी विभाग के प्रोफ़ेसर सतीशचन्द्र देव ताँगे में बैठकर युनिवर्सिटी आते थे, जबकि अर्थशास्त्र के प्रोफ़ेसर रुद्रा साइकिल से ही युनिवर्सिटी आते थे। प्रोफ़ेसर देव एक दिलचस्प आदमी थे। उनके बारे में बच्चन ने लिखा है—

प्रोफ़ेसर देव थे गोलमटोल
मानो विश्व-ज्ञान के ढोल,
विनम्रता के थे अवतार
और विनम्रतर बन जाने में
उन्हें नहीं लगती थी बार,
कर सकते थे वे हाफ़िज़ का
सेनोलूल का, हलवे का
एक साँस में शंखोच्चार।

(3) नयी पीढ़ी

मैं एक निम्न मध्यवर्गीय परिवार में पैदा हुआ, जो मेरे पिता की घोर अकर्मण्यता के कारण भयंकर ग़रीब था। मेरी प्रारम्भिक शिक्षा संस्कृत में हुई। किसी तरह मैं अपने क़स्बे के हाई स्कूल में भर्ती हुआ जिसका सारा श्रेय एक परम दयालु हैडमास्टर को जाता है, जिन्होंने मेरी फीस माफ करवाई और कोर्स की किताबें स्कूल की लाइब्रेरी से दिलवाईं। मैं क्लास में हमेशा प्रथम आता था और इसी कारण मुझे छात्रवृत्ति हमेशा मिलती थी। ट्यूशन करके सौ रुपये जमा किये और उन्हीं के बल पर मैं प्रयाग विश्वविद्यालय गया और वहाँ से एम.ए. की परीक्षा में टॉप करके लौटा। वहाँ भी मैंने पाँच रुपये मासिक की नौकरी की, छात्रवृत्ति पायी, प्रूफ़ पढ़े, डिस्पैच का काम किया और सुन्दर व अमीर लड़कियों के ट्यूशन भी किये। प्रयाग उन दिनों साहित्य का गढ़ था और पन्त, निराला, महादेवी वर्मा, फ़िराक़ और बच्चन वहीं रहते थे। अगर मैं प्रयाग न जाता तो साहित्यकार कभी नहीं बनता। प्रयाग में ही मैंने देश की सर्वोच्च सिविल सर्विसेज़ की प्रतियोगिता-परीक्षा पास की और 'इण्डियन डिफेंस एकाउण्ट्स सर्विस' के लिए चुन लिया गया। मैं रातों-रात एक बड़ा आदमी बन गया। नौकरी के सात वर्ष मैंने विभिन्न महत्त्वपूर्ण पदों पर केन्द्रीय सचिवालय में गुज़ारे। जब चौधरी बंसीलाल रक्षा मन्त्री बने, तो उन्होंने पहला ख़ास काम यह किया कि बिना किसी ठोस कारण के मुझे मुअत्तिल कर दिया। मैं उन दिनों रक्षा-मन्त्रालय में उपसचिव था। मुअत्तिली का ग़लत ऑर्डर उन्हें पिछली तारीख़ से वापस लेना पड़ा। कुछ परेशानियों को छोड़कर, मेरा सारा सेवा-काल शान्ति से गुज़रा। मैं बहुत भाग्यशाली था। यदि मैं इन दिनों 'भारतीय प्रशासन सेवा' या 'भारतीय पुलिस सेवा' में होता तो कुमारी मायावती, श्रीमती राबड़ी देवी या कुमारी जयललिता द्वारा, पता नहीं कब और कहाँ फेंक दिया गया होता। कुमारी मायावती की माया अनन्त है। यह कुमारी तो जब भी चाहे तभी चीफ़ सेक्रेटरी या डाइरेक्टर जनरल (पुलिस) को मुअत्तिल कर दें या उनका ट्रांसफर कन्याकुमारी को कर दें, हालाँकि कन्याकुमारी इनके राज्य के बाहर है। हरि अनन्त, हरि कथा अनन्ता...।

मैं तो फ़िलहाल देहरादून जैसे रमणीक और महत्त्वपूर्ण नगर में एक बड़े बँगले में रहता हूँ जिसमें (रोमन क़ानून के विधाता सिसरो के कथनानुसार) लाइब्रेरी व उपवन दोनों हैं। घूमना, लिखना, पढ़ना और निद्रा लाभ—इनको छोड़कर और कोई काम नहीं करता। डिप्रेशन, डायबिटीज और रिश्वत न लेने के दुःख ज़रूर सालते हैं, पर इस असार संसार में ऐसा कौन है जो पूर्णतया सुखी हो? नानक दुखिया सब संसार। मगर असली बात यह है कि इतना सब कुछ पाने के बाद भी मेरी नीयत नहीं बदली। कुली तभी करता हूँ जबकि, सामान रेल में रखने के लिए, वैसा करना अनिवार्य हो और कुली कर भी लिया तो उससे मज़दूरी देने पर जो बहस चलती है,

वह तभी ख़त्म होती है जबकि रेल चलने लगती है। प्रतिदिन पाँच सिगरेट पीता हूँ, और प्रत्येक सिगरेट की क़ीमत चालीस पैसे होती है। जूते खुद पालिश करता हूँ, किताबों की जिल्दें खुद बाँधता हूँ और अपनी हजामत खुद ही बनाता हूँ। कपड़ों को तब तक पहनता हूँ जब तक वे इतने न फट जायें कि मेरे गुप्तांग ही दिखने लगें। मैं एक गंजा व्यक्ति हूँ और जो थोड़े से बाल हैं, वे सिर के पिछले हिस्से पर ही हैं। इन बालों को प्रायः मैं पत्नी से कटवा लेता हूँ या खुद ही काट लेता हूँ। श्री महावीर त्यागी और श्री मुरारजी देसाई भी ऐसा ही करते थे। कार वही है जो पैंतीस वर्ष पहले ख़रीदी थी। उन दिनों नयी फिएट कार मात्र अठारह हज़ार में मिली थी और पेट्रोल का दाम निन्यान्वे पैसे प्रति लीटर था। गाड़ी ख़रीदने के लिए मैंने बारह हज़ार का कर्ज़ा तो सरकार से लिया और बाक़ी पैसा पुत्र के मुंडन-संस्कार के नाम पर अपने प्रोविडेण्ट फण्ड से निकाला। टेलीविज़न 'ब्लैक एण्ड ह्वाइट' ही रहा, रंगीन नहीं। पत्नी भी वही है जिसे मैंने लगभग अड़तालीस वर्ष पहले प्राप्त किया था। सभी चीज़ें आज भी लगभग उतनी ही नयी हैं जितनी कि वे प्राप्ति के समय थीं। मैं अब भी उतना ही दक़ियानूसी और किफ़ायती हूँ, जितना पचास वर्ष पहले था। सादा जीवन व सादे विचार। मगर नयी पीढ़ी ने मुझ पर जो हमला बोला है, उसका अन्त नज़र नहीं आता।

मेरा पुत्र एक अमेरिकन मल्टीनेशनल में ऊँचे पद पर है। उसका सही वेतन तो मैं नहीं जानता, मगर इतना ज़रूर जानता हूँ कि उसको जो वेतन, बोनस व अतिरिक्त सुविधाएँ मिलती हैं, उन पर उसे साढ़े बाईस लाख आय कर प्रत्येक वर्ष देना पड़ता है। उसकी सुन्दर पत्नी भी केन्द्रीय सरकार के टेलीफ़ोन विभाग में एक बहुत ऊँचे पद पर है। दोनों की अपनी अलग गाड़ियाँ हैं और दोनों ने विश्व के लगभग सभी देशों का दौरा किया है। दोनों इतने व्यस्त हैं कि उनके दो बच्चे आया पालती है। दो ड्राइवर हैं, एक कम्पनी का दिया पहरेदार है और बाक़ी घरेलू नौकर अलग हैं। सब कुछ है, पर बच्चों को कहानियाँ सुनाने का समय उनके पास नहीं है। मेरी पुत्री और दामाद बिहार के एक मुफ़स्सिल नगर में एक शानदार कान्वेंट चलाते हैं और इतने ठाठ से रहते हैं कि दामाद जो है वह लगभग एक हज़ार रुपयों की तो टाई ही लगाता है। कान्वेंट में छुट्टी होते ही अपनी-अपनी गाड़ियों में अपनी सुन्दर बच्ची के साथ वे दोनों भारत-दर्शन को निकल पड़ते हैं। उन्होंने सारे दर्शनीय स्थान देखे हैं और अपनी मोटरों के सहारे ही देखे हैं। इन दर्शनीय स्थानों में देहरादून भी शामिल है जहाँ वर्ष में एक या दो बार वे ज़रूर आते हैं। वे पाँच सितारों वाले होटलों में ठहरते हैं और वहाँ के बैरों को इतना 'टिप' देते हैं कि मुझे किसी बड़े होटल के बैरा बनने की इच्छा सालने लगती है। महाकवि मिल्टन की यह पंक्ति याद आने लगती है जिसमें उसने कहा है कि 'दे आलसो सर्व, हू स्टैण्ड एण्ड वेट'। दोनों बच्चे फ़िज़ूलख़र्च होने के साथ-साथ दयालु भी बहुत हैं। कुली, मज़दूर व भिखारी

तबके के लोगों को वे खुले हाथ देते हैं। यो न ददाति न भुक्ते, तस्य तृतीया गतिः भवति (भर्तृहरि)।

मेरे दोनों बच्चे जब भी आते हैं तभी उन्हें मेरे रहन-सहन में खामियाँ-ही-खामियाँ नज़र आती हैं। पिछले कुछ वर्षों में उन दोनों ने मेरे मकान में कपड़े धोने की मशीन, मकान के सारे पर्दे, क़ीमती किताबें, दो कूलर, एक एयर-कण्डीशनर, एक कॉर्ड-लैस, दो रंगीन टेलीविज़न, एक वीडियो, एक मोबाइल टेलीफ़ोन, एक इन्वर्टर और विदेशों से लायी विभिन्न वस्तुएँ इस प्रकार लगायी हैं, मेरा मकान एक अजायबघर लगता है जिसका कि मैं चपरासी लगता हूँ। अपने ही घर में अब मैं प्रवासी हो गया। (वह अपने घर में प्रवासिनी—पन्त) मेरा पुत्र और मेरा दामाद मेरी सुविधा के लिए एक-एक मोटर यहाँ भी छोड़ना चाहते हैं। अगर ऐसा हो गया तो मेरा घर एक गराज़ लगेगा और आयकर विभाग की एक टीम मेरे घर की तलाशी लेगी। पता नहीं कि मैं उन्हें कैसे सन्तुष्ट करूँगा कि छापे में डेढ़ लाख की अतिरिक्त सम्पत्ति जो मिली है, वह कहाँ से आयी और कब आयी। उन्होंने एक ड्राइवर भी लगा दिया है और मेरे जूतों की पालिश व हजामत बनाने का काम उस व्यक्ति को सौंप दिया है जो अब तक सिर्फ़ मेरा माली ही था। यह व्यक्ति एक कलाकार है जिसके लिखे और गाये हुए पहाड़ी गीत उत्तरांचल के रेडियो पर प्रसारित होते हैं। मैं हजामत बनवाते समय उसकी कला को किसी तरह दबाये रहता हूँ, ताकि मेरा गला सुरक्षित रहे।

आज सारे बच्चे हमें 'हाय' कहकर किसी बड़े होटल में खाना खाने गये हैं। मैं और मेरी निजी और एकमात्र पत्नी बरामदे में चाय पी रहे हैं और वर्षा का आनन्द ले रहे हैं। मैं सिगरेट सुलगाता हूँ और अपने प्रियतम कवि अकबर इलाहाबादी का एक शेर याद करता हूँ :

हम ऐसी सब किताबें क़ाबिले-ज़ब्ती समझते हैं
कि जिनको पढ़कर बच्चे बाप को ख़ब्ती समझते हैं।

(उ) कमल किशोर गोयनका का साहित्य

(क) प्रेमचन्द पर पुस्तकें

1. **प्रेमचन्द के उपन्यासों का शिल्प-विधान** : सरस्वती प्रेस, 2/43, अंसारी रोड, दरियागंज, नयी दिल्ली-110002, प्र.सं. 1974, मूल्य : 50.00 रुपये
2. **प्रेमचन्द : कुछ संस्मरण** : सरस्वती विहार, जी.टी. रोड, शाहदरा, दिल्ली, प्र.सं. 1980, मूल्य : 25.00 रुपये
3. **प्रेमचन्द (पाकेट बुक)** : हिन्द पॉकेट बुक्स प्रा.लि., जी.टी. रोड, शाहदरा, दिल्ली, प्र.सं. 1980, मूल्य : 10.00 रुपये
4. **प्रेमचन्द और शतरंज के खिलाड़ी** : पूर्वोदय प्रकाशन, 7/8, दरियागंज,

नयी दिल्ली-110002, प्र.सं. 1980, मूल्य 45.00 रुपये

5. **प्रेमचन्द : अध्ययन की नयी दिशाएँ** : साहित्य-निधि, सी-38, ईस्ट कृष्णा नगर, दिल्ली, प्र.सं. 1981, मूल्य : 50.00 रुपये
6. **रंगभूमि : नये आयाम** : नचिकेता प्रकाशन, 9187/4, मुल्तानी ढांडा, पहाड़गंज, नयी दिल्ली-110055, प्र.सं. 1981, मूल्य : 50.00 रुपये
7. **प्रेमचन्द-विश्वकोश (खण्ड एक एवं दो)** : प्रभात प्रकाशन, 205, चावड़ी बाज़ार, दिल्ली-110006, प्र.सं. 1981, मूल्य : 300.00 रुपये
8. **प्रेमचन्द–चित्रात्मक जीवनी** : पीताम्बर पब्लिशिंग कम्पनी प्रा.लि., 888, ईस्ट पार्क रोड, करोलबाग, नयी दिल्ली-110005, प्र.सं. 1986, मूल्य : 75.00 रुपये
9. **प्रेमचन्द का अप्राप्य साहित्य (खण्ड एक एवं दो)** : वाणी प्रकाशन, 21-ए, दरियागंज, नयी दिल्ली-110002, प्रथम संस्करण, 2016, मूल्य : प्रत्येक खण्ड 2000.00 रुपये
10. **प्रेमचन्द की हिन्दी-उर्दू कहानियाँ** : भारतीय ज्ञानपीठ, 18, इंस्टिट्यूशनल एरिया, लोदी रोड, नयी दिल्ली-110003, प्र.सं. 1990, मूल्य : 130.00 रुपये
11. **प्रेमचन्द-रचना संकलन** : साहित्य अकादेमी, 35, फ़िरोजशाह मार्ग, नयी दिल्ली-110001, प्र.सं. 1994, मूल्य : 300.00 रुपये
12. **प्रेमचन्द–देश-प्रेम की कहानियाँ** : निर्मल पब्लिकेशन्स, ए-139, कबीर नगर, गली नं.-3, शाहदरा, दिल्ली-110032, प्र.सं. 2002, मूल्य : 400.00 रुपये
13. **प्रेमचन्द के नाम पत्र** : अनिल प्रकाशन, 2619-20, न्यू मार्केट, नयी सड़क, दिल्ली-110006, प्र.सं. 2002, मूल्य : 250.00 रुपये
14. **प्रेमचन्द–बाल साहित्य समग्र** : मेधा बुक्स, एक्स-11, नवीन शाहदरा, दिल्ली- 110032, प्र.सं. 2002, मूल्य : 400.00 रुपये
15. **प्रेमचन्द की अप्राप्य कहानियाँ** : अनिल प्रकाशन, 2619-20, न्यू मार्केट, नयी सड़क, दिल्ली-110006, प्र.सं. 2005, मूल्य : 300.00 रुपये
16. **प्रेमचन्द और 'रगभूमि' उपन्यास** : अनिल प्रकाशन, 2619-20, न्यू मार्केट, नयी सड़क, दिल्ली-110006, प्र.सं. 2004, मूल्य : 200.00 रुपये
17. **प्रेमचन्द–पत्रकोश** : अमित प्रकाशन, के.बी.- 97, कविनगर, ग़ाज़ियाबाद-201002, प्र.सं. 2007, मूल्य : 600.00 रुपये
18. **प्रेमचन्द–नयी पहचान** : (प्रेस में)
19. **प्रेमचन्द : कहानी रचनावली** (6 खण्डों में) : साहित्य अकादेमी, 35, फ़िरोजशाह मार्ग, नयी दिल्ली-110001, 2010, मूल्य : 1500.00 रुपये

(सम्पूर्ण)
20. **प्रेमचन्द : अनछुए प्रसंग** : मानसी पब्लिकेशंस, 1569, पहली मंज़िल, चर्च रोड, कश्मीरी गेट, दिल्ली-110006, प्र.सं. 2012
21. **प्रेमचन्द : वाद-प्रतिवाद-संवाद** : अयन प्रकाशन, महरौली, नयी दिल्ली, प्र. सं. 2012
22. **प्रेमचन्द (मोनोग्राफ)** : साहित्य अकादेमी, 35, फ़िरोजशाह मार्ग, नयी दिल्ली-110001, प्र.सं. 2013, मूल्य : 50 रुपये
23. **प्रेमचन्द : प्रतिनिधि संचयन** : सस्ता साहित्य मण्डल, नयी दिल्ली-110001, प्र.सं. 2013, मूल्य : 350.00 रुपये
24. **'गोदान' प्रथम संस्करण** (प्रेस में)
25. **'कफ़न' कहानी : आत्मा की तलाश** (प्रेस में)
26. **प्रेमचन्द : सम्पूर्ण दलित कहानियाँ** : सस्ता साहित्य मण्डल, नयी दिल्ली-110001, 2014
27. **प्रेमचन्द : राष्ट्र-प्रेम की कहानियाँ** : अनिल प्रकाशन, दिल्ली, 2014
28. **प्रेमचन्द का कहानी-दर्शन** : अनिल प्रकाशन, दिल्ली, 2014

(ख) अन्य साहित्यकारों पर पुस्तकें

1. **प्रभाकर माचवे–प्रतिनिधि रचनाएँ** : साहित्य-निधि, सी-38, ईस्ट कृष्णा नगर, दिल्ली, प्र.सं. 1984, मूल्य : 80.00 रुपये
2. **जगदीश चतुर्वेदी–एक विवादास्पद रचनाकार** : पल्लवी प्रकाशन, ए-35, निर्माण विहार, दिल्ली-110092; प्र.सं. 1985, मूल्य : 200.00 रुपये
3. **मन्मथनाथ गुप्त–प्रतिनिधि कहानियाँ** : जनप्रिय प्रकाशन, 29/60, गली नं. 11, विश्वास नगर, दिल्ली-110032, प्र.सं. 1985, मूल्य : 65.00 रुपये
4. **जिज्ञासाएँ मेरी–समाधान बच्चन के** : किताब घर, 24/4866, अंसारी रोड, दरियागंज, नयी दिल्ली-110002, प्र.सं. 1985, मूल्य : 60.00 रुपये
5. **रवीन्द्रनाथ त्यागी–प्रतिनिधि रचनाएँ** : पराग प्रकाशन, 3/114, कर्ण गली, विश्वास नगर, दिल्ली-110032, प्र.सं. 1987, मूल्य : 100.00 रुपये
6. **हज़ारीप्रसाद द्विवेदी–कुछ संस्मरण** : किताब घर, 24/4866, अंसारी रोड, दरियागंज, नयी दिल्ली-110002, प्र.सं. 1988, मूल्य : 100.00 रुपये
7. **विष्णु प्रभाकर–प्रतिनिधि रचनाएँ** : प्रभात प्रकाशन, 205, चावड़ी बाज़ार, दिल्ली-110006; प्र.सं. 1988, मूल्य : 150.00 रुपये
8. **यशपाल–कुछ संस्मरण** : पराग प्रकाशन, 3/114, कर्ण गली, विश्वास नगर, दिल्ली-110032, प्र.सं. 1990, मूल्य : 80.00 रुपये

9. **रामकुमार वर्मा नाटक रचनावली (तीन खण्डों में) :** किताब घर, 24/4866, अंसारी रोड, दरियागंज, नयी दिल्ली-110002, प्र.सं. 1990, मूल्य : 600.00 रुपये (सम्पूर्ण)
10. **लघुकथा का व्याकरण :** किताब घर, 24/4866, अंसारी रोड, दरियागंज, नयी दिल्ली-110002, प्र.सं. 1998, मूल्य : 200.00 रुपये
11. **दिनेशनंदिनी डालमिया से बातचीत :** हिन्दी बुक सेंटर, 4-5 बी, आसफ अली रोड, नयी दिल्ली-110002, प्र.सं. 2002, मूल्य : 160.00 रुपये
12. **मंजुल भगत–समग्र कथा-साहित्य (खण्ड एक एवं दो) :** किताब घर, 24/4866, अंसारी रोड, दरियागंज, नयी दिल्ली-110002, प्र.सं. 2004, मूल्य : 900.00 रुपये (सम्पूर्ण)
13. **ग़रीब होने के फ़ायदे एवं अन्य व्यंग्य रचनाएँ (रवीन्द्रनाथ त्यागी की व्यंग्य-रचनाओं का संकलन) :** प्रभात प्रकाशन, 4/19, आसफ अली रोड, नयी दिल्ली-110002, प्र.सं. 2008, मूल्य : 300.00 रुपये
14. **आपातकाल की प्रतिनिधि कविताएँ :** धारिका पब्लिकेशंस, 319, आर.जी. कॉम्प्लेक्स-1, सेक्टर-14, रोहिणी, दिल्ली-110085, प्र.सं. 2007, मूल्य : 400.00 रुपये
15. **गाँधी : पत्रकारिता के प्रतिमान :** नटराज प्रकाशन, ए-98, अशोक विहार, फेज-प्रथम, दिल्ली-110052, प्र.सं. 2008, मूल्य : 400.00 रुपये
16. **बालशौरि रेड्डी कथा-रचनावली :** मानसी पब्लिकेशंस, 1569, पहली मंज़िल, चर्च रोड, कश्मीरी गेट, दिल्ली-110006, प्र.सं. 2012
17. **रवीन्द्रनाथ त्यागी रचनावली (आठ खण्ड) :** वाणी प्रकाशन, 21-ए, दरियागंज, नयी दिल्ली-110002, प्र.सं. 2016

(ग) हिन्दी के प्रवासी साहित्य पर पुस्तकें

1. **अभिमन्यु अनत–एक बातचीत** : ज्ञान भारती, 4/14, रूपनगर, दिल्ली-110007, प्र.सं. 1985, मूल्य : 45.00 रुपये
2. **अभिमन्यु अनत–प्रतिनिधि रचनाएँ** : नटराज प्रकाशन, ए-98, अशोक विहार, फेज-प्रथम, दिल्ली-110052, प्र.सं. 1999, मूल्य : 350.00 रुपये
3. **मॉरिशस की हिन्दी कहानियाँ :** साहित्य अकादेमी, 35, फ़िरोजशाह मार्ग, नयी दिल्ली-110001, प्र.सं. 2000, मूल्य : 250.00 रुपये
4. **अभिमन्यु अनत : समग्र कविताएँ :** इरावती प्रकाशन, सी-487, विकासपुरी, नयी दिल्ली-110018, प्र.सं. 1998, मूल्य : 350.00 रुपये
5. **मॉरिशस के राष्ट्रकवि ब्रजेन्द्र कुमार भगत 'मधुकर' काव्य-रचनावली :** नटराज प्रकाशन, ए-98, अशोक विहार, फेज-प्रथम, दिल्ली-110052,

प्र.सं. 2003, मूल्य : 600.00 रुपये

6. **हिन्दी का प्रवासी साहित्य :** अमित प्रकाशन, के.बी.-97, कविनगर, ग़ाज़ियाबाद- 201002, प्र.सं. 2011, मूल्य : 600.00 रुपये

(घ) कमल किशोर गोयनका पर प्रकाशित पुस्तकें

1. **'समीचीन' पत्रिका का 'डॉक्टर कमल किशोर गोयनका अंक' :** सम्पादक–देवेश ठाकुर, मुम्बई
2. **प्रेमचन्द-साहित्य के अध्येता–डॉ. कमल किशोर गोयनका :** सम्पादक–देवेश ठाकुर, संकल्प प्रकाशन, ए-34, बिल्वकुंज हाउसिंग सोसाइटी, लालबहादुर शास्त्री मार्ग, मुलुंड (पश्चिमी), मुम्बई-400082, प्र.सं. 1990, मूल्य : 55.00 रुपये
3. **डॉ. कमल किशोर गोयनका का साहित्य-संसार :** निर्मला सैनी, अनिल प्रकाशन, 2619-20, न्यू मार्केट, नयी सड़क, दिल्ली-110006, प्र.सं. 2006, मूल्य: 200.00 रुपये
4. **'कल्पांत', फ़रवरी 2009, कमल किशोर गोयनका विशेषांक :** सम्पादक–मुरारीलाल त्यागी, 1962/151, त्रिनगर, दिल्ली-110035
5. **'समावर्तन', नवम्बर 2009, कमल किशोर गोयनका अंक :** सम्पादक–प्रभात कुमार भट्टाचार्य, 129, दशहरा मैदान, उज्जैन-456010
6. **'अभिनव इमरोज', जुलाई 2013, प्रेमचन्द विशेषांक :** सम्पादक–कमल किशोर गोयनका
7. **'पाण्डुलिपि' प्रवासी विशेषांक, रायपुर :** सम्पादक–कमल किशोर गोयनका, 2013